Manfred Scheuer
Die Evangelischen Räte

Studien zur systematischen und spirituellen Theologie

1

Herausgegeben von
Gisbert Greshake, Medard Kehl
und Werner Löser

Manfred Scheuer

Die Evangelischen Räte

Strukturprinzip systematischer Theologie bei H. U. von Balthasar, K. Rahner, J. B. Metz und in der Theologie der Befreiung

echter

D 25

BX
2386
.S34
1990

CIP-Titelaufnahme der Deutschen Bibliothek

Scheuer, Manfred:
Die evangelischen Räte : Strukturprinzip systematischer Theologie
bei Hans Urs von Balthasar, Karl Rahner, Johann Baptist Metz
und in der Theologie der Befreiung / Manfred Scheuer. –
Würzburg : Echter, 1990
(Studien zur systematischen und spirituellen Theologie ; Bd. 1)
Zugl.: Freiburg (Breisgau), Univ., Diss., 1989
ISBN 3-429-01296-1
NE: GT

© 1990 Echter Verlag Würzburg
Umschlag: Ernst Loew
Druck und Bindung: Echter Würzburg
Fränkische Geselschaftsdruckerei und Verlag GmbH
ISBN 3-429-01296-1

Vorwort

Die vorliegende Arbeit wurde im Sommersemester 1989 von der Theologischen Fakultät der Albert-Ludwigs-Universität, Freiburg i.Br., als Dissertation angenommen.

Mein Dank gilt den Professoren dieser Fakultät, besonders Professor Dr. Gisbert Greshake. Er hat diese Arbeit angeregt und in den Jahren meiner Assistententätigkeit bei ihm mit Engagement und großem Wohlwollen begleitet. Für die Mühe des Korreferats sowie für wertvolle Korrekturen im Hinblick auf die Veröffentlichung danke ich Professor Dr. Helmut Riedlinger. Einen herzlichen Dank möchte ich auch den Herausgebern der »Studien zur systematischen und spirituellen Theologie«, Professor Dr. Gisbert Greshake, Professor Dr. Medard Kehl SJ, Professor Dr. Werner Löser SJ, aussprechen. Sie haben diese Arbeit als ersten Band in ihre neue Reihe aufgenommen. Die Diözese Linz hat mich in Person meines Bischofs Maximilian Aichern OSB für das Studium und die Assistententätigkeit in Freiburg i.Br. großzügig beurlaubt. Kollegen und Mitarbeiter am Arbeitsbereich Dogmatik und Ökumenische Theologie, Dr. Josef Freitag, Frau Maria Smeja, Bernd J. Claret, Sabine Pemsel und Eva-Maria Faber haben mir auf vielfältige Weise geholfen. Herzlich danke ich auch Dr. Ingrid Kitzberger und Andrea Schönhuber für die Fertigstellung des Manuskripts. Schließlich sind mir H. Paulus Manlik O.Praem. und Alfred Gattringer beim Lesen der Korrekturen zur Seite gestanden.

Widmen möchte ich diese Studie der Kommunität des Linzer Priesterseminars.

Linz, Advent 1989 *Manfred Scheuer*

Inhaltsverzeichnis

ERSTER TEIL

Logik der Liebe - Logik der Räte
(Hans Urs von Balthasar)

ZWEITER TEIL

Die Räte als Zeichen und Zeugnis
(Karl Rahner)

DRITTER TEIL

Identität aus Nachfolge
(J. B. Metz)

VIERTER TEIL

Option für die Armen
(Theologie der Befreiung)

XIII

Einleitung

»Die evangelischen Räte der Gott geweihten Keuschheit, der Armut
und des Gehorsams sind, in Wort und Beispiel des Herrn begründet
und von den Aposteln und Vätern wie auch den Lehrern und Hirten
empfohlen, eine göttliche Gabe, welche die Kirche von ihrem Herrn
empfangen hat und in seiner Gnade immer bewahrt.«[1] - Die Kirchenkonstitution des Vat. II beginnt das Kapitel über die Ordensleute wie
selbstverständlich mit den 'evangelischen Räten'. Darin wird vorausgesetzt ist, daß Ordensleben und evangelische Räte untrennbar zusammengehören. Wenn man von Orden spricht, denkt man an die evangelischen Räte und umgekehrt. Die Qualifikation als 'Räte' steht in Differenzierung zu den Geboten. Zudem ist gesagt, daß Keuschheit, Armut
und Gehorsam 'evangelisch', d.h. »in Wort und Beispiel des Herrn begründet« und als solche in der Schrift bezeugt sind. Letztlich geht es - so
das Konzil - bei den evanglischen Räten um »die im Evangelium dar-
gelegte Nachfolge Christi«[2].
Das neutestamentliche Zeugnis[3] zeigt, daß Jesus selbst *arm*[4] ist (Mt
8,20; Lk 8,2f.; 2 Kor 8,9), daß diese Armut ein zentrales Thema seiner

---

[1] LG VI, 43; vgl. dazu die Untersuchung von G. Jelich, Kirchliches Ordensverständnis im
Wandel (EThSt 49), Leipzig 1983, sowie F. Wulf, Dogmatische Konstitution über die
Kirche. Einleitung und Kommentar zu Kap. 5 und 6, in: LThK[2] 12, 284-313.

[2] PC 2a; vgl. dazu auch F. Wulf, Dekret über die zeitgemäße Erneuerung des Ordenslebens. Einleitung und Kommentar, in: LThK[2] 13, 249-307

[3] Zur biblischen Begründung der Räte vgl. W. Beilner, Maßstab Evangelium, Graz-Wien-
Köln 1987; H.D. Betz, Nachfolge und Nachahmung Jesu Christi im Neuen Testament
(BHTh 37) Tübingen 1967; W. Egger, Nachfolge als Weg zum Leben. Chancen neuerer
exegetischer Methoden, dargelegt an Mk 10,17-31 (Österreichische Biblische Studien
Bd. 1) Klosterneuburg 1979; M. Hengel, Nachfolge und Charisma. Eine exegetisch-reli-
gionsgeschichtliche Studie zu Mt 8,2f und Jesu Ruf in die Nachfolge (BZNW 34) Berlin
1968; R. Schnackenburg, Vollkommenheit und Nachfolge Jesu ('Evangelische Räte')
(1959), in: Christliche Existenz nach dem Neuen Testament, München 1967, 147-154;
Ders., Die sittliche Botschaft des Neuen Testaments. Bd. 1: Von Jesus zur Urkirche
(HThK Suppl. I), völlige Neubearbeitung von [1]1962, Freiburg 1986; H. Schürmann, Der
Jüngerkreis Jesu als Zeichen für Israel und als Urbild des kirchlichen Rätestandes, in:
Ders., Ursprung und Gestalt. Erörterungen und Besinnungen zum Neuen Testament,

Verkündigung ist (Mt 5,3; 6,19-24.33; 13,44-46; Lk 6,21) und daß sein Ruf zur Nachfolge ein Ruf in die Armut ist (Mt 19, 16-22; Mk 10,17-31; Lk 18,18-30). Von allen ist die konkret greifbare Hinwendung zu den Armen gefordert (Mt 25, 31-46; Lk 10, 25-37; Jak 2,15f.; 1 Joh 3,17). In den frühchristlichen Gemeinden nannte keiner etwas sein Eigentum, die Gläubigen hatten alles gemeinsam (Apg 2,43-47; 4,32-37). Innerhalb der für alle verbindlichen Armut existieren wohl verschiedene Formen der Konkretion. Diese Differenzierung läßt sich aber im Hinblick auf die Armut nicht durch zwei Stufen der Vollkommenheit - den Weg der Gebote und den Weg des Rates - systematisieren.

Auch der *Gehorsam* ist im Evangelium nicht einfach ein Rat; da Jesus den Willen des Vaters erfüllt (Joh 4,34; 5,30), weil seine Gesinnung die der Entäußerung, der Erniedrigung und des Gehorsams bis zum Kreuz ist (Phil 2,5-11; Hebr 5,8), verlangt der Nachvollzug des Gehorsams Jesu von allen das brüderliche Dienen; alle sind ermahnt, in Selbsterniedrigung und Demut den letzten Platz einzunehmen (Mt 20,20-28; Joh 10,14-18; 13,1-20).

Am ehesten haben *Jungfräulichkeit* und *Ehelosigkeit* den Charakter eines Rates[5]: Christus war ehelos. Diese seine Lebensweise empfiehlt er weiter (Mt 19,12), von einigen fordert er sie aber in der Nachfolge ein (Lk 14,26). Für Paulus sorgt sich der Unverheiratete um die Sache des Herrn, der Verheiratete hingegen um die Dinge der Welt, so ist er geteilt (1 Kor 7,32-34).[6] Deshalb wünscht Paulus, daß alle Menschen (unverheiratet) wie er sind (1 Kor 7,7). Es ist aber kein Gebot vom Herrn, sondern ein Rat, den er in der eschatologischen Situation erteilt (1 Kor 7,25f.). 'Wer heiratet, sündigt nicht' (1 Kor 7,28). 'Es ist besser, nicht zu heiraten' (1 Kor 7,38), aber nicht für jeden (1 Kor 7,9.36). 'So hat jeder seine Gnadengabe von Gott, der eine so, der andere so' (1 Kor 7,7).

So sind Armut, Ehelosigkeit und Gehorsam durch 'Wort und Beispiel' Jesu wie durch das Zeugnis der Schrift begründet. Mit dieser Verankerung kann aber nicht gemeint sein, daß sich die Ordensgelübde in der heutigen Gestalt direkt und unmittelbar aus dem Evangelium ergeben und daß Armut, Ehelosigkeit und Gehorsam quasi identisch wären mit

---

Düsseldorf 1970, 47-60; Ders., Im Knechtsdienst Christi. Priesterliche Lebensform, Freiburg 1985.

[4] Vgl. A. Böckmann, Die Armut in der innerkirchlichen Diskussion heute. Ein Beitrag zu einem Neuverständnis der Ordensarmut (Münsterschwarzacher Studien 25) Münsterschwarzach 1973, 50-126 (Lit.).

[5] Vgl. u.a. L. Legrand, Jungfräulichkeit nach der Heiligen Schrift, Mainz 1966.

[6] Vgl. ausführlich: N.Baumert, Ehelosigkeit und Ehe im Herrn. Eine Neuinterpretation von 1 Kor 7 (fzb 47) Würzburg 1984.

der Nachfolge Jesu. Es gibt im Evangelium mehr Räte, Empfehlungen und Forderungen (z.B. in der Bergpredigt). Zudem ist im Neuen Testament die Vollkommenheit nicht ausdrücklich und exklusiv an *drei* evangelische Räte gebunden. Auch lassen sich Armut, Ehelosigkeit und Gehorsam nicht gleichermaßen unter der Kategorie des Rates subsumieren. Zur Vollkommenheit in der Liebe sind alle berufen (Mt 22,34-40 par). Insofern ist von keinem 'Stand' der (größeren) Vollkommenheit die Rede.

Die evangelischen Räte stehen am Ende einer langen geschichtlichen Entwicklung: diese Genese betrifft die konkrete Trias in ihrer Zusammengehörigkeit, die Dreizahl allgemein sowie die Qualifikation von Armut, Ehelosigkeit und Gehorsam als 'Räte' und als 'status perfectionis'.[7]

In der Väterzeit werden die Räte noch nicht auf die spätere Trias eingeschränkt. Die Trias von Armut, Keuschheit und Gehorsam kristallisiert sich zögernd erst in der Mitte des 12. Jhd. heraus. Zu nennen sind hier eine Profeßformel in der Chorherrenabtei S. Genoveva in Paris (1148), ein Brief von Abt Odo (1166) und die Trinitarierregel von 1198. Ausdrücklich erwähnt und bekräftigt die Regel des Hl. Franziskus[8] die Trias.

Systematisch untermauert ist die Trias durch Thomas von Aquin.[9] Er bringt vor allem eine Synthese, wie die Räte auf dem Weg zur Vollkommenheit einzuordnen sind. Armut, Keuschheit und Gehorsam sind das sicherere, leichtere und vollkommenere Mittel zur Erlangung der Vollkommenheit in der Liebe. Doch zugleich schreibt er allen Christen die Möglichkeit zu, die Vollkommenheit im eigenen Stand zu erreichen. Diese systematische Synthese des Thomas hat entscheidend dazu beigetragen, daß die Trias der Räte zu einem Synonym für das Ordensleben insgesamt werden konnte. Offiziell eingegangen ist die Trias in die Texte des Konzils von Vienne (1311-1323).[10] Exklusiv verbindlich für das Ordensleben sind die drei Räte nie geworden: In der Regel des Benedikt stehen 'stabilitas', 'conversio morum' und der Gehorsam als

---

[7] Für diese Genese verweisen wir auf L. Hertling, Die professio der Kleriker und die Entstehung der drei Gelübde, in: ZkTh 56 (1932) 148-172; K.S. Frank, Grundzüge der Geschichte des christlichen Mönchstums, Darmstadt 1975; J.M.R. Tillard, Art. Consigli evangelici, in: DIP 2, 1635-1654; J. Weismayer, Leben in Fülle. Zur Geschichte und Theologie christlicher Spiritualität, Innsbruck 1983, 200-206.

[8] Regel I, 1 (aus den Jahren 1210-1221), zit. nach: Franz von Assisi, Die Werke, Zürich 1979, 14.

[9] Vgl. STh I-II, q 108; STh II-II, q 184-189; P. Philippe, Les fins de da vie religieuse selon Saint Thomas d'Aquin, Athenes-Rome 1962.

[10] Decr. 38, in: COD 369-377.

Gelübde. Die Dominikaner beschränken sich auf das Gelübde des Gehorsams. Auch das Mönchstum der Orthodoxie kennt keine exklusive Verbindlichkeit und Systematisierung der Trias.

Mit ihrer Verwurzelung in der Schrift, aber auch in ihrer geschichtlichen Gewachsenheit gehören die Räte »unerschütterlich« (LG 44) zum Lebensvollzug der Kirche. Die Orden mit den Gelübden von Armut, Keuschheit und Gehorsam waren und sind Orte der Kontemplation in Zeiten der Gottvergessenheit, in ihnen wurde und wird beispielhaft Diakonie als kirchlicher Grundvollzug gelebt. Von ihnen ist nicht selten eine Erneuerung der Kirche ausgegangen. An entscheidenden geschichtlichen Knotenpunkten waren sie »Vortrupps« von Theologie, Kultur und sozialem Engagement.

Anderseits werden die Räte gesellschaftlich massiv in Frage gestellt. Auch innerkirchlich sind Armut, Keuschheit und Gehorsam teilweise unverstanden, an den Rand gedrängt und theologisch isoliert. Fast alle Ordensgemeinschaften mußten in den letzten Jahrzehnten durch eine Krise gehen. Die Ursachen dieser Krise sind nicht bloß im gegenwärtigen gesellschaftlichen und kirchlichen Bewußtsein zu suchen. Zu billig und ignorant wäre es, wollte man das Vat. II zum verantwortlichen Sündenbock stempeln. Mit ein Grund für die Krise des Räteleb ens ist die teilweise ungenügende Aufarbeitung der Anfragen, die seit dem Beginn der Neuzeit an das Räteleben gestellt werden. Im folgenden greifen wir skizzenhaft und ohne Anspruch auf Vollständigkeit einige markante Exponenten der Kritik am Ordensleben bzw. an den Räten auf.

Krisenelemente im Räteleben

Seit dem Beginn der Neuzeit sind die Räte als Trias (d.h.das Ordensleben, die Gelübde) wie auch im einzelnen ausdrücklich Gegenstand von Kritik.

Erasmus von Rotterdam (1469-1536) macht in der Satire »Encomion moriae« (id est stultitiae laus, 1511)[11] die Religiosen auf eher unterhaltende und lächerliche Weise gering: Inhaltlich klagt er ihr Bemühen um Unterscheidung und Abhebung von den Laien an; diese Unterscheidung stuft er als pharisäisch ein; es scheint ihnen nicht zu genügen, daß

---

[11] Ausg. Schriften II, Darmstadt 1975, 143-157. Vgl. J.M.R. Tillard, Art. Consigli evangelici, in: DIP 2, 1661-1667; H. Jedin, Geschichte des Konzils von Trient I, Freiburg 1949, 124-131.

4

alle 'Christen' heißen. Durch eigene besondere Werke verdunkeln sie das Gebot der Liebe. Der scharfe Blick des Humanisten trifft auch die konkrete Praxis: einige Mönche haben zwar Horror vor dem Geld, gehen aber den Frauen und dem Wein nach, andere kompensieren die Gelübde durch kaufmännischen Erfolg. In der »Declamatio matrimonii« (1518) stellt Erasmus die Ehe über die Jungfräulichkeit und macht dafür geltend, daß die Ehe ein Sakrament sei.

Martin Luther[12] konfrontiert die Gelübde mit dem Wort Gottes, mit der Freiheit des Evangeliums, mit den göttlichen Geboten und der menschlichen Vernunft. Seit der Psalmenvorlesung (1512-1513) ist Luther überzeugt, daß die Forderungen der Bergpredigt mit ihrem bindenden und unbedingten Anspruch an alle Christen gerichtet ist. Über die Taufe hinaus gibt es für ihn keine höheren Formen von Gelübden. So ist die Armut der Seligpreisungen kein bloßer Rat, sondern Einlaßbedingung für das Reich Gottes, deren Nichtbefolgung in die Sklaverei treibt und in die Hölle bringt.[13] Ein hartes Urteil trifft Franz von Assisi. Er macht - so Luther - aus dem Evangelium, das in sich das gemeinsame Gut aller Christen ist, eine partikulare Regel für wenige. Damit bringt er ein Schisma unter die Christen. Die Qualifikation 'Rat' hat für die Armut kein Fundament.[14] Die Selektion und Hervorhebung von drei besonderen evangelischen Räten führt nach Luther zu einer Ausklammerung anderer im Evangelium ausgesprochener Räte. Die Gelübde werden dabei zu einer Form der Verweigerung von Glaube und Liebe.[15] Durch das Gehorsamsgelübde dispensieren sich die Mönche von der universalen Demut; sie unterwerfen sich nur den Oberen, nicht aber Ihresgleichen oder Unterlegenen; sie sind auch nicht in allem untertan, wie es vom Evangelium gefordert wäre.[16] Zudem sieht der Reformator im Gehorsamsgelübde einen Skandal. Dem evangelischen

---

[12] De votis monasticis iudicium (Wartburg 1521), in: WA VIII, 564-669. Vgl. B. Lohse, Mönchtum und Reformation. Luthers Auseinandersetzung mit dem Mönchsideal des Mittelalters, Göttingen 1963; J. Halkenhäuser, Kirche und Kommunität. Ein Beitrag zur Geschichte und zum Auftrag der kommunitären Bewegung in den Kirchen der Reformation (Konfessionskundliche und kontroverstheologische Studien Bd. XLII, hg. vom Johann-Adam-Möhler-Institut) Paderborn 1978, 13-81. - Halkenhäuser geht in seiner ausgewogenen Darstellung auch auf positive Tendenzen zum Mönchtum bei Luther ein. Diese greifen wir hier nicht auf. Vgl. ferner die Literaturhinweise zu Luthers Kritik am Mönchtum bei O.H. Pesch, Thomas von Aquin. Grenze und Größe mittelalterlicher Theologie, Mainz 1988, 303.

[13] WA VIII, 641f.

[14] WA VIII, 581

[15] WA VIII, 586f.

[16] Vgl.»Der Christ ist völlig freier Herr über alles und niemandem untertan. Der Christ ist ein allen völlig dienstbarer Knecht und jedermann untertan.« (Traktat von der christlichen Freiheit (1520), in: WA VII, 49).

Gehorsam sind nämlich Freiheit und Spontaneität eigen. Das Gehorsamsgelübde ist geringer als die Freiheit des Evangeliums.[17] Nur in der Keuschheit sieht Luther einen Rat.[18] Der Zölibat als Gebot und Gelübde widerspricht für ihn diametral dem Evangelium. Wer aus diesem Rat ein Gebot macht, bringt ihn um seine evangelische Frucht. Als Gebot fällt der Zölibat unter den Fluch des Gesetzes und unter das Verdikt der 'Werkerei', die der Rechtfertigung allein aus dem Glauben widerspricht.

Das *Konzil von Trient* hatte gegen die Herausforderung Luthers auf theologischer Ebene nur eine dürftige Antwort. Am 8.10.1547 wurden sieben 'Articuli haereticorum de votis monasticis' vorgelegt.[19] Die Artikel betrafen die theologische Grundlage der Ordensgelübde: daß sie nicht der christlichen Freiheit zuwiderlaufen, daß sie nicht unerfüllbar und daß sie keine Gebote sind. Schließlich sollte die Überlegenheit des Standes der Jungfräulichkeit über die Ehe festgehalten werden. Beratungen der Konzilsväter über diese Artikel fanden weder auf dieser noch auf folgenden Sessionen statt. Die Arbeit des Konzils war in der Endphase stärker auf die praktische Ordensreform als auf die theologische Grundlage der Räte ausgerichtet.[20] Einigkeit bestand unter den Konzilsvätern über den Vorrang des Standes der Keuschheit und des Zölibats vor der Ehe. Mit dem Ehedekret »Tametsi« wurde als Canon 10 am 5.9.1563 verabschiedet:»Si quis dixerit, statum coniugalem anteponendem esse statui virginitatis vel coelibatus, et non melius ac beatius manere in virginitate aut coelibatu, quam iungi matrimonio: anathema sit.«[21] Das Konzil beruft sich dabei auf Mt 19,11 und 1 Kor 7,25f.38.40. Durch diesen Schriftbezug geht das Tridentinum indirekt auf ein reformatorisches Grundanliegen ein. Insgesamt sind aber auch sehr viele Fragen offengelassen. Nicht aufgegriffen ist die Frage nach dem Verhältnis zwischen Ehelosigkeit und Vollkommenheit in der Liebe; nicht geklärt wird die Beziehung der Gelübde zur Taufe. Ausgeblendet ist das Zueinander von Ehelosigkeit und Nächstenliebe sowie die Dimension der Kirchlichkeit. Fatal ist die Reduktion der Räte auf die Ehelosigkeit; der Bezug der Jungfräulichkeit zu Armut und Gehorsam wird nicht geleistet. Nicht behandelt wird die charismatische Dimension der Ehe. Schließlich bleibt offen, auf welcher Ebene das 'melius ac beatius' der Ehelosigkeit zu verstehen und wie es im konkreten Vergleich mit der Ehe zu denken ist.

---

[17] WA VIII, 645f.

[18] WA VIII, 583-585.

[19] CT VI/1, 520f.

[20] Vgl. H. Jedin, Zur Vorgeschichte der Regularreform Trid. XXV, in: RQ 44 (1936) 231-281.

[21] CT IX, 760 (DS 1810). Gegenüber dem ersten Entwurf vom 20.7.1563 (»Si quis dixerit, matrimonium anteponendem esse virginitati vel coelibatui, et non esse melius et beatius manere in virginitate et coelibatu, quam iungi matrimonio: anathema sit« - CT IX, 640) war noch der 'status' eingeführt worden. Damit sollte eine funktionale Begründung der Ehelosigkeit, die von Luther im Hinblick auf die Verkündigung des Wortes akzeptiert wurde, als nicht ausreichend erklärt werden.

Die Kritik der Reformatoren am Räteleben bzw. Mönchtum wird in der *Aufklärung* aufgegriffen und weitergeführt.[22] Auf wissenschaftlicher Ebene lösen Religionsgeschichte und Religionswissenschaft die Theologie ab. So kommen die außerchristlichen religiösen Wurzeln des christlichen Mönchtums in den Blick.[23] Die spezifisch christliche Gestalt der Nachfolge wird durch eine allgemein humanitäre Ethik abgelöst. So schreibt Kant: »Alles, was, außer dem guten Lebenswandel der Mensch noch tun zu können vermeint, um Gott wohlgefällig zu werden, ist bloßer Religionswahn und Afterdienst Gottes.«[24] Ausdrücklich erwähnt er die »Eremiten-, Fakir- oder Mönchsstände«, die zwar alles, nur nicht ihre moralische Gesinnung Gott darbringen.[25] Der Königsberger Philosoph hält es auch für eine Aufgabe der Aufklärung, alle kirchlichen Standesunterschiede aufzulösen.[26] Schließlich richtet sich die Aufklärung gerade gegen die »dunkle Mystik«. Gebet und Kontemplation - mit ein Wurzelboden für ein Leben in den Räten - werden auf ihre Nützlichkeit befragt. Sofern sie nicht pädagogisch relevant sind, werden sie als »Afterdienst« disqualifiziert.[27] So geraten im Gefolge der Aufklärung die Räte als Trias, wie auch Armut, Ehelosigkeit und Gehorsam im einzelnen unter Ideologieverdacht.

Konstitutiv für Ideologie in der negativen Prägung des Begriffes ist es, daß sie ein »besonderes Interesse als allgemeines«[28] darstellt. Hinzu kommt die Verschleierung des Sonderinteresses durch das Allgemeininteresse; diese Verschleierung kann von einer bestimmten herrschenden Gruppe in betrügerischer Absicht vorgenommen werden, sie kann systembedingt eintreten oder Ergebnis eines globalen Verblendungszusammenhangs sein. Ideologisch ist ein Bewußtsein, wenn es unfähig ist, die »wirklichen Triebkräfte des Handelns« bekanntwerden und sich über »die realen Gründe der eigenen Denkweise« aufklären zu lassen.[29] Kurz: Ideologie ist »falsches Bewußtsein«[30]. Falsch ist das ideologische Bewußtsein, wenn ein Teilaspekt der Wirklichkeit zum Totalsystem, ein untergeordneter Wert illegitim zur Universalnorm verabsolutiert wird. Falsch ist das ideologische Bewußtsein, wenn die subjek-

---

[22] Vgl. den Überblick bei Halkenhäuser, Kirche und Kommunität 108-112.

[23] Vgl. K. Heussi, Der Ursprung des Mönchtums, Tübingen 1936.

[24] I. Kant, Die Religion innerhalb der Grenzen der bloßen Vernunft (WW ed. W. Weischedel IV) 842.

[25] A.a.O. 844

[26] A.a.O. 785f.

[27] A.a.O. 870

[28] K. Marx, Die Deutsche Ideologie (1845/46), in: MEW 3, 48. Vgl. zum Ideologiebegriff: R. Schaeffler, Ideologiekritik als philosophische und theologische Aufgabe, in: ThQ 155 (1975) 97-116; B. Welte, Ideologie und Religion, in: CGG 21, 79-106; W. Kern, Kirche im Horizont der Ideologiekritik, in: Ders., Disput um Jesus und um Kirche, Innsbruck 1980, 156-190; U. Dierse, Art. Ideologie, in: HWP 4, 158 - 185.

[29] F. Engels, Brief an Fr. Mehring, in: MEW 39, 97.

[30] MEW 39, 97

tive Notwendigkeit des Denkens mit der objektiven Wahrheit des Gedachten verwechselt wird. Falsch ist schließlich das Bewußtsein, wenn es die Welt als Wille und Vorstellung entwirft; so wird von der historischen Wirklichkeit und vom konkreten personalen Gegenüber abstrahiert.

Die *Armut* als evangelischer Rat geriet in die Krise, da sie nur mehr formal juridisch und nicht mehr konkret materiell war oder die Armut als Übel (misère) theologisch und ideologisch überhöhen bzw. legitimieren sollte. Eingebunden in ein dualistisches Weltbild dient sie der Vertröstung in den Himmel.[31] Eine so verstandene Armut ist abstrakt, d. h. von der konkreten Wirklichkeit abgehoben. Sie hat nicht die real Armen, die Proletarier, Ausgebeuteten, Analphabeten, Unterprivilegierten u. a. im Blick. Zugleich werden - so die marxistische Analyse - die realen Ursachen ausgeblendet, die darin bestehen, daß die Dynamik des Kapitalismus das Proletariat entstehen läßt. Der Ideologievorwurf trifft die Kirche insgesamt: sie wird angeklagt, daß sie in ihren institutionellen Ausprägungen Sklaverei und Leibeigenschaft verteidigt und an der Notwendigkeit einer herrschenden und einer unterdrückten Klasse festgehalten habe; schließlich sei sie der sozialen Frage des 19. Jhd., der Verarmung des Proletariats, nur zögernd, z. T. verspätet und mit ungeeigneten Mitteln nachgegangen. Dem Versuch der Kirchen, unter ihnen besonders der Orden, das Elend der Armen durch Almosen und Caritas zu lindern, wurde die Komplizenschaft mit dem Kapitalismus vorgeworfen.

Auch der *Gehorsam* - in der Geschichte als Wurzel aller Tugenden und als Mitte der evangelischen Räte verstanden[32] - hat längst seine Plausibilität und Unschuld verloren. Das Mißtrauen ihm gegenüber ist fast total. Die Aufklärung klagte jede Form von Unmündigkeit und Unterwerfung an und Autonomie und Emanzipation ein. Für Kant ist der Gehorsam unter eine Kirche und somit unter Amtsträger ein heidnischer Fetischglaube. Erst durch die Aufklärung wird der Dienst Gottes ein »freier, mithin moralischer Dienst«.[33] Für Marx ist die Kritik der Religion die Voraussetzung aller Kritik, die wiederum Grundlage einer sich selbst entwerfenden Freiheit ist. In fremder Herrschaft (Feudalherrschaft, Kapitalismus) wurzelt das verkehrte Bewußtsein.[34] Das

---

31 Vgl. K. Marx, Zur Kritik der Hegelschen Rechtsphilosophie, in: MEW 1, 378: »Das religiöse Elend ist in einem der Ausdruck des wirklichen Elendes und in einem die Protestation gegen das wirkliche Elend.«

32 Vgl. Augustinus, De civitate Dei 14,12; Thomas, STh II-II, q104, a 1.

33 Die Religion innerhalb der Grenzen der bloßen Vernunft (WW ed. W. Weischedel IV) 852f.

34 Vgl. K. Marx, Zur Judenfrage, in: MEW 1, 360; Ders., Zur Kritik der Hegelschen Rechtsphilosophie, in: MEW 1, 378.

Prinzip der totalen Kritik widerspricht jedem Gehorsam. Will der Mensch frei und selbständig sein, ist der Gehorsam gegenüber einem Schöpfer ausgeschlossen.[35] Insofern wird Gott bei Marx nur als projizierte Unterdrückung bzw. Entfremdung des Menschen gedacht. Analog dazu fordert E. Bloch die Absetzung des Herrengottes.[36] Die bürgerliche Version der Aufklärung negiert den Gehorsam im Namen der 'Selbstverwirklichung'. Die existentialistische Kritik wendet sich gegen die Diktatur des 'Man', entlarvt die Angst vor dem Selbstsein und legt alles Gewicht auf die Selbstverantwortung und den Selbstentwurf der Freiheit.[37] Die Autoritätskritik der Psychoanalyse will von der Dominanz des 'Über-Ich' (Erziehung, Gesellschaft, Religion) lösen, um zum 'Ich' und 'Selbst' zu verhelfen.[38]

In das grelle Licht der Anklage gerät der Gehorsam schließlich durch die Erfahrung mit dem faschistischen Führerkult. Ein Großteil der Nazi-Verbrecher, z. B. Eichmann, verteidigte sich mit dem Hinweis auf Pflicht und Gehorsam und wies so eine persönliche Schuld von sich.[39] Ebenso fatal ist die Auflösung personaler Freiheit und Rationalität in kollektiven Systemen marxistischer Provenienz. Gehirnwäsche, Elektroschocks, Arbeitslager und Verbannung sollten Menschen partei- und gesellschaftsfähig, d.h. gehorsam machen, die auf ihrer politischen oder religiösen Überzeugung beharrten. Auf diesem Hintergrund ist das Entstehen des 'Kritischen Rationalismus' und der 'Kritischen Theorie' zu verstehen. Durch ihre Kritik sind Tradition, Autorität und Institution insgesamt in die Krise geraten. Jeder Gehorsam den Eltern, Erziehern, den Arbeitgebern, dem Gemeinwesen, der Obrigkeit, dem Gesetz, dem Staat, den militärischen Vorgesetzten, einer objektiven ethischen oder metaphysischen Ordnung und auch der Kirche gegenüber gilt als ideologisch. - Die Kritik an der Kirche kam nicht bloß von 'außen'. Auch innerkirchlich hatten Uniformität, Denunziantentum, Zentralismus und Indizierung nicht bequemer Autoren zu einer Verdunkelung des christ-

---

35 Vgl. K. Marx, Ökonomisch - philosophische Manuskripte (1844), in: MEW Ergänzungsband (Schriften bis 1844), 544.

36 Zur 'Enttheokratisierung' als hermeneutischem Programm bei Bloch vgl.: Das Prinzip Hoffnung, Frankfurt/M. 1959, 1450.1493ff.; Atheismus und Christentum (Gesamtausgabe Bd. 14) Frankfurt/M. 1968, 98ff.190-201.

37 Vgl. den Überblick bei R. Schaeffler, Kritik und Anerkennung, in: CGG 21, 107-138; D. Sölle, Phantasie und Gehorsam. Überlegungen zu einer künftigen christlichen Ethik, Stuttgart 1968; Ch. Walther, Art. Gehorsam, in: TRE 12, 156.

38 Vgl. T. Moser, Gottesvergiftung, Frankfurt/M. 1976.

39 Vgl. H. Arendt, Adolph Eichmann in Jerusalem. A Report on the Banality of Evil, New York 1963; K. Popper, Die offene Gesellschaft und ihre Feinde, Bern 1958; Th. W. Adorno, Studies in the Authoritarian Personality, in: Ges. Schriften 9.1, 143-508; auch: Ges. Schriften 8, 307-433.

lichen Gehorsamsverständnisses geführt. Schließlich war auch der Ordensgehorsam nicht vor Fehlformen gefeit: im Namen des Gehorsams
sind auch Leben und Menschenwürde beschädigt oder zerstört worden.
Ideologische Identifikationen von Befehl und Kreuzesnachfolge bzw.
Wille Gottes sind nicht einfach von der Hand zu weisen. Auch Ordensgehorsam war und ist nicht von vorneherein immun gegen Fehlformen
wie Flucht vor der Freiheit und Verantwortung.
Ebenso sind *Jungfräulichkeit* und *Ehelosigkeit* in die Krise geraten. Der
Vorwurf der Ideologie gegen den Verzicht auf Ehe ist verbunden mit
Qualifikationen wie Dualismus, Leibverachtung, Verteufelung der Sexualität, Abwertung der Ehe oder Dämonisierung der Frau. Die ethische Hierarchie (der Vorrang der Ehelosigkeit vor der Ehe) wird umgekehrt. Dies läßt sich an Hegel exemplifizieren. Statt des Gelübdes der
Keuschheit gilt für ihn die Ehe als »das Sittliche«.[40] Durch diese Ver-
schiebung wird deutlich, daß die weltliche Wirklichkeit nicht im Gegensatz zum göttlichen Geist steht, sondern zu dessen Geschichte dazugehört. Das Weltliche wird - so Hegel - durch den göttlichen Geist befreit.
Der Keuschheit hingegen mangelt es an der 'Vermittlung', die durch die
Ehe und Gesellschaft geschieht. Ähnlich wird die Ehelosigkeit vom jungen Kierkegaard als abstrakt qualifiziert; es mangle ihr an Konkretion
in der Liebe.[41]
Auf dieser Linie sind alle psychologischen Vorwürfe zu sehen, welche in
der konkret gelebten Ehelosigkeit von Priestern und Ordensleuten die
Berührungsangst, Kontaktunfähigkeit, Verklemmung, die Bequemlichkeit und die Vereinsamung in einem monadischen Dasein beklagen. So
bedeute die Ehelosigkeit eine Defizienz und kein Mehr an Radikalität,
das Evangelium zu leben. Von diesem Hintergrund her sind auch kritische Fragen im Hinblick auf den tridentinischen Komparativ zu sehen[42]:
wenn das 'melius ac beatius' der Ehelosigkeit im Vergleich zur Ehe zugeschrieben wird, werden dann nicht die Christen in vollkommene und
teilweise, ganze und geteilte unterteilt? Wird nicht ein zu tiefer Ab-
grund zwischen Gottes- und Nächstenliebe aufgetan? Ist Gott neidig
und eifersüchtig, daß er in der Hinwendung zu Mann/Frau und Kind
eine Konkurrenz sieht? Warum schmälert gerade die erotische Liebe
die Ganzhingabe, nicht aber andere Freuden oder Freundschaften?

---

[40] »Statt des Gelübdes der Keuschheit gilt nun erst die Ehe als das Sittliche, und damit als
das Höchste in dieser Seite des Menschen die Familie; statt des Gelübdes der Armut ...
gilt die Tätigkeit des Selbsterwerbs durch Verstand und Fleiß ... statt des Gelübdes
blinden Gehorsams gilt der Gehorsam gegen das Gesetz« (G. F. W. Hegel, System der
Philosophie 3, in: WW 10 ed. Glockner, 438).

[41] S. Kierkegaard, Stadien auf dem Lebensweg (WW 15. Abt.) 178-182.

[42] Vgl. G. Bachl, Der beneidete Engel. Theologische Prosa, Freiburg 1987, 65-83.

Trennt sich tatsächlich an der Scheidelinie zwischen Ehelosigkeit und Ehe das Irdische vom Eschatologischen? Diese Formen der Kritik an der Ehelosigkeit haben noch in der Ehe einen verbindlichen sittlichen Gegenpol. Diese sittliche Verbindlichkeit ist jedoch nicht bei allen Weisen der Kritik an Keuschheit und Ehelosigkeit anzutreffen. Im Gefolge der sexuellen Revolution (W. Reich) werden alle sexuellen Tabus und jede Moral als bürgerliche Repression abgetan. Die »Installierung eines umfassenden Sexualitätsdispositivs in unserer Gesellschaft«, dem »Pansexualismus«, gelang es, »uns dieser kargen Alleinherrschaft des Sexes zu unterwerfen«.[43] In einem solchen gesellschaftlichen Umfeld können Ehelosigkeit und Jungfräulichkeit nur auf Unverständnis und den Vorwurf der Lust- und Leibfeindlichkeit stoßen.

Auf diesem Hintergrund der Bedeutung der Räte für den Lebensvollzug der Kirche einerseits und der Kritik an Armut, Keuschheit und Gehorsam anderseits, ist es Aufgabe theologischer Reflexion, diese Krisenelemente und Infragestellungen aufzugreifen, Fehlformen zu korrigieren und eine theologische Grundlage für die Räte zu erarbeiten. Entscheidend für das Gelingen dieser Aufgabe ist vor allem der angemessene methodische Ansatz und die systematische Einordnung der Räte in das Spektrum der Theologie.

Zu Methode und Ziel der Untersuchung

Die Thematik der drei evangelischen Räte war traditionell den Exegeten und Moraltheologen anvertraut. Exegetisch ging es um die Begründung der einzelnen Räte im Neuen Testament. Ein besonderes Augenmerk wurde dabei darauf gelegt, ihren Charakter als 'Räte' in Differenzierung zu Geboten herauszuarbeiten.[44]
Zu den klassischen Themen der Moraltheologie[45] gehörte dabei die Frage nach dem Zusammenhang zwischen den Räten und der christlichen Vollkommenheit: »Utrum perfectio consistat in praeceptis an in consiliis«.[46] Weil nun die christliche Vollkommenheit in der Erfüllung

---

[43] M. Foucault, Der Wille zum Wissen. Sexualität und Wahrheit 1, Frankfurt/M. 1977, 189f.

[44] R. Schnackenburg, Art. Evangelische Räte (biblisch), in: LThK² 3, 1245f.

[45] B. Häring, Art. Evangelische Räte, in: LThK² 3, 1246; Ders., Das Gesetz Christi III, Freiburg 1961, 379-415; Ders., Frei in Christus II, Freiburg 1980, 515-520; J. Mausbach, Moraltheologie, Münster ⁵1927, 224-231.

[46] Thomas, STh II-II, q 184, a 3.

des Hauptgebotes der Gottes- und Nächstenliebe besteht, sind evangelische Räte dann Weisen der konkreten Verwirklichung des Hauptgebotes in Gnade und Freiheit. Die evangelischen Räte wurden dabei moraltheologisch als »Werke de Übergebühr« verstanden: »Opera superogatoria« sind »Werke, die Gott über das allgemeine Mindestgesetz hinaus durch die individuelle Gnadengabe hervorlockt«.[47] Die evangelischen Räte wurden weiters moraltheologisch als zeugniskräftige Zeichen der endzeitlichen Heilsfülle verstanden. Schließlich ging es theologisch um die Begründung der Räte als des »besseren und seligeren« Weges.[48] Die Einordnung der Räte in die Moraltheologie hatte insgesamt einen gewaltigen Preis. Waren bei Thomas von Aquin Theologie und Spiritualität, theologische Tugenden und Praxis, Anthropologie und Ethik noch aufeinander bezogen, so wird in der Neuzeit, besonders in der Aufklärung, eine Trennungslinie zwischen Theorie und Praxis gezogen.[49] Zudem war die Moraltheologie der letzten beiden Jahrzehnte zumindest im deutschsprachigen Raum so sehr von der Normendiskussion beansprucht, daß die Räte in den Sonderbereich der Spiritualität abgeschoben wurden. So gerieten sie theoretisch und praktisch in ein isoliertes, unvermitteltes Dasein. Sie wurden losgelöst von einem umfassenden Sinnhorizont wie auch von der konkreten Erfahrung; der Konnex mit dem Religionsthema, der Gottesfrage oder der Geistproblematik blieb im Dunkeln; eine 'philosophia prima', bei der es immerhin um den Aufweis der Gehorsamspflicht des Menschen Gott gegenüber ging, geriet in skeptische Vergessenheit. Die neuzeitliche Kritik wurde so kaum positiv aufgearbeitet. Apologetik und Fundamentaltheologie verzichteten in ihrer extrinsezistischen Variante wie auch in der Immanenzapologetik auf den 'Erweis des Geistes und der Kraft' durch Nachfolge. Wohl wurden die Räte aus 'Wort und Beispiel' Jesu hergeleitet, für die systematische Christologie hatte das aber kaum Konsequenzen. Der Zusammenhang von Räteleben, Kirche, Welt und Gesellschaft blieb vage, die Ekklesiologie wurde betrieben, als ob es die Orden nicht gäbe. Die Räte galten zwar als eschatologisches Zeichen - in welchem Traktat über die 'Letzten Dinge' kommen sie aber vor? Der theologische und kirchliche Anspruch der Räte löste sich sowohl in einer positivistischen Theorie, die bloß Bibelstellen oder Canones refe-

---

[47] B. Häring, Art. Evangelische Räte 1247; A. I. Mennessier, Art. Conseil évangélique, in: DSAM 2, 1593.

[48] DS 1810; 1 Kor 7,38.40; vgl. B. Häring, Art. Evangelische Räte 1250.

[49] Vgl. H.-J. Birkner, Das Verhältnis von Dogmatik und Ethik, in: Handbuch der christlichen Ethik, hg. von A. Hertz, u.a., Freiburg 1978, Bd. 1, 281-296.

riert, wie auch in einer von der Theorie losgelösten Praxis auf.[50] Wenn es aber bei den Räten um ein theologisches Zeugnis gehen soll, dann kann die Wahrheitsfrage der Räte und in ihnen jene des christlichen Glaubens nicht ausgeblendet werden.

In dieser Untersuchung situieren wir das Verhältnis von Theorie und Praxis im Lichte des christlichen Geschichtsverständnisses: In Jesus Christus ist Transzendenz als Geschichte und somit als inkarnatorische Praxis bleibend gegenwärtig.[51] Der Glaube, der in das geschichtliche Selbstverständnis Jesu Christi teilhabend eintritt, muß sich aus seinem inkarnatorischen Selbstverständnis heraus »kenotisch auf jene Wirklichkeitsebene begeben, auf der er seine geschichtliche Wirksamkeit ausüben will«.[52] Wird diese Kenose auf geschichtliche Erfahrung und Praxis hin verweigert oder das Glaubensgut integralistisch gegen Erfahrung und Praxis abgeschirmt, führt dies zur Selbstauflösung der theologischen Vernunft, weil sich diese in einem skeptischen Mißtrauen vom Ganzen der Wirklichkeit zurückzieht. Wahrheit ist, wenn sie theologisch und universal - also wirklich Wahrheit - sein will, geschichtsgestaltend und so praktisch vermittelt.[53] Damit ist theologische Wahrheit gebunden an Paradosis (= Tradition) im Sinne der Auslieferung des eigenen Sohnes für uns alle durch Gott (Röm 8,32; 4,25), der Selbsthingabe Christi für uns (Eph 5,2.25), im Sinne von worthafter und gelebter Überlieferung und Weitergabe.[54]

Von diesem inkarnatorischen Geschichtsverständnis her stehen Theorie und Praxis in einer Wechselbeziehung: die Theorie leitet zur Praxis an, die Praxis ist erhellend, sie vermittelt Einsicht: 'Wer die Wahrheit tut, kommt ans Licht' (Joh 3,21).[55] Die Praxis der Räte wird durch den Begriff der Räte und den Begriff des Christentums (der sich am Begriff des Menschen und der Welt zu bewähren hat) zugleich begründet und über das bisherige Begreifen hinaus freigesetzt; so kann diese Praxis selbst wieder auf das Verstehen des Wesens der Räte und des Christen-

---

[50] Vgl. W. Pannenberg, Die Krise des Ethischen und die Theologie, in: Ders., Ethik und Ekklesiologie, Göttingen 1977, 41-54; Ders. Wissenschaftstheorie und Theologie, Frankfurt a.M. 1973, 438f.

[51] K. Demmer, Sittlich handeln aus Verstehen, Düsseldorf 1980, 142.

[52] A.a.O. 143; vgl. E. Schillebeeckx, Erfahrung und Glaube, in: CGG 5, 73-116, bes. 103ff.

[53] E. Schillebeeckx, a.a.O. 108

[54] Vgl. H.J. Verweyen, Aufgaben der Fundamentaltheologie, in: TThZ 92 (1983), 207-209, der Anstöße von M. Blondel, Geschichte und Dogma, Mainz 1963, aufnimmt. K. Hemmerle, Wahrheit und Zeugnis, in: B. Casper/K. Hemmerle/P. Hünermann, Theologie als Wissenschaft. Methodische Zugänge (QD 45), Freiburg 1979, 54-72; Ders., Theologie als Nachfolge. Bonaventura - ein Weg für heute, Freiburg 1975.

[55] R. Schaeffler, Wissenschaftstheorie und Theologie, in: CGG 20,73.

tums insgesamt zurückwirken.[56] Auf Grund dieses Wechselverhältnisses von Theorie und Praxis gehören sämtliche Bereiche und Disziplinen der Theologie strukturell zusammen. Damit stehen die Räte in diesem umfassenden Strukturgefüge, sind von diesem her zu verstehen und prägen dieses mit.[57]

Die Wechselbeziehung zwischen Theorie und Praxis im Lichte des christlichen Geschichtsverständnisses sowie die strukturelle Einheit der Theologie fordern für die Behandlung unseres Themas, daß als begriffliche Grundlage keine abstrakte idealistische Abstraktion von Armut, Ehelosigkeit und Gehorsam herangezogen wird. Ausgangspunkt kann kein univoker Begriff von Armut, Ehelosigkeit und Gehorsam sein. Jeder Begriff erhält aus dem Bezug zu Synonymen und Opposita (synchron), sowie aus der Begriffsgeschichte (diachron) seine Prägung.[58] Die Bedeutung der Räte wird auch in der praktischen Erfahrung mit ihnen deutlich.

Hinsichtlich der *Armut*[59] ist zu differenzieren zwischen der Armut als Übel (misère) und der freiwilligen Armut: Armut als Übel und als Elend bedeutet den daseinsgefährdenden Mangel an materiellen, geistigen und kulturellen Gütern, die fehlende soziale, gesellschaftliche und politische Partizipation. Wer sind die Armen? - Je nach sozialer und rechtlicher Entwicklung einer Gesellschaft sind es die Bettler, die Witwen, die Waisen, die Aussätzigen, psychisch oder physisch Kranken, Hungernden, Behinderten, Marginalisierten, Proletarier, Arbeiter, Arbeitslosen, Unterdrückten, Unterprivilegierten, Ausgebeuteten, Frauen, Süchtigen, Analphabeten, Flüchtlinge, Obdachlosen, Asylanten, Gefangenen; im übertragenen Sinn wird von Armut auch bei total eindimensionalen Menschen, bei Einsamen, Verzweifelten, Skeptikern, Resignierten, ... gesprochen.
Der freiwillig Arme hingegen verzichtet auf persönliches Eigentum, auf Produktionsvermögen, auf das Verfügungsrecht über Güter, aber auch auf gesichertes Leben, auf Heimat, auf Zeit, Wissen, Ausbildung. Freiwillige Armut meint die Enthaltsamkeit oder den maßvollen Ge- und Verbrauch von Gütern und Werten, eine einfache Lebensweise, die Distanz zu Geld, Besitz, Konsum, Ansehen, Macht und sozialem Status. Der freiwillig Arme lebt im Inkognito, in der Verborgenheit, er

---

[56] Vgl. zu diesem Verständnis von Theorie und Praxis: W. Pannenberg, Wissenschaftstheorie und Theologie 423.

[57] Vgl. dazu auch H. Rombach, Art. Struktur, in: Das neue Lexikon der Pädagogik IV, Freiburg 1971, 175; Ders., Strukturontologie. Eine Phänomenologie der Freiheit, Freiburg 1971, 10f.31.80.

[58] Das folgende Abschreiten der Bedeutungsfelder versteht sich als erster Einstieg ohne Anspruch auf Vollständigkeit.

[59] W. Kerber/A. Deissler/ P. Fiedler, Armut und Reichtum, in: CGG 17, 17-122 (Lit); A. Böckmann, Die Armut in der innerkirchlichen Diskussion heute. Ein Beitrag zu einem Neuverständnis der Ordensarmut. Münsterschwarzach 1979; B. Büchler, Die Armut der Armen. Über den ursprünglichen Sinn der mönchischen Armut. München 1980; I. Schmid/C. Hardich, Art. Armut, in: LThK² 1, 878-883; AAVV, Art. Pauvreté chrétienne, in: DSAM 12.1, 613-697; AAVV, Art. Povertà, in: DIP 7, 245-410; W. M. Sprondel, Art. Askese, in: HWP 1, 538-543; AAVV, Art. Armut, in: TRE 4, 69-129.

14

nimmt den letzten Platz ein. Als Haltung kann mit der Armut die Fähigkeit, alles zu verlassen, gemeint sein: Abschied, Aufbruch und Auszug gehören zum Pilgerdasein der Wanderasketen. Armut wird aber auch in Offenheit, Verfügbarkeit, Demut, Gelassenheit oder in der Gastfreundschaft gelebt. Sie zeigt sich in der dankbaren Annahme echter Freude wie in innerer Freiheit des Geistes. Sie wird deutlich in Flexibilität, Lern- und Aufnahmebereitschaft, durch Kindsein und echtes Vertrauen.

Die Haltung der Armut ist geprägt von Transparenz und dem Verweis auf das Du. Armut im Geist, d. h. Armut als Kindschaft Gottes, erwartet alles von Gott. Armut als Übel und freiwillige Armut (in der materiellen wie in der geistigen Dimension) sind aufeinander bezogen. Die Hinwendung der freiwillig Armen zu den unfreiwillig Armen geschieht in leiblichen und geistlichen Werken der Barmherzigkeit, in Wohltätigkeit, Hilfsmaßnahmen, Kollekten, Caritas, Diakonie, Güterausgleich, durch Einsatz für Recht und Gerechtigkeit, durch die Option für die Armen, die Bevorzugung der Armen, das Leben mit den Armen, die Aufmerksamkeit für die Nöte und Freuden, die Freundschaft mit ihnen, die Annahme der Geschenke der Armen für die Reichen oder auch in politischen Aktionen, Solidaritätsaktionen, Selbsthilfegruppen, in Klassenkampf und Revolution, im Protest gegen die Götzen eines Systems oder im Kampf gegen die Hierarchie.

Je nach Situation stehen der Arme und die Armut in Opposition zum Reichen ('dives'), zum Mächtigen ('potens'), zur Habgier, zum Geiz, zur Knauserei, zum bürgerlichen oder marxistischen Materialismus, zur Vergötzung des Mammon, zur Versklavung durch den Besitz, zum Egoismus.

Gehorsam meint das Sich-Einfügen in den Willen einer Autorität.[60] Die Bandbreite reicht von der freien Anerkennung der Autorität über die Unterordnung und Unterwerfung bis zum Zwang, ebenso von der freien Einsicht in die Vernünftigkeit und Notwendigkeit bis hin zu blindem Gehorsam; dazwischen stehen Sachgemäßheit, Personengerechtigkeit, Hörsamkeit, Verfügbarkeit, Beziehungsfähigkeit, Dienstbereitschaft, Gemeinschaftsgeist, Vertrauen, funktioneller Gehorsam, Liebesgehorsam, knechtische Furcht, Selbstlosigkeit, Opfer, Treue, Sendung, Holocaust, Bereitschaft, Indifferenz, Disponibilität. Der Gehorsam erhält seine Prägung in Korrelation oder Opposition zu Aktivität, Spontaneität, Passivität, Potentialität, Kritik, Freiheit, Einsicht, Vernünftigkeit, Verantwortung, Gewissen, Selbstverwirklichung, Mündigkeit, Autonomie, Aufklärung, Subjektivität, aber auch zu Autorität, Macht, Gewalt, Ordnung, Norm, Gesetz oder zu Widerstand, Willkür, Selbstsucht und Verweigerung. In den Blick zu nehmen sind die Beziehungen der Kinder zu den Eltern, der Sklaven zu den Herren, der Frau zum Mann, der Einzelnen zum Gemeinwesen, zur Obrigkeit, zum Gesetz, zum Staat, zu Institutionen und Ordnungen. Gehorsam ist präsent in beruflichen Verhältnissen der Unter- und Überordnung; sprichwörtlich ist der militärische Gehorsam. Auch der kirchliche Gehorsam ist vielschichtig: Primäre Bezugspunkte sind Gott und sein Evangelium. Der Gehor-

---

[60] L. Nieder/C. Berg/S. Mayer/G. Fischer, Art. Gehorsam, in: LThK² 4, 601-606; K.S. Frank, Art. Gehorsam, in: RAC 9, 390-430; K. Nusser, Art. Gehorsam, in: HWP 3, 146-154; AAVV, Art. Obéissance, in: DSAM XI, 535-563; AAVV, Art. Obbedienza, in: DIP 6, 494-552; Ch. Walther, Art. Gehorsam, in: TRE 12, 148-159; F. Kantzenbach, Blinder Gehorsam. Variationen des Gehorsamsbegriffs, in: Zeitschrift für Religions- und Geistesgeschichte 38 (1986) 208-230; G. Greshake, Gottes Willen tun. Gehorsam und geistliche Unterscheidung, Freiburg 1984.

sam richtet sich dann auch auf Gebote und Normen, Tradition, Dogmen, in den Orden auch auf die Regel. Personal gilt er dem Abt, Oberen, Bischof, Papst, der Gemeinschaft, dem Beichtvater, Seelenführer, ... und letztlich allen (in Demut allen untertan sein).

Auch der evangelische Rat der *Keuschheit - Jungfräulichkeit - Ehelosigkeit* ist nur aus einem Gefüge mehrerer Begriffe zu verstehen. 'Castus' besagt 'rein', 'unberührt' und 'unschuldig',[61] es wird von Personen wie auch von Dingen oder Elementen ausgesagt (z. B. die Formulierung im Sonnengesang des Franziskus vom keuschen Wasser). In einem weiteren Sinn steckt die Keuschheit mit der Bedeutung von Ursprünglichkeit und Unberührtheit in jeder Tugend.[62] Im engeren Sinn meint die Keuschheit im Rahmen der Tugend der Mäßigung ('continentia') eine zuchtvolle Haltung in den sinnlichen Genüssen allgemein und im geschlechtlichen Bereich im besonderen. Feingefühl, Schamhaftigkeit und Reinheit sind Synonyme. Je nach Lebensphase und -stand ist die Keuschheit gestuft: Das geordnete Verhalten im geschlechtlichen Bereich realisiert sich vor und außerhalb der Ehe in der sexuellen Enthaltsamkeit, in der Ehe durch Ordnung und Humanisierung des Eros. Gegenbegriffe sind alle Formen von Unkeuschheit, Unzucht, sexueller Ausschweifung, Untreue und Ehebruch.

Jungfräulichkeit kann eine biologische, moralische oder religiöse Konnotation haben. Auf biologischer Ebene ist die Unversehrtheit des Hymen gemeint. Moralisch steht Jungfräulichkeit im Zusammenhang mit der Unberührtheit der Frau vor der Ehe. Breit ist der religiöse Rahmen, er reicht von der kultischen Reinheit (z.B. der Vestalinnen) über das »engelgleiche Leben«[63], über Akese und Leidensbereitschaft, Kampf gegen die Konkupiszenz bis hin zur Bereitschaft und Wachsamkeit der jungfräulichen Braut für den göttlichen Bräutigam. Zum religiösen Bedeutungsfeld von Jungfräulichkeit gehören auch die Aussagen von der »heiligen Hochzeit«[64], der bräutlichen Vermählung und der »Gottesgeburt«[65] in der jungfräulichen und bräutlichen Seele.

Ehelosigkeit kann unfreiwillig sein und dabei in physischen oder psychischen Defekten wurzeln. Sprichwörtlich geworden ist das Junggesellendasein mit der Junggesellenbude und einer Junggesellenwirtschaft. Freiwillige Ehelosigkeit kann um ökonomischer, militärischer, politischer, wissenschaftlicher, pädagogischer oder sozialer Interessen willen als Lebensform gewählt werden. Die Diktion 'Ehelosigkeit' ist insgesamt ethisch neutraler als etwa 'Keuschheit' oder 'Jungfräulichkeit', wenn z. B. Emanzipation, Freiheit, Unverbindlichkeit oder auch Bequemlichkeit Gründe für den Verzicht auf Ehe sind. Die Ehelosigkeit auf religiöser Ebene ist synonym zur

---

61 R. Hauser, Art. Keuschheit, in: HWP 4, 817f.; AAVV, Art. Chasteté, in: DSAM 2, 707-809; AAVV, Castità, in: DIP 2, 644-678; I. Michl/L.M. Weber, Art. Jungfräulichkeit, in: LThK² 5, 1213-1219; L.M. Weber, Art. Keuschheit, in: LThK² 6, 133-136.

62 Thomas, STh II-II, q 151, a 2.

63 Vgl. K.S. Frank, Angelikos Bios. Begriffsanalytische und begriffsgeschichtliche Untersuchungen zum »engelgleichen Leben« im frühen Mönchtum (Beiträge zur Geschichte des alten Mönchtums und des Benediktinerordens 26) Münster 1964.

64 Tertullian, De orat. 22, in: CChr 1, 268-271; vgl. den Exkurs über »Hieros Gamos« bei H. Schlier, Der Brief an die Epheser, Düsseldorf 1958, 264-276.

65 H. Rahner, Die Gottesgeburt. Die Lehre der Kirchenväter von der Geburt Christi in den Herzen der Gläubigen, in: ZKTh 59 (1935) 333-418, bzw. Symbole der Kirche. Die Ekklesiologie der Väter, Salzburg 1964, 11-87.

Jungfräulichkeit. Die Diktion 'Ehelosigkeit' hebt stärker den asketischen Charakter hervor; sie ist auch geschlechtlich neutraler: bei Männern wird kaum von Jungfräulichkeit gesprochen.

Diese differenzierte Begrifflichkeit von Armut, Keuschheit - Jungfräulichkeit - Ehelosigkeit und Gehorsam wird in unserer Untersuchung zu beachten sein. Zum anderen hat die oben skizzierte Wechselbeziehung von Theorie und Praxis bzw. die strukturelle Einheit der Theologie methodische Konsequenzen für die Behandlung des Themas. In einem weiteren Sinne setzen wir für die Theologie der Räte dogmatisch an. Es wird vorausgesetzt, daß die Räte in der Offenbarung wurzeln und daß die Entwicklung der konkreten Trias eine legitime Ausfaltung der 'traditio christiana' ist. Bei diesem 'dogmatischen' Verständnis im weiteren Sinne wird den Räten als Lebensvollzug jedoch auch eine relative Autonomie zugeschrieben, d.h. sie haben in ihrer geschichtlichen Praxis eine Eigengesetzlichkeit.[66] Dieser im Grunde offenbarungstheologische Ansatz geht so nicht von einem ideologisierten - weil von der Konkretion abstrahierten - Verständnis der Räte aus. Die Räte, wie sie hier mit ihrer Eigengesetzlichkeit vorausgesetzt sind, werden nicht in einem abstrakten und zeitenthobenen Sinn verstanden. Ihre Legitimität wird als durchaus korrigierbare und nach vorne hin offene eingebracht. Autonomie ist keine Autarkie. Armut, Ehelosigkeit und Gehorsam haben sich im Lichte (oder im Schatten!) gegenwärtiger Erfahrung und Praxis zu bewähren, z.B. dadurch, daß sie die Aporien verkürzter Erfahrung und Praxis sprengen und neue Dimensionen für diese eröffnen.

Der 'dogmatische' Ansatz ist auch im engeren Sinn gemeint, d. h. wir gehen im Lichte der oben skizzierten Wechselbeziehung zwischen Theorie und Praxis bzw. von einem dynamischen Strukturverständnis her davon aus, daß das 'Wesen' der evangelischen Räte nur in der Verknüpfung mit Trinität, Analogie, Schöpfungslehre, Christologie, Ekklesiologie, Anthropologie, ... zu verstehen ist. Dogmatik und Räte stehen strukturell in Interferenz. Diese Interferenz ist in einem doppelten Sinn zu verstehen. Die Räte bedürfen der hermeneutischen Vermittlung mit dem Gesamtrahmen der dogmatischen Theologie. So ist zu fragen: Welche Bedeutung hat eine trinitarische und christologische Verankerung für die Räte, welche Konsequenzen bringt ihre Kirchlichkeit mit

---

66 Zu diesem Verständnis von Autonomie bzw. Eigengesetzlichkeit im Unterschied zur Autarkie vgl. eingehender R. Schaeffler, Das Gebet und das Argument. Zwei Weisen des Sprechens von Gott. Eine Einführung in die Theorie der religiösen Sprache, Düsseldorf 1989, 28ff, 92ff, 310ff.

17

sich, welche Auswirkungen hat es, wenn sie im Kontext einer katholischen Analogielehre gedacht werden?

Durch die Einbindung der Räte in den Horizont von Analogie, Anthropologie, Christologie (Inkarnation - Tod), Trinität, Kirche - Welt und Eschatologie sollen Armut, Ehelosigkeit und Gehorsam aus einer ideologischen Abstraktion und Fiktion gelöst und in das konkrete Liebesverhältnis der Menschen zu Gott bzw. in die praktische Solidarität mit der Welt eingebunden werden. In der Rückbindung an die 'realen Gründe' (Trinität, Inkarnation - Kreuz) werden vordergründige Begründungsmodelle (Dualismus Leib - Geist, Welt - Heil, Herr - Knecht, exklusive Elite, ...) relativiert und kritisiert. Es ist zu zeigen, daß theologische Grundoptionen (wie zum Verhältnis von Natur und Gnade, von Schöpfung und Erlösung, Analogie und/oder Dialektik zwischen Schöpfer und Geschöpf) entscheidend auf das Verständnis der Räte einwirken: ob Gehorsam als Negation oder konkrete Verwirklichung geschöpflicher Freiheit anzusehen ist; ob der geschlechtliche Eros heilsgeschichtlich eingebunden oder verneint wird; wie sich Armut als Askese und Solidarität zueinander verhalten.

Die Prägung ist aber nicht nur in einer Richtung von der dogmatischen Systematik zur Praxis der Räte zu verstehen. So wird in gegenläufiger Richtung nach der Präsenz der Räte, nach ihrer intelligiblen Kraft im dogmatischen Kontext gefragt. Es wird zu zeigen sein, daß die Räte an dogmatischen Brennpunkten zu finden sind (als Strukturmomente der trinitarischen Beziehung, als konkrete Form des Bundes zwischen Schöpfer und Geschöpf, als Angelpunkt der Christologie und Soteriologie, als Mitte des kirchlichen Selbstverständnisses, ...). Die Interferenz zwischen der Praxis der Räte und dogmatischen Knotenpunkten ist eine zentrale Linie dieser Arbeit. Eine zweite Linie ist eher fundamentaltheologisch: Der Glaube hat sich aus seinem Selbstverständnis heraus an Verstehenshorizonten des Menschen in der Welt zu bewähren und zu vergewissern bzw. diese schöpferisch zu sprengen. Das gilt in besonderer Weise für die Räte: Letztlich ist es der Horizont universaler Kommunikation und Solidarität,[67] an dem die Räte zu messen sind bzw. den sie mitzuprägen haben. Auch hier ist das Verhältnis zwischen den Räten und dem Begriff universaler Kommunikation als dynamischer Prozeß der gegenseitigen Korrektur, Rekonstitution und Steigerung zu erweisen.[68] Die kognitive kritisch befreiende Kraft der Räte ist sicherzustellen in einem - nicht theoretisch zu antizipierenden - universalen

---

[67] Vgl. H.J. Verweyen, Ontologische Voraussetzungen des Glaubensaktes, Düsseldorf 1969, 23ff.

[68] H. Rombach, Strukturontologie 80

18

Sinnzusammenhang, der selbst wieder herrschende Sinnangebote, Sinnstrategien und -systeme kritisch aufnimmt und sprengt.[69] Es wird zu zeigen sein, daß die Vergewisserung des Glaubens, d. h. der Aufweis seiner Intelligibilität in der Polarität von Gewißheit und Verweis (Armut), Bewußtsein (Freiheit) und Verwiesenheit (Gehorsam), Immanenz und Transzendenz, Selbstbewußtsein - Gottesbewußtsein und Weltbewußtsein zu geschehen hat.[70] Weiter ist aufzuweisen, daß Armut, Ehelosigkeit und Gehorsam aus ihrem immanenten Selbstvollzug in universale Kommunikation treten und selbst zu einem Maß dieser Universalität werden.

Ziel dieser Arbeit ist also eine Theologie der Räte in einem doppelten Sinne. Es wird gefragt, welche Konsequenzen sich aus der systematischen Theologie (Dogmatik, Fundamentaltheologie) für das Verständnis von Armut, Ehelosigkeit und Gehorsam ergeben. Zugleich zielt die Untersuchung auf eine Theologie der Räte in dem Sinne, daß die Räte selbst als Strukturprinzip systematischer Theologie zu denken sind. Es wird also nicht bloß eine vorgegebene Gestalt theologischer Vernunft auf die Räte angewandt, sondern auch versucht, die Räte als denk-würdig, d.h. als Kristallisationspunkte der Vernunft zu erweisen. Ziel der Arbeit ist der Aufweis, daß die Räte nicht ein zufällig und beliebig austauschbarer Appendix, sondern ein Testfall von Glaube, Nachfolge und Theologie sind. Um uns diesem (Ideal!)Ziel in aller Vorläufigkeit anzunähern, greifen wir nicht auf moraltheologische oder primär spirituelle Entwürfe zurück. In dieser Studie werden Theologen dargestellt, die - von einer grundlegenden Einheit von Systematik und Spiritualität (Nachfolge) ausgehend - systematisch zu den Räten geschrieben haben und für die die Räte werkprägende Kraft besitzen. Ihre Entwürfe sind zudem bleibende Bezugspunkte im Bereich gegenwärtiger katholischer Theologie. Im Blick auf das theologische Werk von Hans Urs von Balthasar, Karl Rahner, Johann Baptist Metz und auf die Theologie der Befreiung[71] fragen wir, wie bei diesen theologischen Synthesen die systematische Konzeption der Räte und die gesamte Systematik wechselseitig aufeinander einwirken.

---

[69] Vgl. A. Halder, Aktion und Kontemplation, in: CGG 8, 71-98, hier 89f.

[70] Vgl. K. Demmer, Sittlich handeln aus Verstehen 147.

[71] Die Auswahl beansprucht wohl, wichtige Angelpunkte gegenwärtiger Theologie aufzugreifen, ist aber sicher mit einer gewissen Willkür behaftet. So würde auch eine Untersuchung unserer Thematik etwa bei Theologen wie Erich Przywara oder Romano Guardini zu fruchtbaren Ergebnissen führen. Es sei hier nur darauf verwiesen, daß Hans Urs von Balthasar und Karl Rahner wesentliche Anregungen für ihr Denken von diesen beiden Autoren übernommen haben.

19

Am deutlichsten prägen die Räte das Denken von *Hans Urs von Baltha-sar*. Armut, Jungfräulichkeit und Gehorsam bestimmen für ihn die chri-stologische Gestalt und werden von da her umfassend systematisch vermittelt. Die Räte sind für von Balthasar kritisches Maß des Denkens. Philosophie und Theologie werden bei ihm von einer Logik der Liebe, die zugleich eine Logik der Räte ist, entworfen.

Nicht so ausdrücklich und nicht so umfassend geht *Karl Rahner* auf die Räte ein. Aber auch für ihn stehen Armut und Gehorsam am christolo-gischen Angelpunkt des Verhältnisses zwischen Anthropologie und Theologie. Die explizite Lebensform der Räte gehört für den großen Jesuiten zum Wesensvollzug von Glaube, Kirche und Theologie. Insge-samt werden sich die Räte bei Rahner als strukturprägend und sy-stemsprengend erweisen.

Als Schüler Karl Rahners kommt *Johann Baptist Metz* zunächst von sei-nem Lehrer her. Als Fundamentaltheologe läßt er sich jedoch stärker auf andere Gesprächspartner wie Marx, Bloch und die Frankfurter Schule ein. Im Horizont der Politischen Theologie mit dem Primat der Zukunft und der Praxis erhalten die Räte bei Metz ein stärker kritisch orientiertes Profil als bei Rahner. Die Nachfolge und in ihr die Räte werden sich als Grundlage der Identität des Subjektes im Kontext uni-versaler Solidarität zu erweisen haben.

Der Primat der Praxis ist in der *Theologie der Befreiung* nicht bloß me-thodisch postuliert, sondern auch konkret realisiert. Lateinamerikani-sche Theologen - wir greifen von ihnen besonders Gustavo Gutiérrez und die Gebrüder Boff auf - gehen von der in den Basisgemeinden ge-lebten Option für die Armen aus. Der evangelische Rat der Armut und die Armen werden in der theologischen Reflexion zum Maß, von dem her ökonomische, politische und auch theologische Systeme beurteilt werden.

Die systematische Intention der Arbeit wird durch die Referate und kri-tische Analyse wichtiger Entwürfe neuerer Theologiegeschichte ausge-führt. Mit der Zielsetzung und der Auswahl der Autoren sind prinzi-pielle Beschränkungen gegeben. So werden die exegetischen Grundla-gen dieser Theologen keiner Diskussion unterzogen. Die Auswahl der Autoren ist auf den Bereich katholischer Theologie beschränkt. Auf kontroverstheologische Fragestellungen und Möglichkeiten ökumeni-scher Verständigung im Hinblick auf die Räte wird nicht eingegangen.[72] Human- und sozialwissenschaftliche Ansätze werden nicht befragt oder nur am Rande gestreift. Auf psychologische und pädagogische Aspekte

---

[72] Vgl. dazu informative Studie von J. Halkenhäuser, Kirche und Kommunität (Lit.).

wird kaum eingegangen. Auch sozialethische Themen und konkrete Fragen der Sexualmoral finden praktisch keine Berücksichtigung. Historische Fragen der soziokulturellen Entwicklung können nicht abgehandelt werden.[73] Auch allgemeine juridische Fragen wie kirchenrechtliche im besonderen (z.B. Zölibat als kirchenrechtliches Gesetz, Gütergemeinschaft und Stiftungen) können nur am Rande gestreift werden.[74] - Die Arbeit sieht also ab von der abundanten Literatur zur Askese,[75] zur Armutsfrage, zum Autoritätsproblem[76] und zur Zölibatsdiskussion[77].

---

[73] Vgl. H. Schelsky, Soziologie der Sexualität. Über die Beziehung zwischen Geschlecht, Moral und Gesellschaft, Hamburg 1958; M. Foucault, Sexualität und Wahrheit, Bd. 1: Der Wille zum Wissen, dt. Frankfurt/M. 1977; Bd. 2: Der Gebrauch der Lüste, dt. Frankfurt/M. 1986.

[74] Vgl. Ordensrecht. Kommentar von R. Heuseler, Essen 1987; B. Primetshofer, Das Ordensrecht, Freiburg ²1988.

[75] Z. B. C. Amery, Das Ende der Vorsehung. Die gnadenlosen Folgen des Christentums, Reinbek 1972; C.E.M. Cob, Dasein als Versuchung. Aus dem Französischen von K. Leonhard, Stuttgart 1983; E. Eppler, Ende oder Wende. Von der Machbarkeit des Notwendigen, Stuttgart u.a. 1975; I. Gribomont u.a., Art. Askese, in: TRE 4, 204-259; I. Illich, Selbstbegrenzung, Eine politische Kritik der Technik, Reinbek 1975; G.K. Kaltenbrunner, Der asketische Imperativ. Strategien der Selbstbeherrschung, Freiburg - München 1985; K. Lorenz, Die acht Todsünden der zivilisierten Menschheit, München 1973; D.H. Meadows u.a., Die Grenzen des Wachstums, Stuttgart 1972; C.F. v. Weizsäcker, Der Garten des Menschlichen. Beiträge zur geschichtlichen Anthropologie, München - Wien 1977; H.M. Enzensberger, Der Untergang der Titanic, Frankfurt 1978.

[76] K. Hörmann u.a., Gehorsam und Verantwortung - Aspekte der heutigen Autoritäts- und Gehorsamsproblematik, Innsbruck - Wien - München 1978; A. Mitscherlich, Auf dem Weg zur vaterlosen Gesellschaft. Ideen zur Sozialpsychologie, München 1963; A. Müller, Das Problem von Befehl und Gehorsam im Leben der Kirche, Einsiedeln 1964; E. Schillebeeckx, Kritik des christlichen Gehorsams und christliche Antwort, in: Conc (D) 16/2 (1980) 612-622; R.Sennet, Autorität, dt. Frankfurt/M. 1985; CGG 14 (zu: Autorität, Herrschaft - Macht - Gewalt, Revolution und Widerstand).

[77] F. Böckle (Hg.), Der Zölibat. Erfahrungen - Meinungen - Vorschläge, Mainz 1968; G. Denzler, Das Papsttum und der Amtszölibat, 2 Bde., Stuttgart 1973 und 1976; I.F. Görres, Laiengedanken zum Zölibat. Frankfurt a.M. 1962; H.Heimerl, Der Zölibat, Wien - New York 1985; Kongregation für das katholische Unterrichtswesen, Leitgedanken für die Erziehung zum priesterlichen Zölibat, hg. und kommentiert von B. Fraling, Trier 1976; C. Maas, Affektivität und Zölibat. Dargestellt aufgrund einer Untersuchung der holländischen Literatur 1960-1978, St. Augustin bei Bonn 1979; M. Oraison, Psychologie des ehelosen Lebens, Mainz 1969; Paul VI., Enzyklika »Sacerdotalis Coelibatus« 1967; E. Schillebeeckx, Der Amtszölibat. Eine kritische Besinnung. Aus dem Holländischen von H. Zulauf, Düsseldorf 1967; H.J. Vogels, Pflichtzölibat. Eine kritische Untersuchung, München 1978.

ERSTER TEIL

Logik der Liebe - Logik der Räte
(Hans Urs von Balthasar)

H. U. von Balthasar[1] (* 12.8.1905 in Luzern, + 26.6.1988 in Basel) war Seelsorger, Theologe und Verleger. Zunächst wurde er in der Welt der Musik groß. Wissenschaftlich ist er 'von Haus aus' Germanist: Germanistik und Philosophie studierte er in Zürich, Wien und Berlin. 1929 trat er in den Jesuitenorden ein; Ignatius war und ist einer seiner geistlichen Väter: von Balthasar ist geprägt durch die Exerzitien,»die hohe Schule der Christusbetrachtung, des Horchens auf das reine und personale Wort im Evangelium, der Lebensentscheidung zum Versuch der Nachfolge.«[2] 1950 trat er aus dem Orden aus, um sich der Johannesgemeinschaft (diese entsprang der gemeinsamen Erfahrung und Arbeit mit Adrienne von Speyr), dem Johannesverlag und der eigenen theologischen Arbeit zu widmen.

Die eigene Hierarchie der Werte ordnet er so: Zentrum ist die 'Johannesgemeinschaft' mit ihren konkreten Menschen. Von Balthasar ist von da her ein 'Theologe der Säkularinstitute' geworden: die Säkularinstitute bilden»die Brücke zwischen Weltstand und Gottesstand,

---

[1] Zur Biographie vgl. Rechenschaft 1965; Geist und Feuer. Ein Gespräch mit Hans Urs von Balthasar, in: HK 30 (1976) 72-82; Unser Auftrag. Bericht und Entwurf (1984); Prüfet alles - das Gute behaltet (1986); Hans Urs von Balthasar Bibliographie 1925-1980 (1981); H. Vorgrimler, Hans Urs von Balthasar, in: H. Vorgrimler/R. van der Gucht (Hg.), Bilanz der Theologie im 20. Jahrhundert Bd. IV, Freiburg 1971, 122-142; W. Löser, Im Geiste des Origenes. Hans Urs von Balthasar als Interpret der Theologie der Kirchenväter (FThS 23) Frankfurt 1976; A. Moda, Hans Urs von Balthasar: un' esposizione critica del suo pensiero, Bari 1976; M. Kehl, Hans Urs von Balthasar. Ein Porträt, in: Ders./W. Löser (Hg.), In der Fülle des Glaubens. Hans Urs von Balthasar - Lesebuch, Freiburg 1980; M. Lochbrunner, Analogia Caritatis. Darstellung und Deutung der Theologie Hans Urs von Balthasars, Freiburg 1981; E. Ortner, Geist der Liebe - Geist der Kirche. Zum theologischen Grundanliegen Hans Urs von Balthasars (Diss. masch.) Linz 1983.

[2] Rechenschaft 7

Laien und Religiosen und zeigen damit nicht nur die existentielle Einheit der Kirche, sondern auch die immerwährende und modernste Sendung in die Welt.«[3] Diesem Zentrum zugeordnet ist der Johannesverlag und an dritter Stelle die eigene theologische Arbeit. Von Balthasar entfaltet seine Theologie aus dem kontemplativen johanneischen Schauen der biblischen Quellen heraus. Er entfaltet sein Werk im Gespräch mit den großen Denkern der Tradition. Wie kein anderer kennt er diese Tradition. Er bringt zum einen große Gestalten selbst zum Leuchten; zum anderen nimmt im Dialog, in der Anknüpfung und in der Auseinandersetzung mit den Quellen von Balthasars eigenes Werk Profil an.

Es ist hier nicht möglich, auf alle literarischen Quellen, 'Väter' und Gesprächspartner, wie z. B. Goethe, Nietzsche, Claudel, R. Schneider, einzugehen. Ebensowenig können die patristischen Wurzeln wie Irenäus, Origenes, Gregor von Nyssa oder Maximus Confessor freigelegt werden. Zum großen Teil wird auch auf eine Darstellung der philosophischen und theologischen Verbindungslinien zu E. Przywara, K. Barth, H. de Lubac, M. Blondel, S. Kierkegaard, G. Siewerth oder F. Ulrich verzichtet.

Um die Bedeutung der Räte bei von Balthasar zu verstehen, müssen sie im Horizont des Gesamtwerkes situiert werden. Armut, Jungfräulichkeit und Gehorsam erhalten ihre Prägung von der christologischen Mitte wie auch umgekehrt diese Mitte in Christus gerade durch die Räte in ihr spezifisches Profil gesetzt wird.

Methodische Vorbemerkungen

H. U. von Balthasars Werk will als eine große Einheit verstanden werden. In diesem Werk werden Themen des Ordenslebens und der 'Evangelischen Räte' häufig explizit aufgegriffen.[4]

Eine Untersuchung der Theologie der 'Evangelischen Räte' bei von Balthasar kann nun unterschiedlich vorgehen: sie kann die theologische Begründung der Räte wie ihre Konkretion zu Brennpunkten machen; umgekehrt kann und muß aber auch die Frage gestellt werden, inwiefern die Gesamtstruktur des Werkes von den Räten mitbestimmt ist, indem die impliziten und expliziten Spuren der Räte an Knotenpunkten

---

[3] Rechenschaft 13f.; vgl. dazu G. M. Pollak, Der Aufbruch der Säkularinstitute und ihr theologischer Ort, Vallendar-Schönstatt 1986, 204-213.
[4] Eine Bibliographie dazu bietet: Auftrag 88.95f.

in von Balthasars Theologie gesucht werden. Dieses Ineinander von Gesamtstruktur und Detail entspricht zentralen Prämissen im Denken des Autors: Philosophie, Theologie und Spiritualität (Erfahrung, Nachfolge) sind in relationaler Einheit zu denken. Das unlösbare Verhältnis dieser Elemente ist kein äußerliches Nebeneinander, sondern wurzelt in der Auslegung des göttlichen Logos selbst.

Von Balthasar insistiert auf dem unauflösbaren und unableitbaren Faktum der Offenbarung als Ausgangspunkt, er will aber auch dem denkerischen ontologischen Anspruch gerecht werden, indem er fragt, inwiefern der weltliche Logos, die Wahrheit, das endliche Sein tragfähig sind, den göttlichen Logos, das absolute Sein bild- und gleichnishaft in sich einzubergen.[5] Aus dem inneren Verständnis des Logos geht er sowohl analogisch wie katalogisch - d. h. von der Selbstauslegung des Logos 'von oben' herab - vor. Beide 'Methoden' stehen in einer unauflöslichen Perichorese: »Philosophie und Theologie bilden ein solches Zueinander, daß sie weder von unten nach oben (Philosophie) noch von oben nach unten (Theologie) zu einer 'totalen philosophischen Metaphysik' oder zu einer 'totalen Theologie' vereinbar sind.«[6]

Das Selbstverständnis der Theologie erfordert eine relational eigenständige Philosophie; die Ausblendung der Philosophie würde sich für die Theologie fatal auswirken, denn unreflektierte Begriffe bergen die Gefahr der Ideologie und der Isolation und führen auf »Abwege einer exegetischen Rationalisierung oder einer bloßen Praxis.«[7] Das Zueinander von Eigenständigkeit der Philosophie gegenüber der Theologie und Verwiesenheit und Relation der Philosophie zur Theologie bleibt bewußt in einer Unschärfe: weltliche Wahrheit soll in ihrer Welthaftigkeit erscheinen können, ohne daß gleich exakt entschieden und geschieden wird, ob sie nun 'natürlich' oder 'in übernatürlichem Licht' begriffen wird. Ausgeklammert wird durch von Balthasar eine theologiefreie Philosophie, die Aufhebung der Offenbarung in die Philosophie wie auch eine Theologie ohne Philosophie.[8]

Wie kaum ein anderer Theologe legt von Balthasar Wert auf die Einheit von Spiritualität und Theologie, von Heiligkeit und systematischer Reflexion, von geistlicher Erfahrung und kirchlich-theologischer Ver-

---

5   Vgl. TL I,XI; »Theologische Erkenntnisse über Gottes Herrlichkeit, Güte, Wahrheit setzen naturgemäß eine nicht nur formalistische oder gnoseologische, sondern ontologische Struktur des weltlichen Seins voraus: ohne Philosophie keine Theologie« (TL I,VII); vgl. E. Babini, Il rapporto tra filosofia e teologia nel pensiero di Hans Urs von Balthasar (Diss. masch. Univ.) Bologna 1976.

6   K. Barth 296; vgl. dazu auch TL I,XII.

7   TL I,XIV; vgl. Geist und Feuer 74f.

8   TL I,VII.XII

24

mittlung.[9] Eine Theologie ohne Spiritualität degeneriert zu einem fleisch- und blutleeren Knochengerüst, bloße 'Erfahrung' oder 'Praxis' ohne Reflexion haben kein Rückgrat und entziehen sich der Kommunikation.[10] Von Balthasar will diesen in und nach der Scholastik aufgebrochenen Graben zwischen Theologie und Spiritualität überwinden. Er geht dabei von einem inkarnatorisch-christologischen Wahrheitsverständnis aus, in dem Wahrheit und Tat, Wissen und Leben, Erfahrung und Logos, Gottesbeziehung und Nächstenliebe eine höchste personale, nicht deduzierbare Einheit finden: Spiritualität ist die »subjektive Seite der Dogmatik«.[11] Hand in Hand mit dem Beziehungsgefüge von Philosophie, Theologie und Spiritualität gehen das philosophische Verständnis der Seinsstruktur in den Transzendentalien, wie der damit verknüpfte Aufbau der Trilogie nach 'Ästhetik' (Herrlichkeit), 'Dramatik' und 'Logik'. Das Sein wird von Balthasar als Struktur gedacht, deren Einheit sich als Bewegung vollzieht.[12] »Wahrheit gilt als das, was sich erschließt, der Seinsgrund, als das, was erschlossen wird, die Erscheinung und schließlich die Erschließung selbst als Bewegung des Grundes in die Erscheinung«.[13] Darin ist schon mitgesetzt, daß die Wahrheit des Seins nicht von dessen Mitteilungen, also von der Gutheit, der Neidlosigkeit des Verschenkens zu lösen ist. Die Gutheit ist das sich mitteilende Sein, die Mitteilung selber und das Seiende, an das sich das Sein mitteilt.[14] Insofern die Erkennbarkeit des Seienden in Gott wurzelt, nimmt es teil an der Schönheit: diese ist »die Transparenz durch alle Erscheinung hindurch des geheimniserfüllten Hintergrundes des Seins.«[15] Eine von Gutheit und Schönheit abstrahierende Betrachtungsweise des Seins würde eine zwar exakte, aber belanglose Wahrheit zurücklassen. Von Balthasar hält an der bewegten, letztlich im trinitarischen Liebesvollzug gründenden Einheit der Transzendentalien fest. Kein Spannungspol darf auf den anderen reduziert oder ohne ihn gesehen werden. So entfaltet sich die Gesamtgestalt der Offenbarung im Bezug auf das 'pulchrum' als Herrlichkeit - und damit in einer theologischen Ästhe-

---

9 Vgl. Theologie und Heiligkeit, in: VC 195-225; Spiritualität, in: VC 226-244; Das Evangelium als Norm und Kritik aller Spiritualität in der Kirche, in: SC 247-263.

10 Vgl. VC 208

11 VC 226-244

12 Vgl. dazu TL I,110; dazu H. P. Heinz, Der Gott des Je-mehr. Der christologische Ansatz Hans Urs von Balthasars, Bonn/Frankfurt 1975, 24-27.

13 TL I, 246

14 TL I, 248

15 TL I, 253

tik -, im Bezug auf das 'bonum', nämlich die Freiheit, als Theodramatik und im Bezug auf das 'verum' als Theologik.

In der 'Herrlichkeit' will von Balthasar im Sinne der früheren Apologetik und Fundamentaltheologie dem »blind gewordenen Menschen« einen Zugang zum Phänomen Christi erschließen.[16] Die 'Dramatik' (Aktion, Praxis) folgt der Kontemplation, der Theorie, »dem Erkannthaben der in der dreieinigen Liebeshingabe an uns liegenden Forderung, die ihrerseits nichts anderes ist als Geschenk.«[17] Das 'bonum' verwirklicht sich in der dramatischen Beziehung der göttlichen Gnade zur menschlichen Freiheit. Der Mensch antwortet auf die Befreiung durch den Liebesgehorsam, der in die proexistente Sendung hineingeht, wodurch die 'communio sanctorum' gestiftet wird. 'Herrlichkeit' und 'Dramatik' setzen das nicht deduzierbare Ereignis der Offenbarung und die dazu gehörige Nachfolge voraus. In der 'Theologik', dem Abschluß der Trilogie, geht es um den nicht bloß wahrnehmenden und handelnden, sondern auch denkenden und sprechenden Menschen; sie geht der Frage nach, wie sich die Theologik (die eine Logik der Liebe, der Tat ist) in menschlicher Liebe adäquat ausdrücken kann.[18]

Dieses fundamentale Beziehungsgefüge hat für die Behandlung unseres Themas bei von Balthasar einschneidende Konsequenzen: Die 'Evangelischen Räte' müssen von der Gesamtstruktur her verstanden werden: eine ghettohafte Zuordnung zu einem Spannungspol (etwa der Dramatik der Nachfolge) oder zu einer Sparte der Theologie (wie es bisher in der Aszetik, Mystik oder Moral geschah), die Loslösung des Vollzugs von der Theorie, die Abtrennung von der systematischen Mitte (Trinität, Christologie/Kirche) würden zur Auflösung in die Beliebigkeit und zur Zersetzung der Offenbarungsgestalt selbst führen. Die 'Evangelischen Räte' der Armut, der Jungfräulichkeit und des Gehorsams können deshalb auch dem philosophischen Denken nicht einfach fremd sein. Ohne zum System erhoben werden zu können, haben sie sich als Strukturelemente des Vollzugs menschlicher Erkenntnis und menschlicher Begegnung zu erweisen. Im Gefüge der Gott-Geschöpf-Relation sind sie seinsmäßiger Ausdruck des mit der Analogie gegebenen gestuften Ordo wie auch die ethische Realisierung und Wahrung der Beziehung. Theologisch wird zu zeigen sein, daß für von Balthasar die Räte im Zentrum der Trinität, der Christologie und Soteriologie,

---

[16] TL I,XX; vgl. H I,15-31
[17] TL I,XXI
[18] TL I,XXIf.

der Ekklesiologie und Eschatologie stehen. Zugleich stehen sie für ihn an der Wurzel der Ethik der Nachfolge. Man würde dem Denken von Balthasars Gewalt antun, wollte man die Räte zum exakten, exklusiven System erheben.[19] Er scheut aber die Mühe der philosophischen Vermittlung der Räte nicht, er verwendet sie als kritisches Korrektiv verschiedener philosophischer Ansätze (Autonomie, Wille zur Macht, Titanismus, Subjektivität, ...). In ihrer Durchführung wird die fruchtbare Integration von Philosophie, Theologie und Spiritualität sichtbar.

So soll in dieser Arbeit den impliziten und expliziten Spuren der Räte an zentralen Knotenpunkten im Werk von Balthasars nachgegangen werden. Beim Umfang der literarischen Tätigkeit wie bei der Fülle und Vielfalt des historischen und systematischen Schatzes würde jeder Rat eine eigene Monographie erfordern.[20] Das folgende Kapitel kann nicht alle Entwicklungslinien und verschiedenen kontextuellen Schattierungen der Räte nachzeichnen. Es wird auch kaum auf Akzentverschiebungen oder Brüche im Werk von Balthasars eingegangen. Das Ziel ist dabei nicht primär eine »Christliche Standeslehre«[21] oder eine Explikation der »Priesterlichen Existenz«[22], und es wird auch keine Theologie der Säkularinstitute[23] oder des Ordenslebens versucht. Sicher werden aus diesen Kontexten Ausführungen einbezogen. Vom Strukturdenken von Balthasars her, das von der Interferenz der Transzendentalien bzw. von Philosophie, Theologie und Spiritualität lebt, kann es keinen exklusiven eindeutigen theologischen Ansatz- und Ausgangspunkt geben. Jede Gliederung ist so mit einer gewissen Willkür behaftet. Analogie und Katalogie fordern sich gegenseitig. Heilsgeschichtliches Denken ist der Auslegungsmodus, der von der Konkretion auszugehen hat und in sich auf die trinitarische und schöpfungstheologische Fundierung verweist. Es ist dem Verständnis der Analogie immanent, daß kein schlechthin eindeutiges System möglich ist. Auch die Räte entziehen sich so einer eindeutigen Systematisierung. Sie werden in dieser Untersuchung bewußt in einem sehr weiten analogen Sinn gefaßt: Der Gehorsam wird

[19] Gegen eine Interpretation seines Werkes als 'System der Räte' verwahrte sich von Balthasar ausdrücklich in einem Gespräch mit dem Verfasser am 24.10.1986 in Basel.
[20] Zum Gehorsam vgl. M. Beaudin, L'obéissance de Jésus-Christ comme lieu d'apparition de la vérité de Dieu et de la vérité de l'homme chez H. U. von Balthasar (Diss. Université) Montreal 1978.
[21] Vgl. A. Strukelj, Zivljeje iz polnosti vere teologija Krsanskik stanov pri Hansu Ursu von Balthasarju, Ljubljana 1981 (deutsche Zusammenfassung: Die Theologie der christlichen Stände bei Hans Urs von Balthasar, 322-324).
[22] Vgl. die Bibliographie in: Auftrag 94f.
[23] Eine Zusammenstellung aller Aufsätze in: Auftrag 88.

nicht auf die Unterwerfung unter eine menschliche Autorität reduziert gedacht; zu seinem Verständnis ist vielmehr fundamental bei der innertrinitarischen Beziehung und bei der Relation zwischen Gott und Geschöpf anzusetzen. Ehelosigkeit ist im Kontext von Reinheit, Keuschheit, Jungfräulichkeit, Einsamkeit, Exklusivität, im Zusammenhang mit der geschlechtlichen Mann-Frau Relation und der universalen Fruchtbarkeit zu denken. Bei der Armut sind mit von Balthasar die spirituellen, die konkret-materiellen, sozial-kommunikativen und solidarischen Dimensionen zu berücksichtigen.

Erstes Kapitel

Im Raum der Analogie[24]

I. Räte und Phänomenologie

In seinem Werk »Wahrheit«[25] versucht von Balthasar die 'Wahrheit der Welt' philosophisch zu denken. Das Werk ist als Synthese eines längeren Weges anzusehen: in der erweiterten germanistischen Dissertation »Apokalypse der deutschen Seele«[26] mit den drei Leitmotiven Prometheus, Dionysus, Thanatos hat von Balthasar der idealistischen Philosophie in seiner dialektischen Gestalt wie auch in der Form des Identitätsdenkens eine Absage erteilt. Entscheidend für dieses Verdikt ist die durch Nietzsche, George, Rilke, Kierkegaard und Heidegger, Claudel und Przywara vermittelte Einsicht in die Positivität des Endlichen, das dem Idealismus als zu Überwindendes galt.[27] Mit der Lebensphilosophie teilt er die Kritik an abstrakter Spekulation wie auch die Über-

---

24 M. Lochbrunner, Analogia Caritatis; M. Albus, Die Wahrheit ist Liebe. Zur Unterscheidung des Christlichen bei Hans Urs von Balthasar, Freiburg 1976; J. Schmid, Im Ausstrahl der Schönheit Gottes. Die Bedeutung der Analogie in 'Herrlichkeit' bei Hans Urs von Balthasar, Münsterschwarzach 1982; G. de Schrijver, Le merveilleux accord de l'homme et de Dieu. Étude de l'analogie de l'être chez Hans Urs von Balthasar, Leuven 1983; J. Riches (Hg.), The Analogy of Beauty. The Theology of Hans Urs von Balthasar, Edinburgh 1986.

25 Einsiedeln 1947 = TL I (1985); die französische Ausgabe heißt: Phénoménologie de la Vérité; dazu M. Lochbrunner, Analogia Caritatis 80-85.

26 3 Bde. 1937-1939

27 Vgl. schon den Aufsatz: Kunst und Religion (1927), in: Volkswohl (Wien) 18, 354-365, in dem die Positivität des Endlichen aus einer Phänomenologie des Gewissens heraus gedacht wird; dazu W. Löser, Im Geiste des Origenes 13f.25.

zeugung, daß im Denken ein über den Begriff hinausgehender 'Überschuß' anwesend ist.[28] Zugleich werden in der 'Apokalypse' auch die Aporien der Lebens- und Existenzphilosophie klar, da in diesen die Kreatürlichkeit des Menschen wie die Relation zu Gott vergessen werden.

Sehr früh läßt der damals in München lebende Autor und Jesuit erkennen, daß er sich der tranzendentalphilosophischen Schule Maréchals nicht anschließen will.[29] Seiner Freundschaft mit de Lubac entspringt ein intensives patristisches Studium. Daraus erklärt sich seine Verknüpfung des griechischen Wahrheitsbegriffes (»alêtheia«) als Erschlossenheit, Unverborgenheit und Enthülltheit[30] mit dem biblischen Wahrheitsverständnis (emeth) als Zuverlässigkeit, Treue und Beständigkeit.[31] 'Wahrheit' will wohl ein philosophisches Buch sein, aber darin einen Zugang zur Theologie bieten. Eine zur Theologie hin offene Philosophie kann Christus als erstes, innerstes und letztes ontologisches Prinzip der Schöpfung denken.

1. Rezeptivität und Spontaneität

Von Balthasar will keine kritische Erkenntnistheorie, sondern eine Ontologie als Phänomenologie der uns bekannten und begegnenden Wahrheit erarbeiten.[32] Erkenntnis kann weder auf subjektive theoretische Evidenz (z.b. auf der Grundlage des 'cogito ergo sum') noch auf objektive Faktizität reduziert werden. Solche Reduktionen müssen vom Reichtum des Lebens, von der Dynamik der ganzheitlichen Gestalt wie auch von der Interferenz zwischen Sittlichkeit und Erkennen absehen. Der Vollzug der Erkenntnis wird 'immer schon' an die Welt bzw. an die geschichtliche Überlieferung gebunden: »Es gibt keine Subjektivität, die zeitweise einsam und selbstgenügsam bei sich verweilt, sie ist immer schon beschäftigt mit der umgebenden Welt.«[33] Das konkrete Dasein, das 'wirkliche' Leben soll im Blickpunkt stehen. Die Verwiesenheit und Bindung an die Welt ist der Ausgangspunkt der Erkenntnis. Ein bloß allgemeines, weltloses Ich hätte keine konkrete Form, keinen Umriß,

---

[28] Vgl. ApdS III, 436

[29] In einer Rezension zu: Lotz, Sein und Wert, und Rahner, Geist in Welt, in: ZkTh 63 (1939) 371-379. Hinweis bei Lochbrunner, Analogia Caritatis 114.

[30] TL I, 28

[31] TL I, 29f.

[32] TL I, 23

[33] TL I, 39

keine Prägung, keine Gestalt, keinen Charakter und damit auch keine individuelle Dignität. Sein Bewußtsein ohne Dinge wäre leer und unfruchtbar. Deshalb setzt die Erkenntnis für von Balthasar rein phänomenologisch bei der Rezeptivität an. Er wendet sich damit gegen die Erkenntnis als primär intentionalen Akt, gegen eine Welt als Wille und Vorstellung, gegen einen systematischen Einheitspunkt im Subjekt, von dem alles deduziert oder entworfen wird. Das Subjekt ist immer schon in Dienst genommen. Es findet die Welt ungefragt in seinem Bewußtsein vor, wenn es erwacht. Die Welt dringt auf das Subjekt ein, ob dieses will oder nicht. Von Balthasar spricht sogar von einem 'Überfall' der Welt auf das Subjekt.[34] Die Rezeptivität kennt verschiedene Stufen: sie meint zunächst Offenheit, 'Fenster-haben', Empfänglichkeit für ein anderes Seiendes, mehr noch, das 'In-der-Welt-Sein' des Subjektes, wobei die Welt nicht entworfen oder abgeleitet werden kann.[35] Auf dieser Ebene ist Rezeptivität die Seinsweise des Geschöpfes. Das Subjekt in seiner Freiheit und Spontaneität, in der die Vielfalt der Empirie als Gestalt wahrgenommen wird, bleibt mit-konstitutiv für die Erkenntnis, die sich gerade in der Schwebe, in der Vermittlung zwischen Rezeptivität und Spontaneität vollzieht. Ethisch gewendet besagt Rezeptivität dann, daß das Subjekt in seiner innersten Freiheit zum Erkenntnisraum für das Andere wird und diesen Raum nicht durch angeborene Ideen, Schemata, Kategorien oder durch vorauseilendes Klassifizieren vorprägen und einzwängen will. Rezeptivität als freie Liebe läßt sich von der Wahrheit des Anderen frei beschenken, sie gibt dieser den »Kredit, sich als solche zu offenbaren«.[36] Das Empfangen in Liebe will dem Objekt gerecht werden und es 'rein' aufnehmen.[37] Rezeptivität ethisch gewendet ist die Bereitschaft der Indifferenz und der Wille zur vollständigen Sachlichkeit. In einem 'horchenden Vernehmen' läßt sich das Subjekt vom Anderen frei bestimmen.

So ist das Subjekt in der Erkenntnis immer schon ein ethisches, es ist nie bloß passiv, kein amorphes Material, keine bloße Registratur, die an den weltlichen Tatbestand, an die Faktizität entsprechend angeglichen wird. Wenn sich das Subjekt asketisch in die Epoché einübt[38], wenn es aktive Potenz ist, freie Empfänglichkeit, können die Dinge in ihm Raum finden und zu ihrer Wahrheit kommen. Die 'conversio intellectus ad phantasma', die Hinwendung des Intellekts an die Erscheinung, darf un-

---

[34] TL I, 69
[35] TL I, 36
[36] TL I, 139
[37] TL I, 74
[38] Zur Epoché bei Husserl vgl. ApdS III, 111.

ter ethischer Perspektive die Wahrheit des Objektes nicht willkürlich und selbstherrlich antizipieren, sie nicht dem eigenen 'Willen zur Macht', den eigenen Interessen und Zwecken unterwerfen und das Andere nicht als bloßes Material zur Befriedigung des eigenen Erkenntnisdranges ansehen. In der aktiven Eröffnung eines schöpferischen Raumes wird das konkrete Objekt bejaht; so kann es sich selbst darlegen und zeigen. Das Objekt ist verwiesen auf diesen personalen, souveränen freien Innenraum des Subjektes, es findet den eigenen Sinn nur im bejahenden, auch synthetisch urteilenden Freiraum, ohne darauf Anspruch zu haben.[39]

Nur wenn das Subjekt auf sich selber als Wurzel jeder Erkenntnis verzichtet, wenn es »gleichsam seine ganze Subjektivität beiseite legt, um nichts anderes mehr zu sein als reine vernehmende Öffnung für das Objekt«[40], wenn es arm in die konkrete Fülle der Anschauung ausgeht mit der Haltung des wirklichen Hörenwollens[41], kann Mitteilung und Selbsterkenntnis geschehen. Es ist die Bewegung der Teilhabe und Teilgabe zwischen Subjekt und Objekt, zwischen Rezeptivität und Spontaneität, von Für-sich-Sein und Mitteilung, in der sich das Subjekt, die Welt und auch das Sein lichten.[42]

Damit zeigt sich ein erster fundamentalontologischer Sinn, eine erste Situierung der Räte: Für von Balthasar sind die 'Evangelischen Räte' in einem *analogen* Sinn von Armut, Hörfähigkeit und Reinheit der Wahrnehmung innere ethische Momente der Phänomenologie als Methode, die der Wahrheit des Objektes gerecht werden will und zugleich auch Voraussetzung ist, daß das Subjekt die Fülle des Seins wahrnehmen kann: »Um den ganzen Reichtum des Seins erfahren zu können, bedarf es einer Art von Armut, einer Empfänglichkeit für Anderes und Weiteres; einer Fähigkeit, fremder Offenbarung zu lauschen.«[43]

Dieses fundamentalontologische Verständnis ist im folgenden noch weiter zu entfalten.

---

[39] »Im Subjekt kann sich die Erscheinung entfalten, in der Mitteilung wird die Gestaltung befreit.« »Erst im Akt des Urteils über die Wahrheit ist die Wahrheit im vollen Sinn verwirklicht.« (TL I, 33).

[40] TL I, 119

[41] TL I, 120

[42] Tl I, 118

[43] TL I, 38; vgl. das Zitat von Zarathustra a.a.O.: »Du mußt ärmer werden, weiser Unweiser ... du hast Gold verschluckt, man wird dir noch den Bauch aufschlitzen.« (F. Nietzsche, Von der Armut des Reichsten, in: WW (hg. v. K. Schlechta, München 1966) II, 1264f.).

2. Das »räteverfaßte« Subjekt vor der »Gestalt«

Ein zentraler Gedanke in der Kritik am Idealismus ist für von Balthasar die Positivität des Endlichen. Ursprünglich am Phänomen des Gewissens entwickelt, wird er übertragen auf die Gesamtheit der endlichen Dinge. Von Balthasar greift die Hegel-Kritik Kierkegaards auf, will aber dessen Graben zwischen Ästhetik und Religion überwinden und beide 'Existenzen' füreinander öffnen. Zentral wird dabei der Begriff der *Gestalt*, der als Gegenbegriff zur Aufklärung, zu allen Formen der Abstraktion, in denen das Konkrete als defizitär erfaßt wird, aber auch als Kritik der bloßen Analyse, als Überwindung einer dualistischen Entzweiung von 'res cogitans' und 'res extensa', als Kontrapunkt zum Historismus wie als Absage an den zweckgebundenen Zugriff des Subjektes, das die Welt als Steinbruch der Interessen und der Macht, als bloß zuhandenes und verfügbares Material verkennt, entfaltet wird.

Gestalt ist für von Balthasar - und darin ist er nicht zuletzt von seinen germanistischen Studien (besonders von Goethe) inspiriert - ein Moment am *Schönen*; es kommt ihr eine Form, ein Gebilde, eine Darstellung, eine eigene materielle Erfaßbarkeit, Berechenbarkeit und Stimmigkeit zu.[44] Ihr eignet Konkretion, Sichtbarkeit und Anschaulichkeit. Als Form der Ganzheit ist sie mehr als die Summe der Teile. Grundsätzlich kann bei aller organisierten Materie, bei allem Lebendigen, von Gestalt gesprochen werden. Ihr Wert, ihre 'Höhe' wird am Maß ihrer Einheit und inneren Stimmigkeit gemessen. Urphänomen der Gestalt ist der Mensch in seiner ursprünglichen Einheit von Leib und Seele.[45] In ihm bringt sich die Seele im Leib zur Darstellung, der Leib läßt die Seele erscheinen. Darin kommt neben dem Maß (Form, species) ein zweites wichtiges Moment zum Gestalt-Begriff, das der Lichtung (lumen). Eine Gestalt wird an dem Grad gemessen, in dem sie in ihrer konkreten Anschaulichkeit einen Blick in die Tiefenwahrheit und Tiefengutheit zeigt und schenkt.[46] Von Balthasar setzt dabei mit Thomas die aufeinander bezogene Differenz von Wesen und Dasein und damit die Realdistinktion von Esse und Essentia voraus.[47] Die leib-seelische Verfaßtheit des Menschen als Ineinander von Für-sich-Sein und Eröffnung zur Umwelt, als Einheit in der Differenz, zeigt, daß 'Gestalt' vom

---

[44] Vgl. H I, 111; H III/1, 29f.; PI 38-61; dazu M. Kehl, Kirche als Institution 263ff.; M. Lochbrunner, Analogia Caritatis 166-175; E. Ortner, Geist der Liebe 34-48; R. Vignolo, H. U. von Balthasar: Estetica e singolarità, Milano 1982.

[45] H I, 21

[46] H I, 111

[47] Vgl. TL I, 217-221; dazu W. Löser, Im Geiste des Origenes 19f.

Maß des Menschen her einen personal-sozialen wie auch dynamischen Aspekt in sich birgt. So kann auch von Lebensgestalten die Rede sein.[48] Von Balthasar mißt die Gestalt letztlich am Maß der erscheinenden *Freiheit*. Die Gestalt wird nicht innerweltlich oder innergeschichtlich reduziert: wie das Wesen im konkreten Dasein zum Ausdruck kommt, so lichtet sich - in mehr oder minder starker Intensität - im Seienden das Sein. Die geschichtliche Dynamik der Gestalt (Freiheit, Werden) wird in Kategorien der scholastischen Realdistinktion von Dasein und Sosein, bzw. Sein und Wesen, existentia und essentia gedacht. In dieser dynamischen Bewegung, in der ein Pol nur im Zueinander zum anderen gedacht werden kann, liegt »das ewige Mysterium jeder Ontologie der geschöpflichen Welt«.[49] Je höher der Seinsgrad einer Gestalt ist, desto stärker ist der Verweis der erblickbaren Gestalt über sich hinaus auf das Sein, das sie darstellt und verhüllt. Das Sein erscheint im Seienden und übersteigt es zugleich in das je-größere Geheimnis. Das Tranzendieren im Vollzug des 'Anwesens' ist kein Hinweis auf das Defizit der Gestalt, sondern Erweis ihrer Qualität.

Dieser Dimension der Gestalt hat die Phänomenologie zu entsprechen: die erscheinende Freiheit geht in der Offenheit und Mitteilung, im existierenden Sosein nicht auf, sie hat eine je-größere und reichere Wahrheit, ein Je-mehr in sich: »in der Enthüllung ist das Seiende mehr als die Enthüllung«[50]. Das Ineinander von Konkretion und Je-mehr ist der Grund für die Zeithaftigkeit des endlichen Seins. Für von Balthasar ist Zeit ein ontologischer Sachverhalt[51], der eine Eigenart des geschöpflichen Seins bleibt. Er will zwar Sein und Zeit nicht einfach gleichsetzen, aber doch die Zeit im Kontext der Positivität des Endlichen, als Abglanz, Ähnlichkeit und Nachahmung des ewigen Seins verstehen.[52] Weil also Zeit nicht etwas zu überwindendes ist, sondern positiv als innere Unabgeschlossenheit, als Zukünftigkeit, als Verheißung für das Je-mehr des Seienden verstanden wird und so die Geheimnisdimension wahrt, hat das erkennende Subjekt diesem Je-mehr, der Zukünftigkeit und dem Geheimnischarakter, zu entsprechen. Wenn sich das Seiende mitteilt, so erhofft es vom empfangenden Subjekt den Verzicht auf totalitäre Vereinnahmung, die Absage an die Reduktion auf die Faktizität

---

[48] Vgl. H II (Fächer der Stile); dazu M. Kehl, Kirche als Institution 263-266.

[49] TL I, 218; dazu ausführlicher: W. Löser, Im Geiste des Origenes 18-43.

[50] TL I, 109

[51] Vgl. TL I, 219 ff.

[52] Vgl. TL I, 220; letztlich wird die Positivität der Zeit von der Zeit Jesu her gedacht; vgl. Theologie der Geschichte; Das Ganze im Fragment.

und die Einebnung auf die tote und leere Empirie, die Enthaltung von der beherrschenden und verzweckenden Definition. Die tiefere Wahrheit des Seienden erfordert somit beim erkennenden Subjekt die *asketische* Entscheidung zum je-volleren Sein. Im Kontext von Zeit, Zukunft, Je-mehr und Geheimnis bringt von Balthasar also damit wieder ausdrücklich die 'Evangelischen Räte' in einem analogen Sinn ein: Das Subjekt muß immer um die eigene Perspektive, die eigenen Grenzen, die eigene Armut wissen. Nur in der Armut kann es sich vom Je-mehr des sich-einlassenden Objektes tranzendieren lassen. Im Verzicht auf die eindeutige Verbegrifflichung, in der Enthaltung von der Reduktion auf die Faktizität, d. h. auf die tote Vergangenheit[53], beläßt der Empfangende der sich mitteilenden Gabe ehrfürchtig die Intimität, das Für-sich-Sein, die Freiheit. So muß für von Balthasar am Ende jeder »Wesensforschung ... das noch unberührte jungfräuliche Dasein als das unbewältigte«[54] stehen. Nur das arme, horchende und keusche Subjekt beläßt dem Seienden den Innenraum der Freiheit, die Zukunft und das Geheimnis. Nur in der Haltung der Räte empfängt das Subjekt die Mitteilung als Verheißung für das Je-mehr der Zukunft. Damit wird gerade in der Thematisierung der Räte der Übergang von der Phänomenologie zur Intersubjektivität deutlich.

II. Intersubjektivität: Räte im Vollzug der Communio

In der Analyse von Mitteilung als Teilhabe und Teilgabe wird 'Wahrheit' streng personal gedacht. Sie hat den Charakter der Wahrhaftigkeit und des Zeugnisses.[55] Durch die Betonung der ethischen Dimension der Wahrheit will er aber keinen Graben gegenüber dem Aspekt der Objektivität aufreißen.[56] In seinem Werk »Wahrheit« herrscht noch die Terminologie der herkömmlichen Ontologie (Seiendes, Subjekt, Objekt) vor. In dem u. a. auch durch Feuerbach befruchteten Personalismus (Ebner, Buber, Rosenzweig, Marcel, u. a.) sieht er dann einen der - vom biblischen Bundesgedanken her inspirierten - fruchtbarsten Neuansätze der Philosophie und der Theologie.[57]

---

[53] TL I, 224; vgl. H II, 448 (Dante).

[54] TL I, 220

[55] Vgl. TL I, 213

[56] Vgl. TL I, 99f.

[57] TD I, 31; vgl. TD I, 587-606, GL 27-30; Der Zugang zur Wirklichkeit Gottes, in: MySal II, 15-43; Die Gottesfrage des heutigen Menschen (1956).

Seine Grundeinsicht lautet, daß der Mensch nur in der Koexistenz, in der Begegnung zu seiner Freiheit kommt. Im Raum der Differenz zwischen Ich und Du kommt das Du in der Begegnung, in seiner konkreten Andersartigkeit zum Ausdruck. Der Mitmensch wird als zweites Ich, als Du, als Anderer wahrgenommen. Der 'Andere' als personales Du wurde in der mittelalterlichen Philosophie vornehmlich in Kategorien des 'Objektes', des 'Seienden' ausgedrückt.[58] Es gab keine hinreichende Differenzierung zwischen 'Ich-Du' und 'Ich-Es'. Im Idealismus wurde das Du in die Selbstreflexion bzw. Selbstbegegnung des abstrakten Ich subsumiert oder zu einem bloßen Moment der Selbstfindung des absoluten Geistes degradiert. Die Bedeutung der 'Dialogiker' liegt nun für von Balthasar darin, daß in der 'Du-Begegnung' überhaupt der normgebende Fall von Erkenntnis gesehen wird[59] und sich in ihr die Konstitution des konkret freien Subjektseins vollzieht. Die Bedeutung liegt im 'Zwischen', also weder in der unmittelbaren Selbstevidenz des 'cogito, ergo sum' noch in der Evidenz der Faktizität der Objekte. Rein phänomenologisch setzt von Balthasar bei der Begegnung des Kindes mit der Mutter an.[60] Am Du der Mutter, von dem es geliebt, bejaht, angenommen, 'sein gelassen', in deren Raum es eingelassen wird, erwacht das Kind zum Ich, zum Bewußtsein der Einmaligkeit. Die beängstigende Frage: warum bin ich überhaupt und lieber nicht?, die Diastase zwischen Einmaligkeit und Zufälligkeit des Daseins (als Glied einer Zeugungsreihe) ist in dieser Urerfahrung des bejahenden Lächeln der Mutter schon eingeholt und überholt. Die Fülle der Wirklichkeit ist darin grundsätzlich erschlossen. Erst später wird zwischen der Geborgenheit in der Mutter und der Geborgenheit in Gott differenziert.

In der sein-lassenden und bejahenden Mitteilung, in der Begegnung geschieht Du-Werdung, und in ihr erfährt sich der Mensch als Selbstbewußtsein, als Freiheit, als für sich gelichtete Geistperson. Diese Erfahrung kann nicht in einen Anspruch umgewandelt werden, sie kann in ihrer konkreten Einmaligkeit nicht vorweg erwartet werden; sie wird nur einer dienenden und liebenden Bereitschaft geschenkt und kann nur in der Anerkennung der reinen Gnade und des Geschenkcharakters recht verstanden werden.[61] Begegnung wird zerstört, wenn das Du auf die Stufe der Verfügbarkeit oder allgemeiner Zuhandenheit herabgesetzt wird.[62] So greift von Balthasar auf der Ebene der Interpersonalität den

---

[58] Vgl. Gottesfrage 59
[59] Gottesfrage 54
[60] Der Zugang zur Wirklichkeit Gottes 15-20.
[61] Vgl. GL 35
[62] TL I, 210

Zusammenhang zwischen den Räten als sittlicher Disposition in der Erkenntnis und der Realdistinktion von Wesen und Dasein im geschöpflich Seienden wieder auf. In der Haltung der Räte ist der Mensch für echte Mitteilung disponiert. Der Empfang der Selbstschließung durch das Du weiß um die Differenz von Wesen und Dasein (keine zeitliche Festlegung auf das faktisch Getane und Gewordene) und um die Gleichzeitigkeit von Offenbarung und Verhüllung des je-größeren Geheimnisses im personalen Du. Das sich selbst durch das freie Du empfangende Subjekt weiß sich sogleich ganz in Anspruch genommen und zur Antwort der Zuwendung befähigt. Im Empfang der Gabe des Selbstseins wird das Subjekt zum selber Gebenden geöffnet. Der Fluß der Begegnung vollzieht sich in der Einheit von Armut und Reichtum[63]: nur der Arme empfängt die unverfügbare freie Fülle des Reichtums, wodurch er zugleich befähigt wird, dem anderen armen Du die Gabe weiter zu schenken. Armut wird also im Fluß der Begegnung als Offenheit für das Empfangen und als 'Nicht-festhalten', als Verschenken verstanden. Sie ist in diesem Kontext eine streng relationale Haltung. Der *nur* arm sein Wollende würde die Ankunft der Selbstermächtigung verweigern oder, reich geworden, an sich festhalten und so den Fluß des Gebens unterbrechen.

Symbol für die Begegnung, für die Wirklichkeit des 'Zwischen' ist für Balthasar das Wort. Das Wort ist die Schwebe in der Doppelbewegung zwischen Geist und Stoff, zwischen Erkennendem und Erkanntem. In beiden Bewegungen kommen Fülle und Armut zusammen[64]: die Sprache ist gefüllt mit dem »Reichtum der körperlichen Sinne und der Einbildungskraft, wodurch die Sprache erst ihre kosmische Fülle, Dichte und Schwerkraft erhält«.[65] Für von Balthasar ist also das Wort nicht abstrakt entweltlicht, sondern konkret sinnlich gefüllt. Nur so kann es zum Symbol der Begegnung, der universalen Kommunikation werden. In der Sprache erfährt der Mensch aber auch seine Kontingenz und Armut; er kann sich selber letztlich nicht deuten, er hat die Differenz von Dasein und Sosein nicht im Griff, er weiß sich verwiesen und verdankt.[66] Er kann mit seinem Wort das personale Du in seiner Einzigartigkeit und konkreten Schönheit nicht einholen. Die Bedeutungskraft des Wortes

---

[63]   Darin bezieht sich von Balthasar immer wieder auf F. Ulrich. Das Folgende findet sich ausgeführt bei F. Ulrich, Gegenwart der Freiheit, Einsiedeln 1974, 142ff. Zur Beziehung von Balthasars zu F. Ulrich vgl. Auftrag 33.

[64]   Vgl. GF 254.268-269; jetzt auch in HC 249-253.

[65]   HC 253

[66]   HC 253

kann nicht vom Subjekt, sondern muß aus seiner Beziehung zum Unbedingten, zum Sein stammen.[67]
Mit diesen beiden Akzenten - der Bindung des Wortes an die Sinnlichkeit, die Konkretion, die Gestalt, wie auch der Erfahrung der Armut als Kontingenz - setzt sich von Balthasar kritisch von den Dialogikern ab: er kritisiert an ihnen den heimlichen und offenen Dualismus zwischen wahrer und entfremdeter Welt, zwischen 'Ich-Du' und 'Ich-Es', zwischen personaler und uneigentlicher weltlicher Wirklichkeit, zwischen personalem Glauben und sachhaftem Denken.[68] Wichtig ist für von Balthasar - und hier greift er auf die Logoshaftigkeit des Kosmos vor - die Positivität des Endlichen, die Wertschätzung der Gestalt, die Anerkennung der Welt auch im religiösen Grundakt.[69] Weiter kritisiert er an den Dialogikern die Mißachtung der Differenz zwischen interpersonal-geschöpflicher und göttlich-transzendenter Wirklichkeit. Kritisiert wird die Identität von göttlichem Grund und zwischenmenschlichem Ich-Du, das z.b. bei Ebner als die einzige Wahrheit des Menschseins gilt.[70] So verfehlen sowohl der personal-weltliche Dualismus wie auch die personalistische Reduktion Gottes zum bloßen Grund der primär zwischenmenschlichen Wirklichkeit das letztlich für von Balthasar immer gültige christologische Maß:»Nicht Gott ist das Wort und nicht dessen Fleischwerdung ist die Wahrheit.«[71] Es gilt, die Dialogiker umzukehren. Das Gottesverhältnis wird bei von Balthasar nicht im Zwischenmenschlichen, sondern im Anruf und in der Sendung des Einzelnen durch Gott begründet, woraus sich erst interpersonale Beziehungen ergeben.[72] Mit Kierkegaard insistiert er auf einem Überhang der personalen Gottesbeziehung vor dem menschlichen 'Zwischen'.[73]
Die Räte sind also in einem analogen Sinn die innere Form jeder interpersonalen Beziehung. Als ethische Disposition sind sie Bedingung jeder echten Begegnung. Zugleich wird ein innerweltlich und zwischenmenschlich reduziertes Verständnis des Dialogs gesprengt. Der ontologische Vorrang wird dem Gottenverhältnis des Einzelnen zugesprochen. Dieser Priorität des Wortes Gottes und dessen Verfügung in Ruf und Sendung ist zunächst noch ontologisch im Bedenken der Kontingenz,

---

[67] GF 54
[68] TL II, 49 mit dem konkreten Hinweis auf die zwei Glaubensweisen Bubers.
[69] TL II, 53
[70] TL II, 51
[71] TL II, 45
[72] TL II, 45.53
[73] Vgl. PI 13-25; zum 'Einzelnen' bei Kierkegaard vgl. z. B. Entweder - Oder (WW 2. 3. Abt.) 73.263; Philosophische Brocken (WW 10. Abt.) 98.

der Kreatürlichkeit, der potentia oboedientialis als Anerkennung des Gottseins Gottes nachzugehen. Gerade darin haben sich die Räte für von Balthasar als strukturierendes Moment im Verhältnis zwischen endlichem und unendlichem Sein zu erweisen.

III. Räte als Wahrheit des geschöpflichen Seins

1. Kontingenz und Kreatürlichkeit

Die Räte als ethische Disposition von Erkennen allgemein und zwischenmenschlicher Begegnung im besonderen wurden in das Strukturgefüge der Positivität des Endlichen, der Gestalt in ihrem spezifisch dynamischen Charakter, in ihrem Verweis auf das Je-mehr des Geheimnisses gestellt. Bestimmend waren dabei die Positivität des Endlichen und die Realdistinktion von Sosein und Dasein in der gegenseitigen Bezogenheit. Positiv wurde dies als werdehafter, zeitlich dynamischer Charakter gedacht, ohne dafür die letzte Begründung zu geben. Das endlich Seiende bleibt in der Nicht-Identität der Schwebe zwischen Faktizität und Notwendigkeit, es bleibt unabgeschlossen und angewiesen.[74] Die Dignität des Seienden 'hängt in der Luft'. Die Differenz von Sosein und Dasein, die Nicht-Identität, die ihren Grund nicht in sich selber findet, macht die Endlichkeit, d. h. die Kontingenz des kreatürlichen Seienden aus. Die in jedem Akt des Selbstbewußtseins, in jeder Wahrheitserkenntnis, in jedem Urteil, in jeder Begegnung mitgesetzte Identität kann weder im Subjekt noch im Objekt, noch in einem endlichen Du, noch in einem menschlichen 'Zwischen' gründen. Auch die Summe des Endlichen findet die Identität nicht im Endlichen. Die Identität muß in einem unendlichen, mit sich identischen Sein gründen, das sowohl im Akt des Selbstbewußtseins, im Urteil, in der Wahrheitserkenntnis, in der Begegnung als auch darüber ist. Im Denken der »Kontingenz (als) eine innere Qualität der weltlichen Wahrheit«[75], im

---

[74] Die Metaphysik von Balthasars in H III/1 ist mitgeprägt durch »GUSTAV SIEWERTH, dem Mann mit dem Löwengehirn und dem Kinderherzen, furchtbar im Philosophenzorn gegen die Seinsvergessenen, um sonnig und sanft vom Herzgeheimnis der Wirklichkeit zu reden: vom Gott der Liebe, vom Herzen als Mitte des Menschen, vom Schmerz des Daseins, vom Kreuz des Kindes des Vaters. Ohne ihn hätte der dritte Band von 'Herrlichkeit' seine Gestalt nicht bekommen.« (Rechenschaft 36). Wir verweisen deshalb im folgenden häufig auf die entsprechenden Passagen bei G. Siewerth. Vgl. zum Folgenden: G. Siewerth, Das Schicksal der Metaphysik von Thomas bis Heidegger, Einsiedeln 1951, 463-508 (vgl. H III/2, 786).

[75] TL I, 260; ausgeführt bei W. Löser, Im Geiste des Origenes 28f.

Denken der Endlichkeit wird schon die Grenze des Endlichen überschritten und an das unendliche göttliche Sein gerührt.[76] Die Einsicht in
die eigene Nicht-Identität, in die Kontingenz des Seienden, fordert als
Voraussetzung der welthaften Wahrheit die absolute Identität Gottes
als einzig zureichenden Grund.[77] Weil der Mensch von Gott gedacht
und erkannt wird, *ist* er ('cogit*or*, ergo sum').[78] Gott ist der einzig zurei-
chende Grund menschlicher Selbstvollzüge. Will z. B. eine Erkenntnis
als wahr gelten, muß Gott bewußt oder unbewußt notwendig mitgesetzt
werden ('omnia cognoscentia cognoscunt implicite Deum').[79] Auch die
Begegnung zwischen Mensch und Mensch kann nur religiös begründet
werden.[80] Gott begründet die Erkenntnisfähigkeit des Subjektes, weil
dieses am göttlichen Intellekt teilhat (Partizipation)[81], er begründet die
Erkennbarkeit des Objektes ('nihil est cognoscibile nisi per similitudi-
nem primae veritatis')[82], weil sein Erscheinen an der Mitteilung Gottes
teilhat ('verum est manifestativum et declarativum esse)[83], er begründet
schließlich die in der Erkenntnis sich vollziehende Einheit beider.

Derselbe Gedankengang gilt für die anderen Transzendentalien: »Jede
wahrhaft sittliche Wahl oder Entscheidung setzt eine wie immer be-
schaffene Kenntnis der Totalität des Guten voraus.«[84] Erkenntnis und
Tat des kontingent Seienden werden positiv durch Partizipation am absoluten Sein gedacht. Diese Teilhabe an der Wahrheit und Gutheit
Gottes ist von seiten Gottes freie Mitteilung, freies Für- und Mit-uns-
Sein. Was auf geschöpflicher Seite notwendig ist, kommt von Gott als
freie Gabe.

Diese Denkform, die vom Kontingenten auf das Unbedingte schließt
und die Beziehungspole in ihrer Eigenart denkt, ist zentral für die
'analogia entis'.[85] Mit der Analogie geht von Balthasar im Anschluß an
E. Przywara und in Auseinandersetzung mit K. Barth den Weg zwischen
den Extremen von reiner Identität (göttliche = weltliche Logik) und
reiner Dialektik (göttliche # weltliche Logik). Das endliche Seiende

---

[76] Vgl. TL I, 278-287.
[77] Vgl. TL I, 46; H III/1, 954-956; (vgl. G. Siewerth, Das Schicksal 463-508.
[78] Im Anschluß an Franz von Baader: vgl. TL I, 48.
[79] Thomas, De ver 22, 2 ad 1; vgl. TL I, 45.260.288.
[80] Gottesfrage 62.
[81] TL II, 32
[82] De ver 22, 2 ad 1; vgl. TL I, 260.
[83] TL II, 32
[84] Vgl. TL II, 27-32; hier 31; der zweite Band der TL ist stärker von Blondels 'Logik der
Tat' geprägt.
[85] Vgl. TL I, 257-312; Karl Barth 175-181; dazu ausführlicher: W. Löser, Im Geiste des
Origines 16f.29f.

steht in seinem Sein nicht gleichberechtigt neben Gott; es hat sein Sein nur im identischen Sein, in Gott, der allein *das* Sein ist und über dem endlichen Sein steht.[86] Das Geschöpf ist seinsmäßig formal mit dem Schöpfer eins. Durch die Ähnlichkeit geht aber der Keil der Unähnlichkeit hindurch. Analogie schließt jede univoke Systemeinheit von Gott und Geschöpf aus. Sie denkt das Geschöpf in seiner Kreatürlichkeit, Endlichkeit, Nicht-Identität, Schwebe, Verwiesenheit und Gott in seinem Gottsein. Das Empor (ana) wird im Denken umgekehrt, da die Beziehung des Geschöpfes zum Schöpfer seinsmäßig im Sich-Beziehen Gottes auf das Geschöpf gründet.[87] Wenn Gott sich auf das Geschöpf in gnadenhafter Selbstmitteilung bezieht, so setzt er damit die 'Natur' in der Schöpfung voraus. Wenn es also von seiten des 'natürlichen' Geschöpfes eine Dynamik oder einen (nicht juridischen) Anspruch auf Gnade hin gibt, so »ist (dieser) faktisch von göttlicher Güte immer bereits so sehr überboten, daß sich diese selbst als der Anspruch Gottes auf die Kreatur ausdrückt.«[88]

Die Denkbewegung der Analogie wird so im Vollzug umgekehrt. Die Aufstiegsbewegung des Menschen wird an eine Grenze geführt, an der die Priorität der souveränen Freiheit Gottes sichtbar wird. Der 'Aufstieg' ist schon umgriffen vom Prius der Abstiegsbewegung Gottes auf den Menschen hin. Wichtig ist dabei jedoch, daß von Balthasar an der Notwendigkeit der Analogie festhält, wenn er sie in die Katalogie einbirgt (gegen Barth).

Die Letztgestalt der Analogie ist für von Balthasar wie für Barth eine (absteigende) 'analogia fidei'. Wie aber die Gnade die Natur nicht zerstört, sondern voraussetzt, überhöht und vollendet, so wird die natürliche 'analogia entis' als Gleichnis für die Gnade aufgenommen und positiv überhöht. Die Analogie setzt Gott und das Geschöpf in ihr spezifisches Gegenüber: Gott als Gott, d. h. als Herr und bestimmende Wirklichkeit und das Geschöpf als Kreatur, d. h. radikal abhängig und als solche in ein positives Selbstsein gesetzt. Die Differenz zwischen Schöpfer und Geschöpf, in der sich das Geschöpf seiner Kreatürlichkeit bewußt ist, gibt der menschlichen Freiheit ihr spezifisches Profil durch die Armut und den Gehorsam. Die positive personale Differenz zwischen Schöpfer und Geschöpf ist ein, vielleicht sogar der zentrale Angelpunkt des philosophischen Denkens von Balthasars. Wir wenden uns deshalb ausdrücklich dieser Differenz zu, um dann von ihr her die Kreatürlich-

---

[86] Die Metaphysik E. Przywaras (1933), in: Schweizer Rundschau 33, 496.

[87] Analogie und Dialektik, in: Divus Thomas 22, 171-216, hier 176.

[88] K. Barth 290

keit in positiver Armut, personalem Gehorsam und in Freiheit zu verstehen.

2. Die positive Differenz oder: der Glanz der Freiheit

Von Balthasar war mit G. Siewerth im Bedenken der immanenten Differenz an das göttliche Geheimnis gestoßen, an das, 'was alle Gott nennen', und zugleich war schon die Bedeutung der Kreatürlichkeit in ihrer 'Räte-Verfaßtheit' (d.h. Armut, Gehorsam und Jungfräulichkeit prägen in einem analogen Sinn das Verhältnis des Menschen zu Gott), angeklungen.[89] Das metaphysische Denken muß an dieser Grenze der Intimität des Seins, der Freiheit Gottes halt machen.[90] Die Schwebe zwischen der vom endlichen, kontingenten Subjekt her gesehen notwendigen Teilhabe und der vom anderen Pol des Seins her freien, gewährenden Teilhabe bleibt in einer unabschließbaren Differenz. Die Metaphysik läßt das Sein in dieser Differenz 'in der Luft hängen'.[91] Von Balthasar denkt diese Differenz - und hier greifen Philosophie und Theologie wieder notwendig ineinander - absolut positiv als Raum der Beziehung und der Freiheit.[92] Das thomanische Modell der Analogie von Einheit und Vielheit wird zum richtenden Maß: Gott ist nach Thomas nicht der Grund der Auflösung ins Nichtssein,»sondern der Begründer jeglichen Seins; er ist nicht das Prinzip eines Übels, sondern das Prinzip der Vielheit.«[93] Wenn im Akt des Seins gleichursprünglich das Andere (Nichteinheit) und die Einheit (Sein) gesetzt wird, so setzt er damit als These, daß die Einheit des Seins als Grund der Nichteinheit zugleich der einigende Grund ist.[94] Wichtig bleibt dabei, daß die von Gott gesetzte Differenz die Einheit und Einfachheit des Seins nicht antastet; »somit kann die Scheidung in Gott wesenhaft nichts als absolute Relation sein«.[95] Das Sein ist nicht gezwungen, die Differenz zu setzen. Wenn nun beidem, der freien Unantastbarkeit der Einheit des Seins und der Positivität des Endlichen entsprochen werden soll, kann ein

---

[89] Vgl. H III/1,179.

[90] Vgl. TL I, 107.

[91] H III/1, 954

[92] Vgl. G. Siewerth, Der Thomismus als Identitätssystem, Frankfurt »1961, 104 (TL II, 169; TD II/1, 234).

[93] De Pot. 3, 16 ad 3 (TL II, 169).

[94] G. Siewerth, Der Thomismus 91.

[95] G. Siewerth, Die Abstraktion und das Sein nach der Lehre des Thomas von Aquin, Salzburg 1958, 60f (TL II, 169).

nicht subsistierendes endliches Sein nur von der Liebe, vom Gutsein Gottes gedacht werden.[96] Letztlich ist die Liebe als 'bonum' das 'Tranzendentale schlechthin': die Liebe ist die 'Tiefe des Gutseins', in der es das Dasein wie das Wahrsein umfaßt. So aber ist das 'Gute' tranzendentaler als das Sein und das Wahre und solchermaßen das Hervortreten der letzten Tiefe des Seins selbst, das als 'bonum' in sein eigentliches Wesen kommt.[97] Gerade weil das Sein nur als Freiheit und Liebe verstanden und weil nur von einem transzendental freien, gewährenden Guten die Positivität und Personalität des kreatürlichen Menschen gedacht werden kann, läßt sich die Freiheit nicht in Notwendigkeit aufheben, die sich mitteilende Liebe nicht postulieren oder in einen Anspruch einordnen. Die Metaphysik hat die Differenz zu hüten und die Schwebe als Bedingung für die sich gewährende Liebe aufzuweisen.[98] Gegen alle nominalistische Nivellierung der Wirklichkeit hat sie die Differenz offenzuhalten und auf das Je-mehr des Seienden hinzuweisen. Sie hat aus der isolierten Weltlichkeit, aus der Seinsentfremdung, aus der Erblindung herauszuführen und für das Geheimnis zu öffnen.[99] Eine bloße Faktizität müßte in einer nihilistischen Tragik enden. Die Zerstörung der Geheimnisdimension des Seins würde auch zur Auflösung des Seienden führen.[100]

Hier ist auch der ursprüngliche Ort der negativen Theologie anzusetzen, sofern sie logisch der Selbstmitteilung Gottes vorausgeht.[101] An diesem Ort ist negative Theologie die Einsicht in die Endlichkeit und Vergänglichkeit des Subjektes und der Welt. Sie hat sich als Negation und Kritik aller Vergötzung (Macht, Ehe, Fruchtbarkeit, Weisheit, Technik, Eros, Friede, Krieg, ...) zu erweisen. Die Negation führt aber in der Analogie nicht zur totalen Auflösung oder Vernichtung, nicht zur Resignation oder Skepsis. Ihre Kritik steht im Dienst der Priorität der Freiheit, der bejahenden Relation, die je größer ist als die jeweilige Position.[102]

---

[96] TL II, 126

[97] H III/1, 965; TL II, 162; vgl. G. Siewerth, Grundfragen der Metaphysik im Horizont der Seinsdifferenz, Düsseldorf 1963, 112; ders., Metaphysik der Kindheit, Einsiedeln 1957;

[98] H III/1, 365; vgl. G. Siewerth, Das Sein als Gleichnis Gottes, Einsiedeln 1958, 50f.

[99] Vgl. H III/1, 385; vgl. H. P. Heinz, Der Gott des Je-mehr.

[100] H III/1, 378; vgl. G. Siewerth, Das Schicksal der Metaphysik von Thomas zu Heidegger 97.

[101] TL II, 83

[102] TL II, 90

Die Kontingenz wird positiv gedacht durch Partizipation (notwendige Teilhabe) am absoluten Sein, das frei teilgibt. Die Positivität der Differenz zwischen Schöpfer und Geschöpf nimmt die 'Räte-Verfaßtheit' des Menschen in die liebende Beziehung Gottes hinein. Die Räte - in ihrer fundamental-ontologischen Verfaßtheit wie auch in ihrer Konkretion im Stand der Rätechristen - sind damit grundsätzlich auf das 'bonum' bezogen. Ausgeschlossen sind damit prinzipiell Erwägungen, welche an sich die Räte isoliert, d. h. ohne diese Beziehung zum 'verum' und 'bonum' aufgreifen.

Die Räte sind umgekehrt aber auch nicht bloß funktional im Hinblick auf das 'bonum'. Sie gehören zur inneren Wesensstruktur der Liebe zwischen Schöpfer und Geschöpf. Sie setzen den Menschen in sein spezifisches Geschöpfsein. Als Anwälte der positiven Differenz und der positiven Endlichkeit entfalten sie auch ein kritisches Potential im Hinblick auf alle Formen der Auflösung der Differenz. Die ontologische und ethische Grundstruktur des geschöpflichen Daseins läßt sich bei von Balthasar an jedem einzelnen Rat explizieren:

3. Armut und Wille zur Macht

Die Armut der endlichen Freiheit steht bei von Balthasar in pointiertem Gegensatz zum titanischen Willen zur Macht, dem Gesetz der neuzeitlichen Metaphysik.[103] Der Wille zur Macht setzt bei der Suche Descartes nach der begründeten Gewißheit als Ausdruck der Freiheit an. Bei Descartes ist Gott zu dieser Selbstvergewisserung noch notwendig (daher eine gewisse Nähe zu Augustinus), in der Folge vereinsamt und verdinglicht das Ich aber zur Monade, die sich nicht mehr liebend empfangen und liebend hingeben kann. Der Freiraum der Differenz wird geschlossen zur Identität. Dem 'Titanischen' ist es eigen, Gott die Legitimität zu bestreiten oder Gleichrangigkeit mit ihm zu beanspruchen. Die Beziehung zwischen Ich und Gott wird prometheisch zur Einheit verschmolzen, in der das Ich vergottet oder Gott durch das eigene Ich ersetzt wird.[104]

Dies geschieht in den verschiedenen Formen der Identitätsphilosophie: in Fichtes Ich-Philosophie, in der das absolute Ich zum Fluchtpunkt des empirischen Ich wird und das Ich in der Tathandlung sich selbst das Ge-

---

[103] Von Balthasar schließt sich hier Heidegger an: vgl. TD III, 135-146; ApdS III, 200f.
[104] TD I, 167.174

setz gibt[105], auch in Schellings Freiheitsgedanken oder in Hegels Dialektik, die die göttlichen Gründe der Offenbarung in einer spekulativen Gotteslehre logisiert.[106] Auch Kant, der wohl die Begrenztheit menschlicher Erkenntnisfähigkeit betont, kennt kein göttliches Du. Das Umsonst der sich hingebenden Liebe wird umgewandelt in die Selbstgesetzgebung der praktischen Vernunft. Die Titanik des Prometheus (Vergeistigung) schlägt über ins Dionysische, in dem das absolute Ich eine überrationale naturhafte Lebendigkeit einnimmt:[107] Die Eros-Philosophie Feuerbachs, Nietzsches 'Wille zur Macht', der 'élan vital' Bergsons, der 'Drang' Schelers, die 'flüssige Lebensmacht' Simmels, die 'Libido' Freuds oder das 'absolute Lebensverlangen' Ibsens[108] seien nur als Beispiele genannt. Das Titanische wird nicht aufgehoben, wenn der menschliche Geist oder die naturhafte Lebendigkeit des Ich durch andere totalitäre Größen ersetzt bzw. von diesen abgelöst werden; dies kann materialistisch-evolutionär, gesellschaftlich oder auch zwischenmenschlich-dialogisch geschehen.[109] Ob es nun ein sogenannter positiver Humanismus oder ein 'Prinzip Hoffnung' ist oder andere politische Gebilde sind, die das Ganze des Heils und der Wahrheit theoretisch und praktisch zu verwalten beanspruchen[110], in letzter Konsequenz wird die freie Relation des Geschöpfes zu Gott titanisch aufgehoben oder totalitär eingeebnet. Die Folge des sich titanisch absolut setzenden Subjektes ist die Selbstauflösung der endlich freien Person in den Bauch des absoluten totalitären Moloch.[111] Evident ist die Auflösung des Personalen im 'eigentlichen Titanismus', dem Gott-Gleichheitsanspruch der modernen Wissenschaft.[112] In der Hegemonie der instrumentellen Vernunft wird die Vernunft zum reinen Instrument der Macht degradiert. Die Dinge werden in ihrer bloßen, meßbaren und verwendbaren Faktizität und Brauchbarkeit für das Ego wahrgenommen.[113] Technokratie und Manipulation tyrannisieren die Dinge und zerstören das Geheimnis und die Freiheit. Das titanische Bewußtsein endet in der Verdinglichung und Entfremdung des Menschen.

---

105 TD II/1, 387
106 H III/1, 643.952
107 TD II/1, 388
108 Vgl. TD I, 192 und TD II/1, 387
109 Vgl. Feuerbach (Einheit von Ich und Du ist Gott: WW II, 318) und Marx (TD II/1, 388).
110 TD II/1, 389
111 TD II/1, 388
112 H II, 790
113 TD III, 143

Dem gegenüber müßte nach Heidegger im Anschluß an die Mystik, besonders an Eckhart, die Haltung des Menschen dem Sein gegenüber in der Gelassenheit liegen, in der reinen, lauteren »Empfänglichkeit für den Reichtum und die Armut des Seins«[114], das sich gibt. So stehen Armut und Gelassenheit als Gegenpol zur Philosophie der titanischen menschlichen Mächtigkeit. Doch Heidegger kann sich keinem Du verdanken; der Mensch als 'Hüter des Seins' ist gebetslos.

Von Balthasar möchte christlich die prometheische und faustische Absage an das Gebet[115] durch eine Philosophie und Theologie des Gebetes überwinden. Letztes Kriterium für die Echtheit einer Philosophie oder Theologie ist die Frage, ob in ihr gebetet werden kann.[116] Die Armut der endlichen Freiheit bleibt die Hüterin der Differenz und des Freiraumes einer liebenden Beziehung zur absoluten Freiheit. Dies gilt auch für den Gehorsam: die 'potentia oboedientialis' ist die dem Geschöpf eigene Fähigkeit und Verpflichtung vor Gott.

4. »Potentia oboedientialis«

Für von Balthasar ist die 'analogia entis' die entscheidend christliche Denkform. In ihr wird die formale Einheit von Schöpfer und Geschöpf bei radikaler Unterschiedenheit gedacht. Jeder Pol tritt in seiner Eigenart hervor. Die 'Objektivität' der geschöpflichen Haltung liegt in der Abhängigkeit, der Verwiesenheit, der Offenheit, der Bereitschaft, in der 'reinen Distanzstellung der Instrumentalität', im Empfangen, im Dienst des Knechtes, im *Gehorsam*, die sich alles von der souveränen Freiheit Gottes, des Herrn, zumessen lassen.[117] Die 'Wahrheit' und der 'Grundaffekt' des Geschöpfes als 'Knecht' wird also in der Anerkennung der eigenen Kreatürlichkeit und der Absolutheit Gottes, wie im daraus erfließenden Gehorsam und in der Hingabe dem Herrn gegenüber gesehen.[118] Im Denken der Analogie bleibt Gott als Creator absoluter Herr, der die Verfügung über das Geschöpf behält. Die 'Wahrheit' der kontingenten Existenz des Geschaffenen ist die »unbegrenzte Verfügbarkeit zu Gott hin, die Wehrlosigkeit des Abhängigseins bis ins

---

[114] TD III, 145

[115] Vgl. »Ich euch ehren, wofür?« des jungen Goethe, zitiert in : H III/1, 609

[116] Vgl. VC 223: »Gebet ist die einzig sachliche Haltung vor dem Mysterium« Vgl. H III/1, 412 (Im Idealismus wird nicht mehr gebetet); TD I, 553; F. Ulrich, Gebet als geschöpflicher Grundakt des Menschen, Einsiedeln 1973

[117] TL I, 273.290

[118] TL I, 300

Letzte von einem nie übersehbaren, nie verfügbaren 'Willen' des Herrn.«[119] Um diese letzte Wahrheit der *Gehorsamspflicht* des Menschen Gott gegenüber geht es letztlich in der 'theologia naturalis', wie sie ins Vaticanum I eingegangen ist. Das Konzil denkt mit Thomas den Gottesbegriff des 'catholicus' rein formal übereinstimmend mit dem des 'paganus'. Nur so kann die von Paulus angesprochene Unentschuldbarkeit des Heiden im Hinblick auf die Erkenntnis und Anerkennung Gottes gedacht werden:[120] »Denn vermag der Mensch nicht als Mensch an Gott zu rühren, hat er es nicht in jedem seiner Zustände mit dem wahren Gott zu tun, dann gibt es weder Verantwortung im eigentlichen Sinn, noch Sünde, noch Erlösung. Sonst könnte der Mensch von Natur aus Atheist sein.«[121] Vom Vaticanum I wird eine Indifferenz dem letzten Ziel gegenüber ausgeschlossen. Eine Nicht-Anerkennung Gottes geschieht in der Haltung der *Gehorsamsverweigerung*.[122] Wenn von diesem Konzil die Möglichkeit der natürlichen Gotteserkenntnis gelehrt wird, um den Anspruch Gottes und die Gehorsamspflicht des Menschen zu wahren, um damit überhaupt erst die Möglichkeit von Sünde und Schuld zu denken, so ist wohl die 'quaestio iuris' entschieden, die 'quaestio facti' aber offen gelassen (es heißt 'cognosci posse', nicht 'demonstrari posse').[123]

Der Mensch wird als einer gedacht, der unabwendbar vor Gott steht. Gott ist auch im Versuch seiner Negierung nicht negierbar.[124] Sicher gibt es Abstufungen: Gott ist der 'per se primus notus', nicht aber 'quoad nos'.[125] In der konkret gefallenen Natur kann es zu einer quasi moralischen Unmöglichkeit kommen, in der das Nicht-Anerkennen genauso weit reicht wie das Erkennen.[126] Die Interpretation der natürlichen Theologie bzw. des Vaticanum I durch von Balthasar hebt den An-

---

[119] Analogie und Natur (1945) in: Divus Thomas 23, 356, hier: 40; vgl. W. Löser, Im Geiste des Origenes 36.

[120] Zur Übereinstimmung des Gottesbegriffs beim 'catholicus' und 'paganus' vgl. Thomas, STh I q13, a9 ad2. Das Konzil (Deus naturali humanae rationis lumine e rebus creaturis certo cognosci posse - DS 3004) argumentiert mit den klassischen 'loci' Weish 13,5f. und Röm 1,20f.; von Balthasar verweist auf Spr 11,2; Mt 11,25; Jer 2,11; 1 Tim 6,16; Apg 17,22ff.; aus der Vätertradition werden Klemens (»jeder, der durch die Philosopie nicht zum Glauben kommt, ist ohne Entschuldigung«), Gregor von Nazianz, Chrysostomus, Theodoret, Origenes, Ökumenius, der Ambrosiaster, Augustinus genannt; mittelalterliche Autorität ist Thomas (K. Barth 314-335).

[121] K. Barth 331f.

[122] DS 3014; vgl. K. Barth 335.

[123] K. Barth 315.318.333

[124] Vgl. K. Barth 330.

[125] Thomas, STh I q2, a1

[126] K. Barth 332; vgl. zur Differenzierung der Schuld im Hinblick auf die Anerkennung Gottes - TD III, 151-156 (Analogie der Sünde).

spruch und die Priorität Gottes hervor. Auf seiten des Menschen wird die Nicht-Identität zu Gott, die Kreatürlichkeit, betont. So verstandene natürliche Theologie steht bei von Balthasar im Dienste der 'potentia oboedientialis': Eine positive Gotteserkenntnis kann es für den Menschen nur durch die freie und unverfügbare Mitteilung Gottes geben. Nicht einmal die Möglichkeit des Geschöpfes, die Mitteilung und Verfügung Gottes zu hören, ist seine eigene: »Was ... am Geschöpf geschieht, ist zwar offenbar möglich (da es ja wirklich ist), ohne doch die eigene Möglichkeit des Geschöpfes zu sein. Und doch: wäre es nur die Möglichkeit Gottes und die *Un*-Möglichkeit des Geschöpfes, so könnte es gar nicht geschehen. Die Möglichkeit Gottes, die keine Möglichkeit und doch auch keine *Un*-möglichkeit des Geschöpfes bedeutet, ist das Geheimnis der potentia oboedientialis.«[127] Gott ist es, der zumißt und ruft. Theologisch wird die Unmöglichkeit des Menschen in seiner Erhebung zur Selbstmitteilung Gottes nur vor der vollzogenen Wirklichkeit begreiflich. Gott selbst bleibt Maß und Träger der 'potentia oboedientialis', der Mensch ist nur sekundäres Subjekt, insofern sich die Möglichkeit an ihm vollzieht.[128]

Gottes unendliche Liebe und Freiheit ist für von Balthasar das erste und tiefste Transzendentale, von dem her alles gedacht werden muß. In dieser Liebe und Freiheit erschließt sich die gott-geschöpfliche Differenz. Die konkrete 'analogia entis' sieht im *Gehorsam* die Vermittlung zwischen Gott und Geschöpf. Im Gehorsam wird das Geschöpf universal geöffnet und zugleich zu seinem höchsten Selbst-Sein befreit.

Auf der Ebene der Philosophie bleibt der Gehorsam als geschöpfliche Haltung in einer Schwebe: die 'untere Grenze' der Kreatürlichkeit sieht die 'Wahrheit' und 'Objektivität' des geschöpflichen Daseins als *Knecht*-Sein gegenüber Gott, dem *Herrn*.[129] In Spannung zur Abhängigkeit des Knechtes steht die *Freiheit* des geschöpflichen Gehorsams.

Mit dem Maß des *freien Gehorsams* hat von Balthasar eine doppelte Stoßrichtung der Kritik. Mit Kategorien, die er dem dramatischen Instrumentar des Theaters entnimmt,[130] scheidet er scharf alle freiheitszerstörenden Systeme aus: das Damoklesschwert trifft die willenlose Ergebung in ein anonymes Fatum, alle Vorstellungen eines Ganzen

---

[127] Analogie und Natur 39.
[128] Analogie und Natur 45f.; die dahinter stehende existentielle Erfahrung bei dreißigtägigen Exerzitien beschreibt von Balthasar in »Pourquoi je me suis fait prêtre« (1959): »Du hast nicht zu wählen, du bist gerufen, du wirst nicht dienen, man wird sich deiner bedienen; du hast keine Pläne zu machen, du bist nur ein kleiner Stein in einem längst entworfenen Mosaik.« (Zitiert nach: W. Löser, Im Geiste des Origenes 6/Anm.6).
[129] TL III, 404
[130] Vgl. zum Folgenden den ganzen Band TD I.

(Universums), das den Wert der irdischen Welt, den Glanz der Personalität, zerstört und in sich verschlingt.[131] Das den personalen Kern und Willen paralysierende *Eine* ist letztlich dämonisch. Auszuklammern ist die Vision von einem Marionettenspiel[132], in dem von oben alle Fäden gezogen werden. Die Zwangsjacke der Determination durch ein fremdes Verhängnis ist zu zerreißen. Angeklagt wird die a-personale und persönlichkeitsentfremdende Verdinglichung des menschlichen Bewußtseins zum Automaten oder Industrie-Roboter.[133] Zu kurz greifen Dominanzen der Gesellschaft, in denen der Mensch, zum Funktionär[134] degradiert, ein Programm ausführen und einen Plan erfüllen muß und somit ein beliebig auswechselbares Rad im Getriebe bleibt. Im Gehorsam darf der Mensch keine Maske aufsetzen oder eine bloße Rolle spielen.[135] Er muß sich auch nicht einem anonymen 'Es' oder einem drohenden 'Über-Ich' ausliefern.[136]

Zum anderen stellt von Balthasar die neuzeitliche Freiheitsgeschichte unter das Gericht des Gehorsams, der Priorität des Empfangens. Dabei kommt er in eine profilierte Gegenposition zur Aufklärung[137]: jeder Versuch, die Freiheit und Gnade Gottes (z. B. die Offenbarung) vor das Tribunal der bloßen Vernunft zu ziehen, wird entschieden abgelehnt. Die verfügende Souveränität Gottes hat das eindeutige Übergewicht vor der menschlichen Vernunft. Dies gilt gerade auch im Hinblick auf menschliche Zugänge zur Offenbarung. Alle anthropologischen Ansätze und Vermittlungsstufen sind entweder bloß geduldete Vorstufen, oder sie gelten als titanische Gemächte, die den Wesenskern zerstören.[138] Die Ganzheit der Offenbarung erschließt sich nur dem demütigen Glaubensgehorsam.

Nicht unter das Verdikt der Reduktion oder des Titanismus fällt Kant, zu dessen Gehorsamsverständnis es manche Parallelen bei von Balthasar gibt.[139]

In Kants Kritik der reinen Vernunft geht es um eine ständige Disziplin des Denkens, dessen Grenzen nicht eigenmächtig oder schwärmerisch überschritten werden dürfen. Der geistige Selbstbesitz ist nur als Synthesis, Einheit der Apperzeption, d.h.

---

[131] TD I, 135f.

[132] TD I, 82.123

[133] TD I, 170

[134] TD I, 78f.

[135] TD I, 48f.125ff.169

[136] TD I, 481

[137] Vgl. P. Eicher, Offenbarung. Prinzip neuzeitlicher Theologie, München 1977, 293-343; bes. 301-306.

[138] Vgl. GL 19-32.

als transzendentale Bedingung der Möglichkeit gegenständlicher Erkenntnis gegenwärtig. Die Eigenerkenntnis bleibt eine solche der inneren Begrenztheit.[140] Das Denken Kants ist exzentrisch, d. h. von einer Macht bestimmt, die ihm nicht gegenständlich werden kann.[141]

Analog dazu betont von Balthasar die radikale Kreatürlichkeit und Kontingenz des Menschen. Eine zweite Parallele zeigt sich im 'Guten', das um seiner selbst willen getan werden soll. Das Prinzip der Moralität liegt in der Unverzweckbarkeit des Guten, ohne Rücksicht auf Lohn, Zweck, Lust oder Neigung. An dieser Unverzweckbarkeit des Guten in der reinen Pflichterfüllung des moralischen Gesetzes geht die eigene Autonomie, Selbstzwecklichkeit und Freiheit auf.[142] Das Gesetz zeigt sich für Kant im Imperativ des Gewissens, es flößt Ehrfurcht und Erhabenheit, Dankbarkeit, Demut und Gehorsam ein. Der Pflichtbegriff enthält eine unbedingte Nötigung.[143] Insofern das Gesetz als Imperativ im Menschen auftritt, zeigt sich, daß es nicht einfach mit der Subjektivität identisch ist. Das gesollte Gesetz ist nicht mit den gewollten Neigungen deckungsgleich.

An dieser Differenz zeigt sich einerseits die Einwohnung des 'radikal Bösen' in der menschlichen Natur, in der ein Hang zum Ungehorsam, zur Verkehrung besteht. Der Gehorsam ist darin die Therapie gegen die böse Natur.[144] Zum anderen geht an der Differenz zwischen Sollen und Wollen die Wirklichkeit des 'Anderen' auf, dessen Würde und radikale Selbstzwecklichkeit zu achten ist (zweite Formulierung des 'Kategorischen Imperativs'). So bedingen sich letztlich bei Kant Autonomie, Sozialität und sittliches Gesetz gegenseitig. Die Aufklärung, der Ausgang aus der selbstverschuldeten Unmündigkeit, besteht nicht in einer solipsistischen, anarchischen Egozentrik, sondern im Erfüllen der Pflicht, im Respekt vor dem Du. »Die Menschheit in unserer Person« ist »Subjekt des moralischen Gesetzes, mithin dessen, ... was an sich heilig ist.«[145] Der Raum des Dialogs ist grundsätzlich aufgetan, ohne allerdings konkret geschichtlich gefüllt zu werden.

Doch an einem entscheidenden Punkt setzt sich von Balthasar von Kant ab: beim Königsberger Philosophen fallen Gesetz und Freiheit (*autos* -

---

[139] Vgl. ApdS I, 91-135; H III/1, 817-848, bes. 832-836.
[140] ApdS I, 93
[141] ApdS I, 98
[142] »Nur insofern ich dem Gesetz gehorche, werde ich sittlich autonom« - H III/1, 833.
[143] H III/1, 835; vgl. »Weil das Gesetz so heilig ist, muß der Mensch sich eine Ewigkeit lang bemühen, als Ganzer heilig zu sein« - (ApdS I, 102).
[144] Vgl. ApdS I, 107f.
[145] WW VI, 254 (ApdS I, 116).

49

nomos) im Fluchtpunkt zusammen.[146] Letztlich wird Gott so zur anthropologischen Kategorie; er bleibt Idee und Postulat für die Synthesis von Zeit und Ewigkeit, Sinnlichkeit und Geist, Glückseligkeit und Sittlichkeit.[147] Gott ist für Kant kein personales, geschichtsmächtiges Gegenüber, das den Menschen in den Gehorsam rufen könnte. Im Unterschied zum 'Gesetz in mir' bei Kant betont von Balthasar das 'Von oben' des Willens Gottes, der durch den Heiligen Geist aber auch 'in mir' ist. Wenn auch die Durchführung des Willens Gottes nicht von der Evidenz des Subjektes und dessen Einsicht in die Vernünftigkeit abhängen darf, so steht für von Balthasar der Liebesgehorsam jenseits von Autonomie und Heteronomie: Einerseits muß mit der Annahme des Willens Gottes als Handlungsnorm, mit der Bereitschaft, sich von ihm erwählen, rufen und senden zu lassen, immer auch ein Verzicht auf autonome Selbstbestimmung geleistet werden.[148] Der für ihn zentrale Gedanke des Sendungsgehorsams (in dem die Person in ihrer Entpersönlichung, ihrer Enteignung zur höchsten Vollendung gelangt)[149] kann nicht daraufhin reduziert werden, daß Gott »autonome Handelnsinitiative(n) bestätigte« oder bloß für Handeln tiefer motiviere, dessen Norm schon vom Menschen selbst gesetzt ist.[150] Damit würden die personale Dimension des Rufes, der Individualwille Gottes für die einzelne Person (z. B. im Hinblick auf eine Standeswahl) nicht in den Blick kommen. Mit diesem Verzicht auf autonome Selbstbestimmung ist aber nicht die freie Entscheidung zur Norm, die freie Annahme des Rufes und der Sendung aufzugeben: man kann mit von Balthasar nicht sagen, »der Mensch abdiziere in christlicher Ethik auf seine eigene freie Wahl, um 'knechtisch' sich einer fremden zu unterwerfen«.[151] Wenn sich das Gewissen im Suchen und Fragen, in der Unterscheidung der Geister, im Wachen und Beten unter das Licht der Gnade stellt, so ist die vom Heiligen Geist verliehene Einsicht nicht einfach fremd von oben oder von außen; sie kommt auch von innen, ohne daß damit menschlicher und göttlicher Geist zur platten Identität, zur ungefragten bürgerlichen Einheit verschmelzen.[152]

---

[146] ApdS I, 99f.

[147] ApdS I, 113.115f.

[148] TL II, 74

[149] Philosophisch taucht für ihn dieser Gedanke zuerst bei Fichte auf - vgl. ApdS I, 183f.202.

[150] TL II, 75

[151] TL II, 75

[152] TL II, 75

5. Eros und Bereitschaft

Weniger ausdrücklich thematisiert ist durch von Balthasar die anthropologische Grundlegung der Jungfräulichkeit und Ehelosigkeit. Indirekt relevant ist für diese Grundlegung die Subjektivität des Einzelnen, die letztlich nicht intersubjektiv, sondern von Gott her begründet wird. Die Kategorie des 'Einzelnen' mit seiner wesenhaften Einsamkeit verweist auf den evangelischen Rat, ohne daß es jedoch eine lineare Entwicklung vom analogen zum heilsgeschichtlichen Verständnis gäbe. Indirekt von Bedeutung für ein Verständnis der Jungfräulichkeit im Horizont der Analogie sind auch die Themenbereiche 'Eros und Agape', sowie 'Aktion und Kontemplation'.

Von Balthasar ringt mit dem Thema *Eros und Agape* in doppelter Hinsicht: zum einen geht es um die Einbindung des platonischen Eros (als aufsteigende liebende Bewegung zu Gott, als Dynamismus, Vorgriff, desiderium, menschliche Sehnsucht, Ekstase, ...) in die reine Agape des Gekreuzigten; zum anderen sucht er (mit Dante) nach einer transzendent göttlichen Einbergung des geschlechtlichen Eros. Von Balthasar weiß um die Spannungsgeladenheit beider Komponenten, ohne die protestantische Dialektik des 'Entweder - Oder' mitzuvollziehen.

Das Thema durchzieht für ihn alle Phasen der Metaphysik: es gibt die Eros-Verfallenheit, von der Vergil Abschied nehmen will[153]; der geschlechtliche Eros kann in die Nähe der Grausamkeit und reißenden Feindschaft treten (Solowjew)[154]; der selbstherrlich absolut gesetzte Eros kann zur Selbstzerstörung führen (Bruno)[155] oder in einem erotischen Monismus zum Narzißmus verfallen (Leone Ebreo).[156] Beim jungen Goethe bleibt er tragisch unerfüllt[157], bei Kierkegaard schlägt er in der leeren Fixierung auf sich selber in Schwermut um und wird darin zur Krankheit zum Tode.[158] Von Balthasar will dem Denken nicht jede erotische Dynamik im platonischen Sinn nehmen. Wo der liebende Aufschwung zum Absoluten fehlt, zerfällt der menschliche Geist in lieblosen Mathematizismus oder Idealismus, in dem es keinen Eros und keine Treue mehr gibt.[159] All den Fehlhaltungen gegenüber birgt von Balthasar die aufwärtsgerichtete Dynamik in die Abstiegsbewegung

---

[153] H III/1, 229
[154] H III/1, 685
[155] H III/1, 607ff.
[156] H III/1, 601
[157] H III/1, 736
[158] H III/1, 613
[159] H II, 125.392

Gottes ein. Sie wird in der Bewegung der Analogie umgekehrt: sie wird zur aktiven Indifferenz, zur dienenden Bereitschaft. Diese Haltung wird für von Balthasar im heilsgeschichtlichen Kontext die wesenhaft weibliche und jungfräuliche sein. Mit der Jungfräulichkeit als die dem Geschöpf eigene Haltung verbindet er ein Doppeltes: zum einen kommt in ihr Gott als Gott, d.h. als bestimmender und aktiv-verfügender, und das Geschöpf als Geschöpf, d.h. als abhängiges, empfangendes und verfügtes, zur Geltung. Zugleich aber ist die Beziehung zwischen Gott und Geschöpf immer schon eine personal freie: mit der Wesensbestimmung des Geschöpfes als 'Jungfrau' verleiht er dem geschöpflichen Gegenüber seinen Eigenstand und seine Würde. A- und unter-personale Wesensbestimmungen des Menschen sind damit schon überholt.

Mit der Einbergung der menschlichen Dynamik in die absteigende Liebesbewegung Gottes überwindet von Balthasar den Dualismus von *Kontemplation und Aktion.* Er greift dabei auf Thomas von Aquin zurück, führt diesen aber weiter[160]: Die griechische Theorie war (aristotelisch) Erkenntnis um ihrer selbst willen. Die beschauliche Autarkie bedarf im Grunde des Anderen nicht mehr.[161] Thomas korrigiert Aristoteles, indem er nach dem Verhältnis von Erkenntnis und Liebe fragt.[162] Der Aquinate betont das platonische Willensmoment als Liebe, in welche die ganze intellektuelle Tätigkeit eingebettet wird.[163] Damit kommt indirekt die Personalität bzw. die Selbsthingabe des Menschen an Gott ins Spiel. Wohl gehören bei Thomas die sittlichen Tugenden, die in der Liebe zusammengefaßt werden und Vorbedingung bleiben für die intellektuelle Reinheit, nicht selbst zum beschaulichen Leben dazu.[164] Er vollzieht aber den wichtigen Schritt in der »Überordnung des Willens Gottes und seiner je-größeren Ehre über das Ideal der Beschauung um jeden Preis«, was für von Balthasar »wie ein erster Durchbruch durch das altgriechische Schauideal in dasjenige der Indifferenz« zu sehen ist.[165] Aus der Priorität der reinen Theorie wird der Kreislauf der beiden Formen in der Liebe. Von Balthasar

---

[160] Thomas von Aquin. Besondere Gnadengaben und die zwei Wege menschlichen Lebens. Kommentar zur Summa Theologica II-II, 171-182: Deutsche Thomas-Ausgabe Bd. 23, 252-464. Zum Thema ferner: Aktion und Kontemplation, in: VC 245-259; Apologie für die Kontemplativen, in: K 116-125; In Gottes Einsatz leben 52-56 ; Schwestern im Geist. Therese von Lisieux und Elisabeth von Dijon; Jenseits von Aktion und Kontemplation, in: PI 288-297.

[161] Kommentar zur Summa 454

[162] STh II-II, q180 a1

[163] Kommentar zur Summa 437.

[164] Von Balthasar verweist hier auf Bonaventura, der für ihn die Perichorese von Tugend, Liebe und Schau besser zusammenfaßt (Kommentar zur Summa 439).

[165] A.a.O. 459

denkt vom Maß der ignatianischen Indifferenz her. In dieser kommt der Primat der Gnade, die unbedingte Priorität des göttlichen Willens, der Vorrang der Abstiegsbewegung Gottes vor der Aufstiegsbewegung des Menschen zur Geltung. Indifferenz ist für Ignatius immer schon eine 'aktive Indifferenz', sie ist eingebettet in die ereignishafte Begegnung zwischen Gott und Geschöpf. Dies wird im folgenden noch deutlicher.

IV. Perspektiven: Analogie und Räte

Analogie als spezifische Weise, das Schöpfer-Geschöpf-Verhältnis zu denken, versetzt - philosophisch gesehen - in eine unaufhebbare Schwebe: »Wenn Gott schafft, dann ist das Geschöpf mit schlechthinniger Notwendigkeit weder ein Nichts noch ein zweiter Gott. Es ist analoges Sein von Gott her und somit zu Gott hin.«[166] Analogie denkt den Menschen als Geschöpf, das auf Gott verwiesen ist (Armut), von ihm her seine Bestimmung erfährt (Gehorsam) und von seiner Freiheit und seinem Geheimnis stets überstiegen wird. Analogie denkt die Differenz zwischen Gott und Geschöpf als Raum positiver Relation und somit auch die Endlichkeit in Positivität und Dignität. Somit ist bei von Balthasar schon im Begriff der Analogie eine Grundgestalt der Räte notwendig impliziert. Kreatürlichkeit kann so gesehen nicht mit Sünde identifiziert werden.[167] Sünde wäre es gerade, die Armut und den Gehorsam, die geschöpfliche Distanz zu Gott in Identität aufzulösen.

Die Positivität der Armut und des Gehorsams steht selber wieder in einer Schwebe: der Mensch ist kein Nichts, seine Armut ist keine nichtige, sein Gehorsam ist nicht zu vergleichen mit der Potentialität der 'materia prima'; und doch spricht von Balthasar von der Kreatur als einer, deren Wahrheit dann hervortritt, wenn sie »selbst am totesten unter der Hand des göttlichen Töpfers ist«.[168]

Von Balthasar schwebt in der Beschreibung der endlichen Person zwischen der Forderung »reiner Instrumentalität«[169] und der Ausklammerung aller a-personalen Wirklichkeiten, die das Drama der Freiheit zwischen Gott und Mensch paralysieren.[170] Diese schwebende Spannung

---

[166] Analogie und Dialektik (1944) 215f.
[167] Wie dies K. Barth in beiden Fassungen des Römerbriefkommentars tut; vgl. W. Löser, Im Geiste des Origenes 31.
[168] TL I, 273
[169] TL I, 273
[170] Vgl. dazu den ganzen Band TD I.

53

zwischen dem einseitigen Gefälle in der Analogie und der Positivität der endlichen Freiheit findet sich bei von Balthasar auch in der Anwendung und Überwindung des hylemorphistischen Schemas im Hinblick auf das Gott-Geschöpf-Verhältnis.

Um das Herr-Sein Gottes und seine Priorität zu betonen, wird das Handeln Gottes in Kategorien der Form und der Formkraft beschrieben, gegenüber denen das Geschöpf als 'Stoff' oder 'Material' zu gelten hat.[171] Zugleich kritisiert und überwindet von Balthasar dieses Schema in der Auseinandersetzung mit der stoischen und neuplatonischen 'Apatheia' und der Indifferenz bzw. Gelassenheit des Eckhart. Diese Transformation ist ein typisches Beispiel für das Ineinandergreifen von Philosophie, Theologie und Spiritualität in einer 'Metaphysik der Heiligen' bei von Balthasar.

Die stoische und neuplatonische 'Apatheia' als Einübung einer inneren Haltung will (vorschriftlich) das Schicksal bewältigen, indem man sich selbst zur Einheit von Denken und Leben aufschwingt und so in die Transzendenz versetzt. Wenn Armut, Gelassenheit und Indifferenz von der analogia entis her verstanden werden, können sie keine Strategie der Herrschaft, der Immunisierung von Leid oder Selbsterlösung sein. Kritisiert wird durch von Balthasar die Auflösung der analogen Differenz, die Hand in Hand mit der Paralyse der endlichen Wirklichkeit geht und andererseits aber als eigenmächtiges Setzen der Identität zum Mittel der Bemächtigung wird.[172]

Eine leere, ausgeräumte geschöpfliche Armut im Sinne der (christlichen) Analogie wird im »entsagenden Übersteigen alles leiblich-geistigen Eigenbesitzes in die freie Empfänglichkeit für die Liebe Gottes allein«[173] hineingenommen. Armut, so verstanden, ist kein Selbstüberstieg oder eine Selbstauflösung, sondern Selbstüberlassung an die Liebe Gottes. Neben der stoischen und neuplatonischen Idee der 'Apatheia' greift von Balthasar die 'Gelassenheit' bei Meister Eckhart auf:

Gelassenheit ist ein zentraler Begriff für den Mystiker:[174] er versteht darunter »die unüberbietbare Übereignung alles Seins, aller Einheit, Wahrheit, Gutheit und

---

[171] Vgl. ThG 91; SV 118; eine analoge Verwendung des hylemorphistischen Schemas ist auch die biblische Vorstellung des Menschen als Lehm oder Ton, der zum 'Gefäß' geformt wird. Vgl. auch H I, 104.177.328.456.458.518; H II, 439 (Dante). 613 (Hamann). 677ff. (Solowjew). H III/1, 401 (Eckhart); H III/2AB, 213.325 (Gen 1; Jes 22,11; 19,15-16; Sir 11-15).

[172] Vgl. H III/1, 382

[173] H III/1, 392

[174] Vgl. z. B. Meister Eckhart, Deutsche Predigten und Traktate (ed. Quint), 53-100; dazu H III/1, 390-406

Herrlichkeit an den einzigen, über alles geliebten und angebeteten Gott«.[175] Für diese Übereignung muß der Mensch sich verarmen und verdemütigen, seine eigene Existenz muß restlos verschwinden, um rein durchsichtig zu werden für die je-größere Herrlichkeit Gottes.[176] Gott will allen Raum ausfüllen, er kann nur dort zu sein beginnen und in der Seele geboren werden, wo die Kreatur endet.[177] So muß bei Eckhart jeder Handel gelassen werden, alle gedachten Begriffe und Einkleidungen müssen verschwinden, damit die völlig reine und schattenlose Gotteserfahrung, die Weiselosigkeit und Warumlosigkeit Gottes als reine Wesensform der Liebe sich ereignen können.[178] Zur Beschreibung der Verhältnisstruktur zwischen Schöpfer und Geschöpf verwendet Eckhart das aristotelische Begriffspaar Form - Materie. Als bloße Materie hat der Mensch dabei reine Passivität zu sein. Damit Gott Gott sein kann, muß die Kreatur vernichtet werden ('purum nihil').[179]

Für von Balthasar steht Eckhart damit in der Tradition des neuplatonischen *Einen*, der er katastrophale Folgen zuschreibt und die er als den Ausgangspunkt der Vorstellung des 'dämonischen Gottes' ansieht.[180] Gerade darin kritisiert von Balthasar nun Eckhart, daß die endliche Freiheit im hylemorphistischen Schema, wonach das Geschöpf nur materia für die forma Gottes ist, nicht zum Tragen kommt. In der Vernichtung des menschlichen relational-eigenständigen Subjektes, die sich mit rein negativer Theologie verknüpft, sieht von Balthasar die große Gefahr des Umschlags in den Atheismus, der Verkehrung zum monistischen Pantheismus oder der dialektischen Bemächtigung der Identität, weil es an einer personalen Begrifflichkeit mangelt. Aus diesem Grund lehnt von Balthasar auch das hylemorphistische Schema ab.[181] Von Balthasar kritisiert Eckhart im Grunde mit Hilfe von Ignatius, den er ins Licht der traditionellen Analogie stellt und dessen geistliche Erfahrung er metaphysisch fruchtbar macht: die aktive Indifferenz bei Ignatius[182] ist nicht weniger radikal als bei Eckhart. Die Indifferenz im Prinzip und Fundament der Exerzitien ist die Grundhaltung, in der alles zur größeren Ehre Gottes getan werden kann. Die Indifferenz ist die liebende ausgeräumte Armut (freilich noch nicht die 'aktuelle Armut'), in der man sich in allen Dingen gleichmütig verhält (Gesundheit - Krankheit, Reichtum - Armut, langes Leben - kurzes Leben), um durch alle natürlichen Motive hindurch den konkret gnadenhaften Ruf Gottes zu

---

[175] H III/1, 391
[176] H III/1, 393
[177] H III/1, 401
[178] H III/1, 405
[179] Deutsche Werke (Quint) I, 69,8-70,7.
[180] TL II, 93.102.110f.
[181] H III/1, 457
[182] H III/1, 455-466

hören. Gott wird in seiner souveränen Freiheit und Majestät als der gesehen, der alles - Verstand, Wille, Habe, Besitz, Freiheit, Geist - beansprucht. Entscheidend ist dabei aber die letzte Ausrichtung auf die Liebe.[183] Die Indifferenz fordert gerade nicht die Zerstörung des geschöpflichen Eigenseins und Eigenwillens.

Es wäre für von Balthasar im Anschluß an Ignatius eine verkehrte Vorstellung von der Herrlichkeit Gottes, wenn diese zu ihrer Darstellung die Zerschlagung des geschöpflichen Gefäßes, die Entselbstung oder Entpersönlichung des Menschen benötigte.[184] Es wäre dies Konkurrenzdenken im Sinne eines Entweder - Oder. Echte Herrlichkeit dagegen tritt als Manifestation absoluter Souveränität in der das endliche Gegenüber freisetzenden Liebe hervor.[185] So ist bei Ignatius die Indifferenz kein auflösendes, resignierendes Geschehen-Lassen, keine reine Passivität: »Die vorwiegende Passivität zu Gott (als dem formgebenden Schöpfergeist) ging nur bei Ignatius eine innere Synthese mit der aktiven Spontaneität der menschlichen Vernunft ein.«[186] Ignatius denkt in scholastischen Kategorien: die endliche Freiheit steht in Analogie zum Schöpfergott und wird in der Beziehung zu ihm nicht absorbiert, sondern in höchster Weise gefordert. Jenseits von Passivität und Aktivität wird der gnadenhaft freie Ruf gehört, von ihm her soll der konkrete Stand gewählt und in der Liebe Gott in allem gefunden werden. 'Gott alles in allem' meint das Allwirken Gottes im aktiven Mitwirken des Geschöpfes.[187] Armut, Gelassenheit, Gehorsam, Hingabe, Dienst werden immer frei und personal gedacht. Jungfräulichkeit ist hingeordnet auf die Fruchtbarkeit.

Die aktive Indifferenz der ignatianischen Exerzitien ist so letztlich für von Balthasar das Kriterium für ein analoges Verständnis von Armut, Gehorsam und Jungfräulichkeit.

In einem ersten Schritt haben wir die 'Räte-Verfaßtheit' der 'Analogie' zu bedenken versucht. Zugleich sollten die Konsequenzen analogen Denkens für die Räte deutlich werden. Als fundamentaltheologische, anthropologische Größe sind die Räte im Lichte einer 'Meta-Anthropologie'[188] zu sehen: Ausgangspunkt ist von vornherein kein intentional sich entwerfendes Subjekt, sondern der Mensch, der sich in Armut,

---

183 Vgl. die Betrachtung zur Erlangung der Liebe - Ignatius, EB 234 (H III/1, 462).

184 H III/1, 460;

185 H III/1 460

186 H III/1, 552; für von Balthasar überwindet Ignatius so das hylemorphistische Schema von Form (Gott) und Materie (Mensch), vgl. H III/1, 457.

187 H III/1, 457

188 Prüfet alles - das Gute behaltet 19.

Jungfräulichkeit und Gehorsam vom konkreten menschlichen Du und vom Du Gottes empfängt.

Mit den Räten als Grundverfassung der Anthropologie sind alle Entwürfe mitergriffen, die Freiheit zunächst unter dem Index der Negation des 'Anderen' fassen, um dann intentional auf das Du einzugehen und so jede Beziehung erst wieder vom zu sich selbst kommenden Subjekt her zu verstehen. In der Anthropologie von Balthasars sind *Räte* und *Freiheit* gleich ursprünglich. So wird der Mensch immer schon in 'communio' gedacht. Zugleich ist der Bereich der Anthropologie schon überstiegen: in der Aufstiegsbewegung erfährt sich der Mensch als einer, der von Gott her zu denken ist. Vom Menschen her gesehen bleibt dieses positive Verständnis der Räte und der Freiheit in der Schwebe. Vom Menschen her soll diese schwebende Differenz auch nicht geschlossen werden. Eine Begründung der Positivität endlicher Freiheit und Beziehung kann nur von der freien Huld Gottes her kommen.

Zweites Kapitel

Katalogie

Von einer 'Meta-Anthropologie', deren Grundachsen Armut, Gehorsam und Jungfräulichkeit sind, d. h. von der Analogie, führt für von Balthasar kein kontinuierlicher Weg zur freien Offenbarung der trinitarischen Liebe in Jesus Christus. Die Metaphysik bleibt in der Schwebe und macht vor der Freiheit und dem Geheimnis Gottes halt. So kann, wenn jetzt von der trinitarischen Einbindung Jesu ausgehend[189] die trinitarischen Vollzüge betrachtet werden, im Vergleich zur Analogie dies nur in einem Sprung und nicht in Kontinuität geschehen.[190]
Die absolute unendliche Freiheit, die sich in unverfügbarer Gratuität und Herrlichkeit in der dramatischen biblischen Gestalt geoffenbart hat, ist - jenseits von Notwendigkeit und Zufall - absolute Liebe und Selbsthingabe. Zur Annäherung an dieses Geheimnis greift von Balthasar zu den Kategorien von Armut und Fülle, Gehorsam und Freiheit, wenn er die innertrinitarische Liebe als höchste Fruchtbarkeit im Gebet

---

[189] Zur trinitarischen Dimension der Existenz Jesu vgl. PI 55-58 (der Hl. Geist als 'Regel' des Lebens Jesu); PI 135-140 (trinitarische Dimension des Gehorsams in der Sendung).
[190] Vgl. TL II, 13.

beschreibt. Gerade an dieser Stelle wird auch deutlich, was er der geist-lichen Erfahrung Adrienne von Speyrs verdankt.[191] Mit ihr tritt er durch die Tür der biblischen Heilsgeschichte tief in das trinitarische Geheim-nis ein[192].

I. Die Räte im trinitarischen Liebesmysterium

1. Einheit und Differenz

Der Ausgangspunkt beim trinitarischen Liebesereignis ist *der* Angel-punkt für das Verständnis der Theologie von Balthasars. Er denkt (schaut, empfängt) das höchste Sein, Gott, als Liebe. Dieser Liebe sind alle metaphysischen Begriffe, auch jener der Einheit des Seins, unter-geordnet. In der innertrinitarischen Liebe wird die Differenz absolut positiv als Raum der Mitteilung, der Freiheit, der Liebe, des Gebetes gedacht. Der Unterschied, die Scheidung der Hypostasen, ist in Gott die absolute Relation der Liebe.[193] Der Heilige Geist ist der Zeuge der Differenz zwischen Vater und Sohn, er hält den Raum offen, indem er als 'Wir' der Liebe die Distanz zugleich überbrückt.[194] Die Relation der grundlosen, absolut freien Liebe darf nicht als Vorläufiges oder Vor-letztes gedacht werden. Das göttliche Wesen ist nie anders als vaterhaft, sohnhaft und geisthaft, es ist 'circumincessio', Bewegung der Liebe im Umsonst der Selbstübergabe und des Empfangens. Man kann nicht hin-ter die trinitarischen Beziehungen zurückgehen, um eine unbewegliche, in sich beharrende Gottheit als die eigentliche *Eine* vor der Differenz anzusetzen.[195]
Dieser personalen göttlichen Liebe werden traditionelle Verstehens-modelle unterschiedlich gerecht: die psychologische Trinitätslehre[196] bleibt in den subjektiven Grundvollzügen (mens, notitia, amor; bzw.

---

[191] »Adrienne von Speyr war es, die den erfüllenden Weg von Ignatius zu Johannes wies, und damit den Grund zum meisten legte, was seit 1940 von mir veröffentlicht wurde. Ihr Werk und das meine sind weder psychologisch noch philologisch auseinanderzu-trennen, zwei Hälften eines Ganzen, das als Mitte eine einzige Gründung hat.« (Rechenschaft 1965, 35).

[192] Vgl. Erster Blick auf Adrienne von Speyr 54-57.

[193] TD II/1, 233; vgl. TD IV, 69 (Gott ist kein starrer 'Identitätsblock'); »Ubi non obviat relationis oppositio« (DS 1330), dazu: TL II, 120.

[194] TD III, 303; vgl. TL II, 169; TL III 24.

[195] TL II, 123.126 (wie es Meister Eckhart tut).

[196] Vgl. TL II, 35f.

memoria, intellectus, voluntas) und vermag so das reale Gegenüber der göttlichen Hypostasen nicht einzuholen. Auch wenn von Balthasar um das Defizit des interpersonalen Modells weiß, da dieses die substantielle Einheit Gottes nicht erreichen kann[197], tendiert er stärker zur Betonung der Positivität der Differenz, zur positiven Qualifikation des 'Anderen' in Gott. Im Anschluß an Richard von St. Viktor entfaltet von Balthasar eine 'Logik der Caritas', die den 'Anderen', Geliebten und den 'Dritten', gemeinsamen Geliebten, in Gott fordert, unbeschadet der göttlichen Wesenseinheit.[198] Entscheidend ist die Personalisierung der Positivität der Differenz, die als personales Gegenüber in liebender Einheit in Gott selbst gegründet wird. Die positive personale Differenz ist das entscheidende Zentrum der Theodramatik: der 'Andere' ist in Gott reine Position und Positivität; er darf also nicht als die Negation des Einen verstanden werden.[199] Damit wird das positive Anliegen des Personalismus aufgegriffen und durch die konstitutive Annahme des Dritten trinitarisch korrigiert, ohne Gott auf die Ebene eines mitmenschlichen Du herabzudrücken.

Das Hauptinteresse von Balthasars ist die Wahrung des Dramas der Freiheit, das sich in Gott ereignet. Gegner seines theologischen Entwurfes sind alle Denkmodelle, die hinter die Freiheit der Liebe zurückgehen wollen und die personale Einheit zerstören. So sind alle Vorstellungen, in denen das neuplatonisch *Eine* die Herrschaft ausübt, trinitarisch zu überwinden. Diese Kritik trifft vor allem auch Hegel, der zwar die beharrende Substanz, die platte Identität Ich = Ich aufheben will, dessen Dialektik aber das Absolute nicht als neidlose Liebe versteht. So bleibt die Dialektik letztlich ein gigantischer Monolog, in dem »das Prinzip der Differenz ... nicht zu seinem Rechte« kommt.[200] Primärer Vollzug der Beziehung in Gott ist für von Balthasar das Gebet.

2. Trinität als Gebet

Von Balthasar denkt/schaut mit Adrienne von Speyr den trinitarischen unendlichen Freiraum als Urraum des Gebetes: »Sie stehen einander als Personen gegenüber, die wohl durch die göttliche Liebe im Wesen

---

[197] TL II, 35

[198] TL II, 39

[199] TD IV, 57 (= Bonaventura, In Hexaem XI 9, Quaracchi, V, 381); TL II, 40.

[200] TL II, 44; vgl. TL III, 35 - 38; von Balthasar verweist auf Hegel, Philosophie des Rechts (WW 7) 177f.; Enzyklopädie der Logik (WW 6) 302.

geeint sind, aber von Urbeginn an durch alle Zeiten hindurch ein Gespräch führen können, dessen Wesen Gebet ist. Nichts von dem, was sie voneinander erwarten, füreinander erfüllen, einander mitteilen, steht nicht innerhalb der göttlichen Liebe und ist somit nicht Gebet.«[201] Der innergöttliche Liebesvollzug ist Gebet in allen Dimensionen: Wenn Gott spricht, ist ein Angesprochener da: das Sprechen des Vaters ist der Sohn, der immer schon zur Antwort, zum Gegenwort, befähigt ist.[202] Im Sohn ist der Akt des Gebetes (Vater-sagen) eins mit dem Akt seines Seins. Der Heilige Geist vollzieht das Gebet in Gott. In diesem trinitarischen Ur-gebet erweist Gott Gott die Ehre, vollzieht sich gegenseitige Verherrlichung und Anbetung, die rein das Du in den Blick nimmt.[203] In Gott ist die Haltung der vollkommenen Bereitschaft zum Dienst, die vollkommene Einfügung, das liebende Einverstanden-Sein Gottes mit Gott und damit Gehorsam, in dem sich Freiheit und Relation gegenseitig steigern. Weil in Gott »je neue Anziehung und Anruf ins Intimere, Ermutigung ins Kühnere, Verlockung ins Einmaligere«[204] realisiert wird, weil alle Erwartungen im trinitarischen Je-mehr übererfüllt werden, endet nie das Staunen und die Dankbarkeit über das je-größere Geheimnis.

In der glaubenden, vertrauenden, armen, reinen, gehorsamen, freilassenden Selbstübergabe an das Du ereignet sich der Reichtum, die Freiheit, die unendliche Fruchtbarkeit der Liebe. Im Wir Gottes wird die Differenz zugleich offengehalten und überbrückt.[205] Wenn von Balthasar das absolute Sein als Gebet und als absolute Liebe denkt, sind Armut und Fülle, Gehorsam und Freiheit, Reinheit und Fruchtbarkeit höchste vollzogene Einheit in der Differenz. Sie sind die Modi, in denen sich absolute Freiheit als Liebe verwirklicht.

3. Trinitarische Armut und Fülle

In der absoluten Freiheit, die in sich vollkommene Liebe und Mitteilung ist, sind 'Haben' (Reichtum) und 'Weggeben' (Armut) gleichzeitig und eins, ohne sich zu widersprechen. Ihr Vollzug stiftet die absolute Einheit in der Relation. In der Gegenseitigkeit der Liebe können Ar-

---

[201] A. v. Speyr, Die Welt des Gebetes, Einsiedeln 1951, 24; dazu: A. Sicari, Trinität und Gebet, in: H. U. von Balthasar (Hg.), A. v. Speyr und ihre kirchliche Sendung 61-73.

[202] HC 275

[203] TD III, 84

[204] TD II/1, 269

[205] Vgl. TD III, 303.

mut und Fülle nicht auf einzelne Hypostasen isoliert aufgeteilt werden: der Vater ist reich und arm, weil sein Schoß frei (leer, arm) ist für den Sohn, den er in Erkenntnis und Liebe zeugt und in dem er sich als Vater empfängt.[206] »Wer wäre ärmer als der göttliche Vater, der dem Sohn und dem Geist alles Seinige, seine ganze Gottheit dahingab, wenn er nicht gerade durch diese Armut der Liebe überschwenglich bereichert würde?«[207] Armut und Fülle sind eins im Sohn, der sich in seiner Gottheit rein empfängt, und eins im Heiligen Geist, der - in sich wesenlos - als bloßer Hauch der Liebe von Vater und Sohn die Fülle ist, von der sich Vater und Sohn empfangen.[208] Armut ist also für von Balthasar ein Modus der Grundlosigkeit und Selbstlosigkeit der Liebe. Armut, Kenosis und Tod sind in Gott immer reiner Ausdruck der sich verschenkenden Liebe in Einheit mit Fülle und Reichtum.[209] Selbstsein und Mitteilung sind absolut eins. Das läßt sich nur abgrenzend formulieren: Der Vater hat zeugend »seine Substanz dem Sohn nicht so übergeben, daß er sich dabei nicht selber behalten hätte« (DS 805); aber auch das Gegenteil muß gesagt werden: er bleibt nur so der ewige Vater, weil er ewig all das Seine, die Gottheit inbegriffen, dem Sohn übergeben hat (DS 528).[210]

Innertrinitarisch gibt es keinen Vorrang des einen vor dem anderen und damit auch keine reale Abfolge zwischen den Hervorgängen und Beziehungen. Das ist so zu verstehen, daß keine unbewegliche Substanz den Relationen vorausgeht. In Gott sind die Relationen eins mit dem göttlichen Wesen.[211] Der Vater ist nur Vater in Beziehung zum Sohn. Im Sichverschenken der göttlichen Personen, im Seinlassen jeder durch die anderen, im gegenseitigen Sich-Empfangen, entspringt höchste Fruchtbarkeit: der Heilige Geist ist die »objektivierte Frucht, die innerste Flamme, die höchste Subjektivität des Umsonst der dreieinigen, mit dem Wesen Gottes identischen Liebe.«[212] Diese Fruchtbarkeit ist unendlich dynamisch: sie bringt je neue Freiheits- und Spielräume her-

---

[206] TD III, 304; vgl. TD IV, 75; TL II, 150.154.

[207] TL II, 131; vgl. TL III, 208

[208] TD II/2, 475

[209] TL II, 163; »Die trinitarische Spekulation Hegels entfaltet sich nicht wie die griechische Philosophie nach dem Prinzip einer neidlosen Großmut, sondern im Gegenteil aus einem Prinzip des Mangels« (TL III, 35).

[210] TL II, 126

[211] TL II, 121; von Balthasar bezieht sich auf einen Text von Thomas von Aquin in De Pot q 10 a 3.

[212] TL II, 130; vgl. TL II, 120: schon in der psychologischen Trinitätslehre erwächst die geistige Fruchtbarkeit aus der Relation von Erkenntnis und Liebe; TL II, 226f.; vgl. »Um das Filioque«: TL III, 189-200.

vor.[213] Die Gabe des Vaters ist je-mehr und je-größer, das Verdanken, die Antwort des Sohnes ist die je-neu überraschende Überfüllung, und die innigste Liebe im Heiligen Geist steigert gegenseitig das Selbstsein im Für-sein und Durch-den-anderen-Sein.

In der Gleichzeitigkeit von Armut und Fülle als Gabe und Empfangen der reinen Liebe ist keine Bedürftigkeit, keine Abwesenheit, keine Stagnation, keine Langeweile, kein Überdruß, keine Sättigung. Die Hypostasen sind füreinander vollkommen durchsichtig und zugleich bleibendes personales je-neues Geheimnis.

4. Rezeptivität und Spontaneität

Von der Gleichrangigkeit der göttlichen Hypostasen her können auch Aktivität und Passivität, Spontaneität und Rezeptivität, Männlichkeit und Weiblichkeit, Freiheit und Gehorsam nicht einseitig aufgeteilt werden. Beide Pole treffen auf jede Person zu: im Bereich des Geistes steigern sich Spontaneität und Rezeptivität gegenseitig: Auf keinen Fall 'befiehlt' der Vater auf Grund seines Ursprung-Seins so, daß Sohn und Geist gleichsam gehorsam Ausführende wären.[214] Auf Grund der Gleichewigkeit der Hervorgänge und der Gleichrangigkeit bestimmen die Personen in einer 'circumincessio', was Gott will und tut. Wenn sich also der Sohn in allem, was er ist und hat, vom Vater her empfängt[215], so ist dieser Selbstempfang trinitarisch keine Leere, der Sohn ist nicht bloß passive Materie, totes Nachbild oder bloßer Hohlraum. Die Zeugung durch den Vater schenkt ihm positiv sein Ich, seinen Innenraum, seine Spontaneität.[216] Das Sohn-Sein ist die schöpferische Antwort, die Übererfüllung auf die Gabe und Erwartung des Vaters. Der Heilige Geist ist der gemeinsame Geist der Liebe zwischen Vater und Sohn. Trinitarisch ist er der subjektive Geist des Vaters und der subjektive Geist des Sohnes, aber auch der »objektivierende Dritte, der Zeuge, das Produkt, der Bürge ihres gegenseitigen Verhältnisses«.[217] Der Geist ist nicht identisch mit der Subjektivität des Sohnes, aber auch diesem nicht heteronom oder äußerlich.

---

[213] TD II/1, 238; vgl. TL III, 129.
[214] TL II, 137; vgl. die Texte TD IV, 83-86; TL II, 149.
[215] ThG 24; vgl. Adrienne von Speyr 51-53.
[216] ThG 24; HC 37; A. v. Speyr, Die Welt des Gebetes 22f.; TL III, 168
[217] TD II/2, 478; vgl. TL III, 51.

Diese Gegenseitigkeit und Doppelpoligkeit in jeder Hypostase wird von von Balthasar auch auf die Polarität von Frau und Mann angewendet: »Trinitarisch erscheint der Vater als der ursprungslos Zeugende gewiß primär (über-)männlich, der Sohn als das Geschehenlassende zunächst (über-)weiblich, aber dann als der mit dem Vater zusammen aktiv Hauchende wieder als (über-)männlich, der Geist als (über-)weiblich. Und indem der Vater ... in seinem Zeugen und Hauchen sich selbst immer schon durch die von ihm Ausgehenden mitbestimmen läßt, liegt sogar in ihm ein (über)Weibliches, ohne daß dadurch sein Ordnungsprimat angetastet würde.«[218] So ist für von Balthasar eine Projektion des weltlich Geschlechtlichen in die Gottheit vom Trinitarischen her verboten.[219] In Gottes selbstloser Liebe sind die Gegensätze von arm und reich, spontan und rezeptiv, aktiv und passiv, männlich und weiblich (positiv) aufgehoben und überholt.[220] Vor jeder Scheidung in Stände sind so die Räte bei von Balthasar im trinitarischen Vollzug der Liebe grundgelegt. Sie sind die Modi, in denen Einheit und Differenz der Hypostasen in Gabe und Empfang vollzogen werden. Sie hüten die Differenz des Sohnes zum Vater, sie halten die Beziehung zwischen Vater und Sohn auf das Je-mehr der Fruchtbarkeit im Geist offen. Sie erhellen den Begriff der Person als Selbstsein in der Beziehung.

II. Die Räte in der Beziehung Gottes zum Geschöpf

Aus der trinitarischen Mitte ist die Möglichkeit der Welt zu deuten: Gottes unendliche Freiheit kann unendliche Freiräume aus sich heraus ins Andere seiner selbst entlassen, ohne der Andere und Unterschiedliche zu sein ('non aliud'). Die Urdifferenz, die der Selbstpreisgabe der armen Fülle des Vaters entspringt[221], der alles gibt, was er ist, und darin dem Sohn ewigen Selbststand schenkt, ist die Bedingung der Möglichkeit, daß sich Gott außergöttliche Freiheitsräume ermächtigen und in diese hinein endliche Freiheiten entlassen kann. Diese werden in ihrer Differenz zu Gott von der innertrinitarischen Differenz zwischen Sohn und Vater ermöglicht und umgriffen. Die Möglichkeit der Schöpfung

---

[218] TD IV, 80

[219] TD IV, 80 - es handelt sich um ein spätes Verdikt von Balthasars, an das er sich selbst nicht immer hält.

[220] TL II, 131

[221] TD IV, 73

wurzelt somit wohl in der Differenz des Sohnes, darf aber nicht mit dieser identifiziert werden: die reale Schöpfung der Welt geschah nicht aus Bedürftigkeit oder Notwendigkeit, sondern aus souveräner, grundloser, reiner, freier Liebe.[222] Die Armut Gottes als Freiraum der Liebe wurzelt in der Fülle; in ihr ist keinerlei Mangel.[223] Alle endliche Freiheit außer/in Gott steht in Analogie zur Freiheit des Sohnes. Er ist der Ursprung, die exemplarische Imago, die Bewahrung und das Endziel für alles Erschaffene[224]; er stellt als der Je-Einmalige in seiner Menschwerdung das 'universale concretissimum' dar[225], sein Gehorsam ist »die konkrete Universalidee zwischen Himmel und Erde.«[226] So wird trinitarisch verankert, was philosophisch noch ohne Grund war. Göttliche und geschöpfliche Differenz haben in Christus ihren Vergleichspunkt. Von diesem Fundament aus steht die weltliche Differenz »in keinem Konkurrenzverhältnis zur Identität Gottes, in der die Differenz der Hypostasen etwas Positives ist und Gott selbst als Prinzip der Vielheit ist.«[227] Das Andere der Schöpfung steht von Christus und dem Geist her in einem positiven Verhältnis zu Gott.

In der den Geschöpfen geschenkten Freiheit, die nicht zurückgenommen wird, liegt eine Kenose, eine Selbstbeschränkung der Fülle in die Armut hinein. Im Bundesschluß und schließlich am Kreuz erfährt die im trinitarischen Liebesvollzug grundgelegte Kenose ihre Radikalisierung: »Wer wäre nochmals ärmer als der Vater, der seines Sohnes nicht schonen kann, weil er die Macht so sehr liebt, wer wäre ärmer als der Sohn, der unsretwegen sich seiner 'Gottgestalt entäußert und Sklavengestalt annimmt' (Phil 2,6-7), der aus Freigebigkeit aus einem Reichen sich arm gemacht hat, um durch seine Armut euch zu bereichern (2 Kor 8,9).«[228] Gottes arme Selbstbeschränkung in der Freigabe des Geschöpfes ist als Latenz, als Zumutung der je-größeren Freiheit und zugleich als Begleitung (Gebote, eucharistische Gabe) und innere Stärkung im Heiligen Geist zu denken.[229]

---

[222] Vgl. TL II, 165
[223] Vgl. TD II/1, 236
[224] TL II, 161; vgl. TD II/1, 243; TD II/2, 473; TD IV, 54.
[225] TD II/1, 245
[226] TD II/1, 246; vgl. HC 264.
[227] TL II, 169; zu Gott als Prinzip der Vielheit: Thomas, De Pot 3, 16 ad 3; zum Ganzen: G. Siewerth, Der Thomismus als Identitätssystem 104.
[228] TL II, 131; vgl. TD III, 308.
[229] Vgl. TD II/1, 248-251; vgl. TL III, 222.

So ist ein echtes Drama zwischen Gott und Mensch möglich. Die Räte als innerer Vollzug der trinitarischen Liebe sind also Bedingung, daß die Schöpfung das 'aliud' Gottes sein kann. In dieser Freisetzung sind die Räte für von Balthasar in einem gewissen Sinn auch die Modi der Beziehung Gottes zum Geschöpf, d.h. er macht sich selbst dem Geschöpf gegenüber arm, er kann auf den Menschen hören. Die 'Räte'-Verfaßtheit der Beziehung Gottes zum Geschöpf ist Voraussetzung für den Bund, der in der Hochzeitlichkeit zwischen Christus und der Kirche seine Erfüllung findet. Umgekehrt muß auch die 'Räte-Verfaßtheit' der Beziehung des Geschöpfes zu Gott aufgewiesen werden.

III. Der Mensch als Bild Gottes

Endliche Freiheit wird als Gleichnis des dreipersonalen Gottes gedacht, in dem die Einmaligkeit der einzelnen Hypostasen und deren universale Kommunikabilität sich gegenseitig begründen. Die Freigabe der endlichen Freiheit durch Gott begründet sowohl das Sich-selbst-gegenwärtig-Sein, den Selbstbesitz, die Unmittelbarkeit des Für-sich-Seins, die Einmaligkeit, das 'autexousian' des Einzelnen, wie auch die Entschränkung, die universale Öffnung, den Ausgang aus sich selbst, die Mitteilung, das Mit-Sein, die restlose Kommunikabilität.[230] Beide Pole können im Menschen, dem Abbild Gottes, nur ineinander verwirklicht werden: ohne Entschränkung und Öffnung kein Selbstbesitz und keine Selbsterkenntnis, ohne Mitteilung keine Erfahrung der Einmaligkeit, ohne Wollen, ohne Freigabe und Seinlassen der Einmaligkeit anderer keine Selbstgegenwart der Freiheit.[231] Diese Realisierung der Freiheit hat vom trinitarischen Gehorsam Christi, der konkreten Analogie, dem 'universale concretissimum', auszugehen. In diesem konkreten Gehorsam verbleiben endliche und unendliche Freiheit nicht in abstrakter Opposition, noch werden sie in eine beziehungslose Identität absorbiert: in Jesus Christus ist eine doppelte Bewegung, die gegenseitige Hingabe, geeint.[232]

Insofern die trinitarischen Beziehungen das Urbild der Schöpfung sind, sind die Räte auch in das ursprüngliche Bild des Menschen als Geschöpf Gottes im Sohn eingezeichnet. Für von Balthasar sind Verdankung, Armut, Gehorsam, Indifferenz, Ruf, Sendung, Jungfräulichkeit

---

[230] TD II/1 188f.203.206
[231] TD II/1, 190
[232] TD II/1, 182

und Fruchtbarkeit die christlichen Alternativen zur neuplatonischen Entwerdung, Entselbstung, Vernichtung. In der positiven Preisgabe alles Eigenen bejaht und vollzieht das Geschöpf die Bejahung der grundlos sich mitteilenden Liebe Gottes, es nimmt die Welt und sich selbst an.[233] Die Logoshaftigkeit der Existenz bedeutet nie eine Zerstörung oder ein Versinken des Subjektes. Der trinitarische Ansatz bei der 'circumincessio' der Liebe ist für das Verständnis der Räte von entscheidender Bedeutung: grundsätzlich sind alle Denkformen oder Praktiken überrundet, in denen die Räte als Vorbedingung des Aufgehens in das absolut Eine, z. B. in ein all-kosmisches Prinzip, gelten, weil Erlösung dabei als Absterben und Auflösung der Personalität verstanden würde. Die Räte sind als relationale Vollzüge nur in Spannung mit den Polen der Fülle, der Freiheit und der Fruchtbarkeit zu verstehen, d.h. sie können nicht ohne diese Relation abstrakt isoliert als Vollkommenheiten qualifiziert werden. So ist hinsichtlich der Dialektik von Armut und Reichtum genau zu differenzieren zwischen der Verelendung, die bei Marx in einem geschichtsphilosophisch notwendigen Überschlag zur paradiesischen Fülle transformiert wird, und der Armut der frei sich empfangenden und mitteilenden Fülle.[234]

Im Hinblick auf den Gehorsam greifen von einem trinitarischen Verständnis her alle Entwürfe zu kurz, die diesen bloß in seiner erzieherischen Funktion für jene betrachten, die noch nicht zum Gebrauch ihrer eigenen Vernunft gekommen sind, sei es auf Grund ihres Alters oder auch auf Grund der erbsündlichen Verfallenheit an die Sinnlichkeit. In einem solchen Verstehenshorizont würde der Gehorsam zur bloßen Vorstufe auf dem Weg zur in sich autarken Persönlichkeit degradiert.[235] Trinitarisch gesehen ist der Gegensatz von Autonomie und Heteronomie grundsätzlich überwunden. Das im philosophischen Ansatz auch bei von Balthasar vorhandene Herr-Knecht-Modell zwischen Schöpfer und Geschöpf wird im Lichte der trinitarischen Relationen aufzugreifen und zu transformieren sein. Die Alternative kann für von Balthasar in trinitarischer Struktur (christologisch und pneumatologisch) nicht Autonomie oder Gehorsam heißen. Eine solche Opposition würde zwischen Mensch und Gott eine Konkurrenz sehen. Autonomie ohne Ge-

---

[233] TL II, 112f.

[234] K. Marx, Ökonomisch-philosophische Manuskripte (1844), in: MEW EB I, 540: »Auf diese absolute Armut mußte das menschliche Wesen reduziert werden, damit es seinen inneren Reichtum aus sich heraus gebäre.« Vgl. H III/1 925.

[235] Vgl. Aristoteles, Pol. I 1252 a 33; Augustinus, De civitate Dei 14,12; 19,15f.; In ev. Joh. 25,16; 53,10; En in Ps 145,5; vgl. I. Winkelmann, Art. Herrschaft, in: HWP 3, 1084; K. Rothe, Art. Herrschaft und Knechtschaft, in: HWP 3, 1088f.; K. S. Frank, Art. Gehorsam, in: RAC 9, 393-395.418.

horsam führt zur Isolation und Vereinsamung des herrschaftlichen Subjektes und kann in die Verdinglichung oder Knechtschaft des Bewußtseins umschlagen. Autonomie ohne Gehorsam, d. h. ohne Freiheitsempfang und liebende Beziehung, zerstört die Freiheit, die nur relational zu denken ist. Gehorsam ohne Freiheit und Liebe wäre die Auflösung der Personalität, die Funktionalisierung des Subjektes, die Paralyse des Einzelnen in ein totalitäres Ganzes. Gehorsam wird nur dann personal gelebt, wenn er aus der vertrauensvollen, armen Freigabe ins Selbstsein entspringt. »Befreiung durch Christus zur Geistfreiheit ist gleichzeitig Einweisung des freien Menschen in die gehorsame Christusnachfolge.«[236] Der Heilige Geist befreit die endliche Freiheit zu ihrer letzten Freiheit. In seiner in die Herzen ausgegossenen Liebe wird aus der kreatürlichen Knechtschaft Kindschaft und Freundschaft. Darin erfährt der Mensch den Gehorsam als seliges und freies Dürfen.[237] So ist der Gehorsam in trinitarischer Perspektive nie Flucht vor der Freiheit und Verantwortung in die Unmündigkeit.[238]

Die Jungfräulichkeit ist im Lichte trinitarischer Ontologie in das Je-mehr der Freiheit und des Geheimnisses, in das Umsonst, die Grundlosigkeit und Zweckfreiheit, die der Fülle der Liebe Gottes entspringen, hineingenommen. Im Sohn und im Geist ist sie hingeordnet auf die Fruchtbarkeit der Liebe. Primär der Bereitschaft, der Kontemplation zugeordnet, wird sie im Liebesvollzug zur höchsten Aktion.

Im Kontext der trinitarischen Grundlegung, die das Geschöpf vom Logos her denkt, ist von Balthasar zurückhaltend im Hinblick auf ein bräutliches, von der geschlechtlichen Polarität zwischen Mann und Frau geprägtes Verhältnis zwischen Schöpfer und Geschöpf. Die konkrete Gestalt der Jungfräulichkeit ist an der Heilsgeschichte abzulesen: erst in Maria kommt das Geschöpf als Gegenüber zum Logos zur Geltung. Jungfräulichkeit und Ehelosigkeit sind bei von Balthasar letztlich von Maria und der Eucharistie her zu denken.

---

[236] TL III, 228
[237] TD II/1, 208; TL III, 406f.
[238] Die Theologie des Rätestandes 49.

Drittes Kapitel

Die Räte im Lichte der Heilsgeschichte

Ein dritter Anlauf zum Verständnis der Räte führt uns in die Mitte der Theologie von Balthasars: zur Schau der Offenbarungsgestalt, in das Zentrum des Dramas, zur Wurzel der Logik Gottes. In dieser Mitte wird das letzte Maß selbst evident, die Offenbarungsgestalt bildet ihre eigene Apologetik. An ihr wird auch ansichtig, daß von Balthasar von einer tiefen johanneischen Meditation der Schrift ausgeht, die für ihn Kriterium aller Spiritualität und Theologie ist. Er weiß dabei um die Ergebnisse der historisch-kritischen Exegese, will aber ihre Aporien in einer geistlich-theologischen Schriftauslegung überwinden. Die Tradition der Väter und die Erfahrungen der Mystiker sind dabei bevorzugte 'Exegeten'. Von Balthasar schreibt keine 'Theologie der Heilsgeschichte' im engen Sinn. Die Heilsgeschichte ist nicht zu lösen von einer katalogischen und analogischen Schöpfungstheologie. Paradies, Alter Bund, Neuer Bund in Christus/Kirche, Eschaton bilden letztlich eine unauflösbare Gestalt, die nicht in einzelne Teile zu zerlegen ist. Maßstab aller Vorstufen (Treppen) und aller Auslegung (Tradition) ist die christologisch-trinitarische Mitte.

I. Die Räte und die reine Schöpfung (Paradies)

Vom 'Urstand' d. h. von der noch nicht durch die Sünde gestörten Stellung des Menschen im Paradies will von Balthasar zeigen, wie Gott sich den Menschen ursprünglich gedacht hat: als sein Bild und Gleichnis, als Partizipation an der Personalität und Freiheit Gottes im demütigen Dienst der Liebe.[239] Im Paradies sind Exzentrik, d. h. das Stehen des Menschen zum Kosmos, und Konzentrik, d. h. das Stehen zu Gott vom Sohn, dem Ursprung, Bild, Gleichnis und Ziel der Schöpfung, geeint. Das relational eigenständige Geschöpf ist auf Gott hin orientiert und zerfällt nicht in die Begierlichkeit auf den Kosmos hin.[240] In Exzentrik und Konzentrik sind Gehorsam und Freiheit, Armut und Fülle, Jungfräulichkeit und Fruchtbarkeit ursprünglich eins. Diese Einheit geht jeder späteren Trennung der christlichen Stände (Rätestand, Welt-

---

[239] Stand 51
[240] Stand 12

stand) voraus und eint diese von der Wurzel her. Jede spätere konkrete Lebensform muß im Lichte des Urstandes gesehen werden.
Von Balthasar deutet die biblische Schöpfungstradition im Lichte der patristisch-scholastischen Überlieferung.[241] Die im Kontext der Analogie angestellten Überlegungen finden eine positive Weiterführung.

1. Gehorsam paradiesisch

Im Gehorsam sieht von Balthasar die ursprüngliche Realisation des geschöpflichen Verhältnisses zu Gott.[242] Damit ist zweierlei gesagt: zwischen Schöpfer und Geschöpf ist ein Gefälle, beide stehen nicht auf einer Ebene. Die Huld und der Überfluß der Liebe Gottes setzen den Menschen in eine Distanz zu ihm. Die Abhängigkeit des sich verdankenden Geschöpfes ist einseitig. Es realisiert sein Verdanken adäquat in der Gestalt der gehorsamen Unterwerfung, des ehrfurchtsvollen Dienstes, der Liebe, die sich in den Willen Gottes stellt.[243] Gehorsam und Dienst sind bleibende Form aller Konzentration auf Gott hin. Im Gehorsam und Dienst ist der Mensch ursprünglich auch königlich frei. Gott ist nicht die Einengung, nicht der Entzug der Freiheit.[244] Die relationale Freiheit des Gehorsams ist dabei nicht untermenschlich, sondern liegt oberhalb der ethischen Situation in der Entschiedenheit zum Guten. Gehorsamer Glaube steht von paradiesischem Ursprung her in unangefochtener Einheit mit Einsicht und Freiheit.[245] Weil aber von Gott dem Menschen in kreatürlicher Abständigkeit die Chance eigener Wahrheit eröffnet ist[246], kann er sich auch verfehlen. Diese Verfehlung geschieht im Sündenfall. Ungehorsam ist Absonderung von Gott, Sünde, die den Bruch des Bundes und den Fluch in sich birgt.[247] Ungehorsam ist es, wenn der Mensch den kreatürlichen Abstand als Entzug und Verweigerung mißdeutet und sich durch eigenen Zugriff der Mitte bemächtigen will (Sündenfall im Paradies, Turmbau). Die menschliche Dynamik, die auf die unendliche Freiheit verweist, dissoziiert in Gott

---

[241] Von den Vätern erwähnt von Balthasar besonders Gregor v. Nyssa; ähnliche Gedanken finden sich bei Adrienne v. Speyr, Theologie der Schöpfung, Einsiedeln 1972 (vgl. Auftrag 83).
[242] Stand 71ff.
[243] Stand 52
[244] Stand 71f.
[245] Stand 72.92
[246] TD I, 515
[247] Vgl. Der gebrochene Bund, in: H III/2AB, 199-208; TD III, 149f.

die Allmacht von der Liebe und will selber 'sein wie Gott'. In der jahwistischen Urgeschichte usurpiert die sich selbst setzende autonome Freiheit titanisch das Absolute. Weil sich der Mensch im Willen zur Macht selbst absolut setzt, kann er sich nicht verdanken. Der dialogale Freiraum ist zur toten Identität Ich = Ich zusammengepreßt; der Sünder bleibt in sich verschlossen, von sich her ohne Ausweg; er kann und will sich nicht mehr transzendieren und verweigert der Transzendenz das Ankommen ('incurvatio in seipsum'). Die mit der Sünde des Ungehorsams verbundene Rechthaberei wird immer mehr zur Festung.[248]

Wenn der von Gott gewährte Freiraum durch die Sünde zerstört ist, wird er auch dem menschlichen Du nicht gewährt. So sieht von Balthasar die Zerstörung der Gottesbeziehung, die einseitige Ersetzung des Glaubens und der Liebe durch die Autonomie als Grund für die Perversion mitmenschlicher Beziehungen: die Sünde führt zur übermächtigen Herrschaft des Mannes über die Frau, zur Destruktion der Brüderlichkeit (Sünde des Kain), sie erhebt die Rache zum Prinzip (Lamech) und verliert sich prometheisch eindimensional in der inneren Lüge, wo jede Kommunikation unmöglich ist (Turmbau).[249] Daß der Gehorsam Gott gegenüber gerade ins unverwechselbare Selbstsein setzt und der Ungehorsam nicht bloß Gott, sondern auch sich selbst verfehlt, zeigt die Neigung des Sünders zur Verhüllung der Wahrheit, zur Flucht[250]: er will sich mit dem Feigenblatt des Kollektivs, des Fortschritts, des Milieus (Freud), der Gesellschaftsstrukturen (Marx), der Evolution, der Technik, etc. zudecken und verbergen. Gerade dem Sünder wird die unabwendbare und nicht delegierbare Frage gestellt: Adam, wo bist du? Wo ist dein Bruder Abel?

2. Armut protologisch[251]

Mit den Vätern denkt von Balthasar den paradiesischen Menschen vollkommen arm und nackt. Mit diesem Nicht-Haben ist aber keinerlei Verzicht, Not, Darben oder Mangel verbunden, weil er alles als Gabe empfängt. So ist paradiesische Armut die totale Offenheit zu Gott. Sie steht in 'circumincessio' mit dem Reichtum der Liebe, die alles schenkt und nichts für sich behält. Empfangen und Geben sind vollkommen

---

[248] TD III, 150
[249] TD III, 150
[250] Vgl. Bin ich ein Sünder? in: K 140-146.
[251] Stand 81-92

flüssig. Erst als Armut und Fülle dissoziiert wurden, als der Mensch den Gabecharakter der Fülle pervers als Enteignung, Beraubung und negative Abhängigkeit interpretierte und eigenmächtig den Reichtum in Griff bekommen wollte, entstand der 'kalte' Begriff von 'Mein und Dein'.[252] Das Eigentum als je-meiniges und je-deiniges wird von von Balthasar mit einer Fülle von Väterzeugen eindeutig der Existenz nach dem Sündenfall zugeordnet. Es ist durch die Sünde, d. h. durch die Abwendung vom paradiesischen Reichtum, entstanden. Ursprünglich war nach den Väterzeugnissen das Eigentum allen gemeinsam, weil alles Gott gehört.[253] Der Übergang vom primären Naturrecht ('communis possessio')[254] zum sekundären Privateigentum ist durch 'usurpatio'[255], *prolêpsis*[256], durch die Zerreißung der ursprünglichen Gleichheit von Freiheit und Knechtschaft, von Reichtum und Armut[257], durch Ungerechtigkeit[258] oder Habsucht[259] entstanden.

Von Balthasar wehrt sich mit Troeltsch[260] gegen die einseitige neuzeitliche Apologie des Privateigentums. Den Umschlag setzt er zur Zeit des Thomas an, wo aus dem abgeleiteten sekundären Recht auf Eigentum nach dem Sündenfall der Begriff einer 'Natur an sich' gesucht wird.[261] Er beurteilt den Besitz zwar nicht als in sich schlecht, sieht ihn aber als häufiges Hemmnis der Liebe und als Nährboden tödlicher Macht-

---

[252] Johannes Chrysostomus, In acta apostolorum. Homil XI (PG 60,96-98); vgl. Stand 85.91.98.

[253] »Nihil enim nostrum, quoniam dei (sunt) omnia« (Tertullian, De patientia VII,5 in: SChr 310,84); »*synkoinônêseis de panta tô adelphô sou kai eris idia einai*« (Didache 4,8 in: SChr 248,160). »*koinônêseis en pasin tô plêsiô sou kai ouk eris idia einai*« (Barnabasbrief XIX 8a, in: SChr 172,206);»Nam iure divino Domini est terra et plenitudo eius« (Augustinus, Tract. in Joh. XXV, in: CC 6,248-259).

[254] »Natura enim omnia omnibus in commune profudit« (Ambrosius, De officiis ministrorum I,28 in: PG 16,67). »Qui pecuniarum et possessionum vias omnibus antiquorum habebamus, nunc etiam ea quae possidemus in commune conferimus, et nun indigentibus quibusque communicamus« (Justin, Apologia I,14 in: PG 6,347). »Sunt autem privata nulla natura« (Cicero, De off 1,7). Vgl. Tertullian, Apologeticum XX-XIX,7ff. in: CC 1,150ff.; dazu: Stand 87.

[255] »Natura igitur ius commune generavit, usurpatio fecit privatum« (Ambrosius, De officiis ministrorum I,18 in: PL 16,67).

[256] Basilius, Homilia in divites, in: PG 31,275f.

[257] »Libertas porro et divitiae in sola mandati observatione sitae erant, vera autem paupertas et servitus in illius transgressione« (Gregor v. Nazianz, De pauperum amore, in: PG 35,891).

[258] »Omnes enim nos aut modica aut grandis sequitur possessio, quam ex mammona iniquitatis acquisivimus ... de avaritia acquisivimus ... de injustitia percepimus« (Irenäus, Adv. Haer IV, 30.1, in: SChr 100,772).

[259] »Avaritia possessionum jura distribuit« (Ambrosius, In Ps 118, 8.22, in: PL 15,1373)

[260] E. Troeltsch, Die Soziallehren der christlichen Kirchen und Gruppen 1919; Ders., Art. Naturrecht, in: RGG 1 (1913) Sp. 699.

[261] Stand 88

kämpfe.[262] Erlösung wird von der Zerreißung der ursprünglichen Einheit erst wieder dadurch geschehen, daß der Mensch in Christus auf die äußerste materielle und geistige Armut reduziert wird, darin alles vom Vater empfängt und sich umsonst liebend hingeben kann. Erlösung hat also wieder die Einheit vom Armut und Fülle in der äußersten Zerspannung zu leben.

3. Jungfräulichkeit im Urstand[263]

Wie die Armut kein Gegensatz zur Fülle und der Gehorsam kein Gegensatz zur Freiheit ist, so bedeutet auch die Jungfräulichkeit im paradiesischen Urstand keinen Gegensatz zur Ehe und zur Fruchtbarkeit.[264] Sie ist ursprünglich kein Schmerz, kein Verzicht, keine Entsagung, sie meint vielmehr die Reinheit der Liebe: Die Liebe ist im Paradies so rein, daß sie alles, was »'nach innen' gehört, auch 'nach innen' trägt ... wahre Liebe (hat) im Geist ihren Mittelpunkt, und der Leib (ist) nur deren Ausdrucksfeld«.[265] Adam und Eva haben den Auftrag zur Fruchtbarkeit. So können Jungfräulichkeit und Mutterschaft ursprünglich nicht miteinander konkurrieren. Die paradiesische Liebe nimmt den Ausgang ihrer Fruchtbarkeit beim Geist, der Leib hat dienende Funktion und ist in die Keuschheit einbezogen.[266] Die Differenz zwischen Jungfräulichkeit und Fruchtbarkeit entsteht durch den Ungehorsam, in dem sich die leiblichen Möglichkeiten begierlich aus der Fruchtbarkeit der Liebe loslösen und emanzipieren.[267] Wichtig ist dabei, daß von Balthasar den Sündenfall mit dem Ungehorsam und der die Liebe zerstörenden Begierlichkeit verknüpft. Ursprünglich sind Natur und Leiblichkeit positiv auf den Geist, die Liebe, hingeordnet. Erst die Sünde bewirkt die Dissoziierung. Eine platonisch-dualistische Argumentation ist ihm fern.

In der schöpfungstheologischen Grundlegung der Jungfräulichkeit denkt von Balthasar immer von der konkreten Geschlechtlichkeit, d.h.

---

[262] Stand 92. Die Dissoziierung von Reichtum und Armut als Grund für die Dialektik von Herr und Knecht ist systematisch ausgeführt bei: F. Ulrich, Atheismus und Menschwerdung 29-41.58-64.

[263] Stand 73-81, Auftrag 84.

[264] Stand 75-92

[265] Stand 75

[266] Zu den Versuchen der Patristik und Scholastik, Jungfräulichkeit und Vermehrung im Urstand als vereinbar zu vermitteln, vgl. Stand 75-81.

[267] Stand 75

von der Polarität zwischen Mann und Frau, aus. Die Geschlechterdifferenz war im Kapitel über Analogie nicht explizit präsent. Die fundamentale Bedeutung des Gegenübers von Mann und Frau liest von
Balthasar aus der Heilsgeschichte. Dieses Gegenüber ist bei ihm ein
zentrales theologisches Thema und Deuteschema für praktisch alle
theologischen Traktate. Zentral ist diese Polarität für das Verständnis
der Jungfräulichkeit. Von diesem Rat her erhalten auch der Gehorsam
und die Armut ein spezifisch weibliches Profil.

4. Mann und Frau

Um die Bedeutung der Geschlechterdifferenz zu thematisieren, greift
von Balthasar zunächst kritisch Mythen auf, in denen die Polarität
männlich-weiblich als Grundrhythmus menschlichen Seins gesehen
wird: die Mythen erklären mit dieser Polarität das metaphysische Verhältnis zwischen Himmel (Geist, Spontaneität, Sonne, Formprägung)
als dem männlichen Prinzip und Erde (materia, Stoff, Rezeptivität,
empfangender Schoß) als dem weiblichen Pol. Diese Mythen werden
auch in den biblischen Schöpfungsberichten aufgenommen, aber dort
korrigiert.[268] Vom ersten Schöpfungsbericht her erscheint der Mensch in
der dualen Einheit von Mann und Frau. Diese Grundlegung schließt
einen asexuellen oder bisexuellen (androgynen) Urmenschen aus und
impliziert eine grundsätzliche Gleichrangigkeit der Geschlechter. Auf
dieser Ebene sind metaphysische Gegensatzpaare (Akt - Potenz, Form -
Materie, Spontaneität - Rezeptivität) als Erklärung für die Geschlechterdifferenz schon durch ein personales 'Ich - Du' überwunden.[269] Sie
finden bei von Balthasar aber wieder eine Verwendung auf erhöhter
Ebene: im zweiten Schöpfungsbericht wird zunächst vom Primat des
Mannes gesprochen, dann vom Nicht-gut-Sein der Einsamkeit, schließlich vom 'Von-her' der Frau aus dem Manne. Daraus wird der Schluß
gezogen: »Bleibender Primat des Mannes innerhalb einer in seiner Kenose aus ihm durch Gott herauserwirkten Erfüllung, wobei er im geschenkten Anderen sich wiedererkennt.«[270]
Der Primat des Mannes bei aller Gleichwertigkeit besteht darin, daß
dieser zeugend, gestaltend und führend ist, die Frau hingegen als Ant-

---

[268] TD II/1, 334-350; Person und Geschlecht, in: HC 93-164; vgl. A. v. Speyr, Theologie
der Geschlechter, Einsiedeln 1969.
[269] TD II/1, 335.337
[270] TD II/1, 341

litz und Antwort, als empfangende und gebärende Gehilfin zu seiner Fülle und Herrlichkeit wird.[271] Die Gleichwertigkeit ruht darin, daß beide von Gott geschaffen sind, beide füreinander da und aufeinander angewiesen sind.

Die Schwebe zwischen dem Primat des Mannes und der Gleichwertigkeit beider Geschlechter kehrt auf verschieden Ebenen wieder: Die Polarität von Mann und Frau dient von Balthasar theologisch als weltliche Abbildung des Gott-Geschöpf-Verhältnisses.[272] Gott wird durchgehend als Mann vorgestellt bzw. der Mann wird als sein Gleichnis gesehen, um den Primat Gottes als den Zeugenden und Erschaffenden vor der empfangenden und fruchtbar austragenden weiblichen Kreatur darzustellen. Die Frau ist das 'Gleichnis der kreatürlichen Welt'.[273] Nicht daß Gott als Mann eine weibliche Entsprechung brauchen würde (er ist die Fülle; in den innertrinitarischen Relationen sind alle Hypostasen männlich und weiblich)[274], so wird doch das endgültige Verhältnis zwischen Gott und Mensch nur mit einer weiblichen geschöpflichen Entsprechung möglich sein: »Ohne Frau wird es nicht gehen.«[275]

Eine gewisse Akzentverschiebung nimmt von Balthasar durch die Ausfaltung der trinitarischen Analogie in der Schöpfung vor. Spricht er zunächst vorwiegend vom Mann als Bild Gottes und von der Frau als Urbild der Geschöpflichkeit, so betont er in TL II stärker, daß die Unterscheidung der Geschlechter teilnimmt an der 'imago Dei'. Für analoges Denken kann die geschlechtlich-polare Beziehung nicht gänzlich außerhalb von Gott liegen. Die Zuordnung des Geschlechtsverhältnisses auf die Naturseite des Menschen gilt ihm als Sündenfall der rationalistisch-idealistisch-empirisch neuzeitlichen Philosophie.[276] Es bleiben zwei Spannungsverhältnisse: Gott ist für von Balthasar die Fülle und in den trinitarischen Relationen übermännlich und überweiblich[277], in der Offenbarung jedoch hat der (ursprünglich-trinitarisch primär 'weibliche') Sohn Gott eindeutig als Mann darzustellen und dessen Autorität, dessen Primat zu vertreten.[278] Damit ist die Geschlechtlichkeit in eine andere Schwebe gestellt: einerseits kann das Geistige (Bild Gottes) als das 'Eigentliche' des Menschen nicht aus der kreatürlichen Ge-

---

[271] SC 336; vgl. auch K 135.

[272] Person und Geschlecht, in: HC 136.

[273] SC 336; vgl. die Frau als 'Inbegriff der kreatürlichen Potenz und Würde': K 71; HC 137.

[274] TD II/1, 265. - Siehe oben »Die Räte im trinitarischen Liebesmysterium« S. 58-63.

[275] K 68

[276] TL II, 54-57; hier: 54.

[277] S. oben S. 63

[278] Person und Geschlecht, in: HC 139f.

schlechtlichkeit herausgelöst werden, als ob der Mensch Mensch nur in der spirituellen 'Innerlichkeit des Bildes Gottes' wäre.[279] Das Geistige ist nicht gegen die Geschlechtlichkeit abgeschlossen. Andererseits ist das Geschlechtliche nicht in sich geschlossen, »so daß der Mensch nicht Mensch wäre, wenn nicht im geschlechtlichen Zueinander zwischen Männlich und Weiblich«.[280] Vorchristlich bleibt die Geschlechtlichkeit in einem analogen 'Zwischen': sie schwebt in der Einbindung in das Göttliche ('Hieros Gamos', etc.) und der Herausgliederung (aszetische Unterdrückung, Minderwertigkeit, dämonische Abwertung).[281] Ohne Abwertung will von Balthasar die Schwebe christlich aufnehmen: im Himmel wird nicht geheiratet, aber die Hochzeit des Lammes gefeiert.

Im Paradies sind Armut und Fülle, Gehorsam und Freiheit, Jungfräulichkeit und Fruchtbarkeit eins. Alle natürlichen und geistigen Kräfte (Umgang mit Besitz, Geschlechtlichkeit, Vernunft) sind im Akt des Glaubensgehorsams integriert.[282] Diese Einheit und Konzentration wird durch den Ungehorsam, welcher die menschliche Selbstbestimmung von Glaube und Liebe trennt, die Begierlichkeit von der Liebe abkoppelt und selber ohne Empfangen reich sein will, aufgelöst. Die durch die Sünde aufgebrochene Distanz kann nur in einer die äußerste Zerspannung umgreifenden radikalen Armut, in nacktem Glaubensgehorsam und durch vollkommene Reinheit der Liebe geeint und erlöst werden.

Somit verankert von Balthasar heilsgeschichtlich, was er in der Analogie zu denken versucht hat: die Räte präsentieren den paradiesischen Urstand, d. h. sie zeigen an, wie Gott den Menschen ursprünglich gedacht hat. Durch diesen theologischen Topos (Räte = Paradies) unterscheidet sich der Basler Theologe z.B. von Rahner. Die Räte sind für von Balthasar in keiner Weise akzidentiell. Sie werden so sehr von der protologischen Fülle her gedeutet, daß ihr asketischer Charakter immer im Hintergrund bleibt. Der schöpfungsgemäße Zusammenhang der Räte mit der Fülle des Lebens wurde durch die Sünde verdunkelt.

In der Geschichte Israels wurden die Räte in einem weiten Sinn wieder aufgegriffen, ohne allerdings in die konkrete Triade einzumünden. Die Mitte ist dabei der Bund zwischen Jahwe und Israel, aus dem heraus der Gehorsam gefordert wird. Dieses Bundes- und Gehorsamsverhältnis wird als Beziehung Jahwes zu seiner *Braut* Israel beschrieben. Im über-

---

[279] TD II/1, 339 (zum Ganzen: 333-350) mit Hinweis auf K. Barth.

[280] TD II/1, 339

[281] TD II/1, 350

[282] Stand 74

tragenen Sinn ist so von Jungfräulichkeit die Rede. Auch die Armut ist auf den Bund und damit auf den Gehorsam hingeordnet.

II. Israel zwischen Bund und Abfall

1. Bund - Gehorsam - Sünde[283]

In der Konsequenz zum Sündenfall steht die Zeit des Alten Testamentes in der Dialektik von Erwählung, Bundesschluß und Verwerfung. Der Gehorsam führt ins Leben, die Untreue, die Flucht oder das offene Nein enden in der Zerstörung und im Exil.

Die Erwählung und der Ruf Gottes treffen einzelne und das ganze Volk. Abraham wird von Gott zum Stammvater der Glaubenden berufen, sein Glaube ist wurzelhaft Gehorsam (Wegzug aus der Heimat; Opfer Isaaks).[284] Auch Mose, Samuel, Richter, Könige und Propheten werden berufen, um zum Volk gesendet zu werden und der Erfüllung des Bundes zu dienen. Der Ruf in den Gehorsam ist in seinem Wesen ein Ruf zur Stellvertretung, d.h. er wird zur Sendung für das Volk.[285] Gerufen und zum Gehorsam verpflichtet wird das ganze Volk Israel. Jahwes souveräner Herrschaftsanspruch verpflichtet Israel auf das Gesetz, dessen Mitte die Anerkennung Jahwes als des alleinigen Herrn in ungeteilter Liebe ist.[286] Israel erfüllt den Bund, wenn es auf Jahwe hört und ihm gehört. Zentral im Gehorsamsverständnis Israels ist für von Balthasar das Deuteronomium: es ist »eine unerbittliche Reduktion aller religiösen Weisung, Praxis und Tradition Israels auf das einzige Faktum des Bundes - als Erwählung in reiner Liebe durch Gott und als Gegenliebe des Volkes im Gehorsam - durchzuführen, und das Volk ebenso unerbittlich Aug in Aug in das Feuer des Urereignisses je-jetzt zurückzuwerfen.«[287] Der Gehorsam will ein bereitwilliges und freudiges Herz, die ganze Hingabe in ungeteilter Liebe.[288] Auf dem Hintergrund der besonderen Erwählung, des Bundes und der Gotteserfahrung kommt die Sünde Israels in ein unerbittliches Licht.[289] Wo der ganze Einsatz Gottes wirksam wird, da bekommen auch die eigene Vergötzung, die Abwendung, die Verhärtung, die Treulosigkeit, der Ungehorsam, der Unglaube, das gleichgültige Verkennen und Vergessen Gottes die klarsten Konturen.[290] Der Ungehorsam vergißt das Hauptgebot (Dtn 5,5 - 'Höre Israel'), reißt sich von der göttlichen Macht los und fällt so aus

---

[283] Vgl. H III/2AB, 209-275.

[284] Evangelische Räte in der heutigen Welt? in: Civitas 21 (1966) 191. Vgl. Gen 12,1; 17,9; 22,16ff.

[285] Stand 337

[286] Ex 19,5; 20,1; 24,7 (H III/2AB, 47.143); Lev 18,4f.; 19,37; 22,31 (H III/2AB, 59).

[287] H III/2AB, 170; Dtn 4,15; 5,6-18; 10,12f.; 26,13-15; 27,15-26; vgl. H III/2AB, 38f.46.171f.

[288] Dtn 6,5 (H III/2AB, 56.143.173).

[289] TD III, 158

[290] TD III, 160; H III/2AB, 199-203.

dem Bundesverhältnis heraus. Die Konsequenz sind Unterdrückung der Armen, soziale und wirtschaftliche Mißverhältnisse und schließlich politischer Niedergang. Als Israel sich von Gott entfremdet hat, baut Jahwe in der Berufung der Propheten eine »Treppe des Gehorsams«[291]. Die Propheten verspüren den Gehorsam hart und sogar grausam, sie müssen die Müdigkeit, das Umsonst, die Anonymität des reinen Auftrags und die Stellvertretung des Leidens auf sich nehmen.[292] Die Geschichte Israels mündet nach dem Exil in ein bloßes Überdauern[293], in dem in sturer Treue aus bloßem, nacktem Gehorsam an der Überlieferung festgehalten wird, ohne nach dem Warum zu fragen. Die Versuchung zur Sünde besteht nach dem Exil in einer geheimen Autonomie, die weisheitlich eine ab- oder aufgeklärte Übersicht über Gottes Walten zu bekommen versucht oder sich in Gesetzesfrömmigkeit vom wahren Gehorsam dispensieren möchte.[294] Der alttestamentliche Gehorsam bleibt so in einer letzten Dialektik zur Sünde; er ist in sich unabgeschlossen und in der Schwebe. Höchste Personalität und Sendung sind noch zu wenig vermittelt. Dem Gehorsam Abrahams und der Propheten fehlt noch das Verstehen, die mündige Verantwortung im Heiligen Geist.[295] Diese schwebende Dialektik kann nur durch ein absolut freies Gehorsamsopfer in den neuen und ewigen Bund eingeborgen werden. Letzte Erlösung geschieht nur dann, wenn in die äußersten Abgründe der Verweigerung das Urbild des Gehorsams eingeprägt wird. Der alttestamentliche Glaube verweist als Typus umrißhaft verhalten und verhüllend auf den Gehorsam Jesu als seine Vollendung.[296] Analog dazu ist auch das Thema der Jungfräulichkeit alttestamentlich nur ein schattenhafter Umriß für die neutestamentliche Erfüllung und Konkretion in Jesus und Maria.

2. Israel als Braut und Hure

Von Balthasar geht weniger auf die Stellung von Ehe, Ehelosigkeit, Kinderzahl oder Kinderlosigkeit im AT ein. Im Zentrum stehen auch nicht Ausführungen über Keuschheit oder voreheliche Enthaltsamkeit als moralische Kategorien. Er denkt ganz vom heilsgeschichtlichen Bund zwischen Jahwe und dem Volk Israel her. Dieses Bundes- und Gehorsamsverhältnis wird in den Kategorien der Geschlechterdifferenz beschrieben. Sion ist die erwählte und geliebte Braut Jahwes. Sie sollte jungfräulich sein, d.h. ihm ausschließlich dienen. Israel hat aber den Bund gebrochen; so wurde die Braut (Gattin) zur Dirne und Hure, die anderen Götzen nachläuft.[297] Das Nein zum Bund zeigt sich - analog zum Ungehorsam Adams, der eine Gottesbeziehung nach eigenem Geschmack schaffen will - in der Vertauschung Gottes mit dem

---

[291] H III/2AB, 209-275
[292] Zum Gottesknecht (Jes 49,1; 50,4-6) vgl. H III/2AB, 143.177.236.273f.368.
[293] H III/2AB, 337-369
[294] TD III, 161
[295] Evangelische Räte in der heutigen Welt? Stand 340.
[296] Stand 340; SC 54-59.
[297] Casta meretrix, in: SV 203-305.

goldenen Kalb (Ex 32).[298] Der Abfall von Jahwe gilt als Ehebruch, Israel wird zur treulosen Prostituierten.[299]

Das Thema wird von den Propheten neu aufgegriffen: zentral ist Hos 1-3, wo sich Gottes Liebe und Werben um die ehebrecherische Hure zeigt.[300] Bei Ez wird die Sünde der Erzhure Jerusalem über jene des heidnisch infizierten Samaria und der offenen Unzucht mit dem Heidentum treibenden Sodoma gestellt.[301] Ez 23 und Jer 4 wenden das Thema in Politische: Ehebruch, Treulosigkeit gegen Jahwe ist das Buhlen mit anderen politischen Mächten (Ägypten, Assyrien, Babel), was schließlich zum Untergang Jerusalems durch den Lustmord der Buhlen an der Dirne führt. Die Reinwaschung, die neue Einkleidung der befleckten Dirne wird in Ez 16, 3-14 angesagt, bevor nachexilisch das Thema verblaßt.

Das Thema der Jungfräulichkeit steht für von Balthasar im AT in engem Kontext zum bräutlichen Bundesverhältnis in reinem Gehorsam und exklusiver Liebe. »Die sexuelle Sphäre (ist) schon durch das Zeichen der Beschneidung von Gott in Beschlag genommen; ihr Grundsinn ist es, reiner Ausdruck der Glaubenshoffnung zu sein (Tob 3,18; 8,3-19).«[302] Der Eros ist auf die einmalige Agape zwischen Gott und der Kreatur durchsichtig. So verweist das AT im Umriß schon auf das Geheimnis der Beziehung zwischen Christus/Bräutigam und Kirche/Braut. Es fehlt dieser Beziehung zwischen Gott und Israel noch die konkret inkarnatorische und eucharistische Leibhaftigkeit. Ehelosigkeit in positiver Exklusivität und Universalität kommt noch nicht in den Blick.[303]

Wie Jungfräulichkeit und Gehorsam in der Geschichte Israels vorgeformt sind, so wird auch im Verständnis der Armut und der Armen eine Treppe auf die Armut Christi hin gebaut.

3. Die Armen Jahwes[304]

In der Konsequenz zum Sündenfall bleibt der Begriff der Armut in der Geschichte des Volkes Israel dialektisch: Besitz und Güter sind zunächst positiver Ausdruck des Segens Gottes über seine Freunde (Abraham, Isaak, Salomo).[305] Bei den Propheten - besonders bei Amos und Hosea - ist die Armut und Verelendung der Bevölkerung wirtschaftsethisch und so auch bundestheologisch ein Skandal. Als Furcht der Ungerechtigkeit hat sie keinen Wert in sich, sie darf nicht sein und muß überwunden werden. Die Verarmung ist eine Erniedrigung des Menschen. Hand in Hand mit dem Protest gegen die Armut geht der Protest gegen die Satten und Rei-

---

[298] H III/2AB, 200

[299] Ex 34, 14-16; Lev 17,7; 20,5; Dtn 32,16; Ri 2,17; 8,27-33; 1 Chr 5,25; 2 Chr 21,11 (vgl. SV 208).

[300] Vgl. auch Jes 1,21; 2,2; 3,1-2; 12,7-9; 11,4; 12,14; 31,3; 49,5; 50,1.

[301] Ez 16,37; 23,25-29; vgl. SV 210.

[302] Evangelische Räte in der heutigen Welt? 191; vgl. HC 135.

[303] Vgl. Stand 340.

[304] H III/2AB, 293-297

[305] Gen 13,2; 26,13-14; 1 Kön 3,13; 10,14-15.

chen, die in Ausbeutung und Unterdrückung den Gottesdienst zum Götzendienst pervertieren.[306]

Gott ist Eiferer für die Armen, der die Stolzen und Überheblichen richten wird, deren Verhalten den Armen gegenüber zugleich als Stolz und Überheblichkeit ihm gegenüber angesehen wird. Von dieser Parteiergreifung Gottes für die Armen entwickelt sich mit Zephanja (2,3), weiter mit Jeremia, in den Psalmen und bei Deuterojesaja, der Begriff der geistlichen Armut ('anawa): diese meint eine »Rechts- und Hilfelosigkeit, die Gottes Blick unfehlbar auf sich lenkt.«[307] Die Armen wissen und erfahren sich als Gottes eigentliches Volk. Von hier aus führt der Weg zum Magnifikat (Gott schaut auf die Niedrigkeit, er erhöht die Niedrigen) und zur ersten Seligpreisung.

Im AT bleibt eine Dialektik: es kennt keinen Güterverzicht um der Vollkommenheit willen; die konkrete materielle Armut bleibt eindeutig und einseitig ein zu überwindendes Übel. Auch die geistliche Armut bleibt in der Schwebe: die Armen können heimlich aus ihrer Armut einen Rechtstitel schmieden und so die vor Gott Besitzenden sein wollen.[308] Im AT fehlt noch die Möglichkeit, im armen Nächsten den Sohn Gottes zu erkennen.[309] So kann das NT wohl an das AT anknüpfen; aber es selber gibt durch die äußerste, spirituelle, materielle und solidarische Armut Jesu am Kreuz das Maß für den evangelischen Rat.

Von diesem christologischen Maß her liest von Balthasar die Geschichte Israels: seine Lektüre ist deshalb weniger historisch-kritisch oder soziologisch; die Kategorie der Befreiung (Exodus) ist weniger zentral, das Ideal der Gesellschaft ohne Arme (Dtn 15,4) kommt bei ihm nicht vor.[310]

So sind Armut, Jungfräulichkeit und Gehorsam für von Balthasar im Bund Jahwes mit Israel typologisch auf Christus hin vorgeformt. Doch diese Typologie bildet insgesamt keinen systematischen Topos für die Entfaltung der Räte, wie es z.B. beim paradiesischen Urstand der Fall war. Die konkrete Form der Räte liest von Balthasar an der christologischen Gestalt ab.

III. Die Räte als Angelpunkte der Christologie

Von philosophischen Überlegungen (Analogie) und alttestamentlichen Vorbildern (Typologie) führt kein anderer Weg linear zum Christusereignis als Gestalt, als Drama und als Wahrheit. Von 'unten' führt kein Weg empor. Die Wahrheit des fleischgewordenen Wortes, das Drama der Liebe, die Gestalt in der Un- und Übergestalt des Kreuzes kann

---

[306] Am 2,6f.; Jes 1,17.23; 3,15; 10,2; Dtn 24,10-15; Die Armut Christi, in: IkaZ 15 (1986) 385.

[307] H III/2AB, 294; vgl. Soph 3,11b-13a; Jes 57,15; 66,2; Ps 9-10; 25; 34; 37; 149,4-5; Spr 22,4; 15,33; 18,22; Num 12,3.

[308] Vgl. H III/2NB, 408.

[309] Vgl. Stand 340.

[310] Vgl. auch Dtn 14,29; 15,1-18; 16,11.14; 24,10-21; 26,12-13; 27,19.

nicht anthropologisch, kosmologisch oder geschichtsphilosphisch entworfen, sondern nur als Wunder, als in sich stimmiges Gesamtkunstwerk der Grundlosigkeit in der absolut selbstlosen Liebe Gottes in Liebe wahrgenommen und im Einsatz der Nachfolge nachvollzogen werden.[311] Der 'Grund' kann nur in der grundlosen innertrinitarischen Liebe liegen. Insofern ist das Christusereignis der Heilgeschichte die schlechthinnige Entfaltung der Katalogie.

Mit diesem 'Zugang' will von Balthasar die konkrete Gestalthaftigkeit und Einmaligkeit der Offenbarung in ihrem Vorrang vor jeder Allgemeinheit und Abstraktion wahren. Das Ereignis der Offenbarung hat das Maß, die Lichtung (Evidenz) und die innere Stimmigkeit in sich selbst: es kommt aus freiester Nezessität, es ist das Wunder der erscheinenden Freiheit und evidenter, innerer unabweisbarer Notwendigkeit.[312] Die Gestalt der Offenbarung ist nicht zerlegbar: in Jesu totalem Lebenszeugnis, in seinem Anspruch, seinem Tod und seiner Auferstehung sind Anspruch, Gehorsam und Sendung, radikalste Armut und Entäußerung sowie letzte Einsamkeit im Zerbrechen der Gestalt absolut stimmig mit höchster Freiheit, mit der Fülle und der universalen Fruchtbarkeit der absoluten göttlichen Liebe.[313] Die Wahrheit Jesu ist in ihrer innersten Struktur trinitarisch: Jesus ist der menschliche Ausleger, der Zeuge, die Exegese des göttlichen Vaters (Joh 1,18), der Geist vollbringt die Auslegung des Auslegers, er eröffnet die Wahrheit des Logos und führt in diese ein.[314] Es gibt keinen anderen Zugang zum trinitarischen Geheimnis als dessen Selbstoffenbarung in Jesus Christus und im Heiligen Geist.[315] Von der Fleischwerdung und vom Geist her eröffnet sich eine Kommunikabilität zwischen Gott und Geschöpf, die 'von unten' nicht erreicht oder projiziert werden kann. Die Faktizität der Offenbarung im Fleisch ist bleibendes Kriterium allen theologischen Denkens.[316] Die Faktizität der Offenbarungsgestalt steht in Korrelation zu

---

[311] Vgl. Die christliche Gestalt in: PI 38-60; H III/2NB, 507-511; Warum ich noch ein Christ bin 18-30; dazu: P. Eicher, Offenbarung 328-330; J. Schmied, Im Ausstrahl der Schönheit Gottes; R. Vignolo, H. U. von Balthasar . Estetica e singolarità; M. Hartmann, Ästhetik als ein Grundbegriff fundamentaler Theologie. Eine Untersuchung zu H. U. von Balthasar , St. Ottilien 1985. - Zur Christologie von Balthasars vgl. P. Escobar, Zeit und Sein Jesu Christi bei H. U. von Balthasar. Umriß einer Christologie (Diss. masch. Institut Cath.) Paris 1973; G. Marchesi, La cristologia di H. U. von Balthasar. La figura di Gesù Cristo espressione visibile di Dio, Roma 1977.

[312] Vgl. PI 49-51.

[313] H III/2NB, 507-511

[314] TL II, 15.19ff. (Kol 2,9; 1,19f.; Eph 1,10.13; 4,10.15; Joh 1,14.16; 19,30; 1 Joh 4,6; 5,6).

[315] TL II, 22.117; vgl. 73.

[316] TL II, 256-288; damit wendet er sich auch gegen die 'suchende Christologie' und 'transzendentale Hoffnungsstrukturen' bei Rahner und Welte (TL II, 220); vgl. unten S.193-204.

ihrer Unableitbarkeit und zur Souveränität Gottes. Vor diesem Ereignis ist der Mensch wesenhaft empfangend kontemplativ, arm und hörend, d.h. in den Gehorsam genommen. Der Ruf der Nachfolge versagt die Umkehrung des Maßes und der Evidenz in subjektive weltliche und menschliche Gewißheit hinein.

Und doch ist die Offenbarungsgestalt nicht rein paradoxal: »Der Logos (findet) im Zuge der Auslegung göttlicher Logik in menschlicher die letztere nicht unvorbereitet.«[317] Er kann sich einer in der Schöpfung (und damit letztlich in ihm selbst) grundgelegten Grammatik wie eines Klangkörpers bedienen, durch die er sich verständlich machen kann. Weil Gott den Menschen nach seinem Bild und Gleichnis geschaffen hat, kann der Mensch (und die ganze Kreatur) dem göttlichen Akt der Offenbarung nicht als bloße 'dissimilitudo' gegenüberstehen.[318] So können nach von Balthasar die geschöpfliche Nicht-Identität (Realdistinktion), die Differenz von Aktion und Kontemplation, die Unterschiedenheit der Geschlechter, ja selbst der Tod als Kenose und Hingabe »nicht jeder Begründung in der Lebendigkeit Gottes entbehren.«[319] Sie weisen auf Gott selbst zurück als Identität von Identität und Nicht-Identität (Hegel), von Ur-Distanz und Beziehung (Buber), in der die Hypostasen einander unendlichen Raum und ewige Zeit gewähren.[320] Dieses Ineinander von Faktizität, Gestalthaftigkeit, Freiheit, Unableitbarkeit und Vernünftigkeit (Stimmigkeit, Kohärenz weil Logoshaftigkeit) hat für unser Thema wichtige Konsequenzen:

Die Wahrnehmung der Offenbarungsgestalt erfordert - analog zur innerweltlichen Phänomenologie - ein arm, rein und gehorsam disponiertes menschliches Subjekt, das sich nicht selektiv oder titanisch der freien Huld und Herrlichkeit Gottes bemächtigen will. Zudem hat die Betonung der Gestalthaftigkeit, Konkretion, Stimmigkeit und Kohärenz zur Folge, daß die einzelnen Räte immer in Relation zum Ganzen zu verstehen und zu deuten sind, obwohl die ganze Gestalt konkret ist, d.h. nicht vom Detail (z.B. auch einzelner Räte) abstrahiert betrachtet werden kann.

Im folgenden wird den Räten in der Christologie im einzelnen nachgegangen. Dabei soll nicht von ihrer grundsätzlichen Einheit abstrahiert werden. Die Räte sind selbstverständlich immer im gegenseitigen Licht zu interpretieren. Um aber die einzelnen Stränge nicht zu verwirren,

---

[317] TL II, 73
[318] TL II, 77
[319] TL II, 77; TD IV, 77.80-83.
[320] TL II, 78

werden Armut, Gehorsam und Jungfräulichkeit getrennt voneinander dargestellt. Dabei wird das eigene Profil jedes Rates und die Verwobenheit mit den anderen deutlich.

1. Der Gehorsam Jesu[321]

Von Balthasar sieht im Liebesgehorsam Jesu den Schlüssel und den Grund für Dogmatik und Spiritualität (Gebet, Nachfolge). Nur im Gehorsam sind die Selbstmitteilung des trinitarischen Liebesmysteriums, das Verhältnis des Geschöpfes zum Schöpfer, die stellvertretende Erlösung der ungehorsamen Menschheit, das Verhältnis zwischen Christus und seiner Kirche, wie auch die eschatologische Vollendung zu denken.[322]

Der Gehorsam ist der Angelpunkt der evangelischen Räte. Er ist selbst die radikalste Form der Armut und Jungfräulichkeit.[323] Deshalb ist bei der Entfaltung der heilsgeschichtlichen Dimensionen des Gehorsams das bereits im Bereich der Analogie und Trinität Gesagte aufzugreifen und zu konkretisieren. Die Konkretion des Gehorsams Jesu selbst gibt das Maß, von dem her letztlich Trinität und Analogie erst aufleuchten.

Gehorsam und Menschwerdung

Innertrinitarisch ist der Gehorsam - wie wir S. 62f. gesehen haben - jene Haltung, in der sich der Sohn in seinem ganzen Sein vom Vater empfängt. Im gemeinsamen göttlichen Beschluß zur Inkarnation ist der Sohn jener, der sich dem Vater und dem Geist vertrauensvoll überläßt. Wie sein ewiges Einverständnis mit dem Willen des Vaters ist der Beschluß des Logos zur Menschwerdung ursprünglich freier Gehorsam. Er wird von keinem bloß fremden (dem väterlichen) Geist inkarniert, es ist auch sein eigener.[324] Im Gehorsam ist der Sohn ganz für den Heilswillen Gottes verfügbar, im Gehorsam wird er Mensch, läßt er sich in das Fleisch und berührt darin endgültig die Erde.[325] Diese Gehorsamske-

---

[321] Christologie und kirchlicher Gehorsam, in: PI 35-140; Gehorsam im Licht des Evangeliums, in: NK 129-134.

[322] Auftrag 95; als Quellen und Zeugen nennt er für den Gehorsam als Mitte der Räte: Thomas, STh II-II, 186,8; Ignatius, EB, 101ff.

[323] Vgl. Stand 122; Auftrag 95.

[324] TL II, 266; vgl. auch TL II, 143

[325] TD II/2, 464; H III/2NB, 66; TL III, 42.44.

nose ist für den Sohn kein heteronomes Gesetz, sondern Konsequenz der empfangenen Freiheit. Jesus hat jenen geistigen Freiraum, den Gott jedem Geschöpf zugesteht.[326] Die Differenz zwischen der Freiheit und heilsgeschichtlichem 'Muß' ist pneumatologisch vermittelt: heilsgeschichtlich hat Jesus den Geist *in* sich (vom konkreten Ereignis her ist er die Frucht der Überschattung der Jungfrau), und *über* sich (der Geist wird bei der Taufe ausdrücklich auf ihn gesandt).[327] Der Geist über dem Sohn ist die objektive Gegenwart der Sendung, der objektive Zeuge des gemeinsamen Heilswillens. In der Entäußerung des Sohnes, die bis in die Nicht-Erfahrbarkeit der Liebe des Vater geht, bringt der Geist das heilgeschichtliche *'Muß'* in der Form einer strengen Regel zur Geltung, wo die Einsicht nicht mehr die Voraussetzung und Grenze des Gehorsams ist.[328] So steht Jesu »Auftreten ... unter einer drängenden Wucht des Geschehenmüssens, worin unmittelbarer göttlicher, sich durchsetzender Wille, treibender Geist und menschlich getriebener Gehorsam ... überall spürbar sind.«[329]

In dieser trinitarischen Perspektive hat Jesus bei der Inkarnation die ewige Zeit nicht verlassen. Jesu 'missio' in die endliche Zeit muß aus der 'processio' in der ewigen Zeit erklärt werden. Im gehorsamen Weggehen in die endliche Zeit geht Jesus in der ewigen Zeit auf den Vater zu.[330] Wenn Jesus in der endlichen Zeit seine irdische, ungewisse und nicht überblickbare Existenz nicht überspringen, den Willen Gottes nicht antizipieren, nicht auf die Ewigkeit vorgreifen will, sondern Geduld und Zeit hat, im Gehorsam verweilt und ausharrt[331], dann unterwandert er die Entfremdung der sündigen Zeit, die Leere der vergeblichen Zeit, kehrt er die Zeitlosigkeit der Hölle, das Dasein zum Tod um in die erfüllte Zeit, die auf den Vater hin ausgerichtet ist.[332]

Gehorsam im Leben Jesu

Der Gehorsam Jesu Menschen und Gesetzen gegenüber ist von dem im Logos grundgelegten Zusammenhang zwischen endlicher Zeit und Ewigkeit zu verstehen. Von Balthasar denkt - zumindest was den Ge-

---

[326] TL II, 266f.

[327] TD I, 477

[328] NK 131; PI 137; H III/2NB, 143

[329] H III/2NB, 49

[330] Vgl. HC 40-50, hier: 45.

[331] ThG 27.29

[332] HC 46

horsam betrifft - Endlichkeit und Ewigkeit mehr in Kontinuität, weniger in einem dialektischen Gegensatz. »Vom Weibe geboren, untertan dem Gesetz, um die dem Gesetz Untertanen loszukaufen« (Gal 4,4f.).[333] Für von Balthasar zeichnet den irdischen Jesus gerade der persönliche Gehorsam gegenüber den Eltern (Lk 2,51), der sozialen Hierarchie, der religiösen Tradition und dem Gesetz aus[334], wenn er beschnitten wird, um das Gesetz des Herrn zu erfüllen, wenn er im Tempel betet oder jüdische Feste feiert. Dieses Einlassen in die Religion, in die er hineingeboren wurde, nimmt teil am Gehorsam seinem Vater gegenüber. Es entspringt der inkarnatorischen Spitze der Existenz Jesu, die in alle Enge und Bedingung des Gesetzes geht, um den Fluch des Gesetzes soteriologisch umzuwenden. So ist für von Balthasar die Erfüllung des Gesetzes durch Jesus zentral (Mt 5,17ff.), weniger seine Gesetzeskritik.

Jesu Existenz ist für von Balthasar ganz Auslegbarkeit für den Vater, Exegese des Vaters, Gehorsam dem göttlichen Heilswillen gegenüber. Im Gehorsam bricht Jesus auf, um in Solidarität mit den Sündern getauft zu werden, vom Geist läßt er sich im Gehorsam in die Wüste versetzen, um dort vom Teufel versucht zu werden. In der Wüste kommt es zur endgültigen eschatologischen Konfrontation der beiden Geister: des Heiligen Geistes und des unheiligen Gegengeistes, der zum Gegenteil des Gehorsams, zur Aneignung der Gabe, zur Identifikation mit Gott versucht.[335]

Im Gehorsam des Gebetes werden alle wichtigen Entscheidungen getroffen. Seine ganze Existenz, sein Wesen und seine Freiheit ist Gehorsam, Empfänglichkeit für den Auftrag und die Sendung des Vaters. Die Erfüllung des göttlichen Willens ist seine Speise und bewirkt die Ankunft des Reiches Gottes.[336] Diese Relation zum Vater begründet zugleich Jesu Selbstsein und seinen Anspruch[337]: Dieser äußert sich im zentralen Umkehrruf und in der Verkündigung des Reiches Gottes, dessen Anbruch und Nähe er zu seiner Person in Beziehung setzt (Mk 1,15; Mt 3,2); sein Ruf zur Nachfolge entscheidet souverän über das Leben von Menschen. In den Antithesen der Bergpredigt setzt er die eigene Autorität über jene des Mose (Verbot der Ehescheidung, Sabbatgebot). Er beansprucht für sich die Macht, Sünden zu vergeben. Sei-

---

[333] Göttliches und Menschliches im Räteleben nach den Großen Ordensregeln, in: Ordensnachrichten 85 (1975) 394-408, hier: 395f.

[334] Ebd. (Lk 2,22ff.); auch: Die Theologie des Rätestandes 36.

[335] TL II, 269 (vgl. Hebr 2,18; 4,14; 5,7).

[336] Mt 6,10; Mk 14,36; Joh 4,34; 5,19.30.36; 7,17f.28f.; 9,4; 10,18.32.37; 12,49; 14,10.31; 15,10; 17,4; vgl. Die Theologie des Rätestandes 37.

[337] H III/2NB, 105-108

ner Lehre mit Vollmacht (Mk 1,27) entspricht die seines Handelns (Austreibung unreiner Geister, Heilung von Krankheiten, Tempelreinigung). Die »einzigartige Wucht dessen, der anwest«[338], zeigt sich auch darin, daß Jesus die verborgenen Herzen kennt, sozusagen »die Menschen beichtet«[339].

Die einzigartige Verbindung zum Vater zeigt sich implizit im ständigen Vorzug des väterlichen Willens und explizit in seiner vertrauten Gebetsanrede 'Abba', Vater.[340] So erschließt sich aus der 'impliziten Christologie' ein unvergleichbarer, einzigartiger Anspruch, der den johanneischen Christus dann sagen läßt »Ich bin die Wahrheit« (Joh 14,6).[341] Um dieses seines Anspruches willen ist Jesus zum Tode verurteilt worden. Dieser Anspruch Jesu ist aber kein eigenmächtiger oder titanischer, er ist eingewurzelt in den Gehorsam und in das zentrale Bewußtsein der Sendung: »Es muß damit gerechnet werden, daß der irdische Jesus sich seiner eschatologisch-universalen Sendung bewußt war: der messianische Klang seiner Ich-Aussagen, das absolute Sendungsbewußtsein, das sich in seinen Nachfolgerufen ausdrückt - die aber wesentlich in den Gehorsam und nicht in die Erhöhung rufen - die Unmöglichkeit auch, seinen Anspruch während seines Lebens voll zu bewähren, zeigen, daß er sich über das Leistbare hinaus mit dem kraft seines absoluten Gehorsamswillens von Gott (an und in ihm) Erwarteten identifizierte.«[342]

Selbstbewußtsein Jesu und Sendungsgehorsam

Während die Propheten des AT eine Sendung *haben*, gibt es bei Jesus eine paradoxe Identität von Person und Sendung. Sein Wesen ist der Wille des Vater, den er vom eigenen unterscheidet und der doch nicht äußerliche, heteronome Pflicht ist.[343] Jesus weiß als 'Sohn' in seinem Sendungsbewußtsein um seine einzigartige Relation zum Vater. Das göttliche Bewußtsein Jesu ist durch seine Sendung beschränkt.[344] Das

---

[338] H III/2NB, 106

[339] H III(2NB, 109; während die anderen Teile Allgemeingut der exegetischen Forschung sind, handelt es sich bei der 'Beichtsituation' um ein Spezifikum der indirekten Christologie von Balthasars bzw. A. v. Speyrs (vgl. Auftrag 57).

[340] H III/2NB, 111

[341] TL II, 13ff.

[342] TD II/2, 146; vgl. TD I/2, 136; vgl. TL II, 65 (Joh 4,34; 5,37; 7,46; 8,14-18; Mt 11,9; 23,8).

[343] TD II/2, 167; HC 36.

[344] TD II/2, 152

Selbstbewußtsein ist immer schon bestimmt vom konkreten Verhältnis zum Vater (keine abstrakte Frage: wer bin ich?), im Ich-Bewußtsein leuchtet das Du des Vaters durch. Die Deckung von Selbstbewußtsein und Gottesbewußtsein ist von der Sendung her bestimmt und hat an ihr das Maß ihrer Ausdrücklichkeit.[345] Es kann für von Balthasar einer höheren Vollkommenheit entsprechen, wenn Jesus als zweite göttliche Person sein Gottesbewußtsein in der Menschwerdung beim Vater hinterlegt.[346] Ein solcher inkarnierter Gehorsam ist ein größeres Gut als eine mögliche Allwissenheit.[347]

Der Menschwerdung entspricht es auch, wenn das Selbstbewußtsein Jesu durch ein innerweltliches Du (z. B. durch Maria) vermittelt wird und sich in einem geschichtlichen Prozeß des Lernens entwickelt. In einem Prozeß des Selbstempfanges vom Vater muß sich Jesus den Weg zum Willen des Vaters durchbahnen.[348] Auch Versuchbarkeit und Nicht-Wissen sind von der hypostatischen Union gefordert. Jesus kennt 'die Stunde' sowohl chronologisch als auch essentiell nicht.[349] Vom Primat des Gehorsams in der Sendung her ist auch die äußerste Gottverlassenheit am Kreuz und im Höllenabstieg - verbunden mit dem Erlöschen des Bewußtseins der Beziehung zum Vater - zu verstehen. Analog zur geschichtlichen Entfaltung des Wissens Jesu um seine Gott-Zugehörigkeit wächst das ausdrückliche Wissen um die universale Bedeutung seiner Proexistenz, seines stellvertretenden Leidens. In dieser Hinsicht kann man im Hinblick auf das Erkennen und das Bewußtsein Jesu von Armut reden.[350] Dem Primat der Sendung vor allem Wissen dienen die Räte: »Jesu Existenz in und für seine Sendung ist ... bedingungslose Existenz in *Armut, Ehelosigkeit* und *Gehorsam*, sofern alle drei Modalitäten der Existenz das Freisein für die alleinige Sendung gewährleisten.«[351] Diese Sendung geschieht in keinen neutralen Raum hinein. Von Balthasar versteht die Sendungs-Existenz Jesu als Antwort Gottes auf die Sünde.

---

[345] TD II/2, 157; TL II, 262.
[346] TD II/2, 176; TL II, 264.
[347] TD II/2, 147f.
[348] TL II, 268
[349] TD II/2, 147
[350] TD II/2, 167
[351] TD II/2, 167; vgl. TL II, 129.

Der Aufprall der Sünde[352]

Neutestamentlich läßt sich von Sünde nur dialektisch sprechen: sie ist letzte Steigerung der alttestamentlichen Verweigerung gegen Gottes Wort; zugleich steht sie schon im Licht der nachösterlichen Überwindung der Sünde und im Licht der Versöhntheit.[353] Von Balthasar sieht den Gehorsam Jesu als inkarnierte Liebe in dramatischem Gegensatz zum Drama der Sünde. Jesus erschließt den Zugang zu Gott als dem liebenden Vater, er versöhnt wahre Theologie und wahre Anthropologie (Mt 22,38ff; 25,40)[354], er ist selbst der Zeuge für die Wahrheit, der in die Nachfolge ruft. Die Wahrheit meint nichts anderes als die Fleischwerdung Gottes und darin den Erweis Gottes als Gott der Liebe.[355]

Diese Wahrheit bedeutet Gericht und Scheidung: Die Fluchworte Jesu gelten den ungläubigen Städten, dem Propheten mordenden Israel (Jes 6,9-10; Mt 13,14f.; Mk 4,12; Lk 8,10; Joh 12,40), dem ehebrecherischen und sündhaften Geschlecht, das sich gegen den Bundesgehorsam verfehlt (Mk 8,38; Mt 23,34-39), die Wehe-Rufe richten sich gegen die Pharisäer, die Heuchler, welche die Macht Gottes der eigenen Vollkommenheit dienstbar machen wollen.

Johanneisch ist Sünde die Lüge und Leugnung der einzigen Wahrheit, daß Gott die Liebe ist; die Sünde ist ein anti-inkarnatorisches und antitrinitarisches Prinzip[356]; sie verweigert die Anerkennung Jesu als das ins Fleisch gekommene Gotteswort.

Mit dem endgültigen Zugang zu Gott eröffnet Jesus auch die Möglichkeit der Gehenna, des äonischen Feuers (Mt 5,22.29f.; 10,28; 18,9; 23,33; 25,41), »symmetrisch zu dem erst jetzt für alle geöffneten Himmel«.[357] Mit der Sünde ist der Riß zwischen Welt und Gottesreich radikalisiert. Dieser Riß ist nur am Kreuz auszutragen und so in das universale Heil einzubergen.[358]

---

[352] TD III, 162-169; TL II, 289-329.
[353] TD II, 162
[354] TD III, 163.168
[355] TL II, 289; TD III, 166.
[356] TD III, 166; TL II, 290.292.
[357] TD III, 163
[358] Vgl. Auftrag 88.

Von Balthasar verdankt seine Theologie des 'Karsamstag', welche ein (das!) Herzstück seiner Theologie ist, den mystischen Erfahrungen A. v. Speyrs. Er deutet diese im Licht der theologischen, besonders der patristischen und hagiographischen Tradition (Nacht, Gott-Verlassenheit).[360] Mit dieser Fülle von Zeugen werden die 'loci classici' (Phil 2,5-11; Röm 5,19; Hebr 5,8-9; Hebr 10,5-10) beleuchtet. Die ganze Heilsgeschichte ist im Gehorsam des Logos auf diesen Punkt der äußersten Scheidung und der einenden Umspannung im Gehorsam finalisiert. Die Soteriologie steht damit im trinitarischen Horizont. Sie hat zu berücksichtigen: »1. die Dahingabe des Sohnes durch den Vater zur Rettung der Welt, 2. den 'Platztausch' zwischen dem Sündelosen und den Sündern, 3. die daraus folgende Freisetzung des Menschen (Loskauf, Er-lösung), aber 4. darüber hinaus seine Einführung in das göttliche trinitarische Leben, sodaß 5., das Ganze als eine durchgeführte Initiative der göttlichen Liebe erscheint.«[361]

Der Tod ist für Jesus kein natürlicher Vorgang: in der Verlassenheit am Ölberg und am Kreuz, im Zerbrechen des Wortes, im Verlust der lebendigen Beziehung zum Vater, im Erstarren des Geistes zur bloßen harten Regel läßt er die 'Wucht der Sünde' an sich aufprallen, nimmt er den Fluchtod auf sich und lebt so die Solidarität mit den Sündern, das 'Für uns' bis in die letzte Konsequenz. Das Kreuz ist die letzte Konsequenz der inkarnatorischen Solidarisierung mit den Menschen: würde er nicht in den Tod eindringen und ihn lösen, so würde er das Mensch-Sein unbewältigt lassen.[362] Im Gehorsam geht er bis zur äußersten Spitze der Sünde, bis zur äußersten Qual der Höllenstrafe, wo alles nichtig, vergessen, kraftlos, wirkungslos, einsam, abgeschnitten von jedem menschlichen Kontakt und unpneumatisch ist. Die Herrlichkeit hat

---

[359] Mysterium paschale, in: MySal III/2, 133-326; Hinabgestiegen in das Reich des Todes 84-98; TL II, 314-329; H III/2NB, 187-217; TD III, 297-309; TD IV, 218-222; 232-240; Erster Blick auf Adrienne v. Speyr 56-59; A.v. Speyr, Kreuz und Hölle I, Einsiedeln 1966; II, Einsiedeln 1972; B. Albrecht, Eine Theologie des Kath. Bd 1, Einsiedeln 1972, 109.104-120; Bd. 2, Einsiedeln 1973, 109-119; 125f.135-148; W. Löser, Im Geiste des Origenes 237-246; W. Maas, Gott und die Hölle. Studien zum Descensus Christi, Einsiedeln 1979; M. Jöhri, Descensus Dei: teologia della croce nell'opera di Hans Urs von Balthasar (Corona Lateranensis 30) Roma 1981; H. Danet, Gloire et croix de Jésus-Christ. L'analogie chez H. Urs von Balthasar comme introduction à sa Christologie, Paris 1987.

[360] Johannes vom Kreuz, Eckhart, Theresia von Lisieux, Angela von Foligno, Mechthild von Magdeburg, Tauler, Ruusbroeck, Hadewych, Theresa von Avila, Marie de L'Incarnation (SC III, 87).

[361] TD III, 295

[362] Vgl. H III/2NB, 73-75; TL II, 296.

sich in Staub aufgelöst, das Wort ist zerschmettert.[363] »Jesus hat als Einziger die vollkommene poena damni für alle durchgelitten, so wie er als Einziger am Kreuz die ganze Sünde gesühnt hat.«[364] Der Wille Gottes ist zur harten unerbittiichen Regel erstarrt. Im buchstäblichen »Kadavergehorsam«[365] wird der Sohn zur Sünde gemacht. Die Verfügung im nackten Muß hebt sogar das Bewußtsein auf, daß dieser Abstieg der Wille Gottes ist. Am eigenen Leib erleidet er den Verlust von Glaube, Hoffnung und Liebe. Fernab jeder triumphalistischen Descensus-Theorie kennt er alle Abgründe und gegengöttlichen Dimensionen des Mensch-Seins konkret-existentiell. Von unten und von innen her wird er zum 'Besitzer' und Richter der Hölle. Letztlich ist somit die Hölle ein christologischer Begriff.[366]

Ein solcher Gehorsam ist notwendig, damit er in der absoluten Passivität des Tot-Seins wortlos das Heil verkündigen und der Hölle, der reinen Gegengöttlichkeit, den Gehorsam als Realisierung der Gott-Abbildlichkeit einprägen kann.

Kreuz und Höllenabstieg sind so für von Balthasar Ausdruck für die reinste Dialektik der Liebe in und jenseits des Gegensatzes von Gerechtigkeit und Barmherzigkeit: hier findet die radikale Scheidung zur Gottfeindlichkeit statt; die Hölle ist ein Werk der reinen Gerechtigkeit, die im Gehorsam des Sohnes, der den Fluchtod auf sich nimmt, in der 'Überlist' der Liebe Gottes trinitarisch eingeborgen und überwunden wird.»Der Gang des toten Christus durch die Hölle unterwandert liebend den Widerspruch zwischen Gott und dem Sünder.«[367] Die Hölle ist für von Balthasar ein trinitarisches Ereignis; nur so kann sie letztlich Gericht sein: im Höllenabstieg des Sohnes, der dem Vater die Hölle beichtet und ihn in seiner Gerechtigkeit empfänglich für die Barmherzigkeit macht, geschieht die endgültige Überwindung des Widergöttlichen. Der Heilige Geist behält die Beziehung aufrecht, indem er zugleich Vater und Sohn auseinanderhält; der Geist ist der Bürge des Gehorsams.[368] In dieser trinitarischen Sicht will von Balthasar auch das Dilemma zwischen Origenes und Augustinus überwinden: »Die Wahrheit besteht nicht einfach in einer Alternative: entweder ist jemand in der Hölle oder niemand. Beides ist ein Teilausdruck der totalen Wahr-

---

[363] H III/2NB, 212
[364] H III/2NB, 215
[365] H III/2NB, 214
[366] H III/2NB, 215
[367] TL II, 314
[368] TL III; 159

heit.«[369] Die universale Hoffnung für alle gründet im Höllenabstieg und im Erleiden der Höllenstrafe durch den Sohn: diese »Hoffnung allein wird der alle Gegensätze übergreifenden Wirklichkeit Gottes gerecht, dessen Barmherzigkeit seine Gerechtigkeit und dessen Gerechtigkeit seine Barmherzigkeit ist.«[370]

Jesus geht seinen Weg als einzelne Person wie als universaler stellvertretender Mittler. Dieser soteriologische Weg ist für von Balthasar nur in trinitarischer Perspektive zu verstehen: Im Gehorsam geht Jesus mit Gott von Gott weg und so auf Gott zu: wegen seiner Erniedrigung findet er die Erfüllung, die Erhöhung, erfährt er in der Auferstehung die Absolution (Phil 2,5-11).

Notwendig ist dieser Gehorsam von unten und von innen her auf Grund des 'Glanzes der Freiheit' des Menschen. Der Gehorsam ist die letzte personale Alternative zum Mythos, zur destruktiven Macht des Negativen; er führt zur personalen Auferweckung, zur Fülle der Gemeinschaft mit Gott in höchster Freiheit.

Der personale Gehorsam Jesu ist innertrinitarisch durch das Pneuma vermittelt. Im Gehorsam dem Geist gegenüber gibt er den Geist frei, der das »Gestalthafte des fleischgewordenen Wortes universal werden läßt.«[371] Im Geist wird dem sündigen Menschen seine Gott-Ebenbildlichkeit, seine Relation zu Gott, der Gehorsam neu eingeprägt, und so der Mensch zur Nachfolge befähigt, die liebend Freiheit und Gehorsam vereint.[372] Der Glaubensgehorsam ist Zugang zur Heilsgeschichte und Realisierung der Nachfolge des Menschen, wie sie ursprünglich von Gott gedacht war. Die Freigabe des Geistes ist zugleich der Grund für die Kirche als Institution mit Schrift, Überlieferung, Sakrament und Amt.[373]

Im Gehorsam ist also Christus 'causa efficiens, exemplaris und finalis' von Schöpfung, Bund und universaler Erlösung. Der Liebesgehorsam Jesu ist so letztlich die Klammer über alle Abgründe hinweg: er umspannt den unendlichen Riß zwischen der absoluten Vereinzelung und dem universalen Heil. Er verbindet den Riß zwischen der Gottesbeziehung und der universalen Solidarität mit den Menschen. Er ist der Schlüssel zum Verständnis der christlichen Exklusivität und der allum-

---

[369] Theologie des Abstieges zur Hölle, in: H. U. von Balthasar (Hg.), Hinabgestiegen in das Reich des Todes 13f.; Was dürfen wir hoffen? 38-58.

[370] A.a.O. 127

[371] TL II, 143 (2 Kor 3,17).

[372] TL II, 330

[373] Zur Begründung der Kirche als Institution bei von Balthasar vgl. M. Kehl, Kirche als Institution 239-307.

90

fassenden Inklusion: »Christus medium tenens in omnibus«.[374] In ihm wird das 'universale concretum', d. h. die christliche Mitte in ihrer Bedeutung für die Allheit der Erlösung sichtbar.

Knecht und Sohn

Der Höllenabstieg Jesu im Gehorsam ist ohne Zweifel die Mitte der Soteriologie und der Anthropologie von Balthasars. Durch ihn kommt die allumfassende Perspektive, d.h. das Katholische in der universalen Hoffnung für alle zum Glänzen. In diesem Gehorsam wird auch die originäre Bewegung der Freiheit gesehen, die jeder menschlichen Freiheit das Maß gibt.

Um diese Perspektive der Freiheit und Universalität in ein schärferes Profil zu setzen, vergleichen wir von Balthasar in einigen Punkten mit Hegel in dessen 'gigantischer Staurologie'. Von Balthasar selbst entfaltet seine 'Theologik' z.T. in Auseinandersetzung mit Hegel.

Von Balthasar verfolgt die Richtung Hegels, wenn der Gehorsam als Gegenpol zur Eitelkeit des sich selbst verschonenden Subjektes gedacht wird.[375] Mit dem Gehorsam als Mitte der Christologie will er allen anthropologisch enggeführten theologischen Entwürfen und jeder neuzeitlichen Anthropozentrik zu Leibe rücken.

Oberflächlich betrachtet ergibt sich eine Parallele zu Hegel im Hinblick auf den Zusammenhang von Gehorsam und Tod.[376]: bei von Balthasar ist der Todesgehorsam, der 'Kadavergehorsam' Jesu im Höllenabstieg letztes Maß und letzte Grundlage der Anthropologie. In Differenz zu Hegel betont er aber die freie Annahme der Weltsünde und ihre Unterwanderung im freien Gehorsam des Sohnes. - Und doch bleibt bei von Balthasar dieses Drama der Freiheit in einer gewissen Zweideutigkeit.

Die Dramatik zwischen dem Logos und der sündigen Welt ist etwas Vorletztes. Sie wird hineingenommen in die innertrinitarische Dramatik: die Welt kann keinen an-

---

[374] Bonaventura, Hexaem 1,10ff. (TL II, 144); vgl. PI 147; K 104.

[375] Gehorsam hat für Hegel die Funktion, das Subjekt von jeder unwesentlichen Willkür und Selbstsucht zu befreien (System der Philosophie 3 [WW 10] 288). Nur wenn das subjektive Selbstbewußtsein dem objektiven Gesetz (Staat) gehorcht, ist es frei: »Der Staat ist die göttliche Idee, wie sie auf Erden vorhanden ist.« (Philosophie der Geschichte [WW 11] 71).

[376] Bei Hegel wäre der Zusammenhang zwischen dem Selbstbewußtsein, das zu seiner Gewißheit kommen will, dem Wagnis des Todes durch das sich verflüssigende Substanz und der Bewährung des Selbstbewußtseins im Tod des Anderen zu beachten. Vgl. dazu die Dialektik von Herr und Knecht in: Phänomenologie des Geistes (WW 2) 148-158, dazu K. Rothe, Art. Herrschaft und Knechtschaft, in: HWP III, 1092-1094.

deren Ort haben als innerhalb der Differenz der Hypostasen.[377] Auch die Sünde hat keinen anderen Ort: das Nein gegen Gott »ertönt an der Stelle der innergöttlichen Differenz.« Die Urkenose des Sohnes aus dem Vater umschließt sogar die Kreuzesnacht.[378] Deshalb kann der Sohn die ganze Sünde stellvertretend unterfassen; deshalb können alle Menschen ihre Schuld auf den Sohn werfen. Dieses Tun der Sünder ist aber nur ein untergeordnetes Geschehen. »Im Mysterium der Verfinsterung und Entfremdung zwischen Gott und dem sündentragenden Sohn als eigentlicher Stelle der Stellvertretung scheint die allmächtige Ohnmacht der Liebe Gottes auf.«[379] Gott selber hat seinen Sohn »hinausgestoßen in die Mächte des Verderbens, ob diese nun Mensch oder Tod heißen«[380], und er hat »ihm die Realität, Sünde der Welt« aufgebürdet.[381] »Der am Kreuz eigentlich Handelnde ist also Gott, und das Werkzeug seines Handelns ist die Sünde.«[382] Das Kreuz wird mit Barth als das große Gericht des göttlichen Zorns über die Welt gesehen.[383] Dieser Zorn trifft Christus nicht als naturhaftes Schicksal: er trifft auf den Liebesgehorsam der Sendung. »Der Zorn Gottes gegen die Vereinigung der göttlichen Liebe trifft auf eine göttliche Liebe, die des Sohnes, die sich diesem Zorn aussetzt und ihn entwaffnet und buchstäblich gegenstandslos macht.«[384]

Im Hinblick auf dieses Verständnis des Zornes Gottes, wo Gott zum aktiven Subjekt des Kreuzes wird, ist anzufragen, wie sich dies mit der Basileia-Botschaft, dem Gott der Verzeihung, der Gewaltfreiheit und der Feindesliebe vereinbaren läßt.[385] Zum anderen drängt sich der Einwand auf: wenn die handelnden Menschen in ihrer Sünde Jesus verurteilen und hinrichten und sie darin eigentlich nur sekundär (instrumental?) im Hinblick auf den im Zorn handelnden Gott sind, werden dann nicht die Sünder zu vorrangigen Offenbarern?[386] Wird damit nicht die Sünde Gott selbst zugeschrieben und dadurch der Unterschied zwischen Gut und Böse, zwischen Heiligkeit und Sünde, aufgehoben? Hier ist die Frage anzumelden, welcher Gott den Sohn am Kreuz zurichtet (mehr als die Sünde der Menschen), warum der absolut nackte, entäußerte, blinde 'Kadavergehorsam' für die Erlösung notwendig ist, welcher Art die Nezessität der Kenose in die Hölle ist. - Geht es um den Glanz der menschlichen Freiheit oder um die Ehre Gottes? Wenn von Balthasar die Nezessität letztlich doch wieder in Gott hinein verlegt und Gott als aktiv zurichtendes Subjekt am Kreuz denkt, verfällt er da nicht der Hegelschen Dialektik, daß die Fülle der *Herr*-lichkeit Gottes die Annihilierung des *Knechtes* erfordert?

---

[377] TD III, 310; vgl. R. Schwager, Zur Erlösungslehre von Hans Urs von Balthasar, in: ZKTh 108 (1986) 5-44.

[378] TD IV, 238; vgl. TD III, 303.308.310; PI 55.

[379] TD III, 312

[380] Mysterium paschale 202.

[381] H III/2NB, 193

[382] HIII/2NB, 194; »Der Vater ist es, der den durch die göttliche Liebe (mehr als durch den Haß der Welt) so zugerichteten Leib seines Sohnes durch die einigende Vermittlung des Geistes der Welt hingibt« (TD IV, 439; vgl. H III/2NB, 136).

[383] Mysterium paschale 208-212; TD III, 315-327.

[384] TD III, 326

[385] R. Schwager, a.a.O. 39.

[386] A.a.O. 40

Es sei hier nur die Vermutung ausgesprochen, daß von Balthasar zumindest zum Teil beim Todesgehorsam Jesu von der Barmherzigkeit und auch der Weiblichkeit und Rezeptivität Gottes gegenüber dem Geschöpf abstrahiert. In diesem Zusammenhang sei auch darauf hingewiesen, daß Gott - der innertrinitarisch männlich und weiblich ist - heilsgeschichtlich bei von Balthasar fast exklusiv als Mann erscheint, demgegenüber Maria als Frau Wärme und Barmherzigkeit einzubringen hat.[387] Zumindest tendenziell schreibt von Balthasar Gott, dem Mann, die Gerechtigkeit und Maria, der Frau, die Barmherzigkeit zu. Insgesamt bleibt bei der Rede vom Zorn Gottes und dem 'Kadavergehorsam' Jesu eine systematisch nicht zu lösende Spannung zwischen der Souveränität und Majestät Gottes als absolut Verfügender und der Herrlichkeit Gottes als freie Huld und Liebe.

Die radikale Zäsur zwischen Hegel und von Balthasar im Hinblick auf den Todesgehorsam Jesu erschließt sich vom Zugang von der Analogie und der Trinität her.[388] In der trinitarischen Relation des Sohnes zum Vater wird die Differenz als etwas absolut Positives gedacht. Trinitarisch ist der geschöpfliche Gehorsam Gott gegenüber eine positive Form endlichen Selbstseins. Der Gehorsam ist Vollzug der Relation und nicht - wie bei Hegel - ihrer Vernichtung. Er realisiert sich in der Einheit von Armut und Fülle jenseits der Opposition von Reichtum und Bedürftigkeit. Der positive relationale Eigenstand des geschöpflich Seienden gilt nicht wie bei Hegel als das zu überwindende Böse, das vernichtet werden muß, sondern erhält in der Auferstehung der Toten personal ewig Bestand.[389]

Die Diastase zwischen Personalität, Objektivität und Universalität wird bei von Balthasar durch den Begriff der *Sendung*[390] umspannt. In der Christologie und Trinität wurzelnd ist die Sendung die Brücke zwischen

---

[387] Vgl. auch: Maria für heute 68ff.

[388] Zu Hegel: ApdS I, 562-616; TD I, 458f.

[389] Das Endliche ist für Hegel im Grunde genommen das Böse: »Dem allgemeinen Bewußtsein gilt die Einzelheit als das Böse« (WW 2, 506). Das Böse ist die »höchste Spitze des Phänomens des Willens« (WW 10, 396). Böse sein heißt »mich vereinzeln« (WW 16, 264).»Es ist ihre Endlichkeit, ... die in ihrer äußersten Spitze das Böse ist.« (WW 16, 301). Das Endliche muß für Hegel abgearbeitet und schließlich in den Taumel des absoluten Geistes hinein geopfert werden. Der Gehorsam des endlichen Subjektes ist dementsprechend ein Selbstopfer, das am Ende vom absoluten Geistsubjekt absorbiert und in sich hinein gefressen wird. (vgl. WW 16, 257ff.). Letztlich wird im Hegelschen System der Tod zum absoluten Herrn, für den der Tod des Einzelnen nur ein Fall der »ungeheuren Macht des Negativen« ist (WW 2, 34). Der Einzelne ist bloß Futter, Material für das Ganze. In der Hoffnung auf eine personale Auferstehung der Toten sieht Hegel eine Hybris des Subjektes. Der Hegelsche absolute Geist ist letztlich ein Moloch, dessen Gott-Sein am Tod des Menschen erkannt wird; von Balthasar sieht Hegel darin in einer Tradition mit Luther, Schelling, Kierkegaard und Barth (ApdS I, 602; TD I, 60; H II 651; TD II/1, 388 TL II, 46.111.150).

[390] Ruf und Sendung mußten bei Hegel schon deshalb entfallen, weil der personale Logos in den Geist der Gemeinde hinein aufgelöst wurde (TD I, 62). Ein echtes Drama zwischen Gott und Mensch kann es bei Hegel nicht geben, weil das Bestehende, die Geschichte vergöttlicht wird.

dem personalen Einzelauftrag und der Katholizität der Kirche.[391] Die Spannung wird von von Balthasar nicht einseitig aufgelöst, sondern bleibt dramatisch. Er insistiert auf der Bedeutung des Einzelnen, den er dann aber unter die eherne objektive Regel stellt. Alles ist untergriffen vom Liebesgehorsam, der tiefer und freier und überraschender ist als jedes Muß.

Mit den neutestamentlichen Texten beschreibt von Balthasar das letzte Verhältnis des Menschen zu Gott als ein »Freigeworden-Sein aus 'Knechtschaft' in die 'Kindschaft' (und damit 'Erbschaft') und 'Freundschaft' ..., in der das vollkommene Gehorchen und 'Untertansein' ebenso unmittelbar Freisein, Parrhesie, unverstellter Zugang zur endlichen Freiheit ist, ja innere Teilhabe an deren besonderer göttlicher Qualität.«[392] Diese Vermittlung von Knechtsein als unterer Grenze der Kreatürlichkeit und Freiheit geschieht im vom Heiligen Geist geschenkten Gehorsam: Die Gabe des Geistes erhebt vom Knecht- zum Kindesverhältnis im Sohne Christus.[393]

Als Vollzug, der im Lichte der Analogie, Christologie, Pneumatologie, Trinität, Ekklesiologie und Eschatologie zu verstehen ist, kann der Gehorsam bei von Balthasar weder bloß als Therapie gegen die Begierde der Sinnlichkeit, nicht als Wegstation zur autarken, monadisch-monologischen Freiheit, noch als Anfang vom Ende des Subjektes im Opfer in ein totalitäres, gesellschaftlich-politisches oder theologisches Ganzes begriffen werden.

Christologisch ist der Gehorsam eine Form personalen Selbstseins in der Beziehung. Im Gehorsam nimmt Christus frei seine Sendung an. Diese Sendung umspannt in Tod und Auferstehung Personalität und Universalität. Im Lichte der Kenose Jesu kann der Gehorsam nie Flucht vor der Welt in eine heile Ordnung sein. Das universale Ganze wird gerade in der Gestalt entfremdeter Sünde durch apostolische Liebe versöhnt. Stellvertretung, Sühne und personales Opfer sind die Alternative von Balthasars zu Hegels spekulativem Karfreitag, bei dem letztlich der Tod als absoluter Herr eingesetzt wird. Der Gehorsam Christi ist für von Balthasar der Schlüssel zum Verständnis von Jungfräulichkeit und Armut. Zugleich setzen diese beiden anderen Räte den Gehorsam in ein je eigenes Profil.

---

[391] TD I, 63; TD II/1, 173.
[392] TD II/1, 209
[393] TL III, 207-211.214-404

2. Jungfräulichkeit und Ehelosigkeit

Bei den Überlegungen zu 'Gehorsam und Menschwerdung' waren wir vom Gehorsam Christi ausgegangen. Dies ist bei von Balthasar berechtigt, da eben dieser Gehorsam Christi das 'universale concretum' zwischen Gott und Mensch ist. Das Ganze der Offenbarungsgestalt ist mit Christus allein aber noch nicht im Blick. Jesus ist bei von Balthasar vornehmlich vom Logos, d.h. von Gott, 'von oben' her gedacht. Jesus ist das Bild, die Herrlichkeit Gottes. Die Würde und Freiheit des Geschöpfes im freien Gegenüber zu Gott, das Bild des Menschen, wird durch die weibliche Gestalt Marias repräsentiert.[394] Diese Frau ist bei von Balthasar unlösbar von der christologisch-trinitarischen Gestalt. Jungfräulichkeit Marias, Jungfrauengeburt und Inkarnation sind nicht voneinander zu trennen. Die konkreten Ausführungen zur Mariologie entspringen dem betrachtenden Ineinander biblischer Verwurzelung, geistlicher Schriftauslegung, dem Zeugnis der Väter (besonders Origenes), dem dogmatischen Glauben der Kirche und metaphysischen Prinzipien: in ihr gipfelt das Verhältnis zwischen Schöpfer und Geschöpf, in ihr findet die geschlechtliche Polarität zwischen Mann und Frau ihre Erfüllung. Die schöpfungstheologisch grundgelegte Geschlechterdifferenz wird im Ereignis der Menschwerdung aufgegriffen und überhöht. Die Polarität mündet ein in die Eucharistie als Hochzeitlichkeit zwischen Christus und der Kirche. Von diesem Hintergrund her ist Maria für das Verständnis des evangelischen Rates der Jungfräulichkeit in ihrer Hinordnung auf Christus konstitutiv. Die Jungfräulichkeit Marias steht darin für den relationalen Eigenstand des Geschöpfes, das auf das Je-mehr der christologischen Gestalt hingeordnet ist. Christus ist das 'id quo maius cogitari nequit'.[395]
Wir gehen deshalb zunächst von der konstitutiven Bedeutung der Jungfräulichkeit Marias aus und versuchen dann die Ehelosigkeit Jesu zu deuten. Im Ineinander beider wird das Geheimnis der Kirche deutlich werden.

---

[394] SV 164; SC 336; K 71; HC 137.
[395] Prüfet alles - das Gute behaltet 54.

Maria steht am Übergang zwischen Sion und Kirche, zwischen Altem und Neuem Bund.[396] Ihre Erwählung und Sündenlosigkeit (Unbefleckte Empfängnis) steht im großen Kontext der Selbstauslegung der Offenbarung und ist somit rein christologisch begründet und auf Christus hin orientiert. Von Christus am Kreuz her vorerlöst, ist in Maria der ganze Glaubensgehorsam des Alten Testaments zusammengefaßt. Pneumatologisch vermittelt realisiert sie die »ursprüngliche Idee des Menschen«[397], die adäquat weibliche geschöpfliche Haltung vor Gott, d.i. die »Reinheit der Seele«, die Offenheit, das Geschehenlassen, die volle Indifferenz und Verfügbarkeit, daß »wie auf einer photographischen Platte alles abgelichtet werden kann.«[398] In ihrer archetypisch weiblichen Haltung ist sie vollkommen arm, gehorsam und jungräulich, indem sie eindeutig leiblich verfügbar und offen ist, um von Gott ergriffen und in Besitz genommen zu werden. Diese Haltung ist in ihr eine zutiefst personale. Gott ruft Maria als Einzelne ('monos pros monon').[399] Diese herausrufende Exklusivität findet in der Jungfräulichkeit ihre Entsprechung. Auf den Ruf Gottes hin spricht sie ihr reines Ja-Wort. In ihrer vollkommenen Bereitschaft und in ihrem Ja-Wort im Glauben ist Maria Mit-Bedingung für die Menschwerdung. »Maria ist Quelle der menschlichen Natur des Erlösers, nicht nur ihrem Leib, sondern noch mehr ihrem Geist nach. Denn Gott vergewaltigt den Menschen nicht; er wollte das Einverständnis der Menschheit, um Mensch zu werden, und dieses stellvertretend für alle (loco totius generis humani) gegebene Jawort war Mitbedingung ihrer Überschattung durch den Heiligen Geist.«[400] Ihr armer, gehorsamer und jungfräulicher Glaube erzeugt nicht die Gestalt Jesu, aber ihrem Glauben wird diese Gestalt geschenkt. Dabei wird dem Ja-Wort nicht bloß die Überschattung des Geistes geschenkt, es ist selber schon durch das Pneuma vermittelt: »Das Wirken des Geistes, der der Jungfrau den Keim ihres Sohnes einsenkt, (ist) dem Jawort dieser Jungfrau viel enger zugestaltet ..., als man gemeinhin annimmt.«[401] Der Geist vermittelt die Offenbarung der göttlichen Liebe in der Welt mit der subjektiv freien Liebe Marias.

---

[396] H I, 326; vgl. Maria für heute 8.

[397] OR 14

[398] Auftrag 59; vgl. Drei Formen der Gelassenheit, in: HC 33.

[399] PI 255.273

[400] Stand 160. Vgl. H I, 311.326; H III/2NB, 85.90; Die Würde der Frau, in: HC 134-141.

[401] Maria und der Geist, in: HC 144.

Die Grundhaltung Marias als reine Verfügbarkeit ist Voraussetzung, daß das Wort in ihr Fleisch werden kann. Ihr Verhältnis zu Gott ist von Unmittelbarkeit und Exklusivität geprägt. Eine menschliche Vermittlung würde in diesem Fall die Gottesbeziehung verunklären und die Eindeutigkeit der Herkunft der göttlichen Frucht zerstören. Es gibt ein 'Entweder - Oder': »Joseph, der irdische Gatte, wird vom ungestüm aufdrängenden Eros Gottes beiseite gestellt: das kreatürliche Gleichnis hat dem Urbild der Liebe zu weichen, die aus den Tiefen Gottes unmittelbar ins Fleisch drängt. Der Mann war nur Statthalter Gottes, er weicht, wo der König selber erscheint. Das ist des Mannes Verzicht.«[402] Die Ausschließlichkeit und Unmittelbarkeit der Beziehung Marias zu Gott ist hingeordnet auf die Menschwerdung des Logos. Würde dieser sich auch einem irdischen Vater verdanken und somit zwei Väter haben (im Himmel und auf Erden), wäre er »in seinem Wesen und seiner Kundgabe völlig verunklärt.«[403] Er könnte nicht mehr der Sohn sein, sich in seiner Sendung nicht mehr einzig dem himmlischen Vater verdanken und sich ihm nicht mehr rein zurückgeben.[404]

Die real-historische Jungfräulichkeit und Jungfrauengeburt ist für von Balthasar eine »heilsgeschichtliche Notwendigkeit«[405] dafür, daß Maria den Sohn Gottes gebären konnte. Sonst wäre Jesus bloßer Mensch und Prophet, der uns nicht erlösen könnte. Die Ehe Marias mit Joseph wird durch Gott heilsgeschichtlich eingebunden (Jesus als Sohn Davids) und überstiegen (Jungfräulichkeit als Voraussetzung für die Gottessohnschaft Jesu). Damit kann Maria sowohl den Stand der Ehe wie den der Jungfräulichkeit mit-begründen: sie ist jungfräulich und verbindet sich in »zarter Liebe« mit Joseph innerhalb einer wahren Ehe.[406] In dieser Ehe hebt der leibliche Verzicht die Fruchtbarkeit nicht auf; sie ist dem Zirkel von Zeugung und Tod enthoben und bezieht die Fruchtbarkeit ein in den Neuen Bund. »So wird Josephs ganze Existenz in diese gehorsame, jenseits der Konkupiszenz angesiedelte und doch vollmenschliche Liebe und Treue hineingehoben.«[407] Joseph wird als Nähr-Vater an der Väterlichkeit Gottes beteiligt: »Seine verborgene jungfräuliche

---

[402] OR 15; vgl. auch K 68.

[403] K 68f.

[404] TD II/2, 162; vgl. Maria für heute 24.

[405] TD II/2,1 301

[406] Stand 166; vgl. Maria für heute 48f.

[407] Person, Geschlecht und Tod, in: HC 127.

Fruchtbarkeit darf nicht vergessen werden, wenn man die Gnade Marias im vollen Licht sieht.«[408]

Jungfrau - Mutter - Braut

Die Jungfräulichkeit im biblischen Bereich hat vom Urbild Marias her nur die schwächsten Analogien zu Enthaltsamkeit, Ehelosigkeit, Reinheit, Jungfräulichkeit in anderen Religionen oder Philosophien.[409] Denn die Jungfräulichkeit Marias hat nichts zu tun mit weltabwertender Askese, sie meint keine Verweigerung, keine Verschlossenheit, kein besitzendes Festhalten an sich; sie kann keiner Berührungsangst entspringen, die nicht konkret-leibhaftig da sein kann und deswegen in eine gespenstische, idealisierte, fleisch- und blutlose Zukunft flüchtet. Sie ist auch nicht Scheinliebe zum abstrakten Ganzen oder Fernen, zu bloßen Sachen oder Ideen.[410]

Maria ist als Jungfrau nicht unproduktiv-steril und teilnahmslos, sie bleibt nicht im starren Ich = Ich der Selbstbefriedigung. Sie betrachtet ihren Leib nicht als Selbstbesitz, in den niemand eindringen dürfte, in dem niemand wachsen dürfte, von dem niemand freigegeben würde. Jungfräulichkeit meint marianisch das Gegenteil von Unfruchtbarkeit. »Jungfräulichkeit ist die Inkarnation des absoluten schrankenlosen Glaubens vom Geist in das Fleisch Marias hinein.«[411] Als Jungfrau ist sie radikal geöffnet und verfügbar. Ihr Ja-Wort wird zur Ursache der leiblichen Fruchtbarkeit. So ist Maria letztlich Jungfrau, um Mutter werden zu können.[412] Ihr Mutter-Werden setzt ihren jungfräulichen Glauben voraus; sie ist »Mutter, weil Jungfrau«[413] und bleibt beides zugleich, wie dies - so die Kirchenväter - dem Menschen im Paradies möglich war. Entscheidend ist an dieser Stelle das Ineinander von Jungfräulichkeit, Glaube und Fruchtbarkeit von Gott bzw. vom Geist her[414];

---

[408] Maria für heute 49.

[409] Die Theologie des Rätestandes 42.

[410] Vgl. SV 449.132; auch: Göttliches und Menschliches im Räteleben 396f.; Nachfolge 22-25; PI 379; Auftrag 34; Die Theologie des Rätestandes 42. Zur philosophischen Systematik vgl. auch F. Ulrich, Gegenwart der Freiheit 128-132; Ders., Atheismus und Menschwerdung, Einsiedeln 1975, 65-69.

[411] Die Theologie des Rätestandes 31; deswegen will die Jungfrau nicht 'integer' bleiben. Die Bereitschaft und Verwundbarkeit der Jungfrau steht im Gegensatz zum Integralismus verschiedenster, auch kirchlicher Provinienz; vgl. Maria für heute 65-67; Integralismus, in: Wort und Wahrheit 18 (1963) 737-744; Friedliche Fragen an das Opus Dei, in: Der Christliche Sonntag 16 (1964) 117f.

[412] Stand 164; vgl. Die Theologie des Rätestandes 31.

[413] SV 347

[414] Die Würde der Frau, in: HC 136; vgl. Origenes, Hom in Nm 20,2 (PG 12, 728ff.).

die Jungfräulichkeit erhält den Vorrang vor der alttestamentlichen Ordnung (Ehe als Erfüllung, Kinderlosigkeit als Schande).

Von Balthasar beläßt es dabei, Maria bei der Inkarnation als Jungfrau und Mutter zu bezeichnen. Maria wird in der Schrift nicht Braut oder Gattin des Vaters, des Heiligen Geistes oder der Trinität genannt.[415] Sie ist Mutter des menschgewordenen Sohnes. Als Mutter bleibt sie ledige Jungfrau. Sie ist weiterhin Gott gegenüber radikal offen; sie will Jesus nicht negativ bemuttern, indem sie ihn total vereinnahmen, verplanen, verschlingen oder über ihn verfügen möchte. Sie gibt Jesus frei, sodaß er in ihrem liebenden Gegenüber und durch ihre Vermittlung zu seinem Selbst- und Sendungsbewußtsein findet. Die Keuschheit der Beziehung ist gerade keine teilnahmslose Immunisierung von Begegnung, sondern Voraussetzung für ihr tiefstes Einfühlungsvermögen und Mitgehen in selbstlosem Dienst.

Jesus und die Jungfräulichkeit

Für von Balthasar ist der Zusammenhang von Jungfräulichkeit Marias, Jungfrauengeburt und Gottessohnschaft Jesu fundamental und nicht aufgebbar. Er sieht deshalb die Christologie unlösbar verschränkt mit der Mariologie. Die Eindeutigkeit der Vater-Beziehung Jesu und die daraus entspringende Sendung läßt sich nach von Balthasar nur durch die jungfräuliche Geburt erklären, die wiederum die Vorerlösung Marias zur Bedingung hat. Wie ihre Jungfräulichkeit von der alleinigen Vaterschaft Gottes Jesus gegenüber zu sehen ist, so ist die Reinheit und Ehelosigkeit Jesu der Ausdruck dafür, daß er in ganzheitlicher, leiblich-geistiger ungeteilter, ausschließlicher, vollkommener Liebestreue dem Vater vorbehaltlos zur Verfügung steht.[416] Dieser Exklusivität entspricht die Einsamkeit als Existential, wie Jesus sie schon als Zwölfjähriger, beim Aufbruch zur öffentlichen Tätigkeit, bei der Taufe, bei der Sendung des Geistes, beim Ausgesetzt-Sein in der Wüste oder in der Begegnung mit den Aussätzigen erfährt. Alle Sendung und Begegnung entspringt der Einsamkeit vor Gott, dem 'monos pros monon'.[417] In der Sendung vom Vater zur Welt ist Jesus nicht leibfeindlich oder leibverachtend. Die anti-doketische Grundlinie impliziert nicht bloß eine (abstrakte) Annahme der ganzen Menschennatur, sondern setzt sich in

---

[415] Maria und der Geist, in: HC 142.

[416] Vgl. SC 335; OR 9; Die Theologie des Rätestandes 32.

[417] Vgl. Einsamkeit in der Kirche, in: PI 252-287.

der konkreten Leibhaftigkeit von Jesu Leben und Verkündigung fort: er ist selber die leibliche Gabe Gottes, er geht auf die Menschen konkret ein, läßt sich von ihnen anfassen und salben; er schenkt Heilung durch Berührung. Jesus fordert Leiblichkeit in den Werken (Parabel vom barmherzigen Samariter - Lk 10,25-37; Rede vom Weltgericht - Mt 25,31-46). Schon gar nicht ist Jesus frauenfeindlich: besonders Lukas stellt Jesus häufig im Umgang, in der Begleitung und in der Beziehung zu Frauen dar.[418] Sein eigenes Kind-Sein ('Abba'!), sein Verhalten zu den Kindern und sein Heranziehen der Kleinen als Beispiel für die Annahme des Reiches Gottes ändern nach von Balthasar die Einstellung der Antike zum Kind grundsätzlich.[419] In seinem Verhalten und seiner Verkündigung bejaht Jesus eindeutig die Ehe und betont ihre Herkunft von Gott (Mt 5,28; Mk 10,1-2; Joh 2). Jesus kennt keine Abwertung des Leibes, der Ehe oder des Zeugens von Kindern, wohl aber fordert er eine eindeutige Ausrichtung der Geschlechtlichkeit: der Eros muß in Zucht genommen werden[420], damit entweder die Ehe rein gelebt oder der Ruf zur Jungfräulichkeit um des Reiches Gottes willen mit ganzheitlicher, leib-seelischer Existenz beantwortet werde (Mt 19,12). Im besonderen Ruf zur Nachfolge übersteigt Jesus die Wirklichkeit von Ehe und Familie und führt aus ihr heraus. [421] Dieser Ruf ist nicht bloß geistig, sondern inkarnatorisch, »brutal, wörtlich, materiell«[422] aufzufassen. Alles - Besitz, Eigenwille, leibliche Zeugungsfunktion - ist in der unmittelbaren Nachfolge verfügbar zu halten. Das kann für die Jünger zur radikalen Entzweiung führen und läßt sie an der Einsamkeit, am Ausgesetzt-Sein Jesu teilhaben.[423] Leiblichkeit, Reinheit und Ganzheitlichkeit der Existenz sind auf das Fruchtbringen hingeordnet: Jesus stellt Gott als Sämann vor, der den Samen des Wortes in die Herzen der Hörer sät (Mt 13,19). Der Mensch hat als Glaubender Acker für Gottes Saat, aufnehmender Schoß zu sein, der Frucht bringen muß.[424] Die Rückgabe des Samens ohne Austragung der Frucht, die Rückerstattung des Talentes in der Verkennung der inneren Dynamik werden

---

[418] Vgl. H III/2NB, 328 (Maria, Elisabeth, Anna, die Witwe von Nain, die Sünderin, Maria Magdalena, Johanna und Susanna, Maria und Martha, das verkrümmte und dann aufgerichtete Weib, die Frau aus dem Volk, die Witwe, die das Letzte gibt, die Frauen am Kreuzweg, unter dem Kreuz, bei der Bestattung und als Zeugen der Auferstehung).

[419] Das Kind Jesus und die Kinder, in: HC 165-174 (Mt 18,4.10; 23,11; Mk 9,37; 10,13-16; Joh 1,13; 3,5-8; 7,16; 14,28; Röm 8,15f.).

[420] SC 335 (Mt 5,28; 6,16; 10,15).

[421] Stand 155 f. (Mk 3.31-35; Joh 2,2; 7,5).

[422] K 129

[423] Stand 105 (Mt 10,35; Mk 13.12; Lk 12,52f.); PI 252-287.

[424] H III/2NB, 392 (Mt 15,13; 21,33; 25,14-30; Mk 4,11; 11,12-14.20; Joh 15,8).

als Verkennen Gottes und als Vergehen gegen den Geber erachtet: Gott gibt je-kleiner und je-ärmer, aber auch je-mehr, je-größer und je-überraschender im Überfluß (z. B. Brotvermehrung, Weinwunder).[425] Den gemeinsamen Brennpunkt von Einsamkeit, Leiblichkeit, Reinheit, Ehelosigkeit und Fruchtbarkeit Jesu sieht von Balthasar in der Eucharistie als reiner leiblicher Selbsthingabe und Danksagung für die erhaltene Fruchtbarkeit[426]: »Er (Jesus) gibt sein Fleisch und Blut für das Leben der Welt dahin, natürlich ein unangetastetes, durch keinen ehelichen Verkehr schon angebrauchtes (sic!), durch kein privates Treueverhältnis in Beschlag genommenes Fleisch und Blut. Die eucharistische Hingabe am Kreuz hängt ganz wesentlich mit seiner Ehelosigkeit zusammen.«[427]

Eucharistie und Kreuz

Die Perichorese von Jungfräulichkeit, Eucharistie und Kreuz und ihre gegenseitige Interpretation ist für von Balthasar ein entscheidender soteriologischer Gedanke. Das Ausleben der Einsamkeit am Ölberg, die Erfahrung von Flucht, Verrat, Verleugnung und Zerstreuung der Jünger, die Entfremdung von Gott, die Vereinzelung vom dreieinigen Leben, die Gott- und Menschverlassenheit am Kreuz, das 'Umsonst', die Schande, der Spott, die Zwecklosigkeit und Vergeblichkeit der Sendung, das Hineingehalten-Werden in die Not, die Trauer, die Abgründe der Gegengöttlichkeit in der Hölle - all das ist Voraussetzung (im heilsgeschichtlichen Sinn: »dei«) für die Fruchtbarkeit der Erlösung. Erst wenn in der Kenose des Kreuzes und des Höllenabstiegs, im reinen nackten Glauben auch der letzten Spitze der Verweigerung das Siegel der reinen Hingabe aufgedrückt wird und darin die vollkommene freie geschöpfliche Paradosis an den Vater geschieht[428], kann Jesus vom Vater der Welt als überreiche (-arme) Gabe übergeben werden, die vom Geist verwaltet wird.
Jungfräulichkeit am Kreuz ist radikalste Einsamkeit und vollkommene Hingabe im reinen 'Umsonst' der Liebe. Diese eucharistische Paradosis Jesu an den Vater beschreibt von Balthasar nicht mit Kategorien der

---

[425] H III/2NB, 397-404

[426] Vgl. H III/2NB, 391; Die Theologie des Rätestandes 32f.

[427] PI 376; zum ganzen Zusammenhang zwischen Fruchtbarkeit und Verzicht vgl. PI 376-380; TD IV, 437: »Es wäre doch ein völlig unvollziehbarer Gedanke, daß ein Leib, der einer einzelnen Frau gehört hätte, nun auch noch der Leib sein könnte, der im Sakrament jedem einzelnen Menschen *ganz* gehören will.«

[428] H III/2NB, 208 (Mk 10,45; 1 Kor 11,24; Lk 22,19; 1 Kor 15,3; Röm 8,3; Gal 2,20.

geschlechtlichen Polarität von Mann und Frau. Dieses Gegenüber von Mann und Frau ist vielmehr konstitutiv für die Paradosis Jesu an die Kirche. An dieser Stelle wird wie bei der Inkarnation das geschöpfliche, relational eigenständige, weibliche Gegenüber zum Logos durch Maria repräsentiert: Maria ist unter dem Kreuz das Urbild der Kirche, das konkrete Vorbild jeder Nachfolge.

Die Gotteserfahrung Marias ist von der Sendung des Sohnes geprägt. In und mit der Sendung des Sohnes führt der Geist Maria in den vollkommenen, geschehenlassenden Gehorsam. In der Passion, in Kreuz und Gottverlassenheit Jesu wird Maria im nackten Glauben kinder-los und selber gottverlassen.[429] Am Kreuz ereignet sich beides: ihr totaler Verzicht auf den Sohn und ihr neues Braut-Werden. Im reinen, nackten, jungfräulichen Glauben empfängt sie neu ihre Fruchtbarkeit. Als vollkommene weibliche Realisierung des Bundes entspricht sie dem Manne Jesus. Von ihm empfängt sie in ihrem durch Verzicht und Opfer leergeräumten Schoß den Samen und das Blut neuen Lebens. So wird Maria unter dem Kreuz, an dem sich Hochzeitlichkeit und Fruchtbarkeit ereignen, weil in ihm göttliche und menschliche Liebe total ineinandergreifen[430], in einem übergeschlechtlichen Sinn die urbildliche Braut Christi (Joh 19,26).[431] Sie behält diese Beziehung nicht für sich, sondern entäußerst sie im Heiligen Geist in die Kirche hinein: »Maria ist Schoß und Urbild der Kirche, sie ist die Fruchtbarkeit der Kirche selbst, sie ist die inwendige Form der Kirche, sofern sie Braut Christi ist.«[432] In der Kirche wird sie neu zur Mutter. Im gemeinsamen Schoß der Kirche betend, empfängt sie den Heiligen Geist neu und wird »neu das, was sie immer schon war«[433]. So gebiert Maria im Heiligen Geist durch ihr Ja-Wort das Haupt (Leib-Werdung des Logos), und unter dem Kreuz und zu Pfingsten gebiert sie den Leib der Kirche (Leib-Werdung seines Pneumas).[434]

In jeder Nachfolge wird der Same des Gotteswortes marianisch und kirchlich aufgenommen, sodaß sich das 'Wort' in die Existenz des Menschen einbilden und einformen kann. In der an Maria orientierten Nachfolge Jesu ist jeder Ruf personal und kirchlich-universal. In der Nachfolge ereignet sich die wachsende Gottesgeburt in der eigenen

---

[429] Maria und der Geist, in: HC 145f.; vgl. Maria für heute 13ff.

[430] Vgl. H III/2NB, 454f.

[431] Maria und der Geist, in: HC 142; SC 337; vgl. TD II/2, 324; Kirche - Braut Christi, in: NK 119-124.

[432] Schleifung der Bastionen 27; vgl. Maria für heute 50-53.

[433] Maria und der Geist in: HC 147; vgl. Maria für heute 37ff.

[434] HC 147

Seele; analog zur Eucharistie verleiblicht sich in der Nachfolge Gott in der Welt, wodurch inkarnatorisch, christologisch, eucharistisch, ekklesial-universal die Distanz zwischen Himmel und Erde überbrückt wird.[435]

Vom Gegenüber von Christus und Maria auf Golgotha als dem Ursprung der Kirche wird zurückgedacht in die Kammer von Nazareth: »Die erste innerste (Ebene der Kirche) ist ihr ewiger und geschichtlicher Entstehungsgrund, wo sie selber wird und so sie allein in ihr zum Schoß wird. Er ist der Ort der Menschwerdung Gottes, seines Abstieges in das Fleisch der Jungfrau und in sein eigenes Fleisch; beides ist ein Fleisch, die Christologie ist von der Ekklesiologie untrennbar, die Bildung der hypostatischen Einheit geschieht in Maria nicht ohne ihr Zustimmen und Mitwirken, sie ist als solche schon ein bräutliches, kirchliches Geheimnis.«[436] Maria ist durch ihre Jungfräulichkeit 'anima ecclesiastica'. Der Ursprung der Kirche ist für von Balthasar an die Ehelosigkeit Jesu und an die Jungfräulichkeit Marias gebunden. Das Verhältnis zwischen Christus und der Kirche wird vor allem durch die Eucharistie und die Jungfräulichkeit Marias bestimmt.

Diese konkrete Erlösungsordnung hat bei von Balthasar die absolute Priorität vor der Schöpfungsordnung.[437] Menschlicher Eros im weiteren Sinn, Ehe, Geschlechtlichkeit und Zeugung sind von der Eucharistie und von Maria her zu verstehen.[438]

Der gekreuzigte Eros[439]

Vom Kreuz her, d.h. von der eucharistischen Paradosis Jesu und der Jungfräulichkeit Marias, werden die Überlegungen im Bereich der Analogie zu Eros und Agape, wie auch die alttestamentlichen Ausführungen zu Israel als Braut und Hure wieder aufgegriffen: Heilsgeschichtlich muß der platonische Eros gekreuzigt werden und sich von allem offenen oder verhüllten Machtstreben, von allen untergeordneten Neigungen und Drängen durch die 'indiferencia' (Ignatius) läutern lassen. Vom gekreuzigten Christus wird der verfallene Eros (in den Fehl-

---

[435] Vgl. TD IV, 419-424 (Ruusbroeck); TD II/1, 281f.

[436] Der Laie und die Kirche, in: SV 332-348, hier: 332.

[437] H III/2NB, 450

[438] Auftrag 57; vgl. HC 124.

[439] Eros und Agape, in: StdZ 69 (1939) 398-403; Der gekreuzigte Eros, in: Wort und Wahrheit 14 (1939) 481-482; H II, 365-462 (Dante!); HC 11-30; Auftrag 37 (Claudel); zum 'gekreuzigten Eros' vgl. Ignatius von Antiochien, Ad Romanos 7,1 (PG 6, 813): »ho emos erôs estaurôtai«.

formen der Transzendenz) zur Agape hin geheilt. In ihm wird die menschliche Bewegung weder zerstört oder aufgehoben noch zu quietistischer Passivität verurteilt, sondern in frei liebenden Gehorsam zur Nachfolge im selbstlosen Dienst am Menschen verwandelt.[440] Diese Vollendung der menschlichen Liebe konnte nach dem Sündenfall nur durch den großen Verzicht des kenotisch alles umgreifenden Kreuzes-gehorsams geschehen. In dieser Kenose gibt er seinen Geist in das Innere der Kirche frei. Dieser Geist überwindet letztlich die Opposition von menschlicher Dynamik und göttlicher Kenose: »Die vom Menschen zu Gott gehende Liebe (kann) keinesfalls nur 'Eros', sondern durchaus primär 'Agape' sein ..., als das vom heiligen Geist in der Seele gewirkte lebendige Echo auf die absteigende Agape Gottes.«[441]

So sieht von Balthasar die selbstlose, gehorsame, nachfolgende Liebe zur Verherrlichung Gottes und im Dienst am Menschen als christolo-gisch-pneumatologische Synthese des platonischen Eros ('desiderium' des Augustinus; 'amor - appetitus' bei Thomas), der aristotelischen 'Arete' (sachgerechtes Handeln, selbstvergessener Dienst; vgl. auch Kant) und der stoischen Gelassenheit.[442] In dieser Synthese entgeht er der Entweltlichung des gottsuchenden Menschen auf dem antiken Weg, vermeidet er eine liebe- oder gebetslose Versteinerung oder Auflösung der gott-geschöpflichen Relation in ein dämonisch 'Eines', gibt er keine Dispens vom Einlassen in die Welt und rückt schließlich dem Willen zur Macht, der Verfallenheit an das Ego zu Leibe.

In spezifisch staurologischem und soteriologischem Kontext greift von Balthasar das alttestamentliche Bild von der 'casta meretrix' auf: Neu-testamentlich steht es für ihn im Zusammenhang des Umgangs Jesu mit den Sünderinnen und allgemein seiner Sympathie für Sünder, Zöllner und Dirnen.[443] Dieses Verhalten wird zusammen mit Gleichnissen und Parabeln gesehen, in denen von der Gegenwart des Bräutigams gespro-chen wird, der im Zeichen der Hochzeit kommt (Mt 11,19). Er greift Droh- und Gerichtsreden gegen das 'ehebrecherische Geschlecht' auf.[444] In Eucharistie und Kreuz wird die untreue Hure zur Braut/Kirche ohne Runzel und Makel reingewaschen, sodaß in ihren reingewaschenen

---

[440] OR 16

[441] De arriba, in: HC 28.

[442] Vgl. dazu: Das Evangelium als Norm und Kritik aller Spiritualität in der Kirche, in: SC 247-263, bes. 254; Homo creatus est, in: HC 22; vgl. Ignatus, EB 230-237, bes. das 'Suscipe' Nr. 234.

[443] SV 215 (Lk 7; Joh 8; 12; Mt 9,11; 21,31f.; Mk 2,15-16).

[444] SV 216 (Mt 12,27.37.39.41f.; 16,4; Mk 8,38).

Schoß der Same zum ewigen Leben fließen kann (Eph 5,25-27).[445] In dieser Synthese der Bundeshochzeit verfolgt der Epheserbrief die Linie von der Erlösungsordnung zur geschöpflich-geschlechtlichen Beziehung der Schöpfungsordnung. Primär ist das Verhältnis zwischen Christus und der reingewaschenen Kirche, das 'weit über' den natürlichen menschlichen Beziehungen steht, diese umgreift und über sie hinausweist. Den *geschlechtlichen* Eros läßt von Balthasar mit Dante den demütigen und läuternden Weg durch Hölle, Fegefeuer und Beichte gehen. Er muß darin von aller Tragik und schwermütigen Verfallenheit entgiftet werden, um zur bei Gott weilenden Geliebten Beatrice zu gelangen. Die Reinheit (Absolution) erhält er von den Wunden Christi.[446] Die Reinigung des geschlechtlichen Eros kann für von Balthasar nur im Verzicht auf seine natürliche Erfüllung (Ehelosigkeit Jesu um der Unmittelbarkeit zu Gott willen), in der Kreuzigung des Eros durch seine geistige Vollendung im Gehorsam geschehen. Diese Vollendung entläßt aus sich das bräutliche Verhältnis zur reingewaschenen Kirche. Die Relation ist übergeschlechtlich, höchst leiblich und fruchtbar. In diese Beziehung wird der in der Vollendung am Kreuz mitgekreuzigte Eros hineingenommen, um in ihr die Erweckung zu ewigen Ausmaßen zu erfahren.[447] Geschlechtlichkeit und Ehe werden in das übergreifende Verhältnis zwischen Christus und der Kirche aufgenommen: »Die überragende Fruchtbarkeit der Jungfräulichkeit ist es, von der her auch die leibliche Fruchtbarkeit von Mann und Frau gerechtfertigt und sakramental geheiligt wird.«[448] So wird in der eucharistischen Paradosis der Zusammenhang von Geschlechtsverkehr, biologischer Zeugung, Geburt, Leben und Sterben aufgenommen und verwandelt. Auf natürlicher Ebene betont von Balthasar den Zusammenhang zwischen dem geschlechtlichen Akt und der Begierlichkeit, der Partikularität und der Konkupiszenz. So ist die Zeugung immer schon auf die Vergänglichkeit und auf den Tod hingeordnet.[449]

Der Tod Jesu hingegen muß von jedem biologischen Tod und von jedem Tod als Folge und Strafe der Sünde unterschieden werden. Er verwandelt diese Formen, indem er in seinem biologischen Tod die Gottentfremdung der Sünde innerlich in einem Totalakt der personalen Paradosis und so in seiner gehorsamen Liebe den Tod zu einer Form der Lebendigkeit und Fruchtbarkeit transformiert (Eucharistie, Aufer-

[445] K 136; SV 217; TD IV, 438; Stand 189.
[446] H III/1, 414
[447] Der gekreuzigte Eros 481f.
[448] Auftrag 57
[449] Person, Geschlecht und Tod, in: HC 121-133

stehung).[450] Die personale Fruchtbarkeit des Todes Jesu ist geist-leiblich und nimmt die von Partikularität und Konkupiszenz geprägte geschlechtliche eheliche Beziehung in den Totalakt seiner Paradosis hinein.[451] So geschieht in der eucharistischen Paradosis Christi an die Kirche eine »rätselhafte Verkoppelung der letzlich unvereinbaren Sphären im Menschen«[452], nämlich der Geschlechtlichkeit bzw. der Ehe und des Glaubens des Je-Einzelnen, wodurch sich eine letzte Opposition oder Trennung verbietet.

3. Armut Christi

Fleischwerdung Gottes als Armut

Die innertrinitarischen Relationen sind - wie S. 60ff. gezeigt - durch die Perichorese von Armut und Fülle geprägt. Beide Pole kommen jeder Hypostase im Empfangen und Geben seiner selbst zu. In Gott ist die Armut keinerlei Mangel oder Bedürftigkeit, sondern reine Modalität der Beziehung.

Gott kann *werden,* ohne daß er damit unvollkommen sein würde. Seine Fleischwerdung im Wort entspringt der freien Charis, der Huld der Liebe.[453] Die Armut des Logos im Fleisch ist eine 'selige Armut' (Mt 5,3), die frei gewählt ist, um uns zu bereichern (2 Kor 8,9). So gilt es auch in der Beurteilung der 'Armut des Fleisches' streng zu differenzieren: von Balthasars theologischer Entwurf der 'Herrlichkeit' kann als gewaltiges, leidenschaftliches, anti-gnostisches Eintreten für das 'Fleisch' und die Fleischwerdung Gottes gelten. In der anti-gnostischen Theologie des Johannes, des Irenäus oder des Klemens von Alexandrien vollendet sich Gottes Kraft in der Schwachheit, d. h. im Fleisch[454], das Fleisch wird zum Angelpunkt des Heils ('caro cardo salutis'). In der positiven Armut des Fleisches ist der Logos für den Vater auslegbar, das 'verbum caro' ist der konkrete Maßstab für jede andere philosophische und theologische Analogie.[455] In der Auslegung des Vaters sind in

---

[450] HC 127f.

[451] HC 130

[452] HC 124

[453] TL II, 22.163.258ff.

[454] 1 Joh 4,2-3; 2 Joh 7-11; Irenäus, Ad haer V, 3,3: »Non igitur exsors est caro sapientiae et virtutis Dei: nam virtus ejus quae vitam praestat in infirmitate perficitur, hoc est in carne« (SChr 153, 48); vgl. TL II, 206f.275.

[455] TL II, 287 (vgl. Kol 1,16f.; 2 Kor 8,6; Eph 1,10).

Jesus die beiden Naturen nicht zu trennen, etwa daß Anspruch, Hoheit, Reichtum der Gottheit und Erniedrigung, Fleisch, Armut der Menschheit zugeschrieben würden: »Beides, seine Hoheit wie seine Niedrigkeit, ist menschlich, wie es die menschenförmige (anthropomorphe) Darstellung der göttlichen Hoheit und Erniedrigung ist.«[456] Jesus ist gerade in seiner Armut, seiner Demut, seinem Dienst, in der Erniedrigung der ganz Andere, die Auslegung Gottes.[457]

Von diesem zentralen neutestamentarischen Geheimnis her gilt es in der Einschätzung des Fleisches zu differenzieren: an sich selbst ist es nicht ein sündiges Prinzip, an sich ist es »der vor Gott stehende und Gott bedürftige Mensch«.[458] Das Wort kommt in sein Eigentum, d. h. an sich ist das Fleisch auf Gott hin gewendet. Die 'Armut' des Fleisches ist also primär ein Modus der Relation. Erst in der geschichtlichen Anwendung, Verfallenheit und Entstellung wird es zur Sünde, zum Widerspruch gegen Gott.

Das Fleisch bleibt aber auch in der Sünde das Prinzip der universalen Osmose von Ich - Du bzw. Ich-Welt, es ist Prinzip der 'Connaissance' als naturhafter Kommunion aller materiellen Wesen. Mit Gregor von Nyssa sind für von Balthasar alle Menschen ein »Teig, ein Kuchen, ein Leib in vielfältiger Selbstgegebenheit«.[459] Das Fleisch bleibt Prinzip der Verwobenheit mit der Gesamtschöpfung und so die Voraussetzung der Vertretbarkeit eines durch den anderen. In der Annahme der Armut des Fleisches durch den Logos ist der Grund für seine bleibende Kommunikation mit allen Menschen und darin auch die Bedingung der Möglichkeit von Stellvertretung und universaler Solidarität.

Armut im Leben Jesu[460]

Jesus steht in der Tradition der Armenfrömmigkeit Israels, in der die Armen Jahwes (anawim) total beraubt und entrechtet alles Gut und Recht nur von Gott

---

[456] TL II, 66; vgl. TL II, 117; auch von der Idiomen-Kommunikation her ist für von Balthasar eine 'Hohlraum-Christologie' im Hinblick auf die menschliche Natur Jesu von vornherein überholt: Ihre wahre Bedeutung kommt zur Geltung, wenn die Kenose auch als aktives Wirken und freies Einverständnis des Menschen Jesus gedacht wird (TL II, 65). - Wie bei Jungfräulichkeit und Gehorsam ist auch die Armut Marias im Gegenüber zu Christus mit-konstitutiv. Sie hat nicht aber jene grundlegende Bedeutung als geschöpfliches Gegenüber zu Gott und zu Jesus, wie es beim Gehorsam und der Jungfräulichkeit der Fall ist. Bei der Interferenz der Räte gehört selbstverständlich die Armut zur inneren Form des Gehorsams und der Jungfräulichkeit Marias.

[457] TL II, 66

[458] TL II, 212

[459] TL II, 211; vgl. auch 278.

[460] H III/2NB, 118-130; Die Armut Jesu 385-387.

erhoffen. Jesus greift in seinem Leben, in seiner Haltung und in seiner Verkündigung diese Tradition auf, ohne sich jedoch von ihr bestimmen zu lassen; er setzt entschieden neue Akzente.

Armut meint bei Jesus primär eine Haltung Gott gegenüber: selig ist der Leergeräumte, der Arme, der für das Gottesreich empfänglich ist (Mt 5,3). Jesus verkörpert als Armer vor Gott den Bund Gottes mit den Menschen in seinem Gebet, im Glauben und im Geist: Jesus lebt im Gebet[461], in dem er den Willen Gottes als Nahrung empfängt. Das zentrale Gebet, das 'Vater unser', zeigt wesentlich eine Bettler-Haltung, in der der Mensch ganz auf Gott angewiesen ist und alles von ihm erwartet: seine Ankunft, das tägliche Brot, die Vergebung der Sünden, die Kraft in der Versuchung, die Erlösung vom Bösen. Nach Lukas werden alle großen Entscheidungen und Ereignisse im Leben Jesu vom Geist eingeleitet. Der Glaube Jesu[462] ist der Kreuzungspunkt des Bundes zwischen Gott und seinem Volk. Als Glaubender vertraut er im Bunde ganz auf den Vater, verweist er mit seinem ganzen konkreten Leben auf den Ursprung vom Vater her und wagt mit der ganzen Existenz den Sprung in das Du Gottes. Im Glauben läßt er sich in der Kenose jeder sinnlich-geistigen Erfahrung berauben und entledigen. Im nackten Glauben steht er vor Gott, ohne daß er ihn sieht oder spürt. Als wahrer Mensch ist Jesus der Archetyp des armen, gehorsamen Glaubenden, dessen geschöpfliche Haltung im Bund vollendet wird. Er lebt als Mensch den Bund der Menschen urbildlich bis ans Ende. Zugleich verkörpert er als Sohn die Bundestreue Gottes mit der Menschheit, das Ja Gottes zur Welt.

Schließlich ist er arm im Geist und vor dem Geist[463], von dem er sich inkarnieren läßt, dem er sich überläßt in der Taufe, im Gang in die Wüste; der Geist bringt ihn auf den Weg der Sendung (Lk 4,18). Am Kreuz überläßt er den Geist in den Vater und in die Kirche hinein. So ist für von Balthasar die Armut Jesu seine innere Haltung des Gebetes des Glaubens und des Geistes Jesu. Dies bestätigt sich durch den Blick auf des Leben des irdischen Jesus.

Die Armut ist für Jesus existentielle Erfahrung[464]: hineingeboren in eine arme Familie unter armen Verhältnissen, nimmt er teil dann an deren Sorgen, an Unscheinbarkeit, Gewöhnlichkeit, Alltäglichkeit und an der Arbeit. In Nazareth geht er den Weg der Verborgenheit und des Inkognitos.[465] In der Zeit seines öffentlichen Wirkens bleiben dann auch Armut und Unscheinbarkeit im Hinblick zu seinem göttlichen Anspruch ein schlechthinniges Paradox. Sein Handeln in den Wundern ist »leise«[466], er wirkt keine Schauwunder und sucht nicht die Publizität.

In der Verkündigung betonen die Gleichnisse[467] das Tun im Kleinen und irdisch Unscheinbarsten (Mt 4.30; 13,31; 17,20). Als letzte Kriterien für das Reich Gottes

---

[461] H III/2NB, 122f.; vgl. Maria für heute 63ff.

[462] H III/2NB, 123f.; Fides Christi, in: SV 45-79

[463] H III/2NB, 124

[464] »Arm waren sie schon darum, weil der Ruf des Herrn sie immer neu aus dem Besitz vertrieb und sie anderswo ihr kleines Handwerk einzurichten zwang« (Stand 166); vgl. die Überschriften in: Maria für heute 55-62: 1. Magnifikat (Maria ist die Befreiungstheologie in Person), 2. Tut, was er euch sagt (Marias Blick für die Not der Armen).

[465] H III/2NB, 296-359

[466] H III/2NB, 299

[467] H III/2NB, 312-317

und das Gericht gelten die Treue im Kleinen (Mt 5,18), die Kindschaft und die Verdemütigung (Mt 18, 1ff.), der reine Dienst (Mt 20,20), Armut, Gewaltlosigkeit, Leidensbereitschaft, Selbstüberlassung an Gott (Bergpredigt), das Verhalten zu den Armen (Mt 25,31-46; Lk 16,19-31; Lk 10,29-37) und als umfassende Synthese das Gebot der Gottes- und Nächstenliebe (Mt 22,37ff.).

Der Seligpreisung der Armen (in Lk 6,20 sind auch die wirklich Armen, die sozial Unterdrückten gemeint) und dem Verweis auf die Vorbildlichkeit der Kleinen (z.B. die arme Witwe Lk 21,1-4) entsprechen die Warnungen und Wehe-Rufe angesichts des Reichtums[468]. Jesus warnt vor dem Sammeln von irdischen Schätzen (Mt 6,19-21), die zerfressen werden und das Leben nicht verlängern; er prangert die Habsucht an (Mk 4,19; Lk 8,14), kritisiert das Anhäufen von Vorräten und Schätzen (Lk 12, 16-21) und stellt die Reichen und Stolzen unter einen Wehe-Ruf, weil sie nur schwer ins Himmelreich eingehen können (vgl. Mk 10,25).

Jesus fordert eine eindeutige Entscheidung zwischen zwei Herren (Gott oder Mammon - Mt 6,24; Lk 16,13) und lädt zu Sorglosigkeit in bezug auf Essen, Trinken, Besitz, u.a. ein, damit der Mensch dem Reich Gottes den Vorzug geben kann (Mt 6,31-34). Wer Jesus nachfolgen will, muß arm sein, d. h. alles verlassen, liegenlassen und verkaufen (Familie, Frau, Kinder, Besitz, Recht, Macht, Ehre, Vorausschau, Planung, eigene Ansprüche und Kategorien) um des Reiches Gottes willen. Der Erlös soll den Armen zukommen.[469] Die Forderungen für die Nachfolge sind extrem (Mt 10,9f.), wer dazu nicht in der Lage ist, wird zurückgelassen (Lk 18,18ff.). Der Weg der Nachfolge folgt dem Gesetz des letzten Platzes (Mk 10,45).

Dem allen entspricht Jesu gelebte Solidarität mit den Armen[470], zu denen er sich gesandt weiß (Lk 4,18; 7,22), mit denen er Tischgemeinschaft pflegt (Lk 7,36; 19,1-10), für die er Partei ergreift.[471] Den Zöllnern, Sündern, Reichen (qua Verachteten), Verlorenen, Ungeschützten, Kleinen, Einfältigen, Kindern, Frauen, Verfolgten und Ausgestoßenen gilt die besondere Zuwendung und Sympathie Gottes. Er solidarisiert sich so mit den Ärmsten, daß er sich selber als einer der ihren erachtet (Mt 25,45).

In der gelebten Solidarität mit ihnen erweist Jesus das 'Umsonst' der armen Liebe, die keine Berechnung kennt. Wie er einseitig Vergebung und Feindesliebe predigt, so läßt er sich auf jene ein, von denen keine Gegenleistung zu erwarten ist. In Worten und Taten zeigt sich seine tiefe Wehrlosigkeit und Ohnmacht: er wird nicht gehört, nicht verstanden, nicht aufgenommen, verhöhnt und abgelehnt; der inneren Einsamkeit entspricht die äußerliche Heimatlosigkeit (Lk 9,58).[472]

Das Neue der Armut Jesu im Vergleich zum Alten Testament sieht von Balthasar in der wörtlichen, materiellen Armut der Nachfolge, für die es vorher keinen Platz gab. Auch die Freiwilligkeit und Proexistenz ('Für sein') der ganzheitlichen Armut war zuvor noch nicht in den Blick gekommen. Die Solidarisierung mit den Ärmsten war im AT noch nicht

---

[468] H III/2NB, 120-122

[469] Vgl. Stand 105; Die Armut Christi 387.

[470] H III/2NB, 125-127; Die 'Seligpreisungen' und die Menschenrechte, in: HC 357ff.

[471] Zur Parteinahme Jesu für die Entrechteten vgl. SC 318-321.

[472] Vgl. Die Abwesenheiten Jesu, in: Die Wahrheit ist symphonisch 105-115.

von der christologischen Mitte her verstehbar.[473] In letzter Zuspitzung lebt Jesus die Armut am Kreuz.

Armut und Kreuz

Die Einheit von Armut und Kreuz, Unscheinbarkeit und Anspruch in Jesus ist ein Ärgernis, das ihn in die letzte Einsamkeit, Verlassenheit, Ablehnung und spöttische Zurückweisung führt. Am Kreuz, dem Gericht Gottes über den Menschen, wird er von Gott bis auf den Grund beraubt und entrechtet. Unter die Verbrecher gezählt (Lk 22, 37)[474], wird er bis auf die äußerste Armut reduziert. Im Verbrechertod vereinsamt der Dialog der Liebe zum Monolog. Jede Erfahrung eines menschlichen oder göttlichen Du wird entzogen. Schließlich muß das Wort selbst verstummen und in ohnmächtiges Schweigen eintauchen. Im Gericht hat er nicht bloß die Armut des Fleisches anzunehmen, sondern die totale Verarmung der gegengöttlichen, vereinsamten, in sich gekrümmten Sünde; er wird mit der Sünde selbst identifiziert.

Die 'coincidentia oppositorum' von Armut und Fülle ist am Kreuz eine Gratwanderung der Liebe zwischen Todestrieb der masochistischen Selbstauflösung und vollkommener Apathie. Weil die Reduktion auf die letzte Armut am Kreuz noch einmal von dem reinen Überlassen, dem reinen 'Umsonst' der Liebe trinitarisch untergriffen ist, weil Jesus der pervertierten egozentrischen Armut das Siegel der Gottverbundenheit eindrückt, kann sie vom Vater angenommen und in höchste Fülle verwandelt werden. Durch das reine 'Umsonst' der Liebe kommt in die Hölle ein Funke der Seligkeit.[475] In der theologischen Reflexion des Johannes fallen letzte Erniedrigung und Erhöhung, Armut und Vollmacht zusammen. Dies gilt sowohl in bezug auf die eigene Person wie auch auf Grund der universalen Solidarisierung für alle: »Ihr kennt die Freigiebigkeit unseres Herrn Jesus Christus: Wie er um euretwillen sich aus einem Reichen zu einem Armen gemacht hat, um euch durch seine Armut zu bereichern« (2 Kor 8,9).[476] Vor allem interpretiert von Balthasar diese zentrale klassische Stelle von der Kenose am Kreuz her, in der er die Armut der Menschwerdung vollendet sieht.[477] Das Fleisch bleibt

---

[473] Die Armut Jesu 386.

[474] H III/2NB, 127

[475] Vgl. Freude - Kreuz - Seligkeit, in: H III/2NB, 500-507; Die Freude und das Kreuz, in: Die Wahrheit ist symphonisch 131-140.

[476] Die Armut Christi 386; vgl. H III/2NB, 283.401.

[477] 2 Kor 8,9 ist mit der Tradition auch für das Vat. II ein zentraler Beleg für die Armut Jesu (PC 13; AG 3,609.949; AA 8,398.844; GS 22,469.1042). Die Väter hatten sie

Prinzip der dramatischen Soteriologie, in der alle stellvertretend in freier Liebe eingeschlossen werden.[478]

Der Bruder, für den Christus starb[479]

Gerade im Tod mußte die Bewährung von Jesu Anspruch und Solidarität geschehen (Mk 10,45).[480] Der Tod am Kreuz ist die letzte Konsequenz der Annahme des Fleisches. Jesus nimmt stellvertretend in seinem Fleisch die Verurteilung der Sünde auf sich und solidarisiert sich von unten und von innen her mit den sündigen Menschen. Im Höllenabstieg führt er sein freies Gesetz des letzten Platzes zu einem nicht mehr zu überholenden Höhepunkt.[481]
So lebt er sein eigenes Gebot der Feindesliebe radikal. Durch diese Solidarisierung und Identifizierung wird jedem Menschen das Siegel der höchsten Würde aufgedrückt. »Wenn der Sohn dahingeht, um seinen Feind einzuholen und ihm die Liebe, die jener nicht hat, zu bringen, so muß er hinter ihm, in ihm Gott sehen, Gott den Vater, der diesen Menschen geschaffen, zu seinem Bild und Gleichnis gestaltet, geliebt, gerufen, mit einem unauflöslichen Zeichen versehen hat: dem Zeichen der Zugehörigkeit zum Sohn, zum Wort, zur Erlösung und zur Kirche.«[482]
Jedes menschliche Du - Freund oder Feind - ist vom Kreuz her eines, 'für das Christus starb' (1 Kor 8,1; Röm 14,15), und wer sich an den Brüdern versündigt, sündigt gegen Christus.[483] Weil das menschliche Du seine Würde und seinen Rang im Ich - Du - Wir Gottes einnimmt, weil es 'Sakrament' ist, können Gottes- und Nächstenliebe endgültig nicht mehr auseinandergerissen werden. Die einzige Konsequenz der Sakramentalität des Bruders kann nur im Nachvollzug der Gebärde Jesu liegen, der sich den Ärmsten zuwendet und in ihnen sakramental gegenwärtig ist.[484]

- auch - soteriologisch primär von der Inkarnation her gesehen: vgl. z. B. Hilarius, In Ps CXXXIX, 13 (CSEL 22) 788; Augustinus, Serm. 239,6 (PL 38) 1129; Konzil von Ephesus, Acta conc. oec. I/3,157f.; vgl. Art. Povertà, in: DIP 7, 251-253; auch noch Bonaventura, In Lucam VI, 20 (Op. omnia VII, 148).

[478] Vgl. TD II/2, 211-238.295-395.

[479] H III/2NB, 405-454; Der Bruder, für den Christus starb, in: Lebendiges Zeugnis 2 (1970) 16-27; Das Sakrament des Bruders, in: Gottesfrage 205-223; Die 'Seligpreisungen' und die Menschenrechte, in: HC 354-367.

[480] H III/2NB, 128

[481] HC 353

[482] Gottesfrage 209 (vgl. Röm 5,8).

[483] H III/2NB, 411

[484] H III/2NB, 411.416.428; vgl. Gottesfrage 209.211; HC 357.

Die Begründung der Sakramentalität des Bruders ist staurologisch. Der Leib Christi, die Kirche, ist vom Kreuz grundsätzlich auf alles Fleisch, auf den Kosmos hin geöffnet. Darum muß in konkreter solidarischer Liebe auch die Menschheit in den soteriologischen Leib Christi eingeborgen werden.[485] Von da her ist in der Heilsgeschichte zwischen Weltauftrag und Kreuz eine Spannung gesetzt.[486] Der Auftrag zum Aufbau einer humanen Welt ist im Licht der Seligpreisungen und der Kreuzesnachfolge zu sehen. Diese stehen im Widerspruch zu einer Abschaffung von Armut, Hunger, Unterdrückung und Verfolgung aus eigener Kraft und verwehren so eine Anpassung an Werte von Wirtschaft und Politik (Macht und Erfolg). Seligpreisungen und Kreuz müssen um der Armen willen den Hiatus zwischen Schöpfung und Erlösung aufrechterhalten.[487] Die Kreuzesnachfolge hat sich an den Opfern und Abfällen der Wohlstandsgesellschaft wie auch der sozialistischen Emanzipation und Programmierung zu bewähren. In der Geschichte bleibt ein dramatisches Ringen, das weder rein spiritualistisch noch rein materialistisch überholt werden darf.[488] Die Seligpreisungen bei Mt sind sowohl passiv als auch aktiv zu interpretieren, wie auch das Kreuz jenseits des Gegensatzes von Aktion und Passion steht. Nur im Offenlassen der Differenz gibt es konkrete Solidarität ohne totalitäre Vereinnahmung. Die Synthese von Schöpfungs- und Kreuzesordnung, die vollkommene Einbergung des Kosmos in den soteriologischen Leib Christi wird nur in der Auferstehung durch Gottes Machttat erreicht.[489]

So erhält die Armut von Christus her eine vieldimensionale Prägung. (1) Sie ist ein Wesensbegriff: im Tod wird der Mensch auf die Armut reduziert. (2) Sie ist weiter ein relationaler Begriff: die Glaubens- und Gebetsbeziehung des Menschen zu Gott hat die Form der Armut. Der Arme ist (3) der Bruder, für den Christus starb. Ihm gegenüber ist Solidarität gefordert. (4) Die konkret materielle Armut ist der Lebensstil, zu dem der Ruf in die Nachfolge auffordert.

In Inkarnation und Kreuz ist Armut auch Kenose. Die Kenose in Armut ist Bedingung für universale Versöhnung. Sie ist aber nicht bloß Instrument der Erlösung, sondern auch innere Form der eschatologischen Vollendung.

---

[485] Vgl. Verbum Caro: kirchlich und kosmisch, in: TL II, 280-284 (Kol 1,14.18.20; 1 Kor 8,6).

[486] Die 'Seligpreisungen' und die Menschenrechte, in: HC 362-367.

[487] HC 362

[488] HC 367; vgl. TL III, 392.

[489] HC 367

4. Die Räte als Beziehungsgestalt zwischen Christus und der Kirche

Christi Leben in Armut, Gehorsam und Jungfräulichkeit ist die konkrete Realisierung seiner Ganzhingabe an den Vater im Geist. Nur in diesen archetypischen Formen ist Offenbarung des Vaters im Sohne möglich. Die Räte sind - so können wir zusammenfassen - in Christus nicht nur die innere Form der Liebe Gottes zu uns, sondern auch das »einzig wirksame Mittel unserer Erlösung«.[490] In Armut (vgl. 2 Kor 8,9), Gehorsam (Phil 2,6-11; Hebr 5,8-9) und Jungfräulichkeit (vgl. Eph 5) ist er total auf die Welt und gerade auf die äußerste Sünde hin exzentrisch, um so alles konzentrisch auf den Vater hin umzupolen. Armut, Gehorsam und Jungfräulichkeit sind Form und Mittel dafür, daß der Ausgang von Gott zugleich die Rückkehr zum Vater ist. Spitze dieser äußersten Exzentrik zur Welt und zugleich der Konzentrik zum Vater ist das Kreuz bzw. der Höllenabstieg.[491]

Die Räte als archetypische Haltung Jesu erhalten erst durch den Anprall der Sünde den Charakter des Verzichtes. Dieser verbindet im Zerbrechen des Kreuzes die zerbrochene Beziehung von Gott und Welt, er überbrückt die Differenz »zwischen der Straße der Liebe oben« und der »Straße der Liebe unten«[492]. Das Kreuz (und in ihm die Räte) realisiert in der jetzigen Welt die Vorwegnahme der kommenden. Jesu Verzicht am Kreuz wird zum Zugang zum Paradies.

So repräsentieren für von Balthasar die Räte in Christus »die Idee des Menschen, wie Gott ihn erdacht hat und wie er werden soll.«[493] In Christus ist die Lebensform der Räte verwurzelt, in ihm hat sie ihre Begründung, Normalität, Plausibilität und Evidenz. Am Kreuz geschieht die eigentliche Stiftung und Gründung dieser Lebensform.[494]

Die Ganzhingabe Jesu in Eucharistie und Kreuz bringt die Kirche als seine Braut hervor. Dies ist wiederum primär nicht bloß allgemein geistig zu verstehen, sondern konkret individuell und personal: die Christologie ist in der Inkarnation und am Kreuz nicht ohne Maria zu denken, die in ihrem armen, jungfräulichen und gehorsamen Wesen den heilen Kern der Kirche repräsentiert. Maria nimmt nicht bloß am Räteleben teil, sondern ist diesem zusammen mit Christus als »Seele« ein-

---

[490] Evangelische Räte in der heutigen Welt? 190; vgl. Göttliches und Menschliches im Räteleben 400.

[491] Stand 151

[492] Stand 145f.; vgl. 126f.

[493] Stand 133

[494] Stand 235f.

gepflanzt.[495] In ihrem Kern ist so die Kirche sowohl von Christus wie auch von Maria her »ein Produkt der Ganzhingabe« oder des Lebens der Räte.[496] In den Räten verwirklicht sich der Grund der Kirche, sie sind die reine Lebensform der Kirche.[497]

Die »brutal inkarnatorisch« wörtliche Nachfolge Jesu in den Räten ist für die Kirche konstitutiv: ohne Ruf zur totalen Verfügbarkeit und ohne entschiedene Nachfolge (d. h. ohne Gehorsam) gäbe es kein Evangelium und keine Kirche.[498] Armut, Ehelosigkeit und Gehorsam bleiben »die nie überholte Voraussetzung christlicher Sendung in der Welt.«[499] Als grundlegender Wesensvollzug von Kirche sind die Räte nicht auf die Geschichte beschränkt; gerade im Verzicht der Kreuzesnachfolge realisieren sie die eschatologische Fülle: Der Gehorsam Christi als 'universale concretum' ist der Grund für die Universalität des Heiles und auch 'causa finalis' der Erlösung.

Im Eschaton wird die Einheit von Leiblichkeit, Jungfräulichkeit und Fruchtbarkeit vollendet. Es wird nicht mehr geheiratet (Lk 20,34-35), aber die Hochzeit des Lammes (Eph 5; Apk 21) gefeiert. Diese endgültige eucharistische Hochzeitlichkeit zwischen Christus und der marianisch gewordenen Kirche liegt »weit oberhalb alles Geschlechtlichen.«[500] »Der neue Adam feiert mit der neuen Eva die neue Eucharistie der Welt, die jetzt zum Sakrament der Liebe geworden ist.«[501] Wenn die Bewegung der Eucharistie alles umfaßt, dann wird die Universalität des Bundes zwischen dem trinitarischen Gott und der ganzen Schöpfung in endgültiger heiliger Hochzeit und höchster Fruchtbarkeit vollendet.[502]

Auch die Nachfolge der Kreuzesarmut Jesu antizipiert die eschatologische Fülle.[503] Wenn im Eschaton durch den Gehorsam Christi Gott alles in allem wird (Ipse [Deus] post vitam istam sit locus noster)[504], werden Armut und Fülle vollkommen eins. Dies gilt für die Gottesbeziehung in Glaube, Hoffnung und Liebe, wie auch für die Gemeinschaft der Heiligen.[505] Im Himmel werden alle vollendet arm sein - ohne erzwungene

---

[495] SV 330; Stand 233; H I, 577.

[496] Evangelische Räte in der heutigen Welt? 192.

[497] OR 16; Die Theologie des Rätestandes 27.36.

[498] OR 22; K 128.134; Göttliches und Menschliches im Räteleben 400f.; Die Theologie des Rätestandes 33.

[499] Gottesfrage 221.

[500] TD IV, 447

[501] OR 16; vgl. Maria und der Geist, in: HC 147.

[502] H I, 656; H III/2NB 446; SV 203-205 (Apk 12,14; 19,7f; 21,9f.; 22,17).

[503] Vgl. P. Escobar, Das universale concretum, in: ZKTh 100 (1978) 560-595.

[504] VC 282

[505] Vgl. zum Folgenden: Stand 97f.

Not, ohne Handel, ohne abwägenden Güteraustausch und ohne kaltes Mein und Dein. Alle Unterscheidungen des Besitzes, alles Beharren auf eigenes Recht, alle Forderungen und Ansprüche werden ausgebrannt. Auch in der Schuld wird nicht mehr zwischen mir und dir unterschieden: jeder trägt jeden. Keiner muß sich ängstlich selbst etwas nehmen oder rauben, keiner braucht geizig etwas festzuhalten. Der Himmel ist Gemeinschaft der Hingabe und des freien Empfangens. Alle sind in der neidlosen, überfließenden trinitarischen Gemeinschaft vereint. Armut und Fülle fließen in der reinen Form der Liebe.

So realisieren die Räte den Kern von Kirche, ihre wichtigste und erste Ebene: in der heilsgeschichtlichen Herkunft vom Kreuz, wie auch in der Vollendung der Kirche des Himmels. Armut, Gehorsam und Jungfräulichkeit bleiben für von Balthasar in alle Ewigkeit. Auf die Geschichte beschränkt bleiben die anderen Ebenen der Kirche: das Amt und die Laien.

Der Wurzelbereich der Vollhingabe in den Räten wird ergänzt durch bzw. steht in Korrelation zur Objektivität der Erlösung: die Kirche ist aus der Seite Christi selbst entstanden. Sie steht ihm nicht einfach gegenüber und kann nicht ohne weiteres als eigenständiges Subjekt bezeichnet werden. Christus ist als Haupt der Kirche Subjekt der Kirche: »In der Kirche belehrt Christus sich selbst, er betrachtet sich selbst, er wirkt in sich selbst, er beschenkt sich selbst, heiligt sich selbst, geht durch sich selbst auf sich selber zu.«[506]

Das Bild der Kirche als Leib Christi will besagen, daß die »Kirche nichts anderes ist und sein kann als eine Ausdehnung, Mitteilung, Teilgabe der Personalität Christi.«[507] Christus ist die bleibende Ermöglichung, Norm und Form des Glaubens, der Sendung und der Autorität in der Kirche. Diese ist als Leib Christi die konkrete Elongatur der inkarnatorischen und eucharistischen Leiblichkeit Jesu in der Geschichte.[508]

Eine Konsequenz dieser Sicht der Kirche als verlängerter Inkarnation ist die Objektivität des Amtes. In inkarnatorischer Konkretheit hat Jesus seine Autorität an die Apostel übertragen (»Wer euch hört, hört mich« Lk 10,16). Leibhaftig konkret hat er am Kreuz den durch den Heiligen Geist repräsentierten, zur harten, objektiven Regel gewordenen Willen des Vaters erfüllt und darin eucharistisch die Kirche gestiftet. Amt, Sakramente, Institutionen, Verkündigung, Recht, Dogma, Schrift und Tradition sind bei von Balthasar inkarnatorisch, euchari-

---

[506] TD II/1, 315; vgl. Augustinus (»Christus sumus«) und Thomas (»Quasi una persona«).
[507] SV 150f.
[508] Sichtbare Kirche als Kirche Christi, in: PI 278-281; Kirche als Institution, in: NK 53-61; Göttliches und Menschliches im Räteleben 408.

stisch, staurologisch und pneumatologisch zu verstehen. Sie sind objektive Zeichen der Liebe, die Christus der Kirche von oben eingestiftet hat, und die haben die Gegenwart Christi zu sichern und den Willen Gottes darzustellen.[509]

Das Amt hat die Aufgabe, das zentrale Geheimnis der Kirche den Gläubigen zu vermitteln, ohne daß es durch Sünde oder menschliche Beschränkung verdunkelt wird. Es ist eine Form der kristallisierten, verobjektivierten Liebe, die aus dem Leben des Kreuzes kommt und dem Leben der Nachfolge zu dienen hat.[510] Es hat so seine Daseinsberechtigung in der Vermittlung der Liebe und des Willens Gottes, der nicht auf menschliche Subjektivität reduziert werden kann. »Das Amt ist für diese Endzeit vor dem Gericht die Schutzhülle des Lebens«[511], das zu Liebe und Kreuzesgehorsam befähigen soll. Ohne das Amt wäre die Kirche eine Qualle, wie Fleisch ohne Knochen: »Durch die Knochen (des Amtes) dauert die Gestalt und steht sie aufrecht«.[512] So hat diese zweite amtliche, sakramentale und hierarchische Ebene in Christus selbst ihre Wurzel.[513] Diese Struktur, die den relativen Gegensatz zwischen Priester und Laien impliziert, ist innergeschichtlich nicht zu relativieren oder zu überholen. Sie gehört zur von Christus gewollten Kirche zwischen Menschwerdung und eschatologischer Vollendung.

Die dritte Ebene der Kirche ist die »unteramtliche«.[514] Sie ist das Ziel von Räteleben und Amt. Weil die Priorität der Räte und des Amtes die christologische Form des Dienstes hat, relativieren sich letztlich die Unterschiede.

Von dieser christologischen und ekklesiologischen Perspektive her können wir auf die einzelnen Ebenen der Kirche eingehen. Das Verhältnis zwischen Christus und der Kirche ist vom geschichtlichen Entstehungsgrund her, wie auch im Wesensgrund durch die Räte bestimmt. Am Ursprung der Kirche stehen für von Balthasar die Berufung zu und die Nachfolge in den Räten. Wir haben also von diesem konkreten Ruf in die Nachfolge auszugehen. Darin wird die ontologische und theologische Priorität der Konkretion vor dem Allgemeinen deutlich. In einem abgeleiteten, analogen und sekundären Sinn wird dann von einer allgemeinen Berufung die Rede sein.

---

[509] H III/2NB, 58; SV 342; NK 102f.; TL III, 283.294-339; vgl. M. Kehl, Kirche als Institution 239-307; E. Ortner, Geist der Liebe - Geist der Kirche.

[510] SV 335.338

[511] SV 342

[512] Vgl. Geist und Feuer 77f.

[513] SV 332

[514] SV 332

Viertes Kapitel

Kirche in der Nachfolge Jesu

I. Die Berufung des einzelnen zur »wörtlichen« Nachfolge

Das biblische Zeugnis ist das Kriterium für die Beurteilung von Berufung und Erwählung. In dieser biblischen Perspektive hat aber die konkrete Berufung des einzelnen die absolute Priorität vor jedem allgemeinen Verständnis von Ruf und Nachfolge. Damit führt von Balthasar sein ontologisches Verständnis von Personalität weiter, in dem das Verhältnis des Menschen zu Gott tiefer und innerlicher gedacht wird als jede menschliche Beziehung. Dies macht er an der Interpretation biblischer Texte deutlich: Er bettet die programmatische Rede der Bergpredigt in die Berufung einzelner ein: »Das Himmelreich, das mit Jesus auf Erden Fuß faßt, tut es so, daß ein Kern von Gemeinschaft sogleich mitentsteht: an diesen ist die Bergpredigt gerichtet (Mt 5,2), während die Menge zuhört.«[515]

Der Ruf an einzelne, die Erwählung einer abgegrenzten Schar, die alles verlassen und nachfolgen, bedingt erst die Möglichkeit einer Predigt an alle. Ausgangspunkt ist also primär der besondere Ruf Jesu, durch den er Menschen in die *wörtliche* Nachfolge erwählt. Ein solcher Ruf kann nicht programmiert oder eigenmächtig angefordert werden. Wenn es auch verschiedene Ansatzpunkte bei den je konkreten Menschen gibt, so ist es doch bei allen eine Inbeschlagnahme des Gerufenen ohne vorangehende Selbstvorstellung oder Erklärung Jesu. Die Initiative geht nicht vom Menschen und dessen frommen Selbstbewußtsein aus. Die Souveränität, Gnadenhaftigkeit und Unableitbarkeit des Rufes Gottes unterscheidet den Apostel und Zeugen vom religiösen Genie.[516] Der Ruf Jesu ergeht an den einzelnen (Mk 2,14; Mt 9,9; Lk 5,27; Joh 1,43)[517], dessen Entscheidung auch durch keine Gemeinschaft vorweggenommen werden kann. Sicher ist die Entscheidung des einzelnen sozial vermittelt, und doch bleibt die Einsamkeit eine zentrale religiöse Kategorie: der Gerufene muß alles verlassen, um ungeteilt als ganzer Mensch mit IHM zu sein und sich blind und nackt in die Nachfolge hin-

---

[515] Gibt es Laien in der Kirche?, in: NK 98-109, hier: 100; vgl. Theologische Aspekte des Berufes, in: Berufsberatung und Berufsbildung (Zürich) 47, 229-240, hier: 230.

[516] Stand 385; vgl. Der Laie und das Ordensleben 31.

[517] Stand 112.116 (Mk 3,14; 1,20; Mt 4,20; 4,22; 9,9; 8,20-22; 19,17; Lk 5,11; 14;28.33; 6,13; Joh 1,41-49).

einzuwerfen.[518] Lebensform und Gesinnung Jesu kulminieren in der Bergpredigt.[519] Sie verweist an die untersten Plätze, impliziert Schwäche, Torheit, Verachtung, Heimatlosigkeit und Blöße. Der Nachfolgende muß auf eigenes Recht, auf Macht, Ehre, Vorsorge und auf die Einordnung der Menschen in Freund und Feind verzichten. Das Suchen und Finden der kostbaren Perle bzw. des Schatzes erlaubt kein Umschauen oder eine Rückkehr zu den Fleischtöpfen Israels.[520] Das Verlassen der bisherigen Bindungen geschieht um Jesu, des Evangeliums und des Reiches Gottes willen. Nachfolge ist also nie reine Askese oder Verzicht an sich.

Im Ruf zur Nachfolge stehen die Räte an zentraler Stelle. Von Balthasar läßt sie »ohne Zweifel in Leben, Lehre und Beispiel Jesu« gründen.[521] Der Gehorsam ist die Konsequenz des Rufes, der von Jesus mit Stringenz und Unerbittlichkeit ausgesprochen wird. Der Jünger hat alles zu verlassen und so Jesus ganz zur Verfügung zu stehen (Mt 20,1-16). Der Gehorsam der Jünger Jesus gegenüber richtet sich zunächst eindeutig auf den Menschen Jesus, dessen geistliche Überlegenheit und Anspruch von der Selbstlosigkeit und der Demut Gott gegenüber getragen ist. Jesus verfügt über die Zeit, er stellt Aufgaben, er behandelt sie wie untergebene Werkzeuge für das Reich.[522] Dieser Gehorsam impliziert zwar schon den Gehorsam Gott gegenüber, aber er bleibt ein Gehorsam von Mensch zu Mensch. Der Gehorsam Jesus gegenüber wird zum Quellpunkt einen neuen, von ihm geprägten menschlichen Zueinander: wie er Diener geworden ist, so sollen auch sie einander dienen, wie er sie geliebt hat, so sollen sie einander lieben.[523]

Der Ruf in den Gehorsam fordert das Alles-Verlassen: insofern ist er verbunden mit dem Verkauf der ganzen Habe, deren Erlös den Armen zukommen muß. Die Armut ist teils ein Befehl, teils eine Empfehlung (Lk 14,33; Mt 19,21)[524], sicher aber unerläßliche Bedingung des Eintritts und der Zulassung zur Nachfolge (Lk 14,33).

Die Jungfräulichkeit hat zunächst am deutlichsten den Charakter des Rates (Mt 19,10; 22,30f.; 1 Kor 7,8.25)[525], sodaß die Ehelosigkeit zunächst die Ausnahme ist (Johannes der Täufer, Johannes, Paulus).

---

[518] OR 19; vgl. SV 87; vgl. Mk 1,18; 10,28; Lk 5,11; Mt 4,20.22; Joh 1,39.

[519] SV 105

[520] Mt 13,44-46; Lk 9,61-62; vgl. Stand 120.

[521] Stand 30; Auftrag 112; Göttliches und Menschliches im Räteleben 397; PI 373.

[522] Die Theologie des Rätestandes 34.

[523] Joh 13,15.16; Gal 6,2; Phil 2,5 (vgl. NK 134); Mk 10,45 (H III/2NB, 130.137.207.411).

[524] Die Theologie des Rätestandes 34.44.

[525] Vgl. dazu: Stand 30.122.228.

Von Balthasar sieht dies im Zusammenhang mit der alttestamentlichen Tradition, in welcher der Ehestand, Familie und Kinderstand als Stand der Verheißung galt. Jesus wollte seine Kirche auf Männer bauen, die in dieser alttestamentlichen Tradition lebten. Doch für von Balthasar treten diese Stellen mit der Differenzierung zwischen Gebot und Rat und verheirateten Amtsträgern immer mehr in den Hintergrund. Er verweist vor allem auf die lukanischen Stellen - alle anderen Differenzierungen in den Schatten stellend -, in denen das Alles-Verlassen auch den Abschied von der Frau erfordert (Lk 14,26; 18,29-30). Der Verzicht auf die Frau ist dabei nicht weniger als jener auf den Besitz gefordert.[526] Die Ehelosigkeit ist ein Modus der restlosen Verfügbarkeit und Armut. Sie bleibt hineingestellt in die dialogische Situation des Gehorsams. Weil Jesus das Lebensgesetz der restlosen Verfügbarkeit lebt, weil Paulus es realisiert und es eigentlich von allen wünscht (1 Kor 7,1.7), kann die Ausnahme des 'Rates' bald eine 'Regel' werden.[527]

Geschichtlich ist die Jungfräulichkeit das erste, was vom Rätestand hervortritt. In ihr scheiden sich dann in Hinkunft die Stände.[528] Die Räte repräsentieren die Nachfolge Jesu in ihrer Ganzheit, Exklusivität, Radikalität, Ungeteiltheit und Unmittelbarkeit und ihrer Hinordnung auf Gott.

1. Ganzheit der Nachfolge in den Räten

»Mehr als Güter, Leib und Geist kann keine Liebe hingeben.«[529] Anthropologisch gesehen ist in den Räten alles zusammengefaßt, was der Mensch in der Selbsthingabe opfern kann. Die traditionelle Dreizahl steht für das material Ganze des Menschen. Für von Balthasar sind die Räte nicht schmückendes Beiwerk oder zufälliger Überbau der Nachfolge, sondern zentraler Kern und Darlebung ihrer Totalität. Materiell und formal wird im Alles-Verlassen alles verlangt, was dem Menschen zu eigen ist. Die Räte sind materialer und formaler Ausdruck des Wesens der vollkommenen Nachfolge.[530] Aus der Disponibilität für die Nachfolge kann nicht ein Bereich eigenmächtig herangenommen werden: Wer »die volle Verfügbarkeit bejaht, der wird auch in Freiheit das

---

[526] Stand 121; Die Theologie des Rätestandes 33.

[527] Stand 122

[528] SV 456

[529] Stand 306; K 129; SV 448; Die Theologie des Rätestandes 36f.; Der Laie und das Ordensleben 29f.67; Göttliches und Menschliches 397.

[530] Der Laie und das Ordensleben 27.

ehelose Leben bejahen.«[531] Material und formal kann die Ehelosigkeit nicht beliebig und bloß äußerlich für die Nachfolge angesehen werden. Sie gehört zur adäquaten, existentiellen und konkreten Ganzheit der Lebensform Jesu; der Jungfräuliche schenkt sich wie Christus ganz: »Christus braucht Ganze, nur durch Ganze wird die Ganzheit der Botschaft von der ganzen Liebe Gottes glaubhaft durch die Zeiten getragen.«[532] Demgegenüber ist der Verheiratete geteilt (1 Kor 7,7f.; 7,32-38), er bindet sich ins Partikuläre, wo er nicht ganz exponiert und ausgesetzt ist.[533]

2. Exklusiv und universal

Die Nachfolge Jesu in den Räten ruft exklusiv heraus. »Der Entscheidungsruf duldet kein 'et ... et' mehr, kein 'Jesus und ...«.[534] Die Form Christi fordert ein 'Entweder - Oder' ohne 'Wenn und Aber' oder 'teils ... teils'. Priester und Ordensleute haben Christus, wie der Weltchrist eine Frau zu wählen hat.[535] »Der Weg der engeren Nachfolge in den Räten wird vom Herrn selbst wie von Paulus als etwas in seiner Exklusivität Ganzheitliches geschildert, dem im Vergleich zum Leben im Weltstand und seiner Geteiltheit und Weltsorge ein unbedingter Vorzug gebührt.«[536] Die Exklusivität wurzelt in der Einsamkeit und Ausschließlichkeit Jesu am Kreuz und dem daraus ermöglichten Ruf zur besonderen Nachfolge.

Diese Exklusivität zu Christus versteht von Balthasar so, wie er die Exklusivität Jesu zum Vater als Freisein für Gott ('vacare Deo')[537] und Freiheit für die Sendung deutet. So ist sie hineingenommen in die Universalität der Liebe Christi zur Kirche und ihrer grenzenlosen Fruchtbarkeit: Die Eucharistie ist »ein endloser Akt fruchtbarer Ergießung

---

[531] PI 376

[532] PI 377

[533] Ein 'vir probatus' wäre für von Balthasar ein kaltes Eisen. Vgl. OR 17; PI 372; SV 446; Stand 135; Der Laie und das Ordensleben 20.

[534] K 128

[535] SV 452

[536] SV 446 mit Verweis auf das Tridentinum, sess. 24, can. 10; »Alle Öffnung zur Welt in der Passion hat zuletzt diese unendliche erhabene Geschlossenheit des dreieinigen Gottes in sich selbst als Form; Gott allein, in seinen göttlichen Beziehungen von Vater und Sohn im Geist erlöst die Welt« (SV 454).

[537] SV 450; vgl. Die Theologie des Rätestandes 52; vgl. »Das volle Apostolat verlangt die Lebensform der Räte« (Der Laie und das Ordensleben 20).

seines ganzen Fleisches.«[538] Der »biologisch funktionierende Leib des um Christi willen Ehelosen erhält Anteil in der eucharistischen Fruchtbarkeit des 'für uns' sich dahingebenden Fleisches und Blutes Christi«.[539] Der Verheiratete ist in seinem Eros zerstreut, er ist in seiner Existenz geteilt; seine Liebe läßt nur selten ganz los; er kann sich kaum übereignen, ohne sein eigenes Sein zu suchen. Auch die Fruchtbarkeit in der Ehe ist beschränkt, sodaß z. B. der Mann sie »nur einen Augenblick lang mit einem beschränkten Organ seines Leibes vollziehen kann.«[540]

»Die Dimension Geist - Leib wird als Dimension von Unmittelbar und Mittelbar zu Gott durchsichtig auf die Dimension Absolut - Relativ, auf das Vorziehen entweder Gottes vor der Welt oder der Welt vor Gott.«[541] Angewandt auf die Ehe bzw. Ehelosigkeit ordnet von Balthasar somit die Ehe dem Leib, der Natur, dem mittelbaren Umweg zu Gott, dem Partikulären, dem Geteilten, der Welt und der beschränkten Liebe zu, die Ehelosigkeit (Jungfräulichkeit) aber dem Geist, der Unmittelbarkeit zu Gott, dem Ganzen, der ungeteilten, universalen und eschatologischen Liebe. Die Eheordnung gehört zur Zeitlichkeit[542], der Verheiratete ist für von Balthasar »relativ geborgen in den Falten der Natur; der jungfräuliche Mensch ist in der Welt, vor ihr und für sie entborgen, ausgesetzt, entblößt; er geht nicht in Deckung, er geht ins Exponiertsein des Kreuzes.«[543]

Geschlechtliche Liebe und Zeugung sind an die Materie gebunden. Sie bleiben karg und beschränkt und kommen so im Neuen Bund an »ein inneres Ende, die weitere Fortpflanzung hat eine gewisse theologische Unerheblichkeit gewonnen.«[544] Die Fruchtbarkeit aus dem Leib steht zwar nicht im ausschließenden Gegensatz zur geistigen; die Ehe ist aber doch der mittelbare »Umweg über das partikuläre Symbol« im Unterschied zur Jungfräulichkeit, »wo man unmittelbar aus der universalen Wahrheit leben kann.«[545]

---

[538] K 136; SV 453.

[539] HC 131

[540] K 136; vgl. SV 452f.; Stand 96.

[541] TD II/1, 332.

[542] Die Theologie des Rätestandes 42; SV 452; NK 107: Die Ehe überschreitet die Schwelle des endzeitlichen Reiches nicht, mit Verweis auf Mt 22,30.

[543] OR 17

[544] PI 380; Auftrag 35; zur kargen Fruchtbarkeit der an die Materie gebundenen Ehe vgl. Stand 96.

[545] H III/2NB, 453, zur Fruchtbarkeit aus dem Geist vgl. Stand 75.94; Auftrag 119.

Von Balthasar faßt den Rätestand in seiner objektiven Form als Form des radikalen Christusstandes.[546] In dieser Höherbewertung der Ehelosigkeit, in der Priorität des Gottesverhältnisses und zum Teil auch in der sekundären Einordnung der Fortpflanzung trifft sich von Balthasar mit Kierkegaard.[547] Er hebt sich aber auch vom Dänen ab. Kierkegaard kennt nicht die Kirche als Leib Christi. Bei von Balthasar hingegen wird der eine Pol der Schwebe (nämlich Geist, Eschaton, Gott) nie ohne den anderen (Leib, Welt) gedacht: es gibt für ihn keine eschatologische Existenz, die ohne Leib gnostisch von der Erde aufgehoben wäre.[548] Die totale Lebensgemeinschaft mit Jesus[549] versetzt in eine Schwebe: ein Pol ist die Distanz zur Welt durch das Vorziehen Gottes, wie dies besonders in der Ehelosigkeit gefordert ist. Der andere Pol ist mit Maria und Jesus inkarnatorisch und eucharistisch. So kann es ein letztes 'Entweder - Oder' zwischen Welt und Gott, zwischen dem Bruder und Christus nicht geben.[550]

Der Verzicht des Sterbens, die Nachfolge als Kampf und als fortgesetztes Martyrium hat sich mit dem Auferstandenen, dem die ganze Welt gehört (Mt 28,18ff.), ständig neu in der Sendung zu inkarnieren.[551] Die Kreuzesnachfolge - mit der alle einzelnen Räte stehen und fallen - geht der Bewegung des Weizenkorns nach, das in die Erde fällt, stirbt und dann reiche Frucht bringt.[552] Die Auferstehung ist die Vollendung der Inkarnation, aber die Universalität der Auferstehung bleibt gebunden an die Exklusivität zu Christus, an das Absterben der Welt im Kreuz. Im Räteleben wird das Absterben der gottgeweihten Existenz stellvertretend für die sündige Welt gelebt. Sie wird im Verlassen der Welt und in der gereinigten Zuwendung (Proexistenz, Sendung) zum Sauerteig, zur Fruchtbarkeit in der Welt.

Der Stand der Nachfolge ist die »Synthese zwischen irdischem und paradiesischem Leben. Er ist Stehen im Kreuz als dem Zugang zum Paradies, oder Stehen im Paradies, das in der Form des Kreuzes wiederge-

---

[546] SV 446

[547] Für den späten Kierkegaard ist die Frau primär auf die Sinnlichkeit und damit die Natur hin orientiert. Die Ehe gehört deshalb für K. zum Fleisch: »Daß Ehe nicht eigentlich Liebe sei, und daß deshalb auch geschrieben stehe, daß die beiden ein *Fleisch* sein werden - nicht ein Geist« (TB II, 152 VIII A 231); die Enthaltsamkeit wird für den Dänen immer mehr zum Ausdruck für den Geist (TB V, 228 XI A 259). Vgl. Stadien auf dem Lebensweg (WW 15. Abt.) 63.178; Abschließende unwissenschaftliche Nachschrift I (WW 16. Abt.) 237.

[548] SV 449

[549] Vgl. Nachfolge 21.

[550] »Man kann nicht Gott wählen und die Welt ausschließen« (SV 454).

[551] SV 445.449f.

[552] Stand 190

schenkt wird. Er ist Fülle mitten im Verzicht auf irdische, himmlische Freiheit in der Bindung an den irdischen Gehorsam.«[553]

3. Der tridentinische Komparativ

Auf dieser objektiven Ebene der heilsgeschichtlichen Konkretion, der objektiven Vollkommenheit, Ganzheit und Radikalität versteht von Balthasar den tridentinischen Komparativ mit dem Anathem: »Si quis dixerit, statum coniugalem anteponendem esse statui virginitatis vel coelibatus et non esse melius ac beatius manere in virginitate aut coelibatu quam iungi matrimoni: a.s. « (DS 1810) Die Scheidelinie zwischen Ehelosigkeit (Jungfräulichkeit) bzw. Räteleben insgesamt und Ehe (Weltstand) wird durch von Balthasar letztlich nicht mit Hilfe der Kategorien Geist - Leib, sondern durch die *Konkupiszenz* gezogen. Das Räteleben hat teil an der nicht durch die Konkupiszenz beeinträchtigten Liebe zwischen Christus und der Kirche. Es geht um die Teilhabe an der Lebensform der Erlösungsordnung, d. h. nicht um die abstrakt philosophische Immunisierung der Räte gegenüber der Konkupiszenz. Erst im christologisch-ekklesiologischen Licht kommt die anthropologische Wahrheit der Räte zur Geltung.

Obwohl Selbstbestimmung, Ehe und Besitz eher unter dem Vorzeichen der Versuchung stehen, vermeidet von Balthasar aber jede Minderbewertung an sich. Er weiß auch um die Fehl- und Zerrformen der Armut (z. B. in der Bemächtigung des mystisch Einen), der Jungfräulichkeit (in der Verweigerung der Fruchtbarkeit) und des Gehorsams (als Auflösung von Freiheit). Insgesamt ist aber für von Balthasar auf Grund der Jungfräulichkeit Marias, des ehelosen Lebens Jesu mit der Sinnspitze von Eucharistie und Kreuz - eine *eindeutige* Überordnung der jungfräulichen Nachfolge über die Ehe »ganz nüchtern und sachlich« festzuhalten.[554] Es entspricht dem Neuen Testament, mit Paulus »aus der Ordnung der Ehe in die Jungfräulichkeit, d. h. in die eschatologische Hochzeitlichkeit überzugehen.«[555] In der endzeitlichen Existenz soll der Nachfolgende soweit wie möglich um des Vorranges des Reiches Gottes willen auf die Ehe verzichten (Mt 19,12; 1 Kor 7,8).[556]

---

[553] Stand 127
[554] PI 380
[555] H III/2NB, 453 (1 Kor 7,1.7). Zur Hochzeitlichkeit: Apk 12,14; 19,7f.; 21,9f.; 22,17.
[556] NK 108

In der eucharistischen Kreuzeshingabe sind Amt und Ganzhingabe in den Räten ursprünglich eins. Entsprechend verkörpern die Apostel für von Balthasar ursprünglich in Personalunion Amt und Räteleben. Durch die in den Räten gelebte Expropiierung, durch die »Entpersönlichung« wird der Berufene personal er selbst.[557] Die neue Personalität (Simon wird Petrus, Saulus wird Paulus) ist die Identität von Ruf, Nachfolge, Sendung, Dienst und Selbstsein. In der Bevollmächtigung zur Sendung läßt Jesus die Berufenen an seiner Autorität teilhaben: sie erhalten von ihm die Vollmacht über unreine Geister, sie können Kranke heilen, sie reden an seiner Stelle (Lk 10,16)[558], sie erhalten die Binde- und Lösegewalt auch in der Sündenvergebung (Mt 16,19; 19,18.21ff.; Joh 20,22f.) und schließlich wird ihnen der Auftrag zur universalen Verkündigung erteilt (Mt 28, 19-20). Die Partizipation an der Autorität Christi ist zugleich Teilnahme an seiner Last, die Vollmacht ist gebunden an die Hingabe des Lebens für die Schafe (Joh 21,18.; Mt 10; Joh 15,16). Paulus lebt die existentielle Synthese von Autorität und Zeugnis: als amtlicher Diener lebt er in evangelischer Armut und eschatologischer Jungfräulichkeit.[559] Das Amt (Petrus) wird von der Liebe, vom Ja-Wort Marias bleibend unterfaßt. Petrus zerbricht an der geforderten Identität von Amt und Liebe; er muß sich demütigen lassen, um so zu erfahren, daß nur in Christus die Identität realisiert ist.[560] So zeigt sich die Spannung zwischen Liebe und Amt.

Wenn auch z.B. in den Pastoralbriefen Ehestand und Bischofsamt als vereinbar galten, so geht die Tendenz doch in die Richtung einer Affinität von Priester- und Rätestand. Von Balthasar sieht den Gehorsam des Priesters substantiell gleich mit dem Rätestand. Die priesterliche Ehelosigkeit ist nach ihm im höchsten Vollzug des Amtes, der Eucharistie grundgelegt (vgl. die Zusammengehörigkeit von Eucharistie und Ehelosigkeit Jesu), und schließlich verweist er auf die heute beim Priester praktisch gelebte oder im Geist geübte Armut. So insistiert von Balthasar insgesamt auf der Konvergenz zwischen Amt und Räteleben.[561]

---

[557] TD II/2, 247
[558] Vgl. H III/2NB, 359.473
[559] NK 103
[560] NK 103; vgl. TL III, 287f.
[561] Die Theologie des Rätestandes 38ff.; NK 103f.; vgl. TL III, 321.

II. Analogie des Berufungsbegriffes

1. Die Priorität der Indifferenz

Von Balthasar denkt also primär von der heilsgeschichtlichen Konkretion, Radikalität und Vollkommenheit der Rätegestalt her. Diese bleibende Priorität wird nicht isoliert und exklusiv behauptet. Diese Gestalt objektiver Vollkommenheit wird durch die ignatianischen Exerzitien mit den Schwerpunkten der Indifferenz, der Berufung und der Vollkommenheit in der Liebe verflüssigt. Von Balthasar sieht die ignatianischen Exerzitien als Methode geistlicher »Berufsberatung«[562]. Hier hat sich der Exerzitant in der Bereitstellung der Seele, in der Indifferenz zu disponieren. Darin kann der Ruf des lebendigen Gottes zur souveränen Norm werden. Der Betrachtende soll demnach »in Verbindung mit der Betrachtung seines Lebens forschend erspüren und bittend befragen, in welchem Leben oder Stand ('vida o estado') seine göttliche Majestät sich unser zu bedienen wünscht« (Nr. 135), »damit wir in jenem Stand oder Leben, das Gott unser Herr uns schenkt, um es zu erwählen, zur Vollkommenheit gelangen· können.«[563] Ignatius geht es dabei um ein klares 'Entweder - Oder' in der Wahl eines Standes. Die Entscheidung ist zu treffen zwischen der aktuellen ('actualidad') und spirituellen ('spiritualidad') Realisierung der Räte.[564]

Als Haltung sind die Räte Ausdruck der Bereitschaft für den Willen Gottes, allen Verstand in den Liebesgehorsam Christi hinein gefangennehmen zu lassen (2 Kor 10,5), alles zur Verherrlichung Gottes in Liebe zu tun. Die Indifferenz der Liebe muß potentiell bereit sein für jeden Ruf, gerade auch für den Weg der Gelübde. Wenn Gott in seiner Souveränität den indifferent Bereiten zu den konkreten Räten ruft, so ist in diesem Ruf die Unterscheidung zwischen Gebot und Rat, Gebühr und Übergebühr, Gesetz und Liebe überstiegen.

---

[562] Theologische Aspekte des Berufes 235
[563] Stand 318
[564] Vgl. NK 105

2. Ablehnung des Rufes - Sünde[565]

Weil der Erwählte und Berufene an der trinitarischen Erwählung und Berufung des Sohnes partizipiert und in die Freiheit des Selbstseins gesetzt ist, kann er den Ruf auch verfehlen und die Annahme der Sendung verweigern. Die Ablehnung des Rufes geschieht unter verschiedenen Vorzeichen und Formen.

Das Nein kann unter dem Vorwand von anderen Pflichten oder Entschuldigungen egoistisch die Berufung fahren lassen (vgl. Lk 14,17-20) oder sich in Angst vor Gott oder einer einzelnen Forderung verweigern. In allen Formen wird der Ruf Gottes mit dem eigenen Ich, dem eigenen Gutdünken oder auch Ängsten vertauscht.[566] Von Balthasar sieht die Ablehnung eines qualitativen Rufes als Schuld: angesichts der Liebe Gottes verschwinden die Schranken zwischen Dürfen und Müssen. Dürfen muß » in das eiserne Müssen (das heilsgeschichtliche »dei«: »Christus mußte leiden«) übergeführt werden. Ja, dieses christologische Müssen ist für den Nachfolgenden das höchste, gnadenhafteste Dürfen.«[567] Der Ruf der Liebe steht unter dem Gesetz des Je-mehr und verpflichtet den Einzelnen. Es wäre eine dem Evangelium nicht entsprechende minimalistische Ethik, die nur Gebote, nicht aber den Ruf zu den Räten unter Sünde für verpflichtend erklärt.[568] Sicher hat der göttliche Ruf eine Geschichte: Gott kann mit seinem freiesten Angebot häufiger werben.[569] Es gibt aber auch die einmalige, unersetzbare, unwiederbringliche und unteilbare Sendung, deren Verweigerung nicht wieder gut zu machen ist: »Nicht zweimal verleiht Gott eine besondere, qualitative Sendung«.[570] Wie bei der Abtreibung gibt es auch bei einer verscherzten Sendung keine neue Einverleibung.[571] Der Nein-Sager versündigt sich in der Verweigerung gegen die Liebe Gottes, gegen die Gemeinschaft der Heiligen und gegen sich selbst. Von Balthasar meint sogar, daß ein solcher Ruf »auf Erden ausgespielt« hat, daß nach dem Verwesen der Sendung das Leben leer, unerfüllt, vergeblich, vielleicht noch unfruchtbar kritisch und zynisch bleibt.[572]

---

[565] Stand 405-413
[566] Stand 405.411
[567] NK 104
[568] Stand 352.349
[569] Vgl. Stand 354; vgl. TL III, 361.
[570] Stand 355.380
[571] Stand 409
[572] Stand 411

3. Räte und Liebe

Im Licht der ignatianischen Exerzitien können die Räte als geschöpfliche Grundhaltungen für von Balthasar neben den Disposition für die Liebe auch zur Konkretion der Liebe werden, wenn es der Wille Gottes erfordert. Die Liebe zielt auf die Gestaltwerdung der Ganzhingabe (sonst wäre nur ein abstrakter Mensch betroffen); wenn sie nicht in Berechnung, Kalkül oder Egoismus aufgelöst werden will, darf sie keinen Vorbehalt auf Zeit bzw. auf Abbruch kennen. Als Ganzhingabe zielt die Liebe auf die Eindeutigkeit und Gestaltwerdung der Entscheidung in Form des sich bindenden Gelöbnisses: der Liebe wohnt das Gelübde inne.[573] Die Endgültigkeit gehört zur inneren Struktur der Hingabe selbst. So sind die Räte letztlich sowohl Disposition wie auch Konkretion der Liebe. Sie sollen an die Liebeshingabe Jesu an den Vater und die Menschen angleichen.[574] Von Balthasar faßt mit Thomas die Räte unter dem Gesichtspunkt des ganzpersonalen Opfers, der Selbstenteignung als höchstem freien Einsatz der Liebe: »Die drei Räte drücken als innere Haltung das Vollkommenste an Liebe aus, was dem Menschen in der Gnade erreichbar ist.«[575] So ist der Zusammenhang zwischen Liebe, Räten und Gelübden kein äußerlicher und zufälliger. Räte und Gelübde gehören zum inneren Wesen der Liebe. Und doch sind die Räte nicht einfach identisch mit der Liebe. Sie sind nicht Selbstzweck, sondern werkzeugliches Mittel zum Zweck der je größeren Liebe.[576] In ignatianischer Perspektive geht das Berufungsgeschehen ganz von der Souveränität und Majestät Gottes aus. Der Mensch kann nicht von sich aus das objektiv Vollkommenere wählen. Es wäre Hybris, von sich aus das Kreuz zu erwählen. Auf subjektiver Ebene ist vor der Wahlsituation die Indifferenz das Entscheidende. Dadurch wird die Trennung der Stände ein gutes Stück relativiert. Die Rede vom 'Stand der Vollkommenheit' ist zu differenzieren von subjektiver Vollkommenheit: »Denn manche sind im Stand der Vollkommenheit, die noch nicht vollkommen sind, die nicht selten Sünder sind. Und manche sind vollkommen, die nicht im Stande der Vollkommenheit sind.«[577] Im Vergleich

---

[573] Vgl. Liebe und Gelübde, in: Stand 44-50 (Mt 10,39; 16,25; Joh 12,25); von Balthasar verweist auf Thomas, STh II-II q88 a4 ad1; Ignatius, EB 234 ('suscipe'); vgl. Die Theologie des Rätestandes 27f.; Die Nachfolge Christi im Neuen Testament: »Anders als in voller Dahingabe ist voller Dienst nicht möglich« (21).

[574] Stand 10

[575] Stand 93; Thomas, De perfect. 10.

[576] Vg. Stand 32f.50; Auftrag 111f.; Die Theologie des Rätestandes 25f.

[577] Stand 45; vgl. SV 446.

zwischen Räteleben und allgemeiner christlicher Berufung hält von Balthasar mit Ignatius letztlich an einer 'schwebenden Undurchsichtigkeit' fest: »Wenn einerseits der Weg der Räte eindeutig besser zu sein scheint als der Weg der Gebote (EB Nr. 14-15, 356-357), scheint doch wiederum die Vollendung der Liebe so ganz in die Gesinnung der Indifferenz, die liebend zu allem bereit ist, zurückverlegt zu sein, daß nicht mehr verständlich ist, weshalb der Weg der Räte 'vollkommener' sein sollte als der Weg der Gebote.«[578]

Dennoch unterscheidet von Balthasar zwischen dem *eigentlichen, besonderen* Ruf Gottes, der ein Akt einzigartiger und einmaliger Bevorzugung ist und aus der Welt zur Kirche, aus der Gemeinde zum Priester und Rätestand herausholt, und einem *allgemeinen*, eigentlich nur *analogen* Ruf, der eher auf Grund einer nicht erfolgten besonderen Berufung zur Wahl führt.[579]

Für ihn gibt es in der Ordnung der Natur - und dazu zählen Ehe und weltlicher Beruf - keinen eigentlichen Ruf. In der Schrift ist kein Anzeichen, daß Christus je Menschen zur Ehe berufen hätte, so wie er die Apostel berufen hat[580]; es gibt christlich auch keine Berufung zu einem Beruf im engen Sinn.[581] Die beiden Ebenen - gnadenhafte Berufung und naturhafte Ordnung - sind aber füreinander offen: Auch wenn der personale Ruf Gottes keinen Ausgangspunkt auf menschlich-naturhafter Seite hat und die Heilsgeschichte mit Berufungen gefüllt ist, in denen die Inkongruenz zwischen Natur und Sendung offensichtlich ist[582], greift eine Berufung zum Priester- und Ordensleben doch naturhafte Anlagen und typische Eignungen auf.[583] Umgekehrt weiß von Balthasar um die 'Berufung' von Künstlern oder Wissenschaftern (Dante, Michelangelo, Bach, Mozart, Blondel).[584] Er weiß auch von der allgemeinen Berufung: »Jeder soll so handeln, wie Gott ihn berufen hat« (1 Kor 7,17-24).[585] Doch versteht er eine solche 'Berufung' im analogen Sinn dergestalt, daß die weltliche Ordnung auf die Erlösungsordnung hin durchsichtig und alles (auch Ehe, Beruf) für das Reich Gottes in Dienst genommen

---

[578] Stand 44

[579] Von Berufung im strengen Sinn spricht von Balthasar also bei den Propheten, Priestern, Ordensleuten, Jüngern und Aposteln. (Stand 340)

[580] Theologische Aspekte des Berufes 235

[581] A.a.O. 237

[582] Stand 321: Ex 3-4 (Moses), Jer 1,6-8 (Jeremia), Am 7,14-15 (Amos), 1 Sam 3 (Samuel), 1 Sam 16,11 (David), 1 Kön 19,19 (Elischa).

[583] Stand 346

[584] Vgl. Theologische Aspekte des Berufes 233.

[585] A.a.O. 231.234; vgl. TL III, 293.

wird.[586] Jene, die also in der Welt ihren 'Stand' haben, transzendieren diese in ihrem Tun aus der allgemeinen Berufung heraus auf Gott hin.[587]

In dieser Perspektive gehört die »aktuelle Darlebung der Räte nur 'instrumentaliter et dispositive' zur Vollkommenheit (Thomas, STh II/II 186,2)«; deshalb kann so »das Streben nach der vollkommenen Nachfolge Christi im Halten des Liebesgebotes durchaus zur christlichen 'Vollkommenheit' führen« (EB 135).[588]

4. Die allgemeine Berufung zur Vollkommenheit

Damit ist schon der zweite Pol der christlichen Berufung, das Liebesgebot, gegeben. Dieses steht in unaufgebbarer Spannung zur besonderen Erwählung des Einzelnen in das Räteleben. Die Reich-Gottes-Verkündigung Jesu fordert alle zur Umkehr, zum Glauben, zum Eintritt in die vollkommene Liebesinnung auf. Diese Worte werden von Jesus mit größtem Nachdruck ausgesprochen. Es handelt sich um keine beiläufige Einladung. Der Mensch ist Knecht vor Gott, der als solcher Gott Gehorsam schuldet (Mt 20,1-5; Lk 17,7-10). Die Nichterfüllung der Forderung führt ins Verderben.[589] Der Ruf ins Reich, die Notwendigkeit von Umkehr, von Glaube, Hoffnung und Liebe umfaßt in der Radikalität alle Formen des christlichen Lebens vor einer Differenzierung nach Ständen.[590]

5. Glaubensakt und Räte

Der Glaube, der von jedem Menschen gefordert wird, ist die elementare Antwort auf die ihm geschenkte Liebe. Der Glaubende bietet sich selber und darin die eigene Wahrheit Gott an; er gibt Gott recht und will in jedem Fall die Wahrheit und den Willen Gottes der eigenen Autonomie im Gehorsam vorziehen, um mit der ganzen Existenz für Gott frei und verfügbar zu sein.[591] Dieser Glaubensakt ist im inneren Wesen

---

[586] Stand 344f.

[587] Theologie des Rätestandes 22

[588] NK 105

[589] Stand 17.180.

[590] Vgl. NK 106f.

[591] Theologie der Geschichte 34f.; GL 67.

Gehorsam.[592] Jesus fordert Glaubensgehorsam an das Evangelium (Mk 1,15), an das Reich Gottes, das an seine Person gebunden ist. Sein Anspruch, Weg, Wahrheit und Leben zu sein (Joh 14,6), ruft den Menschen in die Entscheidung: er bringt das Schwert, das 'Entweder - Oder' zwischen zwei Herren; zwischen Licht und Finsternis, Gut und Böse, Gott oder Teufel, Liebe oder Haß.[593] Er fordert Eindeutigkeit: Ja oder Nein, Warm oder Kalt. Wer nicht mit ihm sammelt, der zerstreut, wer nicht für ihn ist, der ist gegen ihn (Mk 12,30). Der Zusammenhang von Glaubensgehorsam und Entscheidung durchzieht die ganze Verkündigung Jesu und die übrige neutestamentliche Literatur.[594]

Der Glaube als Antwort auf den Ruf Gottes führt in Gehorsam und Entscheidung zur »*ekklêsia*«; diese ist als Herausgerufene von der Welt geschieden, im Gehorsam aber immer schon zur Welt hingewendet.[595] Der Glaubende erhofft sich einzig von Gott das Heil und wird in die Liebe hineinexpropriiert.

Das Hauptgebot der Gottes- und Nächstenliebe[596] übersteigt die Differenz von Dürfen und Müssen, von Gebot und Rat, Wunsch und Gesetz, Ethos (Norm) und Übergebühr. Die Liebe ist die Fülle des Gesetzes (Röm 13,10; Gal 5,18.22)[597], die nicht halbiert oder beschränkt werden kann, damit für das 'Mehr' des Rates noch etwas übrig bleibe. Gott als Gott des Je-mehr befähigt alle und fordert *von allen* das 'Mehr' der neuen Liebe.[598]

Der ursprüngliche Ruf zur Vollkommenheit (Mt 5,48) ist identisch für alle vor und über jeder Standesdifferenzierung.[599] In Glaube, Hoffnung und Liebe erhält der Christ die Form Christi. In diese sind der Dienst, die Vergebung, das Tragen der Last der Schwachen, die Feindesliebe, die Solidarität, die Selbstlosigkeit der verzichtenden und liebesbereiten Agape, das eucharistisch verströmende Leben und die Fürbitte eingeprägt. In Glaube, Hoffnung und Liebe hat der Christ seinen Stand dort, wo Jesus steht (Joh 12,26). Es ist ein Stehen in der Selbstlosigkeit, im

---

[592] Röm 1,5; 16,26 (vgl. H III/2NB, 283).

[593] Vgl. TD III, 404-422.

[594] Von Balthasar verweist auf folgende Stellen: Mt 5,37; 6,24; 7,13; 10,17-25; 10,34-36; Mk 8,38; 12,29-31; Lk 12,9; 12,51-53; 21,8-19; Joh 12,46; 13,34f.; 14,6; 15,12-15; Kol 1,12; Eph 2,14; Hebr 4,12; 12,29; 1 Petr 2,9; 1 Joh 2,6-11; 3,16; 4,11.21; Apk 1,16; 2,16; 3,15f.; 19,15.21; vgl. Stand 103-108.

[595] Stand 109

[596] Dtn 6,5; Lev 19,8; Mt 22,36-40 par; Mt 25,34-40; Joh 13,34-35; 14,21; 15,12; Röm 13,10; 1 Kor 13; 1 Joh 3,14; 4,16; vgl. Stand 17-23.107f.

[597] Stand 35

[598] NK 107

[599] Vgl. Stand 108, auch 35; von Balthasar verweist auf Thomas, STh II-II 184 a 3 c.

Opfer, in der Sühne und Stellvertretung des Kreuzes. Das ganze christliche Leben nimmt am Rhythmus von Tod und Auferstehung teil (Röm 6).[600] Mit Christus stirbt das Weizenkorn des Christen im Humus, damit Gott in ihm geboren werden kann. Wer an der Liebe bis ans Ende (Joh 13,1) teilhat, der wird auch in das dreieinige Leben hineingenommen.[601] Die Teilnahme am dreieinigen Leben wird sakramental vorweggenommen. Jesus schenkt in Taufe, Eucharistie und Eingießung des Heiligen Geistes Anteil an seiner Autorität. In dieser können alle Christen durch die Kraft des Heiligen Geistes ein Lebenszeugnis abgeben und darin Gott vor der Welt vertreten. So kennt von Balthasar neben dem konkreten Nachfolgegehorsam auch einen Glaubensgehorsam im weiteren Sinn.

6. Vollkommenheit in der Liebe und Geist der Räte

Von Balthasar betont die Vielfalt der Lebensmöglichkeiten echter Liebe, die in allen Ständen heimisch sein und nicht allein auf die Greifbarkeit der Räte reduziert werden kann.[602] Dies belegen die Freunde Jesu, die ihm nicht äußerlich nachfolgten, aber in Liebe und Hingabe eine große Nähe und Vertrautheit zeigen (Maria, Martha und Lazarus in Bethanien, Nikodemus). Die Liebe geht über jedes System hinaus. Die Vollkommenheit des Einzelnen hängt weniger an der Objektivität einer Lebensform als an der Befolgung des Rufes. Der besondere Rätestand legt somit dar, wozu jeder Christ bereit sein muß. Die spirituell gelebten Räte sind Modi der Selbstlosigkeit der Liebe.[603]
Auf diesem Hintergrund können wir uns jetzt den Ausführungen von Balthasars zu den einzelnen Räten zuwenden. Wir gehen jeweils von der Konkretion von Armut, Jungfräulichkeit und Gehorsam im Rätestand aus, um von da her das in den Blick zu nehmen, was allen gilt.

---

[600] Stand 176; NK 102.
[601] Vgl. TD IV, 389-431, die Gottgeburt in der Seele geschieht primär durch Nachfolge in Glaube, Hoffnung und Liebe und nicht durch Ekstase (TD IV, 421).
[602] Die Theologie des Rätestandes
[603] NK 105

III. Wörtliche und geistliche Nachfolge

1. Gehorsam

Gehorsam im Stand der Räte[604]

Ausgangspunkt ist die grundsätzliche Offenheit und Empfangsbereitschaft, in welcher der Mensch durch einen besonderen personalen Ruf zur wörtlich verstandenen Nachfolge erwählt wird. Im Gehorsam bleibt der Berufene ständig ein Mensch, der sich in personaler Einsamkeit in der 'Beichthaltung' unverhüllt Gott aussetzt und sich ihm zeigt.[605] Zugleich wird er durch den Ruf Gottes in den gegenseitigen Gehorsam der Gemeinschaft des Dienstes eingewiesen und hat sich der von Christus mit dem Amt ausgestatteten Kirche mit ihrer Autorität zu unterwerfen.[606] Der Gehorsam im Rätestand hat also grundsätzlich eine personale, soziale und amtliche Struktur. Er kann nie dem gegenseitigen Dienst oder auch der hierarchischen Kirchenstruktur entwachsen. Das Amt steht gerade den besonders Berufenen als Zeichen der Liebe Christi gegenüber. Der Rätechrist unterwirft sich einem Abt oder Oberen um der Einübung in die engere Nachfolge Christi willen.[607] Dieses Gehorsamsverhältnis steht zwar in Analogie zu Lehrer-Schüler-Relationen, transformiert diese aber zugleich.

Der Obere ist geistlicher Führer in den absoluten Gehorsam Gott gegenüber.[608] Er hat selber der erste Gehorchende zu sein, der in die eigene Gehorsamsnachfolge mitnimmt und darin einen Blick in die Tiefen des trinitarischen Liebesgehorsams gewähren soll. Im eigenen Gehorsamsakt ist der Meister nicht bloß erzieherisches Vorbild, sondern miterlösender Stellvertreter: in einem 'soteriologischen Akt' nimmt er den Jünger in den eigenen Liebesverzicht hinein.[609] Der Obere (Meister, Abt) hat als Erstgehorchender dem Evangelium, der Regel, d.h. Gott in Christus zu gehorchen.[610] Es kann seine Aufgabe sein, den Jünger in die

---

[604] Christologie und kirchlicher Gehorsam, in: PI 155-161; Gehorsam im Licht des Evangeliums, in: NK 140-144; Die Theologie des Rätestandes 45ff.52f.; Über den Gehorsam in den Weltgemeinschaften, in: Acta I Congressus Internationalis Institutorum Saeculario Rom 20.-26.9.1971, 1024-1032; Evangelische Räte in der heutigen Welt? 195f; Zur Theologie der Säkularinstitute, in: SV 458-460; Auftrag 54f.118f.

[605] Auftrag 54

[606] Auftrag 54

[607] Die Theologie des Rätestandes 56

[608] Vgl. zum Folgenden: Die Theologie des Rätestandes 46f.

[609] A.a.O. 46

[610] Auftrag 117

äußerste Zerreißprobe und Härte - analog zum Ölberg - zu führen. Von sich aus darf aber kein Oberer die Rolle des Vaters am Ölberg übernehmen.[611] Wenn er es tun muß, so ist es auch für ihn demütigend und mit Schmerz erfüllend, wie auch der Vater am Kreuz mitgelitten hat.[612] Zugleich ist der Obere Vorsteher einer Gemeinschaft, d.h. er trägt auch Verantwortung für das soziale Zusammenleben. Beide Dimensionen sind füreinander unentbehrlich, weil Gottes- und Nächstenliebe nicht voneinander zu lösen sind. Keine Dimension darf bloß als Vorstufe für die 'Eigentlichkeit' in der anderen betrachtet werden, z. B. in dem Sinne, daß der Dienst an der Gemeinschaft bloß Vorhof vor dem Heiligtum der Gottesliebe wäre.

Innerhalb des Rätestandes gibt es zwischen den einzelnen Typen der Nachfolge eine große Bandbreite in der einen Sendungsexistenz[613]: in den vorwiegend kontemplativen Orden wird buchstäblich auf jede zivile Verantwortung und eigene Initiative verzichtet. Im Gehorsam wird jede eigene Entscheidung in die Hände des geistlichen Führers gelegt. In den vorwiegend aktiven Orden wird im Gehorsamgelübde die eigene Freiheit zwar 'grundsätzlich' zum Opfer gebracht, doch wird dem Einzelnen ein eigener Bereich der Verantwortung zugewiesen. Die Spannung zwischen dem Geist des Ordens, dem Befehl des Oberen, dem objektiven Inhalt des Auftrags und der freien mündigen Verantwortung muß im Gebet ausgehalten und gelöst werden.[614] Im Vertrauen auf Gott und die Gottverbundenheit des Oberen bleibt der Gehorsam ein Wagnis.

Der Gehorsam in den Säkularinstituten[615] betont mehr die freie und exponierte Verantwortung in der Welt. Dieser christliche und kirchliche Gehorsam stellt in die Entscheidung hinein und hilft dem Einzelnen, dem Ideal seiner Grundoption treu zu bleiben. Er will davor bewahren, daß der Einzelne sich verschanzt, ausweicht, flüchtet oder sich in Selbsttäuschungen verliert. Der Gehorsam setzt in die Selbstlosigkeit der Liebe aus, die nicht verkümmern oder verkürzt werden soll. Die Härte des Kreuzesgehorsams, die Verdemütigung kann hier genauso authentisch gefordert sein wie im Ordensgehorsam. Die Nachfolge im Gehorsam kann nicht aufgeteilt werden in Weltflucht oder Weltzuwendung. Sie ist ungeteilt inkarnatorisch, eucharistisch und eschatologisch.[616] Alle

---

[611] PI 155

[612] PI 155; zum Schmerz Gottes: TD IV, 191-222

[613] Vgl. dazu: SV 458-460; Die Theologie des Rätestandes 52f.

[614] SV 459

[615] Vgl. SV 460; Auftrag 114-119.

[616] SV 460

Fähigkeiten und Kräfte werden in dem *einen* Akt des Gehorsams Gott überlassen und in die kirchliche Sendung hineingenommen. Disponibilität, Sendung und Darlebung in der Welt werden in kirchlicher und trinitarischer Einheit gelebt. Die in den 'Weltgemeinschaften' gelebte Einheit der Spannung zwischen ganzer Hingabe an Gott und ganzer Hingabe an Welt und Beruf ist für von Balthasar eher der schwierigere und radikalere Weg im Vergleich zu den alten Orden.[617]

Beim Gehorsam des Priesters betont von Balthasar sehr stark die objektive und amtliche Dimension, die eine 'Entpersönlichung' des Amtsträgers erfordert. Der Gehorsam ist 'Funktion' für die Sendung und 'Verobjektivierung' auf die Sendung hin.[618]

Aspekte des Gehorsams in der Kirche[619]

Die Gehorsamsgesinnung Christi (Phil 2,8ff.; Hebr 10,5-7; 1 Joh 4,34; 6,38) hat die allgemeine Gehorsamsstruktur der Kirche zu prägen. Von Balthasar läßt sich auch in diesem Bereich nicht systematisieren; er denkt - wie so oft - in einer Schwebe zwischen Spannungspolen. Der Gehorsam hat eine personale, soziale und amtliche Struktur. Die Betonung des Einzelnen, die Bedeutung der Gemeinschaft (der Heiligen) und die Unerläßlichkeit des Amtes sind aufeinander bezogen. Die Gewichte werden je nach Situation unterschiedlich - teils ausgewogen, teils polemisch-einseitig - verlagert.

In der Taufe wird der Einzelne unmittelbar von Gott in den Glaubensgehorsam gerufen. Diese Antwort gibt er im Heiligen Geist, in dem er Sohn des Vaters und Bruder Christi wird. Seine Erwählung und seine Antwort sind zwar kirchlich vermittelt, geprüft und angenommen, führen aber nicht an der Instanz des personalen Gewissens vorbei. In unersetzbarer, einzigartiger Personalität ist er unmittelbar auf Gott bezogen, dem er im Gewissen zu Gehorsam verpflichtet ist. Von Gott erhält er sein Charisma bzw. seine Sendung. Bei Ehe und Beruf wird allerdings nur im analogen Sinn von Charisma und Berufung gesprochen.

---

[617] Evangelische Räte in der heutigen Welt? 196; vgl. NK 101.

[618] Um hier ideologischen Aporien vorzubeugen, ist darauf hinzuweisen, daß von Balthasar auf der persönlichen Heiligung des Priesters und auf die Affinität zwischen Räte- und Priesterstand insistiert. Die 'Funktion', die 'Verobjektivierung' und 'Entpersönlichung' setzt die personale Berufung voraus und ist in der Sendung Vollzug der Freiheit. Von Balthasar verweist mit R. Grimm auf das Interesse Lenins für die Gestalt des Ignatius und auf eine gewisse Nähe zwischen kommunistischer und ignatianischer Gehorsamskonzeption (TD I, 306).

[619] Mitverantwortung, in: K 87-93; Der kirchliche Gehorsam und das Amt, in: A.v. Sp. 61-63.

Im Gehorsam Gott gegenüber ist der Einzelne zugleich expropriiert in den Leib Christi (Eph 4,16), in die Gemeinschaft der Heiligen (Eph 3,18).[620] Das personale Charisma ist von seinem Wesen her Dienst an den Brüdern und Schwestern (1 Kor 12-13).

Die Instanz für den Einzelnen und die Gemeinschaft ist das von Christus der Kirche von oben eingestiftete Amt, das für die Liebe unentbehrlich ist.[621] Die Synthese von Gewissen, Gemeinschaft und Amt ist je neu zu stiften: Die Weltchristen (Laien) haben einen Bereich eigener Freiheit und eigener Verantwortung. Der Einzelne besitzt in dieser Verantwortung aber die Wahrheit nicht einfach. Seine Nachfolge beruht nicht auf eigener Einsicht; er darf nicht überheblich die Norm des Evangeliums für sich beanspruchen. »Nur die Leichtfertigkeit oder Dickfelligkeit christlicher Gewissen glaubt je schon Bescheid zu wissen (und sieht nicht, wie sehr hier eine immer neu zu stiftende Synthese gefordert ist).«[622] Das Amt hat den Einzelnen zu entprivatisieren und auf Kirche und Welt hin zu öffnen.[623] Weil sich im Amt Christus zeigt, ist ihm Ehrfurcht und Gehorsam entgegenzubringen: »Es gibt einen sichtbaren und fühlbaren Gehorsam aller Christen dem kirchlichen Oberhaupt gegenüber, das etwas von der Unbedingtheit der Befehlsgewalt des Himmels mit auf den Weg erhalten hat.«[624] So steht grundsätzlich die ganze Bandbreite des Lebens (Ehe, Beruf, Welt) offen für die »mütterliche Kontrolle der Kirche«[625], was durchaus auch konkrete Auswirkungen haben kann und muß. Von Balthasar wehrt sich gegen eine minimalistische Vergesetzlichung des Laiengehorsams gegenüber dem Amt, worin der Gehorsam auf Dogmen 'de fide definita' reduziert würde.[626] Auf der anderen Seite will er aber die amtliche sakrale Struktur nicht als die 'eigentliche' Kirche ansehen, die als Form die Materie der regierten und empfangenden Schafe prägt.[627] Der gehorsame Einzelne darf nicht vor der im Geist verliehenen Mitverantwortung flüchten. Er kann und muß den Hinweis der kirchlichen Autorität mit der evangelischen Norm vergleichen und im Falle einer Divergenz aus kirchlicher Gesinnung heraus dem Evangelium den Vorzug vor der Ob-

---

[620] NK 135

[621] NK 136

[622] Die Theologie des Rätestandes 52

[623] PI 234

[624] Die Theologie des Rätestandes 37

[625] SV 458

[626] Die Theologie des Rätestandes 37

[627] SV 164. Wohl verwendet von Balthasar in »Der christliche Stand« häufig das Schema 'Form - Materie' im Hinblick auf das Verhältnis zwischen Amt und Laien.

rigkeit geben.[628] Reformen der Kirche sind häufig auf den Weg Einzelner in ihrer Heiligkeit auch gegen den Widerstand des Amtes zurückzuführen (z.B. Katharina von Siena).[629] Freilich darf notwendige Kritik nicht zu einer Diffamierung des Amtes als solchem führen. Im Konfliktfall *können* der kirchliche Gehorsam, Amt und Autorität der Kirche ein höheres Gut als das Durchsetzen eigener richtiger Einsicht sein. Von Balthasar ist hier nicht auf ideologische Einseitigkeit festzulegen; sowohl feige, zurückhaltende Nachgiebigkeit als auch Sturheit können Sünde sein.

Aufgabe des Amtes ist es auch, den Einzelnen in die *Gemeinschaft der Glaubenden* einzuweisen.[630] Die Gemeinschaft der Glaubenden hat ihre eigene Nähe zu den Quellen (Schrift, Tradition). Verbunden mit der Autorität der Heiligen geht sie in Gebet und solidarischem Einsatz einen Weg, der nicht einfach die Ausführung eines hierarchischen Befehls ist. Das christliche Volk darf sich nie durch das Amt von der eigenen Verantwortung für die Kirche dispensieren lassen. Vom liebenden (kirchlichen!) Gehorsam kann auch Kontestation dem Amt gegenüber gefordert sein, wenn dieses die Wahrheit des Evangeliums verdunkelt.[631] Auf jeden Fall kommt dem 'sensus fidelium' ein Sinn für die rechte Richtung (Unfehlbarkeit) zu, der als bergende Mitte »im Gegensatz zu einem wankenden oder uneinigen Episkopat« oft das wahre Gleichgewicht durchgehalten hat.[632]

Doch bleibt bei aller Relativierung das Amt für das Volk Gottes notwendig. Die Gemeinschaft wird auch durch das Amt in das Maß des Kreuzesgehorsams Jesu genommen und auf die Welt hin geöffnet:[633] die Institution muß die Gemeinschaft vor Isolation und Integralismus bewahren und auf die Quellen der persönlichen Heiligkeit verweisen. Dienende Aufgabe des Amtes bleibt es, zwischen dem Einzelnen (dem Gewissen, der persönlichen Nachfolge), dem sozialen Gehorsam in der Gemeinschaft und der Weltsendung zu vermitteln und alles unter das Kreuz zu stellen. In diesem Dienst muß das Amt selbst gehorsam bleiben: die Autorität in der Kirche hat weiblich-empfangend auf den Herrn zu hören, von dem sie ständig wegen der Diskrepanz zwischen

---

[628] NK 136

[629] H III/1, 446-452

[630] K 85

[631] PI 154

[632] K 85.92 - von Balthasar bezieht sich hier offensichtlich auf J. H. Newman, The Arians in the Fourth Century (1833); Ders.; Über das Zeugnis der Laien in Fragen der Glaubenslehre, in: Ausgewählte Werke IV, hg. v. M. Laros/W. Becker, Mainz 1959, 253-292.

[633] SV 15.

Amt und Heiligkeit gedemütigt wird.[634] Die amtliche Hierarchie ist gegenüber der 'Hierarchie der Heiligkeit' sekundär. Auch wenn das Amt die Rätechristen auf das Kreuz und die Welt hin öffnet, hat es zugleich auf diese zu hören und sich von ihnen prägen zu lassen.[635] Das Amt hat schließlich auch auf die Basis der Laien zu hören, »wo der gleiche Geist des gleichen Herrn weht.«[636] Zwischen 'Spitze' (Amt) und 'Basis' hat sich ein Dialog zu vollziehen, wobei die 'Spitze' als Autorität anzuerkennen ist.[637] Der Dialog wird durch das Amt verdunkelt, wenn es nicht auf die 'Basis' hören will, den Dienst der Autorität mit Machtausübung verwechselt, die notwendige Verifikation der Wahrheit in der Praxis durch Überschätzung theoretischer Definition verkennt und deren Rezeption mißachtet.

Wenn von Balthasar die Kirche als 'communio' (Gemeinschaft der Heiligen) denkt - das tut er nicht immer -, dann muß »die Alternative zwischen pyramidalem oder sphärischem, zwischen paternalistischem oder demokratischem Gehorsam ausgeschlossen werden.«[638] Letzte Ausrichtung ist die Leidenschaft für das Reich Gottes.[639] Wenn alles in Christus gefangen ist (vgl. 2 Kor 10,5), dann ist der Gehorsam universal geöffnet: in der Kirche für die Welt. Im Gehorsam glaubt, hofft, liebt, betet jeder stellvertretend für alle.[640] Die gegenseitige Einwohnung in der Gemeinschaft der Heiligen ist hineingenommen in den trinitarischen Liebesvollzug.

2. Armut

Armut konkret

Die Konkretion der Armut Jesu, die brutale Wörtlichkeit der Nachfolge im Alles-Verlassen ist das Primäre und der Bezugspunkt aller geistlichen Armut. Evangelische Armut wird in den Orden, von Welt-

---

[634] Vgl. H I, 49; Schleifung der Bastionen 76f.

[635] SV 185; zum Ineinander (Über- und Unterordnung im Dienst) von marianischer und petrinischer Struktur der Kirche vgl. Auftrag 106.

[636] K 92

[637] Zum Folgenden: K 91f.; es gibt auch polemische Töne gegen den Dialog, z. B. PI 143; durchgehend abgelehnt wird eine pseudodemokratische Struktur der Kirche: vgl. K 91.127; PI 143.

[638] NK 137

[639] PI 133

[640] SV 192f.; vgl. Kirche - Gemeinschaft der Heiligen, in: K 59-61.

gemeinschaften und vom Priester unterschiedlich konkretisiert,[641] z.B. was die gemeinsame Kasse oder die Rechenschaft über den Konsum anbelangt.

Insgesamt bietet von Balthasar weniger eine auf alle Detailprobleme eingehende Kasuistik der Armut, die alle 'Wenn' und 'Aber' legalistisch integriert.

Konkretionen für die Johannesgemeinschaft sprechen von einer 'größten Einfachheit' im Lebensstandard, d. h. in Wohnung, Kleidung, Nahrung, Urlaub sowie von Anspruchslosigkeit in kultureller und technischer Hinsicht. Mitglieder haben die untersten Versicherungssätze zu wählen. Die wirkliche Armut soll empfindlich gefühlt werden. Alles Erworbene und für die Zukunft nicht absolut Erforderliche gilt es, regelmäßig (halbjährlich) anonym an Bedürftige oder kirchliche Hilfswerke weiterzugeben. Zu dieser solidarischen Armut gehört auch, daß nichts, sei es an materiellen oder geistigen Gütern (kulturelle, berufliche Kenntnisse, Charismen), Eigentum des Einzelnen ist, sondern in den Auftrag der Sendung einzumünden hat. Für den Priester meint Armut z. B. auch die 'offene Tür' und die 'offene Hand'.[642]

Armut und Solidarität

Ausgehend vom 'Bruder, für den Christus starb', und anknüpfend an die innergöttliche Sozialität entfaltet von Balthasar den Gedanken der Kirche als 'communio'.[643] »Kirche in ihrer vielfältigen Sozialität ist Eröffnung und Auslegung Christi; und damit der innergöttlichen Sozialität.«[644] In der Solidarität der Gemeinschaft der Heiligen trägt einer des andern Last (Gal 6,1), wird Rücksicht auf die Schwachen genommen bzw. überhaupt das Verhältnis zwischen Starken und Schwachen umgekehrt (Röm 14,1-15,13; 1 Kor 8,11; Mt 25).[645] Wiederholt wird Gastfreundschaft empfohlen (Röm 12,13; 1 Tim 3,2; Tit 1,8; Hebr 13,2; 1 Petr 4,9) und das Almosengeben angeraten (Eph 4,28).[646]

Paulus weist auch auf die Unvereinbarkeit zwischen Eucharistie und großen sozialen Unterschieden hin (1 Kor 11,20-22); er fordert die Ge-

---

[641] Vgl. Auftrag 121-123.136.

[642] Auftrag 136

[643] H III/2NB, 429-440; vgl. 1 Kor 1,9; 10,16; Phil 2,1; 2 Kor 13,13; 1 Joh 1,3; Joh 15,3,7; 1 Kor 12.

[644] H III/2NB, 438

[645] H III/2NB, 419f.

[646] H III/2NB, 437

meinde auf, das Geld aus der »Gegenstellung zu Christus« zu befreien, indem es in eine Kollekte für ärmere Gemeinden eingeht (2 Kor 8,3-4).[647] Zur Gemeinschaft der Heiligen gehört die konkrete Sorge um das materielle Wohl des Nächsten elementar dazu (Jak 2,1-5; 1 Joh 3,17; 2 Kor 8,9). Der Einsatz für die Armen und für die soziale Gerechtigkeit ist Konsequenz der Liebe zum Bruder (auch zum Feind), für den Christus starb.

Armut in Solidarität entgeht einer Idealisierung, zu der z. B. auch eine abstrakte Rede von 'Ganzhingabe' neigen könnte: von Balthasar weiß sehr wohl zwischen geistlicher Armut, buchstäblicher materieller Armut einerseits und der Misere der Entfremdung andererseits zu unterscheiden. Mit Karl Marx will er idealistische, personalistische und spiritualistische Engführungen und Ausblendungen der konkreten Wirklichkeit überwinden, wenn es gilt, »den Schrei der Not des materiell und geistig zum Gespenst ausgehungerten Proletariats, der die leibhaftige Selbstentfremdung des Menschen darstellt«, zu hören.[648]

So ist in der Johannesgemeinschaft für die Gestalthaftigkeit und für den Communiocharakter der christlichen Armut die Solidarität mit den konkret materiell Verarmten wichtig.[649] Daraus erfließt bei von Balthasar eine Sympathie für Madleine Delbrêl und die Arbeiterpriester.[650]

Modellhafte Armut

Im Lichte der 'communio' und der Solidarität greift von Balthasar auch die 'klassischen' Stellen der Apg auf: in der ersten Jerusalemer Gemeinde hatten die Brüder alles gemeinsam, einem jeden kam zu, was er brauchte; alle waren 'ein Herz und eine Seele' (Apg 2,42.33; 4,32.34.37; 5,1-11).[651] Dieses Urmodell von Kirche wird in der Tradition der Orden immer wieder aufgegriffen: in verschiedenen Varianten leben sie 'in medio ecclesiae' exemplarisch Gemeinschaft und sind darin Modell von Kirche für die Kirche, sind Stadt auf dem Berge, Licht, apostolische

---

[647] Stand 286

[648] H III/1, 922; zu dieser positiven Rezeption von Karl Marx vgl. H III/1, 922-927; zur Armut als misère vgl. das Kap. zu Péguy, in: H II, 819.

[649] Zu den konkreten Formen der Armut vgl. Auftrag 121-123.136f.151f.

[650] Vgl. z. B. Schleifung der Bastionen 15.30; TD II/2, 417, sowie die Vorworte der im Johannesverlag edierten deutschen Übersetzungen von Madeleine Delbrêl, Gebet in einem weltlichen Leben (1974); Frei für Gott (1976); Wir Nachbarn der Kommunisten (1975); H. Godin/J. Daniel, La France Pays de mission? Paris 1943.

[651] Vgl. H III/2NB, 436; Stand 87.

Ausstrahlung für die Welt.[652] Der 'Kommunismus' der Kirchenväter (z.B. von Johannes Chrysostomus) konnte ebenso an die Urkirche anknüpfen wie neuzeitliche Utopien (Thomas Morus, Campanella), sowie der Frühsozialismus und Marx.[653] Die Ausführungen von Balthasars über dieses Thema haben allerdings eher den Charakter eines historischen Referates, in dem nicht ganz deutlich wird, ob solche Modelle für ihn ein ureigenes Anliegen sind.

Armut im Geiste

Armut ist für alle eine Sache des Geistes, der Buße und des Willens (Mt 5,3; 19,21; Mk 10,21; Lk 18,22). Für alle gilt, daß sie besitzen sollen, als besäßen sie nicht (1 Kor 7,29).[654] Je nach Fassungskraft (Lk 12,47f.) ist die Armut zu konkretisieren.

Dabei ist die Armut im Geiste keine verkürzte Billigware für das gemeine Volk. In ihr geht es wurzelhaft um die rechte Ausrichtung allen Gebrauchens und Verfügens, sowie auch des Verzichtes auf die Realisation bestimmter Formen von Liebe.[655] Armut im Geist verzichtet in ihrer äußersten Form auf eigenes Recht, auf Anspruch, auf autonomes Urteil[656]; sie nennt nichts ihr eigen, weder Nahrung noch Wohnung noch Kleider, weder materiellen noch geistigen Besitz (Kenntnisse, geistige, kulturelle, berufliche Qualifikationen, Charismen). Sie nimmt von allem Abschied, sie lebt im Aufbruch von allem, was die Offenheit zu Gott und den Dienstcharakter allen materiellen und geistigen Besitzes verschleiern könnte[657], z. B. auch vom eigenen Aktivismus.

---

[652] Göttliches und Menschliches im Räteleben 394-408; zur Kirche als Modellraum: H III/2NB, 417; zu Basilius: H. U. von Balthasar (Hg.), Die großen Ordensregeln 33-133, bes. 78-82; zu Augustinus: OR 135-171, bes. 161 (1. Kap.); zu Benedikt: OR 223f.242 (RB 33,34,55); vgl. H III/1, 302-305. - Spiritualitätsgeschichtlich ist an die Vergegenwärtigung der Urgemeinde durch die Mönchsgemeinschaft auch für Pachomius, Hieronymus, Chrysostomus, Kassian, Gregor den Großen, Isidor, Petrus Damiani, Bernhard, Bonaventura, usf. zu verweisen; zu Bonaventura: vgl. auch H II, 267-361.

[653] Die Theologie des Rätestandes 43

[654] Stand 88.129; Auftrag 122.

[655] Stand 97.140

[656] Stand 98f.

[657] Auftrag 121-123

3. Jungfräulichkeit

Jungfräulichkeit im Rätestand

Das Ursprüngliche, die Totalität und Radikalität von Nachfolge wird in der bräutlichen Nachfolge der Jungfräulichkeit gelebt. Diese besitzt zwar auch nicht die Fruchtbarkeit im Verzicht, in der Askese als solcher, sondern im gegenseitigen Verhältnis Christus - Kirche, das von keinerlei Konkupiszenz geprägt ist.

Die leiblich-inkarnatorisch-eucharistische Nachfolge in der Jungfräulichkeit ist die 'forma subsistens in Christo' und wird als solche zu 'forma informans vitam christianam'.[658] Für die konkrete Lebbarkeit dieses Verzichtes betont von Balthasar eine Schlichtheit und Natürlichkeit allem Körperlichen gegenüber. Die Zeiten des 'Fernhaltens' von aller Leiblichkeit sind vorbei; es gehe vielmehr um ein »verstehendes, nüchternes, besonnenes Übersteigen des Erotischen.«[659] In der Nachfolge Jesu werde auf neue Weise die Erfahrung von Väterlichkeit und Mütterlichkeit geschenkt.

Ersatzbefriedigungen wie rein weltliche Privatfreundschaften oder ein 'künstlicher Familienbetrieb' sind zu vermeiden. Der Verzicht kann wohl in einen lebenslangen Kampf hineinführen. Darin läßt er am Kreuz teilnehmen. Die Ehelosigkeit des Priesters wird christologisch motiviert: der Priester wird der Paradosis Jesu zugestaltet, in der sich dieser dem Vater als Gabe übergibt, damit dieser die Gabe im Heiligen Geist an die Menschheit verschenke.[660]

Jungfräulichkeit und Keuschheit als geistliche Haltungen

Da das Ursakrament der Liebe zwischen Christus und der Kirche auch die Form der Ehe annehmen kann, ist jede Abwertung oder Verkehrung des Geschlechtlichen und jeder leibfeindliche Dualismus versagt.[661] In Christus wird von Gott die ganze leib-seelische Natur des Menschen angenommen und eingefordert; der ganze Mensch ist in den Leib Christi, die Kirche, eingegliedert.

---

[658] SV 454

[659] Auftrag 119; zur Jungfräulichkeit und Ehelosigkeit in der Johannesgemeinschaft: vgl. Auftrag 119-121.137f.152.

[660] Auftrag 137

[661] K 134

Das Verhältnis zwischen Christus und der Kirche ist die Form jeder ehelichen Verbindung. So ist Keuschheit, Zucht-Nahme des Eros, Reinheit des Herzens von allen verlangt (Mt 5,8.28; 6,16; 10,15; 1 Kor 7,4; 9,7). »Die Überstrahlung des Leibes durch die Reinheit der Seele ist in der Tat die absolute Keuschheit.«[662] Keuschheit besagt, daß der Leib Ausdrucksmittel der Liebe ist und diese im Geist ihr Zentrum hat. Sie ist so das Gegenteil von Narzißmus im Sinne eines autoerotischen Lustprinzips, das sich selbst genießt und genügt, indem es alle Objekte dem erweiterten Ich einverleibt.[663] Das 'reine' Herz ist leer und arm; es verzichtet auf einverleibende Habsucht, auf den eigenen Vorteil, auf die Funktionalisierung des Du. Keuschheit ist eine Form von Zweckfreiheit im Umgang mit Natur und Mensch, ein selbstloses Einfühlen in die andere Wirklichkeit, um sich von der Freiheit des Du beanspruchen, verwandeln und freigeben zu lassen. Versagt ist eine Anbiederung: die (positive) Scham will sich nur dem umsonst und frei sich gebenden Du öffnen.[664] In diesem Sinn interpretiert von Balthasar den rechten Gebrauch der Ehe nach 1 Kor 7,1-16: in der gegenseitigen Liebe sind beide expropriiert; keiner hat mehr die Verfügungsgewalt über den eigenen Leib (1 Kor 7,4), einer gehört dem anderen, und beider Liebe steht unter dem Maß der Liebe Christi zur Kirche.[665] Der Leib ist nicht Privateigentum, auch nicht gemeinsamer Besitz, sondern gehört Gott: »Der Leib ist nicht für die Unzucht da, sondern für den Herrn« (1 Kor 6,13). Unzucht ist eine Versündigung gegen den eigenen Leib, der Sakrament, Tempel, Tabernakel, Wohnung des Heiligen Geistes ist (1 Kor 6,19). Gott soll im Leib verherrlicht werden (1 Kor 6,20).[666]

Die Keuschheit Gott gegenüber meint die absolute 'Beichtsituation', die reine Transparenz, die sich von Gott her läutern läßt und jede Hinwendung zum Menschen vom Maß und Kriterium der Liebe bestimmen läßt.[667]

Die Keuschheit im Umgang mit sich selbst, der Welt, den Menschen und mit Gott ist im Stande der gefallenen Natur mit Verzicht verbunden. Alle sollten sich der biologischen Sphäre überlegen zeigen (verheiratet 'als ob nicht'!).[668] In Verzicht gelebt, nimmt die Ehe an Tod und Auferstehung Jesu teil. Der Verheiratete steht wie der Ehelose in

---

[662] Stand 75

[663] Vgl. zu Freud: TD I, 477-482.

[664] PI 209

[665] Vgl. Stand 287 (auch 129.174).

[666] Vgl. Christ und Keuschheit, in: K 134-139.

[667] OR 23

[668] HC 132 (1 Kor 7,7).

der ständigen Schule der Selbstlosigkeit, die spätestens im Tod ganz von ihm verlangt wird. Letztlich müssen die Verheirateten in Glaube, Hoffnung und Liebe »ihr eheliches Leben genauso 'eschatologisch' darleben wie der Jungfräuliche das seine.«[669]

Wie die Ehe wird auch die geschlechtliche Fortpflanzung in das Verhältnis Christus - Kirche integriert. Diese Integration ist bei von Balthasar nicht in allen Phasen seines Werkens deutlich: er spricht zunächst vom »sekundären Charakter der geschlechtlichen Fortpflanzung« und ihrer weiteren »theologischen Unerheblichkeit«.[670] In TL II (1985) weist er auf die Gefahren einer solchen Engführung hin, die letztlich auf einen Dualismus von Natur und Geist hinauslaufen würde. Wenn bloß die Ich-Du-Beziehung zwischen Mann und Frau theologisch relevant und die Hinwendung zum Kind nebensächlich wäre, würde sich die dialogische Struktur der Begegnung zwischen Mann und Frau selbst auflösen. Folge der Weigerung des Mannes, Vater zu sein, und jene des »feministischen Weibes, Mutter zu werden«[671], ist ein bloßer Doppelmonolog.

Im Bedenken der geschöpflichen Analogie tritt bei von Balthasar mehr und mehr das Verhältnis der Eltern zum Kind in seiner triadischen Struktur als Gleichnis der trinitarischen Logik hervor[672] - davor war eigentlich nur das Verhältnis zwischen Mutter und Kind theologisch relevant. Zudem sieht er den Kreislauf von Geburt und biologischem Tod in der Taufe durchbrochen: ein Kind wird für den Kirchenleib Christi geboren, der die Auferstehung erwartet.[673] So ist in der Ehe Jungfräulichkeit als geistliche Haltung letztlich hingeordnet auf die leibliche Fruchtbarkeit im Kind.

IV. Räte - Priester - Laien

Von Balthasar denkt die einzelnen Stände, die je die Räte in ihrer Weise zu leben haben, christologisch-marianisch aufeinander geöffnet und füreinander exprorpriiert. So ergibt sich für ihn ein vielfältiges Geflecht von Relationen, das manchmal zu einem kaum zu lösenden Kno-

---

[669] SV 374

[670] Vgl. Auftrag 35; von Balthasar verweist auf Gregor von Nyssa; auch Hegel hatte in der Fortpflanzung bloß die naturhafte Seite des sittlichen Verhältnisses zwischen Ich und Du gesehen (TL II, 54).

[671] TL II, 55

[672] TL II, 54.56

[673] HC 130

ten wird. Erst in der symphonischen Wahrnehmung des Ganzen kommen die einzelnen Teile zu ihrem rechten Stellenwert. In das Ganze der Liebe sind letztlich auch alle hierarchischen oder existentiellen Über- und Unterordnungen eingeborgen.

a) Eine erste Rangordnung betrifft die *qualitative Berufung zu besonderer Nachfolge*. Bei Ehe und Beruf der Laien kann nur analog von 'Berufung' gesprochen werden; diese Allgemeinheit muß im Lichte des speziellen, je einzelnen Rufes gesehen werden. Die Berufung zum Priester betont eher das Objektive und Funktionale. Im Hinblick auf Repräsentanz und Ausdrücklichkeit kommt dem Ruf zur Ganzhingabe im Rätestand die Priorität zu.[674]

b) Ein zweites Beziehungsgefüge denkt von der *Repräsentanz Jesu Christi* durch das *Amt in der Kirche* her. Das Amt verbürgt objektiv die Gegenwart Christi in seiner Kirche. Insofern hat es sowohl den Rätestand wie den Laienstand zu prägen. Die Aufgabe liegt in der Vermittlung, der gegenüber die anderen empfangend sind. Alle nehmen durch die Vermittlung des Amtes am allgemeinen königlichen und prophetischen Priestertum teil. Sie empfangen die königliche Freiheit der Kinder Gottes und werden zu wahren geistigen Opfern. Durch das objektive Amt werden alle auch in die kirchliche Sendung hineingenommen.[675]

c) Eine dritte Relation denkt von der *gegenseitigen Verwiesenheit* von Priesterstand und Rätestand her: »Sie ergänzen sich wie das Objektive und das Subjektive der christlichen Sendungsgnade« und sind beide dem Laienstand vorgeordnet: »Der Klerus und die Ordensleute sind das Licht des Laien.«[676]

d) Im Hinblick auf die *Einheit mit dem Stand Christi,* in der Ganzhingabe und im Dienst an der Erlösung hat der Rätestand als 'forma subsistens in Christo' eine »normative Funktion gegenüber Priester- wie Laienstand«.[677] Der Rätestand hat zur 'forma informans vitam christianam' zu werden, demgegenüber Priester- und Laienstand prägbare Materie zu sein haben; die Radikalität und Ganzheit des Geistes von Tod und Auferstehung hat als Sauerteig im ganzen Teil aufzugehen. Der Rätestand ist die objektive Exemplarität von Nachfolge, Erlösung und Vollendung.

e) Ein fünftes Beziehungsgefüge bedenkt die *Funktionalität* des Dienstes. Amt und Räteleben sind in der Dialektik des letzten Platzes

---

[674] Stand 294-297; vgl. »Ich halte das Ordensleben für die wichtigste Position in der heutigen Kirche« (Geist und Feuer 79).

[675] Stand 297-300; SV 338.

[676] SV 435; vgl. Stand 300-304

[677] Stand 304-309; vgl. 138; SV 454.

eingewiesen (Mt 23,8; Joh 13,13; 1 Kor 4,18; 3,21b-23; 2 Kor 5,20). Die personale Dimension des Rätestandes wie das Amtliche des Priestertums sind 'instrumental' auf den 'Hauptstand' in der Kirche, den Laienstand, hingeordnet.[678] In dieser Sicht haftet dem 'Laien' kein negativer Aspekt mehr an.[679] Das Plus des Amtes gehört der Kirche, das Besondere der Räte ist die Unterordnung im Dienst.

Den Laien kommt darin eine eigene Heiligung und die Darstellung der Heiligkeit im Profanen, die Verwirklichung des Reiches Gottes in der Welt zu: »der Laie ist das Licht der Welt.«[680] Die Laien partizipieren auch an der Amtlichkeit (Spendung von Taufe und Ehe, 'actuosa participatio' an der Eucharistie; 'missio canonica' [Lehrfunktion]; schriftstellerische Arbeit; Gaben der Prophetie, Weisheit, Erkenntnis, Unterscheidung der Geister).[681]

f) Von der Priorität der Liebe her ist jeder standesbegründete Unterschied zu *relativieren*; alle Standesformen realisieren sich nur im Füreinander der gegenseitigen Einwohnung, um so in die Letztform des kirchlichen Lebens, also in die Liebe einzumünden.[682]

Im Heiligen Geist realisiert sich die Einheit von Vater (dem von Balthasar das Amtliche zuschreibt) und Sohn (Dienst). Im Geist ist das Empfangen höchst aktiv und das Geben ein Überlassen. Die Relationen zwischen den Ständen sind also jenseits des Gegensatzes von Aktion und Passion.[683]

Letztlich entspringen die aufgezeigten Beziehungen zwischen den Ständen der Überzeugung, daß in Christus und der Kirche *ein* Geist wirksam ist und wiederum *ein* Geist die verschiedenen Stände ausprägt und zusammenführt.[684] Sicher werden die Unterschiede nicht einfach aufgehoben; im Leitmodell wirkt der Priesterstand mehr auf Seiten des Hauptes, der Laienstand mehr auf Seiten des Leibes. Der Laienstand empfängt die Wirkung vom Haupt her und lebt auf das Haupt hin. Der Rätestand hat zwischen beiden zu vermitteln. Diese Zuordnungen sind freilich wieder zu relativieren, weil alle drei Stände dem Haupt Christus zu- und untergeordnet sind.

g) Bei aller Betonung der Relativität der Hierarchie und der Priorität der Liebe fällt bei von Balthasar doch auf, daß Formkraft und Ge-

---

[678] Stand 309-312
[679] NK 108f.
[680] SV 435
[681] SV 339
[682] Stand 313f.
[683] SV 337
[684] SV 342

prägtwerden nicht auf Gegenseitigkeit beruhen: die Laien sind bei von Balthasar Materie für die Form des Priester- und Rätestandes. Dies hängt zentral damit zusammen, daß er Kirche zuerst vom Einzelnen und dann erst als Volk Gottes sieht. »Das Grundgesetz der Erlösungsordnung heißt Stellvertretung.«[685] So nimmt die Erlösungsordnung bei der Zustimmung einer einzelnen Frau ihren Anfang ('consensus virginis loco totius humanae naturae').[686] Ihr Ja-Wort geschieht stellvertretend für das ganze Geschlecht. In christologischer Perspektive kann der Logos nur das Omega der Schöpfung sein, weil er schon das Alpha ist. In Christus und Maria ist in nuce schon das Ganze realisiert. Stellvertretung meint progressives Einbeziehen der anderen in die Menschwerdung, in das Kreuz und in die Kirche mit dem Ziel, daß Christus im vollendeten Reich alles in allem wird. Diese Ausweitung des Reiches Gottes durch Stellvertretung ist an die Einsamkeit, den Verzicht und das Opfer des Kreuzes gebunden. Wie die vom Kreuz her vor-erlöste Maria Mit-Ursache der Erlösung in Christus ist, so werden es primär jene, die in der Radikalität und Ganzhingabe der Räte stehen: »diese sind unüberholbar und innerlich mit dem Begriff der christlichen Lebensfülle und hundertfältigen Ernte verbunden.«[687] An die Ausdrücklichkeit und Stellvertretung der Ganzheit der Erlösung bleibt jede Realisierung des Reiches Gottes in der Welt gebunden: »Nicht durch katholische 'Aktionen' wird die Welt erlöst, sondern durch Armut und Gehorsam und Ausschließlichkeit zu Gott.«[688]

Die volle exemplarische Gestalt des Christseins wird im Räteleben verwirklicht: dieses muß zum Sauerteig der Gemeinde und der Kirche im ganzen werden, damit die Kirche Sauerteig für die Welt werde.[689]

Das Räteleben als Lebensform Christi und Urgestalt christlicher Existenz steht unter dem Grundgesetz der Erlösungsordnung, d. h. der Stellvertretung. Es umspannt so die Kluft zwischen höchster Vereinzelung im Herausgerufen-Sein und Katholizität der Sendung in Kirche und Welt; es umgreift die Spannung zwischen Evangelium und Welt. In

---

[685] SV 334; vgl. Stand 338; Stellvertretung: Schlüsselwort christlichen Lebens, in: Leben im Geist. Anregungen für Priester, hg. v. Informationszentrum Berufe der Kirche, Freiburg i. Br. 1977, 3-7.

[686] Thomas, STh III q 30 a 1 c (SV 334).

[687] SV 346

[688] SV 346; zu den Vorbehalten gegenüber der 'Katholischen Aktion' vgl. schon: Der Laie und das Ordensleben 19-23; zur Kontroverse von Balthasar - Rahner über die Säkularinstitute und das Laienapostolat vgl. G. Pollak, Säkularinstitute 177-186.

[689] Vgl. Theologische Aspekte des Berufes 230; geistiger Vater ist für von Balthasar Basilius, für den der Mönch der exemplarische Christ ist. Vgl. die Einleitung in : OR 33-59; vgl. Auftrag 13.21.

dieser doppelten Polung ist jeder Platonismus und Spiritualismus überwunden.

Zusammenfassung, Kritik und Ausblick

Gehorsam

Der Liebesgehorsam Jesu ist für von Balthasar ein (der!) Schlüssel und Angelpunkt von Dogmatik, Spiritualität (in Gebet und Nachfolge) und Philosophie.[690] Im Blick auf den Gehorsam wird die Selbstmitteilung des trinitarischen Liebesmysteriums gedacht, vom Gehorsam wird das Verhältnis zwischen Schöpfer und Geschöpf (Analogie) verstehbar; der Gehorsam ist das Mittel und die innere Form der stellvertretenden universalen Erlösung. Gerade in der Sendung Jesu ist der Gehorsam die Weise der universalen Kommunikabilität in der Liebe. Der Gehorsam steht im Zentrum des Verhältnisses der Kirche zu Christus und ist so der Angelpunkt der Nachfolge. Im Gehorsam ist der (Räte)-Christ radikal an Gott wie auch an die Gemeinschaft der Kirche mit ihren konkreten Strukturen gebunden. Schließlich ist der Gehorsam Jesu die 'causa efficiens' und 'causa exemplaris' der eschatologischen Vollendung. In der Herrschaft Christi und des Geistes gehen alle in den Vollzug der Eucharistie, der Anbetung und der Doxologie ein.

Abgeleitet ist der Gehorsam Jesu für von Balthasar auch eine pädagogische Größe im Sinne der Entschränkung der Subjektivität und der Überwindung der Konkupiszenz. Diese erzieherische Form wird aber ebenso trinitarisch untergriffen wie eine bloß funktionale Begründung (Notwendigkeit des Gehorsams für die Gemeinschaft und Ordnung). Vom Gehorsam her wird das Alte und Neue Testament gelesen, wird die gesamte Theologie entworfen und schließlich die Philosophie beurteilt.

Andere zentrale biblische Themen, wie z. B. der Exodus oder das Reich Gottes, sind bei von Balthasar eindeutig dem Gehorsam zu- und untergeordnet. Gehorsam und Ungehorsam (Sünde) prägen bei von Balthasar das Verhältnis des Menschen zu Gott in einer Weise, daß im Drama der Freiheit andere Formen des Glaubens, wie Fragen, Rufen,

---

[690] Vgl. Auftrag 95; von Balthasar verweist auf Augustinus, De civ. Dei 14,12; Thomas, STh I-II q 104 a1.

Bitten, Klagen oder auch überraschende Liebe und Lob weniger zu Geltung kommen. Die Theodramatik ist ganz vom Thema der Sünde und des Gehorsams beherrscht.

Der Gehorsam ist für von Balthasar eine streng theologische Größe. In diese theologische Struktur werden auch andere Bezugsfelder des Gehorsams (Mann - Frau; Familie; weltliche Obrigkeit; u. a.) integriert. Ohne theologischen und weltlichen Gehorsam zu identifizieren, betont von Balthasar stärker die Kontinuität zwischen beiden Ebenen als den möglichen Konfliktfall. So steht in der Schriftlektüre von Balthasars die Erfüllung des Gesetzes durch Jesus weit vor Jesu Gesetzeskritik. Apg 5,29 ('Man muß Gott mehr gehorchen als den Menschen') spielt praktisch keine Rolle.

Die Verteidigung des Gehorsams als theologischer und anthropologischer Größe nimmt insgesamt viel mehr Platz ein als die Kritik von Defizienzen (z. B. des Faschismus, totalitärer Systeme, des Zentralismus). Der scharfe Blick von Balthasars richtet sich stärker gegen das Subjekt in seiner Ambivalenz und in den negativen Zerrformen der Freiheit (wie einseitige Autonomie und Emanzipation). Kritische Prüfung tritt z. T. hinter die Betonung der 'Objektivität' der Sendung zurück. Die Verdunkelungsdimension der institutionellen Vermittlung wird weniger thematisiert. Kritik und Aufklärung fallen bei von Balthasar eher unter ein negatives Verdikt. Ihre prophetisch-läuternde und befreiende Funktion kommt kaum ins Bewußtsein.

Schließlich wird die Einheit von Freiheit und Gehorsam thesenhaft vorausgesetzt und postuliert. Menschliche Spannungsfelder von Verantwortung, Kritik, Anerkennung, Dialog, Entfremdung und Macht werden im Detail kaum ausgetragen.

Bei diesen kritischen Anmerkungen ist zu berücksichtigen, daß von Balthasar selbst das Instrumentar für mögliche Kritik an ihm liefert. So sehr sein Denken in manchen Passagen einseitig ist, so umfassend und weit ist insgesamt sein theologischer Horizont. Das bleibende Spannungsfeld zwischen Freiheit und Gehorsam gründet wohl in der Natur der theologischen Sache selbst. Die Spannung wird durch von Balthasar theologisch in der Dramatik der Liebe ausgetragen; sie dürfte auch einen biographischen Hintergrund haben, nämlich im Eintritt und im Austritt aus dem Jesuitenorden.

Jungfräulichkeit und Ehelosigkeit stehen für von Balthasar im großen Kontext der Exklusivität zu Gott, der bräutlichen Beziehung der marianischen Kirche zu Christus[691], sowie der überragenden Fruchtbarkeit aus Gott (Gottesgeburt in der Seele durch Nachfolge). Die zentrale biblische Stelle ist Eph 5, die ergänzt wird durch die Forderung des Alles-Verlassens (Lk 14). Entscheidend ist für von Balthasar ein inkarnatorisches und eucharistisches Verständnis der Jungfräulichkeit. Demgegenüber wird die Ehelosigkeit als Mittel gegen die Konkupiszenz zwar nicht negiert, eine solche Begründung tritt aber in den Hintergrund. Vollkommen fremd ist von Balthasar von seinem marianisch-eucharistischen Verständnis der Jungfräulichkeit her die Idee des engelgleichen Lebens.[692]

Eine kritische Anfrage an von Balthasar ist zunächst im Hinblick auf die Anwendung geschlechtlicher Symbole im theologischen Bereich zu richten. Es ist sicher ein Verdienst von Balthasars bzw. A.v. Speyrs, auf einer Theologie der Geschlechter zu insistieren. Beide wissen auch um die übergeschlechtliche Dimension der trinitarischen Liebe wie auch der Beziehung zwischen Christus und der Kirche. Und doch mutet es fremd an, wenn von Balthasar die Eucharistie teilweise wie einen Geschlechtsverkehr (Samenerguß) beschreibt. Dafür findet sich in den biblischen Einsetzungsberichten zur Eucharistie keine Grundlage.

Weiter verdunkelt zum Teil von Balthasars Vokabular zur Beschreibung der Differenz zwischen Ehe und Ehelosigkeit das inkarnatorische Verständnis der Jungfräulichkeit. In den ontologischen Polarisierungen Natur - Geist, Teil - Ganzheit, mittelbar - unmittelbar (vgl. S. 119-123) fällt von Balthasar eigentlich unter das eigene Niveau zurück. Wie soll man z.B. die Rede vom nicht durch eine Frau 'angebrauchten' Fleisch Jesu verstehen? Schwer einzuordnen ist auch die Rede von Gott, der den Mann Josef beiseite stellt (vgl. S. 97, 101). Hier ist G.L. Müller zuzustimmen: »Marias Verhältnis zu Gott im Empfangen des Logos ist nicht nach Analogie eines Mann-Frau Verhältnisses auszulegen, sondern nach Maßgabe der Schöpfer-Geschöpf-Relation.«[693]

---

[691] Vgl. Tertullian, De oratione 22 (CC 1, 268-271); Origenes, Hom. in Num 20,2 (PG 12, 728ff.).

[692] Vgl.Cyprian, De habitu virginum 22 (PL 4, 462); Ambrosius, De virginibus II,8 (PL 40, 379); vgl. dazu: K.S. Frank, Angelikos Bios, Münster 1964;

[693] G.L. Müller, Was heißt: Geboren von der Jungfrau Maria? Eine theologische Deutung (QD 119), Freiburg-Basel-Wien 1989, 70.

Von Balthasar ordnet die Jungfräulichkeit so sehr in die konkupiszenz-freie Beziehung zwischen Christus und Maria ein, daß die konkret gelebte Jungfräulichkeit zwar im Gelingen, aber in den Zerrformen kaum wahrgenommen wird. Das biblische Ideal blendet so sehr, daß konkret pädagogische oder psychologische Probleme mehr oder minder irrelevant bleiben. Bei der Ehe hingegen hat von Balthasar (zumindest in seinen Vergleichen) das durchschnittliche Scheitern und Gelingen im Blick.

Schließlich kann die Stellung Marias bei von Balthasar kritisch beleuchtet werden. Von Balthasar tendiert dahin, Maria gerade in ihrer Jungfräulichkeit zum Bild der Frau, des Menschen, der Kirche schlechthin zu machen. Das Neue Testament ist im Hinblick auf Maria wesentlich zurückhaltender. Die kann darin nicht als 'die Frau' oder 'der Mensch' schlechthin bezeichnet werden: bei den Synoptikern ist Maria nicht unter dem Kreuz, alle Evangelien verschweigen eine Erscheinung des Auferstandenen an 'unsere Herrin' (Ignatius). Jesus wird in seinem öffentlichen Leben von anderen Frauen begleitet, die Ostererzählungen räumen Maria Magdalena eine Vorrangstellung ein.

Durch die Hervorhebung einer bestimmten Disposition Mariens (der reinen Bereitschaft) werden zum Teil andere durchaus legitime Haltungen des Glaubens und Verwirklichungen der 'anima ecclesiastica' weniger ausgelotet: z.B. die Frage von Maria selbst ('Wie soll das geschehen, da ich keinen Mann erkenne?), das dumpfe Suchen der Maria Magdalena, der sich der Auferstande zuerst erschließt, die Klage der Beter in den Psalmen oder von Hiob, der von Gott recht bekommt, die Einladung Jesu zum inständigen, fast aufdringlichen Bittgebet und schließlich der Schrei Jesu am Kreuz mit der Frage: 'Warum hast du mich verlassen?'[694]

Auch bei diesen Einwänden ist zu berücksichtigen, daß von Balthasar durch die Breite und Tiefe seines Denkens selbst das kritische Instrumentar zu manchen Einseitigkeiten liefert. Insgesamt hat er wie kein anderer ein Plädoyer für eine antignostisch und inkarnatorisch verstandene Jungfräulichkeit entworfen.

---

[694] Einschränkend muß hier erwähnt werden, daß von Balthasar auch über das Nichtverstehen und Suchen Marias meditiert; vgl. seine Rosenkranzauslegung in: Der dreifache Kranz, Einsiedeln 1977, 35-42; zum Verlassenheitsschrei Jesu vgl. Mysterium Paschale, in MySal III/2, 212f. Diesen Hinweis verdanke ich Prof. Riedlinger.

Wie der Gehorsam und die Jungfräulichkeit ist auch die Armut bei von
Balthasar in einem weiten trinitarischen, schöpfungstheologischen,
stauro-soteriologischen, ekklesiologischen und eschatologischen Kontext zu verstehen. Geistliche und konkret-materielle Armut sind relationale, kommunikative Begriffe. Es geht nie um ein abstraktes, asketisches Ideal. Die protologische, christologische und eschatologische Reduktion des Menschen auf die Armut dient als kritische Norm gegen
den Willen zur Macht, gegen Kapitalismus, Evolution und Fortschritt
wie auch gegen den Geist des Habens. Die Solidarität mit den Armen
ist rückgebunden an den armen Christus, der für den Bruder starb. Sie
nimmt die eschatologische 'communio' vorweg, in der Armut und Fülle
eins sind.

Kritisch ist anzumerken, daß von Balthasar durch die Betonung der
buchstäblichen nackten Nachfolge z.T. nüchterne Fragen nach dem
konkreten Lebensstil oder den konkreten ökonomischen und kulturellen Umständen und Strukturen verdrängt. Er zeigt eine starke Absti-
nenz, wenn es gilt, die Linien ins Strukturelle und Konkrete auszuzie-
hen.[695] Fragen der Wirtschaftsform, der Soziallehre oder Sozialethik
sind nicht zu finden. Soziologische Erwägungen oder direkte Gesellschaftskritik sind von Balthasar ebenso fremd wie eine sozialgeschichtli-
che Lektüre der Bibel. Der Ausgangspunkt ist und bleibt die Schau der
Offenbarung und der liebende Einsatz in der Dramatik; die Themen
sind weniger von unten (tagespolitisch oder aktuell) vorgegeben.

Die Trias der Räte

Von Balthasar denkt die Räte in ihrer strukturellen Einheit als konkrete Gestalt der Nachfolge. Dadurch ist kein einzelner Rat von den
jeweils anderen Räten zu isolieren. Die *Armut* ist nicht vom Gehorsam
zu abstrahieren. Die 'potentia oboedientialis' Gott gegenüber prägt die
Armut der Endlichkeit. Die Jungfräulichkeit gibt der Armut das Profil
der aktiven Indifferenz. Durch die beiden anderen Räte ist die Armut
eingebunden in die 'communio', in dem Raum von Freiheit und Liebe.

---

[695] Vgl. Prüfet alles - das Gute behaltet 32-37 (zur Befreiungstheologie). Eine Ausnahme
bilden hier einige treffsichere Bemerkungen gegen die ökonomischen Verquickungen
des 'Opus Dei': vgl. Integralismus, in: WuW 18 (1963) 737-747; Friedliche Fragen an
das Opus Dei, in: Der christliche Sonntag 16 (1964) 117-118.

Im *Gehorsam* verläßt der Berufene seinen Besitz, im Gehorsam wird er zu den Armen gesandt. Durch die Hinordnung auf Jungfräulichkeit, Brautschaft und Sohnschaft ist der Gehorsam immer schon frei und personal. In Nachfolge und Sendung ist er hingeordnet auf die Fruchtbarkeit der Liebe. Auch die *Jungfräulichkeit* erhält durch die Hinordnung auf die beiden anderen Räte ein kommuniales Profil. In ihr wird die Unmittelbarkeit der Beziehung zu Gott mit der Universalität der Sendung verknüpft.

Die Räte sind für von Balthasar als Gestalt in ihrer strukturellen Einheit eine »kontrakte Darstellung des Absoluten«[696], das 'universale concretum', das Ganze der erlösenden Liebe im Brennpunkt: Armut, Jungfräulichkeit und Gehorsam sind für ihn entscheidende Strukturprinzipien der 'Meta-Anthropologie'. Sie brechen eine Ideologie des Endlichen auf und prägen die Gottsuche des Menschen so, daß Gott durch sie im endlichen Subjekt seine positive geschaffene Vermittlung hat. Im Vollzug des trinitarischen Liebesmysteriums zerstören sie die Dämonie des absoluten Einen und öffnen so die positive Differenz, in der das geschöpfliche Dasein in ein freies Selbstsein gesetzt ist.

Trinitarisch begründet stehen die Räte an der Basis jeder Erkenntnis und jeder personalen Begegnung. In der 'communio' sind sie gleich ursprünglich wie die Freiheit. Zentral sind die Räte für von Balthasar in der Heilsökonomie: bei ihm steht die Trias in einer Weise im Brennpunkt der Protologie, Christologie/Mariologie/Ekklesiologie und Eschatologie, wie es sonst bei theologischen Entwürfen der Gegenwart nicht der Fall ist. Man kann nicht vom Ganzen der Theologie von Balthasars sprechen, ohne die Räte an zentraler Stelle einzubeziehen.

Die Einbindung der Räte in das Zentrum von Philosophie, Dogmatik und Spiritualität hat auch zur Konsequenz, daß die Konkretion der Räte von ihrer christologisch-trinitarischen Gestalt zu denken ist. In der gewaltigen antignostischen Theologie von Balthasars sind dualistische, platonische und idealistische Verkürzungen der Räte immer schon überwunden. Im Kreuz sind die Räte in die Krisis, in die Scheidung von der Sünde und zugleich in das erlösende Ausleiden der Sünde der Gottlosigkeit (Atheismus), d.h. in die universale Sendung bzw. Versöhnung hineingenommen. In der Konkretion der Räte ereignet sich der 'transitus' der Liebe auf Gott, auf den Bruder, d.h. auf Solidarität und Universalität hin.

So sind die Räte bei von Balthasar letztlich mit allen Transzendentalien verknüpft: sie prägen den Begriff des Einen (unum) als Relation, sie

---

[696] H III/1, 30

stehen für die Wahrheit (verum) des Bundes zwischen Gott und Geschöpf; dieser Bund ist als Liebe (bonum) zu denken. Daraus ergibt sich, daß Armut, Jungfräulichkeit und Gehorsam für von Balthasar zugleich Kriterium des Denkens und Orientierung für das Handeln sind. In den Räten vollzieht sich der Übergang von der Theorie zur Praxis und umgekehrt. In ihnen wird der abstrakte Gegensatz zwischen Vereinzelung bzw. Konkretion einerseits und Universalität bzw. Allgemeinheit anderseits überwunden. Mit dem 'bonum' und 'verum' stehen sie auch im Zentrum der Herrlichkeit ('pulchrum'), die sich gerade in der armen kenotischen Liebe, im Zerbrechen der Gestalt vollendet. Ihre Glaubwürdigkeit und Glaubhaftigkeit teilen die Räte mit der Liebe. Mit der Liebe sind Armut, Jungfräulichkeit und Gehorsam von sich her einleuchtend. Ihre Begründung erhalten sie nicht primär von einem äußeren objektiven Maßstab, sondern aus der inneren Kohärenz, die allein in der Lage ist, sich universal in praktischer Erlösung zu vermitteln. Wie für von Balthasar Liebe letztlich nur von Liebe erkannt werden kann, so geht die letzte Plausibilität der Räte nur dem auf, der die Nachfolge in Armut, Jungfräulichkeit und Gehorsam wählt.

Nicht so explizit und nicht so umfassend geht K. Rahner auf die Räte ein. Aber auch für ihn stehen die Räte an Angelpunkten einer anthropologisch gewendeten Theologie. Der Ausgangspunkt beim gelebten Vollzug läßt die Konkretion schärfer ins Profil treten als dies bei von Balthasar der Fall ist.

ZWEITER TEIL

Die Räte als Zeichen und Zeugnis
(Karl Rahner)

Karl Rahner[1] (* 5.3.1904 in Freiburg i.Br., + 30.3.1984 in Innsbruck) war Jesuit, Priester, Theologe, Seelsorger, Prediger, Beichtvater, Exerzitienmeister, ein Mann des Gebetes und der Meditation, ein suchender und glaubender Christ.
'1922 Mitglied der Gesellschaft Jesu. Nach den ordensüblichen Studien der Philosophie und Theologie (1924-1934) Schüler M. Heideggers in Freiburg' - hinter diesen nüchternen Angaben auf vielen Umschlagdeckeln von Rahners Taschenbüchern verbergen sich prägende Begegnungen und Erfahrungen: Die Exerzitien des Ignatius vermitteln grundlegende spirituelle und theologische Einsichten (»Indifferenz«, Logik der existentiellen Erkenntnis, Wahl, konkreter Imperativ, Christozentrik, Universalität des Christusereignisses, Gotteserfahrung, »Gott in allen Dingen finden«, Kirchlichkeit, »Anwendung der Sinne«).[2] Die theologi-

---

[1] Karl Rahner, Erinnerungen im Gespräch mit Meinhold Krauss, Freiburg 1984; Karl Rahner, Im Gespräch I (1964-1977), hg. von P. Imhof und H. Biallowons, München 1982; Im Gespräch II (1978-1982), hg. von P. Imhof und H. Biallowons, München 1983; Glaube in winterlicher Zeit. Gespräche mit Karl Rahner aus den letzten Lebensjahren, hg. von P. Imhof und H. Biallowans, Düsseldorf 1986; J. B. Metz, Widmung und Würdigung. Karl Rahner, dem Sechzigjährigen, in: Gott in Welt 1 (Festgabe für Karl Rahner) Freiburg 1964, 5* - 13*; Ders., Karl Rahner, in: H. J. Schultz (Hg.), Tendenzen der Theologie im 20. Jahrhundert. Eine Geschichte in Porträts, Stuttgart 1966, 513-518; Ders., Karl Rahner - ein theologisches Leben. Theologie als mystische Biographie eines Christenmenschen heute, in: StdZ 192 (1974) 305-316; Ders., Vermächtnis. Karl Rahner zu vermissen, in: Karl Rahner - Bilder eines Lebens, 166-171; H. Vorgrimler, Karl Rahner. Leben - Denken - Werke, München 1963; Ders., Karl Rahner verstehen. Eine Einführung in sein Denken und Leben, Freiburg 1985; K. Lehmann, Karl Rahner. Ein Porträt, in: K. Lehmann/A. Raffelt (Hg.), Rechenschaft des Glaubens. Karl Rahner-Lesebuch, Freiburg 1979, 13*-53*; F. Henrich, Karl Rahners Totenbild (Hg. Kath. Akademie in Bayern); Karl Rahner - Bilder eines Lebens, hg. von P. Imhof u. H. Biallowons, Freiburg - B - W und Zürich - K 1985.

[2] Vgl. Im Gespräch II, 47-59; XII, 8.11.

schen Studien in Valkenburg (Holland) sind geprägt von einem intensiven Studium der Patristik.[3] Aufsätze über die geistlichen Sinne bei Origenes, Evagrius Ponticus und Bonaventura weisen schon auf die spätere Zentralstellung der Gotteserfahrung hin. Die bußgeschichtlichen Arbeiten betonen die ekklesiale Dimension der Versöhnung.

Einen wichtigen Einfluß dürfte auch Klemens von Alexandrien mit seiner Laienfrömmigkeit, dem Primat der Liebe und der Heiligung in der Welt ausgeübt haben. Das Verständnis des Martyriums und der Askese in der Väterzeit weisen auf Rahners Theologie der Entsagung und des Todes voraus. 1934-1936 studierte er in Freiburg u. a. bei M. Heidegger, dem er die Kunst des Fragens, des Denkens des Geheimnisses und Aspekte der Theologie des Todes verdankt.[4]

Die von M. Honecker 1936 abgelehnte philosophische Promotionsarbeit 'Geist in Welt' versucht, im Gefolge von Kant und Maréchal die Erkenntnismetaphysik des Thomas von Aquin neuzeitlich zu bedenken. Rahner wendet sich dann wieder der Theologie zu und promoviert im Dezember 1936 in Innsbruck mit der unveröffentlichen Arbeit 'Ecclesia ex latere Christi'. Die Herz-Jesu-Frömmigkeit wird sich in mehr oder weniger ausdrücklicher Greifbarkeit durch das spirituelle und theologische Werk ziehen.

Während der Kriegsjahre muß er Innsbruck verlassen; er arbeitet am Seelsorgeinstitut in Wien als Dozent. Im letzten Kriegsjahr wirkt er in einer Pfarre in Niederbayern. Die Nähe zur Seelsorge hat er nie verloren: »Ich habe immer Theologie betrieben um der Verkündigung, um der Predigt, um der Seelsorge willen«.[5] Nach einer Dozentur in Pullach (1945-1948) ist er zunächst Dozent und ab 1949 Professor für Dogmatik in Innsbruck. In diese Innsbrucker Zeit (bis 1964) fallen die Herausgabe der ersten Bände der 'Schriften', der zweiten Auflage des LThK und die Berufung zum 'peritus' des Zweiten Vatikanischen Konzils. Gerade weil er sich in das Joch der Tradition spannen läßt, um diese vorwärts zu ziehen, kann er für die verschiedenen theologischen Disziplinen und kirchlichen Lebensvollzüge (Dogmatik, Fundamental, Moral, Kirchenrecht und -verfassung, Spiritualität, Caritas, Pastoral, Entwicklungshilfe, ...) entscheidende Anstöße liefern. Wohl auch weil er sich der

---

[3]   Dazu: K. H. Neufeld, Unter Brüdern. Zur Frühgeschichte der Theologie K. Rahners aus der Zusammenarbeit mit H. Rahner, in: WT 341-354.

[4]   Vgl. Im Gespräch II, 49f.

[5]   Im Gespräch II, 150; vgl. Das große Kirchenjahr. Geistliche Texte.

'Kärrnerarbeit' von Lexika nicht entzogen hat[6], erzielte er eine Tiefen- und Breitenwirkung wie kaum ein anderer Theologe in diesem Jahrhundert.
1964 übernimmt er den Guardini-Lehrstuhl in München, von dem er 1967 nach Münster wechselt. Nach der Emeritierung 1971 übersiedelt er wieder nach München, um dann 1981 nach Innsbruck zurückzukehren.
Um den theologischen Ort und Stellenwert der Räte in der Theologie Rahners zu situieren, müssen wir - wenigstens in skizzenhaften Umrissen - das Ganze seiner Systematik in den Blick nehmen, das alles andere als uniformistisch und eindimensional ist. Dem Reichtum des Werkes versuchen verschiedene Interpretationsschlüssel nahe zu kommen. Die Räte sind in das Mosaik des Ganzen eingefügt, verstehen sich von diesem her und prägen dieses mit. So skizzieren wir im folgenden verschiedene Zugänge zur Theologie Rahners, in denen die Räte je unterschiedlich situiert werden.

Zugänge zur Theologie Rahners

Transzendentaltheologie

»Die transzendentale Anthropologie charakterisiert meine Theologie.«[7] - Mit dem frühen M. Heidegger teilt K. Rahner das Anliegen einer ontologischen Anthropologie. Er will das menschliche Seiende durchsichtig machen auf das Sein.[8] Diesem Ziel dient die transzendentale Methode.
In einem ersten Schritt geht die transzendentale Methode von der phänomenologischen Sicherung und Explikation grundlegender Lebens- bzw. Glaubensvollzüge aus. Die a-posteriorische Dimension wird also nicht idealistisch übersprungen.[9] Für die Räte als Trias bringt dieser

---

[6] Zur Herausgeberschaft kamen 133 eigene Beiträge im LThK², 78 im SM, 635 im KThW, 4 im HThG und die grundlegenden Aufsätze im HPTh; vgl. dazu K. Neumann, Der Praxisbezug der Theologie bei K. Rahner, Freiburg 1979 (FthSt 118) 71f.

[7] Gnade als Mitte menschlicher Existenz, in: HK 28 (1974) 82.

[8] Vgl. M. Heidegger, Sein und Zeit, Tübingen ¹²1972, 7; K. Rahner, GW 71ff. 81f.; HW 47f.; IX, 95; Art. Transzendentaltheologie, in: SM IV, 987. K. H. Weger, Karl Rahner. Eine Einführung in sein theologisches Denken, Freiburg 1978, 22-28; P. Eicher, Die anthropologische Wende. Karl Rahners philosophischer Weg vom Wesen des Menschen zur personalen Existenz, Freiburg/Schweiz 1970, 172-180; L. Puntel, Zu den Begriffen 'transzendental' und 'kategorial' bei K. Rahner, in: WT 191f.

[9] Vgl. P. Eicher, Die anthropologische Wende 57-64.

phänomenologische Ausgangspunkt mit sich, daß Rahner die Berufung zu dieser Lebensform faktisch voraussetzt. Er sieht in Armut, Ehelosigkeit und Gehorsam eine der Reflexion vorgegebene, objektiv abstrakt nicht begründbare Praxis.

In einem zweiten Schritt werden Lebensvollzüge auf ihr tranzendentales Apriori reduziert. Das bedeutet für die Theologie, daß sie als transzendentale »jene Form der systematischen Theologie ist, die von genuin theologischen Fragestellungen her die apriorischen Bedingungen im glaubenden Subjekt für die Erkenntnis der Glaubenswahrheit thematisiert.«[10] Der Glaube an die gnadenhafte, geschichtlich unableitbare Offenbarung wird also vorausgesetzt, um dann existential und transzendental als Bestimmung des Subjekts erwiesen zu werden. Die von Descartes eingeleitete und von Kant vollzogene Wende zum Subjekt wird theologisch realisiert, indem die Glaubensgegenstände auf die Existenz-, Erfahrungs- und Heilsfragen bezogen werden. Transzendentaltheologie ist für Rahner deshalb anthropologisch gewendete Theologie.[11] Es geht also bei seiner transzendentalen Methode um eine Hermeneutik und Übersetzung der Gott-Mensch-Beziehung in das neuzeitliche Selbst-, Welt- und Gottesverständnis. Dieses Anliegen ist bei Rahner theologisch motiviert: die Offenbarung und mit ihr das Christentum treten mit dem Anspruch auf, das Ganze des menschlichen Daseins zu deuten. Diesen Anspruch der universalen Bedeutung geschichtlicher Ereignisse gilt es, mit dem Verständnishorizont des Menschen zu vermitteln, d.h. es geht darum, das Christliche »konstitutiv« als das Menschliche zu erweisen. Diese Verbindung von geschichtlicher Offenbarung und menschlichem Selbstverständnis wurzelt in der Zuordnung und Unterscheidung von Natur und Gnade, von natürlicher Gotteserkenntnis und geschichtlicher Wortoffenbarung, von Philosophie und Theologie in der katholischen Theologie.[12] Die transzendentale Methode soll zeigen, daß christliche Theologie keine Ideologie ist. Ohne Verkoppelung des Christlichen mit dem Menschlichen würde das Ereignis der Offenbarung in die geschichtliche Zufälligkeit, Beliebigkeit und positivistische Gleichgültigkeit entlassen. Theologie würde zum bloß subjektiven Gefühl ohne Verantwortung vor dem Ganzen des Daseins.

---

[10] A. Darlap, Zur Rekonstruktion der Theologiegeschichte des 20. Jahrhunderts, in: ZkTh 107 (1985) 377-384, hier 381.

[11] Vgl. Art. Transzendentaltheologie, in: SM IV, 986-992; Theologie und Anthropologie, in: VIII, 43-65; Art. Anthropozentrik, in: LThK[2] 1, 632-534.

[12] Vgl. HW 15-44.205-211; Art. Philosophie und Theologie, in: SM III, 1205-1215; G 35f.; VI, 91-103; VIII, 66-87; X, 70-88.

Die Charakterisierung der Theologie Rahners als 'transzendentale Anthropologie' hat für das Thema der evangelischen Räte grundlegende Bedeutung: Wenn die Räte ein Wesensvollzug des Glaubens sind - und das sind sie bei Rahner -, dann kann ihre 'Wahrheit' nicht eine ganz andere im Vergleich zur philosophischen Wahrheit, und d.h. auch zum 'bloß' humanen Vollzug sein. Wenn sie eine 'menschliche Möglichkeit' sind, dann gilt es, ihre Spuren im Daseinsvollzug eines jeden Menschen zu suchen. Es ist also zu fragen, inwiefern in der Analyse menschlicher Erkenntnis und Freiheit die Räte implizit als 'Existentialien' aufzuweisen sind.[13] Zum anderen ist das von Rahner angewandte philosophische Gerüst - das immer schon im Dienste der Theologie steht[14] - von der evangelischen Weisung der Räte zu beurteilen und gegebenenfalls auch zu kritisieren. Es ist also nach der gegenseitigen Prägung, nach der 'Verträglichkeit' und nach einem eventuellen 'Konkurrenzverhältnis' zwischen der transzendentalen Methode und den evangelischen Räten zu fragen. Die Frage nach dem Verhältnis zwischen der transzendentalen Methode und den Räten hat auch einen äußeren Grund. Die Dominanz der transzendentalen Methode steht im Zentrum der Kritik an Rahner: er reduziere bzw. funktionalisiere die Theologie in Anthropologie hinein, er ebne die Differenz zwischen Gott und Mensch durch Vereinnahmung in die menschliche Subjektivität ein, er stehe in der Tradition der Identitätsphilosophie Fichtes, er negiere die Bedeutung des Kreuzes und bringe die Relevanz von Dialog, Geschichte und Gesellschaft nicht genügend zur Geltung.[15] Diese Vorwürfe treffen die Substanz der evangelischen Räte, insofern diese nach ihrem eigenen Selbstverständnis personaler Vollzug des Gott-Mensch-Verhältnisses sind und in die konkrete Praxis einweisen.

Der transzendentale Ansatz ist für Rahner aber nur *ein* methodischer Ansatz, nicht das Ganze.[16] Das Zentrum seiner Theologie geht von der Erfahrung der Gnade aus.

---

[13] Art. Anima naturaliter christiana, in: LThK² 1, 564f.; vgl. B. Snela, Das Menschliche im Christlichen. Elementare Strukturen der religiösen Zeichen. Eine Rahner Studie, München 1986.

[14] Vgl. Gnade als Mitte, in: HK 28 (1974) 79.

[15] Vgl. E. Simons, Philosophie und Offenbarung in Auseinandersetzung mit 'Hörer des Wortes' von K. Rahner, Stuttgart 1966; J. B. Metz, Glaube in Geschichte und Gesellschaft, Mainz 1977, 61f.140ff.195-203.

[16] IX, 95; XII, 599-604.

»Die eigentliche und einzige Mitte des Christentums und seiner Botschaft ist ... für mich die wirkliche Selbstmitteilung Gottes in seiner eigensten Wirklichkeit .... an die Kreatur, ist das Bekenntnis zu der unwahrscheinlichsten Wahrheit, daß Gott selbst mit seiner unendlichen Wirklichkeit und Herrlichkeit, Heiligkeit, Freiheit und Liebe wirklich ohne Abstrich bei uns selbst in der Kreatürlichkeit ankommen kann.«[17] Die Selbstmitteilung Gottes als Gnade ist die innerste Mitte der menschlichen Existenz in Erkenntnis und Freiheit.[18] Diese gnadenhafte Selbstmitteilung Gottes ist für den Menschen erfahrbar: »Ich habe Gott erfahren, ich bin Gott begegnet« läßt er Ignatius in seiner Rede an einen Jesuiten von heute sprechen, die Rahner als eigenes geistliches Testament bezeichnet.[19] - Mit diesen Aussagen aus seinen späten Lebensjahren bestätigt Rahner eine Interpretationslinie, welche die Transzendentaltheologie von der tiefer liegenden und grundlegenden Gnadenerfahrung her erklären will. Angeregt wurden diese Untersuchungen von K. Lehmann: er sieht in Rahners Suchen, Fragen, Glauben und Denken den Dreiklang: die »verhaltene Leidenschaft einer tiefen, personalen Frömmigkeit«, das »inständige Ringen mit den objektiven Formen in Kirche, Theologie und übernommener Lebensform« und schließlich das ignatianische »Gott finden in allen Dingen«.[20] Grundlage in dieser Vermittlung von Subjektivität und Objektivität ist nach Lehmann die »Erfahrung der Gnade«.[21]
Dieses »Herzstück der Theologie Rahners«[22] wird von K. P. Fischer näher gedeutet und auf seine historischen Wurzeln hin untersucht.[23] Rahner komme in seinem Theologisieren von einer mystischen Gotteserfahrung her, die ihm in den ignatianischen Exerzitien vermittelt wurde.[24] Die Gnadenerfahrung ist auch als Schlüssel für die historischen Arbeiten der Frühzeit über Origenes, Evagrius Ponticus und besonders auch

---

[17] K. Rahner, Erfahrungen eines katholischen Theologen, in: K. Lehmann (Hg.), Vor dem Geheimnis Gottes den Menschen verstehen, München 1984, 109f.

[18] K. Rahner, Gnade als Mitte, in: HK 29 (1974) 83.

[19] XV, 374

[20] K. Lehmann, K. Rahner. Ein Porträt, in: Rechenschaft des Glaubens 14*, mit Hinweis auf III, 191-202; 313-348 .

[21] K. Lehmann, a.a.O. 36*

[22] Vgl. K. H. Weger, Karl Rahner 79ff.

[23] Der Mensch als Geheimnis. Die Anthropologie Karl Rahners, Freiburg 1974, 19-30.45; vgl. auch K.H. Neufeld, Unter Brüdern, in: WT 341-354, bes. 343-345.

[24] Rahner bestätigt dies in: Im Gespräch II, 47-59 und XII, 8.11.

über Bonaventura zu verstehen.[25] Sie bildet aber auch den Kern von 'Geist in Welt' und 'Hörer des Wortes', deren menschlicher Dynamismus in Erkenntnis und Freiheit theologisch, d.h. vom Vorweg der Gnade zu interpretieren ist.[26] Den Einfluß ignatianischer Spiritualität sieht Rahner für sich selbst als grundlegender und wichtiger als den Einfluß von J. Maréchal und M. Heidegger. Daraus ergibt sich die hermeneutische Konsequenz, daß die spirituellen Schriften Rahners mit seinen systematisch-philosophisch-theologischen Arbeiten grundlegend gleichberechtigt sind.[27]

Indem Rahner die Priorität der Selbstmitteilung Gottes und das Vorweg der Gnadenerfahrung für die Interpretation seines Werkes bestätigt, relativiert er andere Interpretationsmuster bzw. ordnet er diese in den Kontext der Gnadenerfahrung ein. Ausdrücklich läßt er den Gedanken der Sünde und der Sündenvergebung gegenüber der Selbstmitteilung Gottes in den Hintergrund treten.[28] Die »Sünde als Verlust der Gnade« war von K. H. Neufeld, einem Mitarbeiter Rahners in der ersten Hälfte der 70er Jahre zur 'Zentralidee' des Rahnerschen Werkes erklärt worden; er sieht in den historischen Arbeiten zur Buße den »gemeinsamen Keim«, der »das sich später vielfältig verzweigende theologische Denken ursprünglich zusammenfaßt.«[29] Mit der Buße, der 'Metanoia', beginne die christliche Heiligung und Heiligkeit: »Darum ist Buße die historische Bedingung der Möglichkeit, überhaupt Christ zu sein.«[30] In der Buße erfahre sich der Mensch als Sünder und Gott als Vergebenden; schließlich geschehe in ihr die Aussöhnung mit der Kirche, was Rahner als 'vergessene Wahrheit' wieder neu betont.

---

[25] Diese Arbeiten sind jetzt leicht zugänglich in: XII, 111-171; vgl. dazu K. H. Neufeld, Unter Brüdern 343f.

[26] Vgl. K. P. Fischer, Der Mensch als Geheimnis 45; auf die theologische Wurzel des Dynamismus in GW hat schon H. U. von Balthasar hingewiesen (K. Barth 311).

[27] Vgl. XII, 11 sowie Gnade als Mitte, in: HK 28 (1974) 81.»Der ... Unterschied zwischen den von anderen mir zuerkannten 'wissenschaftlichen' Arbeiten und den 'erbaulichen', 'spirituellen' ist darum sehr relativ und zweitrangig und hat gänzlich fließende Übergänge. Auch in erbaulichen Schriften suche ich zu denken ... Und in den anderen als wissenschaftlich eingeschätzten Schriften suche ich mein Christsein ... etwas deutlicher zu machen« (XII, 402).

[28] Vgl. Erfahrungen eines katholischen Theologen, in: K. Lehmann (Hg.), Vor dem Geheimnis Gottes 111f.

[29] K. H. Neufeld, Fortschritt durch Umkehr. Zu Karl Rahners bußgeschichtlichen Arbeiten, in: StdZ 192 (1974) 274-281, hier 275. Vgl. Ders., Karl Rahner zu Buße und Beichte. Ein Überblick, in: ZkTh 108 (1978) 55-61; Neufeld beruft sich auf Rahners Aufsätze: 'Sünde als Gnadenverlust in der frühchristlichen Literatur', in: ZkTh 60 (1936) 471-510; 'Vom Sinn der häufigen Andachtsbeicht', in: III, 211-225; weiter die in XI zusammengefaßten bußgeschichtlichen Arbeiten, sowie die entsprechenden Artikel in: Religionswissenschaftl. Wörterbuch (1956), LThK^2 (1958), SM (1967).

[30] K. H. Neufeld, Fortschritt durch Umkehr, in: StdZ 192 (1974) 277.

Neufelds Interpretation kehrt - wenn auch sekundär und auf den Ansatz der Selbstmitteilung bezogen - wichtige Anliegen hervor: der Akzent auf der Buße sichert im Denken Rahners einen ursprünglichen Bezug der christlichen Offenbarung zur menschlichen Freiheit, zur Geschichte, zur kirchlichen Gemeinschaft und zur Welt. In ihr kommt die Differenz zwischen dem vergebenden Gott und dem sündigen Menschen zur Geltung. Eine Ontologisierung der Gnade sowie ihre Reduktion zur bloßen Bestätigung menschlicher Wesensstrukturen ist damit von vornherein ausgeschlossen.[31]

In dieser Arbeit zu den evangelischen Räten soll in der Interpretationslinie Neufelds, wenn auch mit anderen Akzenten, nach dem geschichtlichen Profil der gnadenhaften Selbstmitteilung Gottes gefragt werden. Die Erfahrung der gnadenhaften Selbstmitteilung Gottes steht in Bezug zur menschlichen Freiheit, sie ist zwar vorgängig, aber nicht losgelöst von der sittlichen Disposition des menschlichen Subjektes in Armut, Gehorsam, Indifferenz, Askese und Nachfolge.

Im Bedenken der Räte bei Rahner geht es um die strukturelle Einheit von Erkenntnis und Freiheit (Entscheidung), sowie um die Priorität der Selbstmitteilung Gottes, die als konkreter Ruf erfahren wird und damit den Menschen in seiner Ganzheit einfordert.

Rahners Theologie ist nicht bloß die Reflexion über die Gotteserfahrung, sondern will das ignatianische Gebet am Ende der Exerzitien theologisch zur Geltung bringen[32]: »Nimm hin, Herr, und empfange meine ganze Freiheit, mein Gedächtnis, meinen Verstand und meinen ganzen Willen, meine ganze Habe und meinen Besitz. Du hast es mir gegeben, Dir, Herr, gebe ich es zurück; alles ist Dein, verfüge nach Deinem ganzen Willen; gib mir Deine Liebe und Gnade, das ist mir genug.«[33]

Auch die Betonung der Gnadenerfahrung bringt nur *eine* Perspektive der Theologie Rahners zum Vorschein. Ein weiterer Zugang erschließt sich durch die Aufsätze zur Herz-Jesu-Verehrung und die daran anknüpfende Theologie des Symbols.

---

[31] Vgl. K. H. Neufeld, Karl Rahner zu Buße und Beichte, in: ZkTh 108 (1978) 55-61, hier 60f.

[32] Erfahrungen eines katholischen Theologen, in: K. Lehmann (Hg.), Vor dem Geheimnis Gottes 111f.

[33] EB 234 (Übertragung und Erklärung von Adolf Haas); Rahner betet so mit Ignatius in: Segen über das Ende, in: GL 200.

Einer Anregung Hugo Rahners ist es zu danken, die von K. Rahner im Kontext der Herz-Jesu-Verehrung entfaltete Theologie des Symbols in ihrer Bedeutung für das Gesamtwerk zu sehen.[34] Für K. Rahner ist 'Herz' im Gegensatz zu bloßen Gebrauchsworten ein Urwort, in dem das Ganze des menschlichen Daseins in Einheit vor der Trennung von Leib und Seele, Außen und Innen, Denken und Tun, Sein und Erscheinung, Wahrheit und Manifestation zum Ausdruck kommt.[35] Das menschliche Seiende ist notwendig symbolisch, d.h. es drückt sich notwendig aus, um zu sich selbst zu finden.[36] Der symbolische Ausdruck vermittelt das Seiende zu sich selbst. Im Unterschied zu bloßen Vertretungssymbolen (Chiffren, Signalen) ist ein Realsymbol die höchste und ursprünglichste Weise der Repräsentanz. - Im Herz als Realsymbol drückt sich aber der Mensch nicht bloß aus, er vermittelt sich im Ausdruck nicht bloß zu sich selbst, sondern im Herz überschreitet der Mensch seine eigenen Grenzen, er wird geöffnet auf den nicht mehr aussagbaren Grund Gottes hin. Es ist der »Punkt, an dem das Geheimnis des Menschen übergeht in das Geheimnis Gottes«.[37] Das Herz ist im Menschen die Kreuzung zwischen Horizontale und Vertikale.[38] - Das 'Herz-Jesu' - besonders das durchbohrte Herz - ist das sakramentale Symbol der sich selbst mitteilenden Liebe Gottes, die Grund und Geheimnis des menschlichen Daseins ist. Die Kirche stammt aus diesem Herzen ('Ex corde scisso Ecclesia Christo ingata nascitur').[39]

Im Hinblick auf das Thema der evangelischen Räte wird das Symboldenken für die Ausdrücklichkeit der Lebensform (Räte als 'Zeichen' und 'Zeugnis') sowie für die Normierung der Räte durch die Liebe relevant sein.

---

[34] H. Rahner, Eucharisticon fraternitatis, in: Gott in Welt 2, 895-899, hier 897; K. Rahner, Ecclesia ex latere Christi (unveröffentl. Diss.) Innsbruck 1936; zur Herz-Jesu-Verehrung: III, 379-415; VII, 481-508; XVI, 405-420; SG 541ff.517-550; zur Theologie des Symbols: IV, 275-311; Art. Herz, in: HThG 2, 328-336; vgl. K. P. Fischer, Der Mensch als Geheimnis 45-48; J. H. P. Wong, Logos-Symbol in the Christology of Karl Rahner. Foreword by Karl Rahner S. J., Las Roma 1984; M. J. Walsh, The Heart of Christ in the Writings of K. Rahner. An Investigation of its christological Foundation as an Example of the Relationship between Theology an Spirituality (Analecta Gregoriana 209) Roma 1977; A. Callahan, Karl Rahners Spirituality of the Pierced Heart. A Reinterpretation of Devotion to the Sacred Heart, Lanhan - New York - London 1985.

[35] Vgl. III, 381.

[36] IV, 278; vgl. X, 422.

[37] VII, 485; vgl. III, 382.

[38] VII, 137

[39] SG 538

Auch mit dem Symboldenken läßt sich nicht das Ganze der Theologie Rahners systematisieren. Die Hinwendung zu den aposteriorischen, unableitbaren und praktischen Dimensionen des Glaubens führt etwa ab 1965 zu einer noch stärkeren Auffächerung der Methoden und Stile. Rahner spricht selbst von seiner »indirekten Methode«.[40]

»Indirekte Methode«[41]

Ab 1965 kristallisiert sich im Gespräch mit der Paulusgesellschaft, mit der 'Theologie der Welt' sowie der 'Politischen Theologie' seines Schülers Metz der Primat der Praxis im methodischen Bewußtsein heraus. Nicht zufällig fällt die Arbeit am »Handbuch für Pastoraltheologie« in diese Phase (ab 1964). Dem Vorrang der Erfahrung und der Lebenspraxis vor jeder Reflexion und Systematik versucht er mit der »indirekten Methode« gerecht zu werden. Indem er die Methode als 'indirekt' bezeichnet, will er ausdrücken, daß die methodische Reflexion auf die Lebens- und Glaubenspraxis hin orientiert ist und diese nie einholen kann. In seiner Theologie geht es ihm deshalb nicht um Methode oder um Wissenschaft an sich, sondern eher um eine Form der »haute vulgarisation«.[42] Ausgangspunkt ist die konkrete spirituelle Erfahrung, sind Alltagsfragen und Augenblicksbedürfnisse, das Anliegen der Vermittlung und die Orientierung am Hörer. Nach eigenen Aussagen läßt er Aufgaben und Anforderungen des Tages an sich herantragen. »Der Kanon ist das Leben, nicht das gewählte, sondern das aufgedrängte, das unbequeme Leben.«[43] Von diesem Ausgangspunkt, d.h. von der »indirekten Methode« her erklärt sich die Pluralität in den Aussageformen und Sprachstilen (Vortrag, Brief, Zeugnis, Argumentation, Gebet). Auch in den Ausführungen über die Räte wird kein situationsunabhängiges spi-

---

[40] IX, 87

[41] Vgl. Art. Pluralismus, in: LThK² 8, 566f.; Kleine Fragen zum heutigen Pluralismus in der geistigen Situation, in: VI, 34-45; Überlegungen zur Methode in der Theologie, in: IX, 81-90; Einige Bemerkungen zu einer neuen Aufgabe der Fundamentaltheologie, in: XII, 198-211; Die »indirekte Methode« als erste Reflexionsstufe im Grundkurs 5f.; sekundär: E. G. Farrugia, Aussage und Zusage. Zur Indirektheit der Methode Karl Rahners, veranschaulicht an seiner Christologie, Rom 1985; K. Neumann, Der Praxisbezug bei Karl Rahner, bes. 72-75.

[42] Vgl. IX, 87; Im Gespräch II, 150f.: »Ich bin kein Wissenschaftler und will auch keiner sein, sondern ich möchte ein Christ sein, dem das Christentum ernst ist, der unbefangen in der heutigen Zeit lebt und von da aus sich dann dieses und jenes und ein drittes und ein zwanzigstes Problem geben läßt, über das er dann nachdenkt; wenn man das dann 'Theologie' nennen will, ist das ja gut.«

[43] J. B. Metz, Theologie als Biographie, in: Glaube in Geschichte und Gesellschaft 200; vgl. Gnade als Mitte, in: HK 28 (1974) 78.

rituelles System entworfen. Er schreibt aus der Tuchfühlung mit den Menschen[44], mit kirchlichen Gruppen und aus einer Verbundenheit mit der Universalkirche und nicht zuletzt: K. Rahner war Jesuit, d.h. er hat als Ordensmann nach den Räten gelebt. Gerade in den Aufsätzen, Betrachtungen und Briefen über die Räte zeigt sich die enge Verklammerung von persönlicher Erfahrung, eigenem Zeugnis, biographischer Theologie, zentralen systematischen Themen und solidarischer kirchlicher und gesellschaftlicher Praxis.

Die Aufsätze über die Armut wurzeln zunächst in Konferenzen, Vorträgen und Exerzitien vor Priestern und Ordensleuten.[45] Nach dem Konzil bewegt ihn die Frage nach der Armut der Kirche im Ganzen, nach der Kirche der Armen und der armen Kirche.[46] Die Armut wird eingebettet in soziale Konfliktfelder, wie z.B. in den Nord-Süd-Konflikt. In den 70er und 80er Jahren steht die Armut wieder im Mittelpunkt der Spiritualität von Priestern und Ordensleuten[47]; der soziale Kontext und die solidarische Praxis sind dabei integriert.

Zur Ehelosigkeit äußert er sich zunächst in Exerzitienkursen[48]; dann greift er in Form eines Briefes[49], in Vorträgen vor Verantwortlichen in der Priesterausbildung[50] oder in Interviews[51] in die Zölibatsdiskussion Ende der 60er und Anfang der 70er Jahre ein. Im Kontext des Priestermangels werden schließlich Akzente im Hinblick auf den Pflichtzölibat verlagert.[52]

Verschiedene Fäden greift Rahner auch in Fragen des Gehorsams auf. Er beteiligt sich an der Diskussion der Nachkriegszeit über Freiheit und Gehorsam in der Kirche. Wenn er das weite Feld der Kirchlichkeit des Glaubens beleuchtet, erinnert er an die notwendige Freiheit des Geistes.[53] Die existentialethischen Fragestellungen gehen in die 'Logik der existentiellen Erkenntnis' mit den 'konkreten Imperativen' ein. Rahner

---

[44] Vgl. Karl Rahner - Bilder eines Lebens 80.133; dazu auch H. Vorgrimler, Karl Rahner 10.

[45] BigEB 22f.68f.177f.; EpEx 105f.; VII, 435-478.520.

[46] Die Unfähigkeit zur Armut in der Kirche, in: X, 520-530; Kritisches Wort 77f., Hungern für Biafra, in: Orientierung 33 (1969) 25-27.

[47] XIV, 198-201 (Weltpriester); XV, 386ff. (Rede des Ignatius an einen Jesuiten von heute).

[48] BigEB 78f.265.; EpEx 129f.

[49] Der Zölibat des Weltpriesters im heutigen Gespräch, in: KCh 176-207.

[50] Der Zölibat des Weltpriesters im heutigen Gespräch. Eine Antwort, in: ChG 165-187.

[51] Im Gespräch I, 63-66.68-75.

[52] Pastorale Dienste und Gemeindeleitung, in: XIV, 132-147.

[53] Das freie Wort in der Kirche, Einsiedeln 1953; Freiheit in der Kirche, in: II, 95-114; Löscht den Geist nicht aus, in: VII, 77-90; vgl. dazu: A. Müller, Das Problem von Befehl und Gehorsam im Leben der Kirche, Einsiedeln 1964, passim.

versucht aber auch eine biblische und christologische Begründung des Gehorsams. Schließlich geht er Konfliktsituationen im Gehorsam von Priestern und Ordensleuten nicht aus dem Weg.[54]

Die »indirekte Methode« auf die Räte als Trias und im einzelnen angewandt, macht es unmöglich, daß sich das Thema entlang eines roten Fadens im systematischen Sinn behandeln lassen würde. Zu divergierend sind die Situationen und Anknüpfungspunkte für die Betrachtungen, Erwägungen, Gebete und Briefe. Wenn er die Trias in ihrer Einheit auslegt, setzt er z.T. andere Akzente als in den Ausführungen über einen einzelnen Rat. Synchrone Schnitte ergeben nicht einfach einen konsequenten Gedanken, der sich überall gleichzeitig durchziehen würde. So deutet er in einem Aufsatz über die Trias der Räte die Armut noch vornehmlich von der Askese her, gleichzeitig wird in einem anderen schon die Solidarität mit den Armen ins Zentrum gerückt. Natürlich widersprechen sich z. B. Askese als Zeichen der Transzendenz und Solidarität nicht. Rahner selbst baut aber nicht sofort eine Brücke zwischen beiden Aspekten, um etwa das Ganze ausgewogen abzurunden. Zudem stehen die Räte im Kontext eines bewußten anti-systematischen 'agere contra': In einer Zeit, in der er auf der 'epochalen' Einheit von Gottes- und Nächstenliebe insistiert, betont er zugleich in einem Brief an Karmelitinnen[55] die Unaufgebbarkeit des kontemplativen Lebens und liefert etwa gleichzeitig ein leidenschaftliches Plädoyer für den priesterlichen Zölibat - und zwar gerade nicht funktional auf den Einsatz für den Nächsten hin.

Wenn Rahner die »indirekte Methode« bewußt anwendet und so manches unvermittelt nebeneinander steht, so hat er sich doch nicht im Detail verloren oder in ein Spezialistentum geflüchtet. Vor die Wahl gestellt, Spezialist eines Teilbereiches oder ein 'Dillettant des Ganzen' zu sein, will er lieber Rechenschaft über das Ganze des Christseins leisten. In einem Spezialistentum ohne Einheit sieht er die Auflösung der Theologie.[56]

---

[54] Marginalien zum Gehorsam, in: SG 493-516; Christus als Beispiel des priesterlichen Gehorsams, in: KCh 142-175; Was heißt Ordensgehorsam?, in: WCh 159-174; Art. Gehorsam, in: KThW 137.

[55] In: ChG 89

[56] Vgl. Gnade als Mitte, in: HK 28 (1974) 82; Einfache Klarstellung zum eigenen Werk, in: XII, 604; Die theologische Ausbildung der Priesteramtskandidaten, in: HPTh IV, 497-510; dazu: K. Neumann, Der Praxisbezug 91-98.

Die Einheit der Spiritualität und Theologie sieht Rahner bei Thomas von Aquin exemplarisch vorgebildet.[57] Es ist für Rahners Person eine »historische Tatsache, daß sein Theologisieren von der Erfahrung der ignatianischen Exerzitien ausging und faktisch im Lichte des Gedankens solcher Wirksamkeit des Geistes geprägt wurde.«[58] Spirituelle Erfahrung und gelebtes Zeugnis werden bei Rahner zu 'loci theologici'. Spiritualität und Theologie haben sich der philosophischen Reflexion zu stellen, weil sich Offenbarung und Glaube im modernen Welt- und Selbstverständnis auszulegen haben, wenn sie nicht in die Mythologie zurückfallen wollen. Hinter der Zuordnung von Philosophie und Theologie steht letztlich die Überzeugung von der Einheit der Wirklichkeit, die in ihrem Innersten durch die Selbstmitteilung Gottes konstituiert wird.[59] Die asketische und spirituelle Literatur ist für Rahner ein »innerer Wesensteil« der Moraltheologie[60]; diese wiederum ist ein inneres Stück der Dogmatik. Rahner beklagt die Trennung der Moraltheologie von der Dogmatik, die dem Mittelalter fremd war, weil dadurch die Dogmatik praxisfern und die Moraltheologie untheologisch geworden sei. In seinem Grundentwurf gehören Wahrheit und Liebe, Theorie und Praxis zusammen.[61]

Die evangelischen Räte - traditionell in der Askese (Spiritualität) und in der Moraltheologie abgehandelt - stehen in Rahners »Aufriß der Dogmatik« im Bezugsrahmen der theologischen Anthropologie des Erlösten; in dieser werden sie dem »Sterben mit Christus«[62] zugeordnet. - De facto stehen sie bei ihm jedoch - auf Grund der strukturellen Einheit seiner Theologie - in Interdependenz mit dem Ganzen seines Denkens; es entspricht seinem hermeneutischen Prinzip, daß ein Teil nur vom Ganzen her zu verstehen ist[63]; dieses Ganze ist für ihn ein Strukturgefüge, es schließt das konkret gelebte Leben, Philosophie, Theologie mit verschiedenen Disziplinen, Spiritualität, Theorie und Praxis, Vergangenheit, Gegenwart und Zukunft, das Verhältnis zwi-

---

[57] Glaube, der die Erde liebt 152; vgl. XII, 436.

[58] XII, 11

[59] Vgl. K. Lehmann, Karl Rahner. Ein Porträt, in: K. Lehmann/A. Raffelt (Hg.), Rechenschaft des Glaubens 31*.

[60] DynK 148

[61] I, 25; vgl. Art. Dogmatik, in: SM I, 918; Zur Reform des Theologiestudiums 22.

[62] Über den Versuch eines Aufrisses einer Dogmatik, in: I, 9-47, hier 44.

[63] »Daß jedes es selber und von anderen verschieden nur ist in seiner Einheit mit dem anderen« (GW 80); dazu P. Eicher, Die anthropologische Wende 68ff.

schen Gott und Welt, zwischen Welt und Heil ein, wobei die Veränderung eines Momentes auch die anderen Aspekte in ein neues Licht rückt. Die evangelischen Räte sind somit nicht in sich isoliert abzuhandeln: sie sind im Kontext der Existentialien des Menschen (als leiblich-materielles Lebewesen, geistig personales Kulturwesen, religiös gott- und christusbezogenes Wesen)[64] zu befragen; sie sind im Zusammenhang von Erkenntnis und Freiheit zu artikulieren; ihr Platz ist im Rahmen der Gnadenerfahrung (Selbstmitteilung), der Christologie und der Ekklesiologie zu eruieren; die biblische Grundlegung ist ebenso aufzugreifen wie das Zeugnis der spirituellen Tradition und die Struktur geistlicher Grundvollzüge (Trost, Ruf, Wahl, Nachfolge, Erfahrung).

Auf Grund dieser komplexen Situiertheit der Räte in einem komplexen theologischen Denken gehen wir in unserer Untersuchung folgendermaßen vor: In einem ersten Gedankengang fragen wir nach der Präsenz der Räte an zentralen Knotenpunkten der Philosophie und Theologie Rahners. Zugleich ist auszuloten, welche Konsequenz das Verständnis systematischer Knotenpunkte für die Räte in konkreter Perspektive hat. Parallel dazu gehen wir in einem zweiten Schritt von den expliziten Ausführungen über die Räte aus, um von da aus die Linien zum Ganzen zu ziehen. Dabei wird zu beachten sein, wie das gelebte Zeugnis der Räte systematische Verkürzungen sprengt. Schließlich ist zu bedenken, daß Rahner z.T. auch über die Räte schreibt, ohne die Verbindungslinien zum Ganzen zu ziehen. Die Konkretionen von Armut, Ehelosigkeit und Gehorsam haben gelegentlich ihr Eigengewicht, das nicht mehr systematisch vermittelt ist.

Erstes Kapitel

Die Räte im Horizont einer ontologischen Anthropologie

I. Der Mensch in der Welt

In »Geist in Welt« will Rahner die »Metaphysik der endlichen Erkenntnis bei Thomas von Aquin« mit Hilfe der neuzeitlichen Transzendental-

---

[64] Vgl. Art. Existential, in: SM I, 1298-1300; vgl. II, 253.

philosophie, die ihm besonders durch J. Maréchal vermittelt wurde, neu bedenken.[65] In diesem ersten philosophischen Ansatz ist nicht ausdrücklich von den Räten die Rede. Die Grundpositionen sind aber als Vorverständnis für die Räte mit entscheidend.

Die Grundfrage nach menschlicher Erkenntnis besteht darin, wie Rezeptivität (Vorfinden in der Welt, Sinnlichkeit) als passives Bewußtwerden und Spontaneität ('conversio intellectus ad phantasma') als Freiheit, Geist in Einheit zu denken sind.[66] Bedingung der Möglichkeit dieser Einheit ist es, daß Selbstsein (Freiheit) und Erkennen (Bestimmtwerden durch das andere) nicht in einem zufälligen, äußerlichen oder nachträglichen Verhältnis stehen, sondern im Bei-sich-Sein ursprünglich eins sind.

Das Erkennen ist die Subjektivität des Seins selbst[67]: In der Erkenntnis des anderen muß das Erkennende selbst das Sein des anderen werden. Das andere kann »nicht selbst von sich her und an sich selbst Sein haben.«[68] Und doch muß das andere reales Prinzip des Erkennenden sein. »Jenes wirkliche Nichtseiende, als dessen Sein ein Sein von sich selber geschieden ist, heißt thomistisch materia prima. Hinnehmende Erkenntnis ist ... wesentlich nur als Sein eines Materiellen denkbar, ist Sinnlichkeit.«[69] Die sinnliche Erkenntnis ist die »schwebende Mitte zwischen einer restlosen Verlorenheit an das andere und einer inneren Unabhängigkeit gegen dieses.«[70] Die Einheit von Innerlichkeit und Äußerlichkeit geschieht in der 'species sensibilis': diese ist einerseits der »Selbstvollzug des Gegenstandes« und dessen »stellvertretende Wirkung und muß zugleich mit dem Selbstvollzug des Subjektes in der Sinnlichkeit ontologisch identisch sein«.[71] Das Subjekt ist in seiner Bindung an die Sinnlichkeit frei: »Index der Freiheit des Geistes in seiner Bindung an die Sinnlichkeit «ist die *negatio.*«[72] Die 'negatio' ist die Er-

---

[65] Vgl. GW; HW; Die Wahrheit bei Thomas von Aquin (1938), in: X, 21-40; sekundär: P. Eicher, Die anthropologische Wende; N. Schwerdtfeger, Gnade und Welt. Zum Grundgefüge von Karl Rahners Theorie der 'anonymen Christen', Freiburg 1982, 99-126; T. Mannermaa, Lumen fidei et objectum fidei adventicium (Dt. Zus. Die Spontaneität und Rezeptivität der Glaubenserkenntnis im frühen Denken Karl Rahners) Helsinki 1970.

[66] GW 79ff.89f.; vgl. die zwei 'Stämme menschlicher Erkenntnis' bei Kant: Sinnlichkeit und Verstand. Die Einheit von beiden ermöglicht Erkenntnis (KrV B 75); »Begriffe ohne Anschauungen sind leer, Anschauungen ohne Begriffe sind blind« (KrV B 75).

[67] GW 81f.

[68] GW 92f.

[69] GW 93

[70] GW 94

[71] GW 100.107 ('sensibile in actu est sensus in actu'); HW 109; X, 26.

[72] GW 301; vgl. P. Eicher, Die anthropologische Wende 25ff.

möglichung der 'reditio subjecti in seipsum'. Die Einheit der Differenz zwischen geistiger Spontaneität und sinnlicher Rezeptivität denkt Rahner als »selbsterwirkte Rezeptivität«[73]: der Empfangende (Leidende) ist nie rein empfangend, er vollzieht die übernommene Einwirkung als eigene Möglichkeit, die von ihm selbst getragen wird.[74] Ein Geistiges-Seiendes kann im Sinn einer innerweltlichen Einwirkung nicht 'secundum formam' erleiden.[75] Der Leidende eignet sich die Einwirkung in einer aktiven Übernahme an. Im geistigen Bereich ist es »kein Widerspruch, daß die Bestimmung des Leidenden von außen in strenger Identität seine eigene Tat von innen ist.«[76] Die Freiheit wird primär als »Vermögen der Selbstbestimmung« und als »Selbstverfügung des Menschen über sich selbst«[77] gedacht.

Als vorläufiges Zwischenergebnis für unser Thema sei von der frühen Metaphysik der Erkenntnis her festgehalten: im Bereich der Interaktion zwischen endlichen Subjekten kann es von der 'selbsterwirkten Rezeptivität' her keine reine Passivität und in diesem Sinne keine reine Armut und keinen bloßen Gehorsam geben. Das Subjekt steht immer schon in einem Kräfteverhältnis, in dem der eigenen Freiheit die ontologische Priorität zukommt. Formal geht es dem Subjekt immer um sich selbst; Freiheit ist primär Selbstverfügung. So gesehen aber gibt es zunächst keine ontologische Fundierung der Räte wie etwa bei von Balthasar (vgl. S. 28-57).

An diesem Punkt ist Rahner kritisch zu beleuchten: wenn das Subjekt zur Bezugsmitte wird (es geht ihm um sich selbst!), dann ist das Objekt auf das zu sich selbst kommende Subjekt hingeordnet. Das Anderssein ist das Negierte der subjekthaften Identität ('negatio' als Index von Freiheit). So kommt das andere und vor allem das personale Du nicht um seiner selbst willen in den Blick. Interaktion im personalen Zwischen-raum, die Gratuität der Gabe des Du, das Anderssein des Anderen als 'forma in se subsistens' kommen nicht ausreichend zur Geltung.[78] Aporetisch ist letztlich auch der in der 'Metaphysik der Sinnlichkeit' vorherrschende Materie-Begriff der thomistischen 'materia prima'; auf der Linie von »Geist in Welt« wird Rahners Symbolbegriff idealistisch und monistisch sein: »Eine Pluralität in einer ursprünglichen und als ur-

---

[73] Vgl. P. Eicher, a.a.O. 223ff.
[74] Vgl. GW 331-366; HW 168-171.
[75] GW 342
[76] GW 357
[77] HW 130; vgl. II, 260; V, 119; VI, 223; Art. Freiheit, in: SM II, 98.
[78] Vgl. H. J. Verweyen, Ontologische Voraussetzungen des Glaubensaktes, Düsseldorf 1969, 182f. 188ff.

sprünglich übergeordneten Einheit kann nur so begriffen werden, daß das Eine sich entfaltet, das Plurale also aus einem ursprünglichst 'Einen' in einem Entsprungs- und Abfolgeverhältnis hervorkommt, die ursprünglichste Einheit, die auch die das Plurale einende Einheit bildet, sich selbst behaltend in eine Vielheit sich entläßt und 'ent-schließt', um dadurch gerade zu sich selbst zu finden.«[79] In Konsequenz dazu dient das Symbol dem Selbstvollzug des Subjektes; es entspringt weniger der Begegnung und ist nicht primär als Verleiblichung von Beziehung zu fassen. Rahner wird diese Einwände später selbstkritisch aufgreifen.[80] Zum mitmenschlichen Du, zu einem positiven Verständnis der Welt kommt Rahner (mit Ignatius) aus der asketischen, die Welt lassenden Begegnung mit Gott heraus. Der christologisch orientierte Abstieg Gottes zur Welt ist in den frühen philosophischen Schriften noch nicht ausdrücklich artikuliert. So wird bei Rahner der Weg zu einem Verständnis der Räte als positivem Vollzug von Intersubjektivität lange sein.

Zunächst haben wir uns der ontologischen Grundlegung des Menschseins vor Gott zuzuwenden. Dabei geht es um die Grundlegung der Räte in einer ontologischen Anthropologie.

II. Der Mensch vor Gott: Hörer des Wortes

1. Excessus in infinitum: Vorgriff auf das Sein

Es zeigte sich bereits: Es gibt eine Einheit von Geist und Sinnlichkeit. Bedingung der Möglichkeit für die geeinte Einheit von Geistigkeit und Sinnlichkeit, für die 'reditio subjecti in seipsum', für die Freiheit als Selbstverfügung ist nun der 'excessus' (Vorgriff) auf ein Mehr, das die sinnliche Anschauung übersteigt. Dieser Vorgriff ist der 'intellectus agens'.[81] In ihm geschieht die Erkenntnis der Endlichkeit des Gegenstandes als Endlichem. Dafür muß er 'immer schon' über das bloß Endliche hinaus sein. Das Woraufhin des Vorgriffs ist zwar als 'ens commune' jeder Konkretion entleert: als Allgemeinstes ist es - losgelöst von

---

[79] IV, 282 (Zur Theologie des Symbols); vgl. IV, 305; zur Kritik an Rahners Materie- und Symbol-Begriff vgl. F. Schupp, Glaube - Kultur - Symbol. Versuch einer kritischen Theorie sakramentaler Praxis, Düsseldorf 1974, 215.

[80] Zu Rahners Selbstkritik am Verständnis von Erkenntnis und Freiheit als Bei-sich-Sein und Selbstverfügung vgl. VI, 287 und Gnade als Mitte, in: HK 28 (1974) 84.

[81] GW 153; HW 77ff.; vgl. dazu ausführlicher P. Eicher, Die anthropologische Wende 138-140.

jeder Konkretion - das Unvollkommenste.[82] Da aber in der Erkenntnis das Seiende als wirkliches bejaht wird, kann der Vorgriff nicht auf das Nichts gehen. Der Vorgriff geht auf das 'esse an sich', das notwendig - auch im Zweifel oder in der Verneinung - als wirkliches, als 'esse absolutum' bejaht wird. In letzter Analyse muß man sagen: »der Vorgriff geht auf Gott« ('omnia cognoscentia cognoscunt implicite Deum').[83] Von diesem 'esse absolutum' wird die dynamische Einheit von Geist und Sinnlichkeit ermöglicht. Der menschliche Geist *kann* im Vorgriff auf das Sein die Sinnlichkeit aus sich entlassen und umgreift diese schon; er *muß* sie aus sich entlassen und bleibt so in dynamischer Hinordnung in der Differenz zum absoluten Sein.[84] In »Geist in Welt« bricht innerhalb der Erkenntnismetaphysik der Aspekt der Tat, der Freiheit, des Willens auf: der 'intellectus' ist 'agens', d.h. dynamische »Begierde, Streben, Handeln« mit dem 'esse absolutum' als Ziel.[85] Die Akzentverlagerung von der Erkenntnisanalyse zum Bedenken der Freiheit wird ansatzweise schon in »Hörer des Wortes« vollzogen. Ausgeführt ist sie im theologischen Kontext der 'Konkupiszenz'[86] und des Themas 'Gnade als Freiheit'.[87] - Hier soll nur der transzendentale Aufweis angedeutet werden: in der Freiheitsentscheidung verfügt der Mensch über sich als Ganzes, d.h. die Entscheidung richtet sich nicht so sehr auf einen konkreten Gegenstand, sondern auf das frei handelnde Subjekt selbst; sie ist »wesentlich eine Verfügung des Menschen über sich selbst«.[88] Der Mensch bleibt dabei in der Differenz zwischen 'Person' und 'Natur'; er kann die eigene Freiheit nie einholen und erfährt den Grund der eigenen Freiheit seiner Verfügung entzogen. Wenn der Mensch endgültig über sich selbst verfügt, so bejaht er notwendig das 'esse absolutum' als Freies. Gott als absolute Freiheit ist die Bedingung der Möglichkeit menschlichen Freiheitsvollzuges. In der Dynamik der Bewegung seines Wesensvollzuges in Denken und Handeln, in der Wahl eines Gegenstandes und in der Selbstverfügung steht der Mensch notwendig vor Gott[89], den er - notwendig - als Wirklichen und Freien mitbejaht.

[82] GW 186

[83] GW 190

[84] GW 287

[85] GW 285

[86] Zum theologischen Begriff der Konkupiszenz, in: I, 377-414, hier 391ff.

[87] Vgl. Würde und Freiheit des Menschen, in: II, 247-277; Theologie der Freiheit, in: VI, 215-237; G 46-50; Art. Freiheit, in: SM II, 95-98; GF.

[88] I, 392

[89] III, 340; vgl. I, 392; II, 260; V, 119; VI, 217.

Dieser ontologische Aufweis konstituiert keine Erkenntnis objektiver Art. Auf metaphysischer Ebene bleibt das Erkennen des Seins (Gottes) in der Schwebe der Fragbarkeit. Weil nach einem schlechthin Unerkennbaren nicht gefragt werden kann, muß es eine grundsätzliche Erkennbarkeit des Seins geben. Der Mensch muß aber fragen: das Wissen um das 'esse absolutum', um Gott, ist implizit, und bleibt vom Menschen her leer.[90] Das Wissen um Gott als das Woraufhin menschlicher Erkenntnis und Freiheit ist Bewußtsein einer leeren Offenheit und Verwiesenheit. Die philosophische Gotteserkenntnis macht vor den Toren der Offenbarung und Gnade halt.

In »Geist in Welt« ist noch nicht vom personal, geschichtlich sich offenbarenden Gott die Rede. Grundgelegt - und das ist für unser Thema entscheidend - ist die Struktur menschlicher Erkenntnis und Freiheit in ihrer Dynamik auf Gott hin und in ihrer Differenz zu Gott. Während das Strukturverhältnis zwischen endlichem Subjekt und absolutem, unendlichem Sein in »Geist in Welt« stärker von der Dynamik des Vorgriffs, von der Selbsttranszendenz des Menschen akzentuiert wird, erfährt dieses Verhältnis in »Hörer des Wortes« wie in anderen frühen spirituellen Aufsätzen eine gewisse Umpolung: das endliche Subjekt erhält sein spezifisches Profil vom Empfang her, und das impliziert Askese, Indifferenz, Armut und Gehorsam. Die Dynamik des menschlichen Selbstvollzugs, die Ekstase des menschlichen Seins in der Metaphysik endet im Warten der »ewig wachen Bereitschaft des Menschen, hinaus zu lauschen, ob dieser ferne, schweigende Er vielleicht sprechen will.«[91] Der Vorgriff als 'agens' wird in die Ekstase des Sich-Überlassens übergeführt: »Nicht ich habe dich begriffen, sondern du hast mich ergriffen.«[92] »Ich werde erkennen, wie ich erkannt bin.«[93] So aber wird Raum dafür geschaffen, die Räte ontologisch und ethisch zu situieren.

---

[90] GW 81; vgl. dazu M. Cabada-Castro, Ort und Bedeutung des philosophischen Gottesbegriffs im Denken Karl Rahners, in: WT 160-175.

[91] III, 338

[92] GL 29; letztlich wird Thomas von Bonaventura her verstanden, vgl. den Aufsatz: »Die Lehre von den 'geistlichen Sinnen' im Mittelalter«. Der Beitrag Bonaventuras (1933), jetzt in: XII, 137-172; vgl. dazu K. P. Fischer, Der Mensch als Geheimnis 189ff., der neben Bonaventura auf das ignatianische 'suscipe' (EB 234) verweist.

[93] Gott der Erkenntnis, in: GL 31.

2. Hörer des Wortes - »potentia oboedientialis«

Das implizite leere Bewußtsein um Gott kann vom Menschen nicht eigenmächtig in ein Wissen objektiver Art umgewandelt werden. Die Freiheit Gottes kann sich dem Menschen verbergen und offenbaren. Ein positives, eindeutiges und endgültiges Verhältnis zur Freiheit des absoluten Geheimnisses kann nicht vom Menschen, sondern nur von Gott selbst gestiftet werden.[94] Der Mensch hat keinen Anspruch auf eine Offenbarung des schweigenden Geheimnisses. Eine solche bleibt freie Tat Gottes, die keine einklagbare Voraussetzung in der Welt hat.[95] Der Ort der sich offenbarenden Transzendenz 'muß' die Geschichte sein, wenn er dem Menschen nicht total entzogen sein will: »Gott kann nur das offenbaren, was der Mensch hören kann.«[96] Die sich offenbarende Transzendenz Gottes 'muß' auf den Menschen so zukommen, daß dieser ihn in seiner Eigentümlichkeit als »Geist in Welt«, als »Transzendenz in Geschichte« hören kann. Schnittpunkt dieser Linie von Transzendenz und Geschichte ist für Rahner das Wort: Im Wort kann ein außerweltlich Seiendes dem endlichen Geist gegeben werden.[97] »Der Mensch ist jenes Seiende, das in seiner Geschichte auf die möglicherweise im menschlichen Wort kommende geschichtliche Offenbarung horchen muß.«[98] Er muß hören, weil er von sich aus seine letzte Wesensbestimmung und Wesenserfüllung nicht leisten und die dafür notwendige Offenbarung Gottes nicht einfordern kann. Er kann hören, weil er »Geist in Welt« und somit selbst geschichtlicher Ort der Transzendenz ist. Diese Analytik des Daseins als Hörenkönnen und Hörenmüssen auf eine mögliche freie Offenbarung nennt Rahner auf der Linie der Tradition 'potentia oboedientialis': diese ist die mit dem geistig-personalen Wesen identische, in Erkenntnis und Freiheit vollzogene »Möglichkeit der Kreatur, unter der gehorsam angenommenen Verfügung und Wirkmacht Gottes eine Bestimmung zu erhalten.«[99]

Somit laufen »Geist in Welt« und »Hörer des Wortes« auf eine ontologische Grundlegung ignatianischer Frömmigkeit hinaus: diese sieht den Menschen in seiner Gehorsamspflicht vor dem freien, souverän verfü-

---

[94] HW 30
[95] HW 194
[96] HW 142; zum Ganzen: HW 135-149.
[97] HW 190; zum Ganzen: 185-202.
[98] HW 200
[99] Art. Potentia oboedientialis, in: SM III, 1245-1249, hier 1245.

genden Gott jenseits aller Welt.[100] Der Mensch ist verwiesen auf die Offenbarung in Christus, demgegenüber die Metaphysik nur den Aufweis erbringen kann (und muß), daß der Mensch unentrinnbar vor Gott steht; sie thematisiert den 'Imperativ', auf Gottes Wort zu hören.[101] So gesehen gehören die Räte mit zur ontologischen Grundstruktur der ignatianischen Frömmigkeit: die dem Geschöpf vor dem frei verfügenden Gott eigene Haltung schließt Askese - im weiteren Sinn versteht Rahner darunter den Willen zum 'geistlichen Leben' -, Armut und Gehorsam ein.[102] Konkret wird dies in einem ersten Wesenszug der ignatianischen Frömmigkeit, der Indifferenz.[103] Mit der Indifferenz ist die Bereitschaft gemeint, sich vom Willen Gottes finden und ergreifen zu lassen und diesen zu tun. Wenn das Geheimnis Gottes zum Mittelpunkt der Existenz werden soll[104], dann ist Indifferenz, d.h. ein relativierender Abstand zu allem, was nicht Gott ist, gefordert: zu den Dingen und auch zur eigenen Person. Der Gehorsam dem freien souveränen Gott gegenüber schließt also ein *Arm*werden, ein Lassen der Welt, d.h. Askese und Entsagung ein. In dieser Disposition rechnet der Mensch damit, daß »Gott ihm frei, persönlich und geschichtlich seinen Willen kundtut.«[105] Rahner betont in der frühen Phase die Freiheit Gottes[106], er differenziert scharf zwischen Erfahrung und Offenbarung, zwischen 'Menschsein' und übernatürlichem Leben: »Denn diese Übernatürlichkeit unseres Lebens aus Gott besagt, daß dieses Leben frei schöpferische, unableitbare Tat Gottes ist, daß dieses Leben nicht vom Menschen her errechnet werden, nicht als Erfüllung oder gar als Echo der bloß menschlichen Sehnsüchte gedeutet werden kann. Im Ruf zu solchem Leben heißt vielmehr Gott den Menschen ausziehen aus den irdischen Bezirken seines Seins, weist ihn über die Bahnen hinaus, die ihm sein eigenes Wesen vorschreibt. Solcher Ruf ist daher nie schon einfach mit dem Menschen gegeben und mit den Gesetzen, nach denen er angetreten. Solcher Ruf ertönt also nicht einfach schon dadurch, daß ein Mensch ist, ist nicht einfach das ewige, alle verpflichtende, allen

---

[100] Vgl. III, 329-348, bes. 336; dazu ausführlicher: K. P. Fischer, Gotteserfahrung. Mystagogie in der Theologie Karl Rahners und in der Theologie der Befreiung, Mainz 1986, 43.

[101] HW 211; vgl. III, 340; vgl. K. P. Fischer, Der Mensch als Geheimnis 97-105.170ff.

[102] BigEB 71-73; zum Zusammenhang zwischen Askese und Philosophie vgl. HW 132f.: »Philosoph kann nur sein, wer geistig in Tempeln und Klöstern wohnt.«

[103] III, 329-348; vgl. ferner AMV 68f. (Klemens von Alexandrien), 75ff. (Origenes), 103ff. (Evragius Ponticus); Gott meiner Gebote, in: GL 36; Ignatianische Frömmigkeit und Herz Jesu Verehrung, in: SG 517-540; BigEB 22ff.27.

[104] III, 342; SG 520.

[105] DynK 83; vgl. III, 341; BigEB 19-21.

[106] HW 37f.123.184-186; vgl. Gott meines Lebens, in: GL 24.33.

gleich einleuchtende Gesetz des Wahren und Guten, sondern ist Setzung, ist göttlich unbegreifliche 'Willkür', das heißt: Wahl seiner Freiheit.«[107] In Askese, Indifferenz, Armut und Gehorsam wird der Raum für die personale Gotteserfahrung offen gehalten, ohne daß dabei Offenbarung und Ruf vorweggenommen oder 'immer schon' mit dem Selbstvollzug des Subjektes gegeben wären. Um der Freiheit Gottes und um der Bedeutung der konkreten Geschichte willen bleibt das Ärgernis der »zufälligen Geschichtswahrheit«[108] bestehen. HW und die spirituellen Schriften der frühen Phase öffnen den Raum für ein personal geschichtliches Verständnis von Offenbarung.[109] Bevor wir aber in Kapitel 3 und 4 auf die geschichtliche Offenbarung und den konkreten Ruf eingehen, müssen wir zunächst im folgenden Kapitel Rahners Weiterführung der 'potentia oboedientialis' und seine Theorie des 'übernatürlichen Existentials' beleuchten. Diese versucht das Verhältnis von Natur und Gnade zu präzisieren und stellt in gewisser Hinsicht eine Revision des offenen Naturbegriffs der frühen Phase dar. Im Hinblick auf das Thema der Räte geht es um die theologischen Grundlagen des unmittelbaren Handelns Gottes am Geschöpf im Ruf, um die trinitarische Struktur des Rufes, um die Universalität des Berufungsbegriffes sowie um das Ineinander von transzendentaler und geschichtlicher Dimension der Räte.

---

[107] Vom Sinn der häufigen Andachtsbeicht (1934), in: III, 219; vgl. Gott meiner Sendung, in: GL 124f. (»Dein Heiliger Geist weht, wo er will, nicht, wo ich will, er ist nicht einfach immer schon da, wo ein Mensch ihn haben will.«); vgl. dazu K. Neumann, Praxisbezug 142ff.

[108] III, 220

[109] Insofern trifft der Vorwurf nicht zu, daß Rahner in seiner frühen Phase noch von einem Instruktionsmodell von Offenbarung und damit von einer faktizistischen Geschichtsauffassung und einem objektivistischen und apersonalen Offenbarungsverständnis ausgehe, wie ihn z. B. E. Simons, Philosophie der Offenbarung 61-72, u. a. im Anschluß an die von J. B. Metz in HW² 187 zugefügte Anm. 2 erheben; dagegen: T. Mannermaa, Eine falsche Interpretationstradition von Karl Rahners 'Hörer des Wortes'?, in: ZkTh 92 (1970) 204-209.

Zweites Kapitel

Die Räte als Strukturprinzip des »Übernatürlichen Existentials«

I. Selbstmitteilung Gottes

Im Aufsatz »Über das Verhältnis von Natur und Gnade«[110] entwickelt Rahner - ausgehend von der traditionellen Lehre über die unmittelbare Anschauung Gottes - die scholastische Lehre von der ungeschaffenen Gnade weiter: im ewigen Leben wird Gott unmittelbar gesehen ohne Vermittlung einer geschöpflichen Wirklichkeit.[111] In transzendentaler Methodik fragt Rahner nach der Bedingung der Möglichkeit für die Anschauung Gottes durch die geschaffene Wirklichkeit. Diese Bedingung kann nicht in der geschaffenen Wirklichkeit liegen. Mit Thomas sieht Rahner Gott selbst in seiner unmittelbaren Anschauung als realontologische Bestimmung des geschöpflichen Erkenntnisvermögens[112] (quasi-informatio des Geschöpfes durch Gott). Von dieser Grundlage her werden Begriff der Selbstmitteilung Gottes und Theorie des übernatürlichen Existentials entfaltet: »Selbstmitteilung Gottes besagt die Möglichkeit und Wirklichkeit, daß Gott nicht nur in Wirkursächlichkeit das von ihm verschiedene Andere schöpferisch hervorbringen kann und bringt, sondern in einer eigenen ungeschaffenen göttlichen Wirklichkeit die reale Bestimmung der Kreatur werden kann ('finitum capax infiniti'), ohne dadurch aufzuhören, Gott, d.h. der von nichts Abhängige zu sein, der, unendlich bleibend von nichts anderem bestimmt wird.«[113]

Grundgelegt ist die Möglichkeit und Wirklichkeit der Selbstmitteilung Gottes an das Geschöpf in der innertrinitarischen, wahren und realen Unterschiedenheit der Personen in Gott, hinter welcher es keine letzte höhere Identität gibt: »Der Vater ist er selbst, indem er das ihm wesensgleiche Abbild als den von sich anderen sich gegenüberstellt und so sich selbst hat.«[114] Das innertrinitarische Verständnis des Logos als Selbstaussage, Realsymbol des Vaters ist Bedingung der Möglichkeit, daß es

---

[110] I, 323-345

[111] Vgl. Art. Selbstmitteilung Gottes, in: SM IV, 521-526 und I, 357f.

[112] Vgl. I, 338f.

[113] Art. Selbstmitteilung Gottes, in: SM IV, 522; vgl. I, 357f.; IV, 99.125ff.

[114] IV, 292

für Gott ein Anderes, ein 'Außen' geben kann und er sich diesem selbst mitteilen kann. Der Logos ist die Aussagbarkeit des Vaters nach 'innen' und nach 'außen'. Im Logos ist die Schöpfung in ihre eigene von Gott verschiedene Wirklichkeit eingesetzt und zugleich als »Grammatik einer möglichen Selbstaussage Gottes« entworfen.[115]

Im Kontext der Symboltheorie wird die Einheit der Selbstmitteilung in ihrer trinitarischen Differenzierung gewahrt. »Die absolute Selbstmitteilung Gottes an die Welt als nahekommendes Geheimnis heißt in ihrer absoluten Ursprünglichkeit und Unableitbarkeit Vater, als selbst handelndes und zu dieser freien Selbstmitteilung notwendig innerhalb der Geschichte selbst handeln müssendes Prinzip Sohn und als geschenktes und von uns angenommenes Heiliger Geist«.[116]

Indem Rahner theologisch bei der Wirklichkeit der 'Selbstmitteilung Gottes' ansetzt, hat er die 'anthropologische Reduktion', die Gott zum bloßen Korrelat des Menschen, zu einem Posten oder Kalkül der Berechnung, zu einer bloßen Funktion oder zu einem Problemlösungsgaranten degradiert, schon überwunden.[117] Dem Gottsein Gottes, der Absolutheit, Souveränität und Majestät des unbegreiflichen Geheimnisses, dem »Zuerst des Reiches Gottes« gilt die Priorität.[118] Rahner insistiert auf der nicht einholbaren und nicht 'verbrauchbaren' Geheimnisdimension Gottes: »Gott wäre nicht Er, würde er aufhören, dieses heilige Geheimnis zu sein.«[119] Er wendet sich damit gegen das neuzeitliche Erkenntnisideal, in dem das Geheimnis als das noch nicht Durchschaute und somit als negativ, vorläufig und defizitär bestimmt wird; demgegenüber hat das Geheimnis als das Ursprüngliche und Bleibende zu gelten, das Geheimnislose und Durchschaute als das Vorläufige.[120] Die 'reductio in mysterium' denkt Gott als innerste Mitte des Menschen und zugleich als dem Menschen unverfügbare Freiheit und je neue, immanent nicht fixierbare transzendente Zukunft.

Diese Struktur des 'von oben' der Selbstmitteilung Gottes in seiner Priorität und Freiheit und des 'Je-mehr' des Geheimnisses findet auf

---

[115] G 221; vgl. G 139-142; Über den Begriff des Geheimnisses in der katholischen Theologie, in: IV, 51-99; Bemerkungen zum dogmatischen Traktat 'De Trinitate', in: IV, 103-133; Zur Theologie der Menschwerdung, in: IV, 137-155; Zur Theologie des Symbols, in: IV, 275-311; Der dreifaltige Gott als transzendenter Urgrund der Heilsgeschichte, in: MySal II, 317-397; Offenbarung und Überlieferung 11-25.

[116] IV, 95; vgl. auch IV, 128 und Gnade als Mitte, in: HK 28 (1974) 77-92.

[117] Vgl. XIII, 116f.126.

[118] Vgl. Im Gespräch II, 103.

[119] IV, 75; vgl. IX, 170; XIII, 111-128, Die unverbrauchbare Transzendenz Gottes und unsere Sorge um die Zukunft, in: XIV, 405-421; Im Gespräch II, 103; Art. Geheimnis, in: HThG II, 74-79; SM II, 189-196.

[120] IV, 57f.

geschöpflicher Seite in Armut und Gehorsam ihre Entsprechung. Die Selbstmitteilung Gottes setzt den Menschen als »Hörer des Wortes« in sein Selbstsein. Dies zeigt sich bei Rahner auch in der Formel des 'übernatürlichen Existentials'.

II. »Übernatürliches Existential«

Die trinitarische Selbstmitteilung Gottes ist in ungeschuldeter Gnade Wurzelgrund und innerstes höchstes Ziel des Menschen.[121] Dieses In-einander von Ungeschuldetheit der Gnade und Wesenskonstitutivum im Menschen nennt Rahner »übernatürliches Existential«.[122] Es meint die ursprüngliche Begnadung eines jeden Menschen vorgängig zu dessen Antwort als Ermöglichung seiner freien Antwort. Alle Grundvollzüge des menschlichen Lebens (z.B. die Dynamik von Erkenntnis und Freiheit) sind schon von der Gnade überformt.[123] Theologische Grundlage dieser Konzeption ist der universale Heilswille Gottes, auf Grund dessen die Selbstmitteilung Gottes - wenigstens als Angebot - in jedem Menschen gegeben sein muß.[124] Mit dieser eigentlich in sich paradoxen Formel des 'übernatürlichen Existentials' will Rahner eine 'Stockwerktheorie' zwischen Natur und Gnade überwinden. Das 'übernatürliche Existential' soll kein 'tertium' zwischen Natur und Gnade sein, sondern die konkrete Einheit des Menschlichen und der Gnade ausdrücken. »Ist es nicht gerade das Wesen des Menschen, das Unerwartete als das Innerste zu empfangen und das Innerste als Gnade zu haben.«[125] Die Gnade als Konstitutivum und Wesenserfüllung steht für Rahner in keinem inneren Widerspruch oder Gegensatz zu ihrer Ungeschuldetheit.

Diese Theorie des 'übernatürlichen Existentials' im Rahmen des transzendentalen Ansatzes steht im Zentrum der Kritik an Rahner[126]: Durch das 'übernatürliche Exi-

---

[121] G 124

[122] IV, 227; I, 323-345; IV, 209-236.

[123] IV, 227f.; VI, 286 (der Mensch ist ständig einbezogen ins Spannungsfeld der Gnade).

[124] Vgl. Art. Heilswille Gottes, in: SM 1298f.; dazu: N. Schwerdtfeger, Gnade und Welt 178-190.

[125] I, 339; vgl. V, 338ff.; Art. Potentia oboedientialis, in: SM III, 1246.

[126] Vgl. den Vorwurf der 'anthropologischen Reduktion' bei H. U. von Balthasar, Cordula oder der Ernstfall 84ff.; vgl. H. J. Verweyen, Ontologische Voraussetzungen 85f.; Ders., Wie wird ein Existential übernatürlich? Zu einem Grundproblem der Anthropologie K. Rahners, in: TThZ 95 (1986) 115-131: P. Eicher, Offenbarung. Prinzip neuzeitlicher Theologie, München 1977, 402; C. Fabro, La svolta antropologica di Karl Rahner, Milano 1974.

stential' unterliege er einem subversiven Monismus, in dem Gott, die biblische Offenbarung, Christus, die Tradition, die Kirche, die Geschichte und die Intersubjektivität zu bloßen Momenten des Zu-sich-selbst-Kommens der Subjektivität degradiert werden und grundsätzlich das 'Eigene' nicht transzendieren.

Letztlich könnten diese theologischen Momente nichts Neues und nichts anderes einbringen, als im Subjekt 'immer schon' da ist. Durch die Betonung des 'immer schon' der Begnadung menschlicher Grundvollzüge werde die Differenz zwischen einer theologisch verstandenen, auf Gott hin geöffneten Natur und der Selbstmitteilung Gottes in Jesus Christus eingeebnet. Zeit und Geschichte seien grundsätzlich schon vergleichgültigt, weil das 'immer schon' der Gnade die Diastase zwischen Geschichte und Offenbarung überbrücke. Weil die Differenz eingeebnet wird, gäbe es letztlich kein Warten, kein Wachsen, keine Nähe und Ferne, keine Positivität von Raum und Zeit. Die konkrete Bedeutung von Kreuz und Auferstehung, die Relevanz des geschichtlichen Zeugnisses, der Gemeindebezug des Glaubens[127], das Gewicht der dramatischen Entscheidung zu Heil oder Unheil von seiten Gottes und des Menschen[128], wie auch die Krisis des Glaubens, die Dimension des Abbruches, der Diskontinuität, wie der Apokalyptik scheinen entleert, die Praxis der Nachfolge und die Solidarität mit den Armen und Bedrängten scheinen zu kurz zu kommen.[129] Dahinter verberge sich ein Begriff von Freiheit, die sich primär und nur im Modus der Negation des Gegenstandes, des Anderen und des personalen Du realisiere. Damit komme Offenbarung als sich gewährende Huld nicht ins Blickfeld. Der Begriff von Offenbarung werde überhaupt aufgelöst, weil die Endgültigkeit der Selbstzusage nicht in der Geschichte offenbar wurde, sondern durch einen zirkelhaften Kunstgriff des nach Heil fragenden Subjektes begriffen werde.[130] Das Anliegen der Überwindung des Extrinsezismus scheint die Problematik der Subjektivität in der transzendentalen Methode naiv zu übersehen.

So meint F. Greiner, daß Rahner mit der Konstruktion des 'übernatürlichen Existentials' auf dem Boden einer transzendentalen Theorie religiöser Subjektivität den totalen Rückzug in die Subjektivität antrete, die religiöse Erfahrung zu einer transzendentalen Funktion menschlicher Subjektivität einebne, die Gnade im isolierten inneren Sein des Menschen ansiedle und sich im apriorischen Bewußtsein der Selbstmitteilung einer wirklichen Vermittlung mit dem geschichtlichen Widerfahrnis der Offenbarung sperre.[131]

Wir können nicht auf alle Anwendungsbereiche des 'übernatürlichen Existentials' und damit auch nicht auf alle Angriffsflächen möglicher

---

[127] P. Eicher, Offenbarung 419f.

[128] R. Schaeffler, Fähigkeit zur Erfahrung - Zur transzendentalen Hermeneutik des Sprechens von Gott (QD 94) Freiburg 1982, 40ff.

[129] J. B. Metz, Glaube in Geschichte und Gesellschaft 149-158.

[130] H. J. Verweyen, Christologische Brennpunkte, Essen ²1985, 32-36.

[131] F. Greiner, Die Menschlichkeit der Offenbarung, in: ZkTh 100 (1978) 549f.; H. U. von Balthasar, Cordula oder der Ernstfall 84-96; B. v. d. Heijden, Karl Rahner. Darstellung und Kritik seiner Grundpositionen, Einsiedeln 1973. - Rahner macht selbst auf die Gefahr einer 'schlechten' Endlichkeit göttlichen Heilshandelns aufmerksam, wenn das Verständnis von 'transzendental' Gott als Funktion der Selbstvermittlung für das menschliche Selbstverständnis vereinnahmt (K. Rahner/E. Simons, Zur Lage der Theologie 27).

Kritik eingehen. Diese Theorie entwickelt bei Rahner eine eigene Dynamik: sie ist der Ausgangspunkt der These von den »anonymen Christen«[132]; sie ist eingebaut in den Versuch, evolutionäres Denken mit der Vollendung in Gott zu versöhnen.[133]

Wir fragen nach dem geschichtlichen Profil des 'übernatürlichen Existentials' und gehen einem sehr frühen Anwendungsbereich nach: das 'übernatürliche Existential' ist bei Rahner primär die theologische Basis dafür, daß er den Menschen als Ruf Gottes und alle Menschen zur Vollkommenheit in der Liebe berufen zu denken vermag. So steht es für die Universalität der Gehorsamspflicht.

1. Vermittelte Unmittelbarkeit

Das 'übernatürliche Existential' ist der Versuch, Schöpfer und Geschöpf in ihrer Einheit und Differenz zu denken: auf Grund dessen steht das Geschöpf in unmittelbarer Beziehung zu Gott[134], ohne daß die geschöpfliche Vermittlung zerstört werden müßte. Mit seiner Hilfe wird die radikalste Abhängigkeit der Kreatur vom Schöpfer gedacht, in der das Geschöpf zugleich in den Selbststand, in die eigene Freiheit gesetzt ist. So ist die Formel ein Versuch, die eine Wirklichkeit von Schöpfer und Geschöpf von zwei Perspektiven in den Blick zu nehmen: der Gesichtspunkt der Einheit muß das Geschöpf als das 'non aliud' Gottes denken, weil ein von Gott total verschiedenes zweites Anderes eine Auflösung des Gottesbegriffes wäre; der Blickpunkt der Differenz sieht die reale Unterschiedenheit als radikale Abhängigkeit und Selbststand zugleich. In dieser Struktur haben sich die Räte als Vollzug der Einheit in personaler Differenz zu bewähren. Dies wird besonders am Grundphänomen der Kreatürlichkeit deutlich.

---

[132] Vgl. dazu die exakte und umfangreiche Studie von N. Schwerdtfeger, Gnade und Welt (Lit.!).

[133] Die Einheit von Geist und Materie im christlichen Glaubensverständnis, in: VI, 185-214; Die Christologie innerhalb einer evolutiven Weltanschauung, in: V, 183-221; Art. Evolution, Evolutionismus, Hominisation, Monogenismus, Protologie, in: SM.

[134] Vgl. »Du hast uns unmittelbar zu dir gemacht« (GL 108).

2. Kreatürlichkeit

»Das Verhältnis Schöpfer - Geschöpf ist eine notwendige unerläßliche Wesensstruktur der Wirklichkeit überhaupt.«[135]
Diese Struktur schließt ein Doppeltes ein: der Mensch erfährt sich selbst als kontingent. Die Kontingenz leuchtet ihm auf, wo er sich als endlich erfährt, d.h. wo er sich zum einen als Geist auf einen unbegrenzten Horizont hin geöffnet weiß und anderseits die unbegrenzte Möglichkeit in ihrer Differenz zum tatsächlich Gegebenen, konkret Erkannten und faktisch Getanen aufgeht. Die Erfahrung des Endlichen als Endliches, als nichts Ganzes, die Erfahrung der Herkünftigkeit, Verschiedenheit und Abhängigkeit, des Verfügtwerdens und der Inanspruchnahme ist die Erfahrung der Kreatürlichkeit.[136] Als Existential durchzieht die Kreatürlichkeit das endlich-zeitlich Seiende als solches. In der Erfahrung der Kreatürlichkeit wird dem Menschen klar, daß er nicht Gott ist. Zugleich bejaht er darin, daß es diese absolute Wirklichkeit gibt.[137] Wenn sich der Mensch als Kreatur annimmt, so erkennt er damit an, daß er ganz von Gott herkommt und ganz auf ihn hin bezogen ist. Die ontologische Struktur der Geschöpflichkeit schließt mit der Anerkennung Gottes den *Gehorsam* Gott gegenüber ein.[138]
In der Struktur der Selbsterfahrung als Kreatürlichkeit ist auch die *Armut* ontologisch grundgelegt: Der Mensch ist von sich her die »arme, fragende, gleichsam von sich aus leere Verwiesenheit auf das bleibende Geheimnis, Gott genannt.«[139] Er begreift sich in der Unbegrenztheit seiner Transzendentalität als endlich und muß sich als solchen begreifen.[140] Die Transzendentalität zeigt sich im Modus der 'armen Verwiesenheit auf die Fülle', die das endliche Subjekt gerade nicht selbst ist. Die Antwort auf die Frage kann nicht vom Menschen her gestiftet werden.[141] In

---

[135] VII, 68

[136] Vgl. dazu G 84ff.; Art. Anthropologie, in: SM I, 182.

[137] Vorlesung Schöpfungslehre, Münster SS 1967, 42.

[138] Vgl. G 52f.74f.; X, 133-144.

[139] G 216

[140] IX, 99

[141] Das 'Sein als Fragbarkeit' kommt für den Menschen vom Vorweg des Ergriffenseins durch Gott. In diesem Ergriffen-sein wird die Frage zum Hören verwandelt. Die Positivität der Frage bei Rahner ist ein Index der Positivität der endlichen Suchbewegung, in der Gott schon anwest. Unendliche und endliche Freiheit widersprechen einander nicht: Gottes Selbstmitteilung in der Geschichte kann die Über-erfüllung menschlicher Dynamik sein. Die *Frage* nach der Bedingung der Möglichkeit von Offenbarung im menschlichen Subjekt dient der universalen Auslegung und dem Anspruch des Christusereignisses; sie ist kein Modus der sich verweigernden Skepsis. Die menschliche Frage kommt aus der Armut des endlichen Subjekts und dient der Gehorsamspflicht.

der Transzendentalität ist die Kreatürlichkeit und Kontingenz des Menschen mitgesetzt. Die transzendentale Erfahrung ist immer schon Freiheitserfahrung: als 'Hörer des Wortes', der in die Gehorsamspflicht genommen ist, steht der Mensch vor dem lebendigen Freien, der sich erschließen oder schweigen kann. Die Transzendentalität des Menschen kommt nur durch die Vermittlung aposteriorischer Erfahrung zu sich, über die das Subjekt nicht Herr ist.[142] Transzendentales Subjekt ist der Mensch nur, weil es eine vorgängige anfanghafte Selbstmitteilung Gottes ('initium unionis') gibt. Das Vorweg der Freiheit und der Gnade Gottes setzt die menschliche Freiheit mit ihrer Dynamik und ihrem Vorgriff in ein spezifisches Licht. Die menschliche Freiheit realisiert sich im Gehorsam Gott gegenüber, ohne daß der Gehorsam die relative endliche Eigenständigkeit auflösen würde.

Armut und Gehorsam im analogen Sinn sind als inneres Strukturprinzip des 'übernatürlichen Existentials' zu denken. Sie hüten die Differenz zwischen Geschöpf und Gott vor einem idealistischen Verschmelzungsprozeß. Zugleich ordnen Armut und Gehorsam die menschliche Freiheit auf Gott hin: in der freien Anerkennung des Willens Gottes empfängt der Mensch seine eigene Identität. Die Differenz zwischen Gott und Geschöpf ist ja gesetzt, weil Gott sich in der Maßlosigkeit der Liebe selbst mitteilen will, die Ferne, damit Nähe und Einheit sei, die Gehorsamspflicht, damit die Freiheit Gottes für uns sei, das Geheimnis ist um der Liebe willen da.[143]

3. Freiheit und Sünde im Lichte des Gehorsams

Das 'übernatürliche Existential' wird bei Rahner nie statisch fixiert oder von der Geschichte isoliert verstanden. Er versteht das Vorweg der Begnadung als »initium unionis«[144], das sich in der Geschichte zu entfalten hat und in der Geschichte zu sich selber kommen muß. Es will die Grundlagen der geschichtlichen Dynamik des Menschen in seiner Offenheit auf Gott hin bedenken. Durch das 'übernatürliche Existential', durch die gnadenhaft erhöhte Transzendentalität wird im Menschen

---

Vgl. zum Einwand gegen den Rahnerschen Ansatz bei der Frage: H. J. Verweyen, Ontologische Voraussetzungen 77-80.149.

[142] G 67

[143] Vgl. VII, 69.

[144] Art. Selbstmitteilung Gottes, in: SM IV, 525.

Geschichte und Freiheit konstituiert: »Das Letzte der Geschichte selbst ist gerade die Geschichte der Transzendentalität des Menschen.«[145] Begnadung durch Gott steht nicht in Opposition zur menschlichen Freiheit: Gottes Ermächtigung kennt kein konkurrierendes 'Entweder - Oder': »Im kreatürlichen Sein wachsen Abhängigkeit von Gott und eigene Seinshöhe im gleichen Maß.«[146] Abhängigkeit von Gott und Selbststand (Freiheit) sind für Rahner - im Gegensatz zu natürlichen Kausalitätsverhältnissen - direkt proportional. Gott begabt das menschliche Seiende mit Eigenstand und Eigensein und macht sich selbst zum Ziel dieses Anderen. So denkt Rahner - und das ist nur trinitarisch möglich - Gott als den radikal Anderen und Freien gegenüber der Welt. Ein ausschließliches 'Entweder - Oder' würde Gott aber kategorialisieren und verkennen, daß Gott der Grund der Welt und das Konstitutivum des Menschen ist. Zwischen Pantheismus und Dualismus steht für Rahner die analoge Redeweise. In der Analogie muß er nicht die Auflösung der Kreatur postulieren, damit Gott erscheinen könne: »Gott braucht als er selber nicht dadurch einen Platz zu finden, daß ein anderes, das er nicht ist, den Platz räumt.«[147] In diesem Sinne hat das Geschöpf ein eigenes Sein vor Gott; es kann sich gerade nicht auflösen in Gott hinein; in gewisser Hinsicht ist das Geschöpf der freie Partner Gottes.[148]

In dieser dialogischen Struktur des 'übernatürlichen Existentials', in welcher der Mensch unausweichlich von Gott in Gehorsamspflicht genommen und zugleich in seine eigene geschöpfliche Freiheit gesetzt ist, gründet die Möglichkeit von Schuld und Sünde.[149] Diese Möglichkeit ist für Rahner ein bleibendes Existential in der Geschichte.[150] Sünde und Schuld werden bei Rahner primär als Perversion der Autonomie (wider den Gehorsam), als Selbstsetzung und Verschlossenheit wider die Armut und Verwiesenheit und als Verweigerung des Geschöpfes, sich selbst von Gott her zu empfangen, verstanden. In Sünde und Schuld verfehlt der Mensch das Ziel seiner Freiheit, Gott selbst.[151]

Mit dieser Kritik einer isoliert verstandenen Anthropozentrik nimmt Rahner seine positive Rezeption des neuzeitlichen Subjektverständnisses nicht zurück. Freiheit als Vermögen, über das Ganze des Lebens zu

---

[145] G 145

[146] Art. Freiheit, in: SM II, 97; vgl. Art. Gnade und Freiheit, in: SM II, 470.

[147] G 91

[148] Vgl. Vorlesung Schöpfungslehre, Münster SS 1967, 35f.

[149] Vgl. II, 280; Art. Sünde, in: LThK² 9, 1177-1181.

[150] Art. Existential, in: SM I, 1104-1117; G 110; Grundentwurf einer theologischen Anthropologie, in: HPTh II/1, 34ff.; Gnade als Mitte, in: HK 28 (1974) 85.

[151] II, 242f.284; VI, 522-525; Theologie des Todes 41; Art. Gehorsam, in: KThW 137 (vgl. Röm 5,19).

entscheiden, kommt dann ans Ziel, wenn sie sich vom Willen Gottes her realisiert.

In diesem ontologisch-gnadentheologischen Verständnis von Freiheit kann eine Entscheidung oder eine Tat ganz Werk Gottes und ganz Werk des Menschen sein. Überwunden ist jede einseitige Alternative: jene im Sinn des aristotelischen Form-Materie-Schemas, in dem Gott den menschlichen Akt so bewirkt, daß der Mensch nur Material und Hohlraum für göttliches Handeln wäre, wie auch ein deistisches Verständnis, in dem ein Mensch handelt, ohne daß Gott den konkreten Akt als solchen ausdrücklich wollte.

Dieses Gefüge von Einheit in der Differenz, von Unmittelbarkeit und Abhängigkeit, von Liebe, Freiheit und *Gehorsam*spflicht kommt in Rahners Berufungsbegriff zum Tragen: dieser wird im 'übernatürlichen Existential' schöpfungstheologisch universal und zugleich konkret geschichtlich einzeln gedacht. Es gilt die pneumatische Gleichheit: alle sind berufen, und zugleich: Gottes Ruf ist schöpferisch konkret und je verschieden.

Mit dieser Situierung der Räte in der ontologischen und gnadentheologischen Grundstruktur geht Rahner z.T. parallel mit von Balthasar, z.T. setzt er die Akzente anders: Für beide sind Armut, Gehorsam und Indifferenz grundlegend geschöpfliche Haltungen. Beide denken das endliche Subjekt in positiver Freiheit. Nicht ausgeführt ist bei Rahner die erotische bzw. weiblich-jungfräuliche Dimension des Denkens. In der Sache trifft er sich aber auch hier mit von Balthasar, wenn die Dynamik des Vorgriffs das Profil der aktiven Indifferenz erhält. Die Differenz zwischen beiden entzündet sich an den Implikationen des 'übernatürlichen Existentials' für den Berufungsbegriff. Rahner setzt beim ewigen Vorweg der Gnade und bei der schöpfungstheologisch und zugleich christologisch begründeten Universalität der Berufung an. Die Konkretion der Berufung orientiert sich an der nicht ableitbaren Priorität des Willens Gottes, demgegenüber die konkrete Gestalt der Nachfolge in den Räten sekundär ist. Von Balthasar hingegen geht von der durch die Räte bestimmten Gestalt Christi aus und läßt die Universalisierung durch Stellvertretung geschehen. Die allgemeine Berufung ist gegenüber der heilsgeschichtlichen Konkretion sekundär. Beide treffen sich aber darin, daß der Mensch durch den Ruf Gottes seine Identität erhält.

4. Der Mensch als Ruf

Wir sahen: An Ignatius orientiert, durch den er die neuzeitliche Wende zum Subjekt grundsätzlich bejaht und christlich mitvollzogen sieht[152], entwickelt Rahner eine Ontologie und Theologie des Einzelnen und des Konkreten: den geistig personalen Einzelnen sieht er als 'potentia oboedientialis' für den gnadenhaft übernatürlich Einzelnen. Der Mensch wird als Mensch durch seine unmittelbare Gottbezogenheit konstituiert.[153] Die »Person ist berufen zur unmittelbar-personalen Gemeinschaft mit Gott in Christus, und zwar dauernd und unausweichlich, ob sie diese Berufung in Erlösung und Gnade annimmt oder sich ihr schuldhaft (erbsündig und persönlich schuldig) versagt.«[154] - »Die Lehre von dieser Gnade (der Selbstmitteilung) und ihrer Vollendung ist darum der *Befehl*, sich in Glaube, Hoffnung und Liebe radikal und offen für die unsagbare, unvorstellbare und namenlose Zukunft Gottes als absolute Auskunft offenzuhalten und sich nie abzuschließen.«[155]

So wird im 'übernatürlichen Existential' das geistliche Leben und die christliche Ethik insgesamt als Liebe grundgelegt. In der Liebe liegt letztlich die Vollkommenheit, zu der jeder verpflichtet ist: »Jeder Christ ist zur 'Vollkommenheit' berufen. Der Gnadenruf, der eine sittliche Pflicht begründet, ruft den Menschen zur Liebe Gottes und des Nächsten aus *ganzem* Herzen und mit ganzer Kraft. *Diese* Liebe aber ist die Vollkommenheit und das Ziel des christlichen Daseins ... Von Gott aus ist jedem die Möglichkeit angeboten und die Pflicht auferlegt, Gott und den Nächsten aus *ganzem* Herzen zu lieben.«[156] Ebenso ist das 'magis', das 'Je-mehr' der 'maior Dei gloria', die Pflicht eines jeden.[157] Außer ihr und über sie hinaus gibt es keine Heiligkeit oder Vollkommenheit. Sie

---

[152] Vgl. VII, 46; Über die heilsgeschichtliche Bedeutung des Einzelnen in der Kirche, in: SG 89-128; XII, 176-188; vgl. L. Bakker, Freiheit und Erfahrung. Redaktionsgeschichtliche Untersuchungen über die Unterscheidung der Geister bei Ignatius von Loyola, Würzburg 1970.

[153] SG 97; vgl. II, 250; Ignatius, EB 15

[154] II, 252 (im Kontext des 'übernatürlichen Existentials').

[155] G 132

[156] VII, 410; vgl. III, 61f.181; DynK 50-54; Art. Liebe, in: SM III, 234-252; Glaube, der die Erde liebt 94; Das 'Gebot' der Liebe unter den anderen Geboten, in: V, 494-517; GF 42-46; IV, 225-229; AMV 278-291; Laienheiligkeit im christlichen Altertum, in: StdZ 135 (1939) 234-251; Rahner verweist auf Thomas, STh II-II, q 184, a 3; dazu: K. Neumann, Der Praxisbezug 113f.

[157] Vom Offensein für den je größeren Gott, in: VII, 32-53.

integriert das gesamte menschliche Dasein, alle Tugenden und alle konkreten Berufungen.[158]

Die Lehre vom 'übernatürlichen Existential' steht somit im Dienst der allgemeinen Berufung zur Heiligkeit in der Vollkommenheit der Liebe. Diese Allgemeinheit ist aber nicht als leere Abstraktion zu denken. Die Unmittelbarkeit zu Gott, das unmittelbare Handeln Gottes an der Seele konstituiert den Einzelnen in seiner konkreten Individualität.[159] Gottes Ruf bleibt nicht in ethischen Prinzipien und allgemeinen Normen stecken.

Ignatius betont die Unmittelbarkeit des Handelns Gottes mit der Seele. In der »Logik der existentiellen Erkenntnis« erschließt sich der Individualwille Gottes als konkreter Imperativ für den Einzelnen.[160] Der einmalige Ruf Gottes konstituiert das Subjekt in seiner Einzigartigkeit. Rahner geht davon aus, daß jeder eine 'vocatio propria' hat.[161] Weil Rahner sowohl von der Universalität als auch der je konkreten Individualität der Berufung her denkt, ist bei ihm der Begriff der 'vocatio' nicht von vornherein oder 'im eigentlichen Sinn' exklusiv auf die materiale Trias der Räte reduziert, wie es bei von Balthasar der Ausgangspunkt war. Wohl sind bei Rahner die Räte in einem analogen Sinn in jeder Berufung gegenwärtig. In der Erfahrung und in der Annahme des Rufes gehören Liebe, Askese, Indifferenz, Gehorsam und die Konkretion der bestimmten Berufung ursprünglich zusammen. Normierende Mitte ist in diesem Gefüge die Liebe, auf die hin Indifferenz, Askese, Armut, Gehorsam und Freiheit hingeordnet sind. Um der Liebe willen ist jede konkrete Lebensform da.[162]

---

[158] Vgl. V, 494-517, hier 507; Wer ist dein Bruder? 14f.; Art. Theologische Tugenden, in: LThK^2 10, 76-80.

[159] SG 97.100

[160] DynK 74-148; II, 243; Art. Das Charismatische in der Kirche, in: LThK^2 2, 1027-1038; dazu: J. C. Scannone, Die Logik des Existentiellen und Geschichtlichen nach Karl Rahner, in: WT 82-98; B. Fraling, Existentialethik im Hinblick der Exerzitieninterpretation, in: WT 61-81.

[161] II, 230ff.

[162] Vgl. SG 528.

Drittes Kapitel

Christologie und Räte

Bevor wir uns direkt dem Ruf zu den Räten als Stand zuwenden, haben wir - der trinitarischen Struktur der Selbstmitteilung Gottes entsprechend - die geschichtlich christologische Dimension der Berufung zu bedenken. Auch wenn dies von Rahner nicht immer ausdrücklich formuliert ist, so ist für ihn jede Frömmigkeit christozentrisch: der Mensch findet implizit oder explizit in Jesus Christus Gott und in Gott Jesus Christus.[163] Von den bisherigen Ansätzen werden auf seiten des Menschen die 'potentia oboedientialis' und auf seiten Gottes die Selbstmitteilung in Transzendentalität und Geschichte aufgegriffen. Die gnadenhafte Einheits- und Differenzerfahrung von Gott und Mensch erfährt in der Christologie ihre letzte Begründung. In der hypostatischen Union erweist sich der Gehorsam Jesu als innere Form des Ineinanders von 'potentia oboedientialis' und unwiderruflicher Selbstmitteilung Gottes. Der Gehorsam als Angelpunkt hat sich an den verschiedenen Zugängen zur Christologie zu verifizieren. Rahner setzt ein faktisch gelebtes Glaubensverhältnis zur geschichtlichen Gestalt Jesu voraus.[164] Wir fragen deshalb zuerst mit Rahner nach dem Gehorsam (wie nach Armut und Ehelosigkeit) in den biblischen Zeugnissen über den irdischen Jesus. Das Glaubensverhältnis zu Jesus, der als Gottmensch mit universalem Anspruch auf den Menschen zukommt, fordert vom eigenen Selbstverständnis her eine Vergewisserung in der Reflexion, d.h. in dem, was Rahner transzendentale Christologie nennt. Auf dieser Ebene ist zu fragen, inwiefern die Räte ein Angelpunkt für die Idee des Gottmenschen als des universalen Heilsmittlers sind. Zu bewähren hat sich diese Struktur schließlich in der 'suchenden Christologie', die an Knotenpunkten menschlicher Existenz einen impliziten Bezug zu Jesus Christus aufweist.

---

[163] Vgl. III, 342 (Ignatius begegnet Gott in Jesus Christus); BigEB 25ff.100-116; EpEx 85-112, bes. 85f.; XV, 385; Christus alles in allem, in: GL 59ff.

[164] Art. Jesus Christus, in: SM II, 931; I, 207; G 203f.; Biblische Theologie und Dogmatik, in: LThK² 2, 449-451; Art. Neues Testament, in: LThK² 7, 889f.; Art. Jesus Christus, in: LThK² 5, 953-961.

I. Die Räte im biblischen Befund

Biblische Erörterungen allgemein und Ausführungen zur historischen Gestalt Jesu im besonderen bilden bei Rahner kein abgeschlossenes Ganzes. Sie stehen in unterschiedlichen Kontexten und sind das Ergebnis verschiedener Methoden. Die fundamentaltheologisch orientierte Christologie des 'Grundkurses' geht aus der zusammen mit Thüsing verfaßten 'Quaestio' hervor und setzt deren Ergebnisse voraus. Systematisch will Rahner bezüglich des 'historischen Jesus' an Minimalaussagen festhalten, die nicht den Anspruch erheben, alle gesicherten Erkenntnisse aus den biblischen Quellen zu berücksichtigen.

1. Gehorsam

Ausdrücklich exegetische Arbeit leistet Rahner im spirituell orientierten Werk »Knechte Christi«, wo er methodisch zunächst das Wort 'Gehorsam' untersucht, dieses dann aber in größere Wort- bzw. Bedeutungsfelder stellt ('gehorchen, Gebot, alle Gerechtigkeit erfüllen, sich unterordnen, den Willen/die Schrift erfüllen, Notwendigkeit des Leidens, Sendung ...').[165]

Für unser Thema sind im Hinblick auf den Gehorsam folgende Aussagen relevant: Jesus weiß sich in einem unreflexen Tiefenbewußtsein in radikaler und einmaliger Nähe zu Gott, dem er »in kreatürlicher Abständigkeit frei, gehorsam und anbetend gegenüber« steht.[166] Er exisitiert im Sich-Vergessen und Vertrauen auf den Vater und hat dabei ein wahrhaft menschliches Selbstbewußtsein. Sein Tiefenbewußtsein wird geschichtlich entfaltet: durch Irrtum und Nicht-Wissen hindurch (die höher einzustufen sind als Allwissenheit) hat sich Jesus als der eschatologische Prophet, der absolute und endgültige Heilsbringer verstanden.[167] Er fordert in der Verkündigung des Reiches Gottes Umkehr und Entscheidung, von denen Heil oder Unheil abhängen. Er beansprucht Menschen für seine Nachfolge. Sein neues Sohnesverhältnis erfährt er als exemplarisch für alle.[168] Differenziert verhält sich Jesus zu legitimen menschlichen Autoritäten: er ist den Eltern untertan (Lk 2,51), will das Gesetz erfüllen (Mt 12,8), zahlt die Tempelsteuer und erkennt eine staatliche Autorität an (Mt 23,3). Er steht also zunächst unbefangen in seiner gesellschaftlichen und religiösen Umwelt, die er reformieren, aber nicht revolutionieren will. Wenn er auch keine unmittelbare Gesellschaftskritik betreibt, so kämpft er doch gegen das

---

[165] KCh 142-175 (Christus als Beispiel priesterlichen Gehorsams), bes. 153.
[166] G 246
[167] G 243. 246f.
[168] G 250

188

gesellschaftliche und religiöse Establishment, indem er Werkgerechtigkeit und Legalismus anklagt und die Herrschaft des Gesetzes durchbricht. Die Treue zu seiner Sendung, der Gehorsam zum Vater bringen ihn schließlich in radikalen Konflikt mit der religiösen Autorität des Bundesvolkes.[169] Dieser Ungehorsam menschlichen Autoritäten gegenüber wurzelt in der Anerkennung der Priorität Gottes. In diesem Konflikt geht er in Treue zum Vater frei in den Tod. Diesen versteht er nicht als Desavouierung seiner Botschaft und seiner Person, sondern zumindest als Prophetenschicksal. Er weiß ihn »eingeborgen ... in die Absicht Gottes und diese als vergebende Nähe zur Welt.«[170]

Von Paulus übernimmt Rahner den Zusammenhang von Glaube und Gehorsam (Röm 1,5;16,26), von Gehorsam und Kenose (Phil 2,6-8) und schließlich von Ungehorsam und Sünde (Röm 5,19).

Zusammenfassend sieht Rahner im neutestamentlichen Befund des Bedeutungsfeldes 'Gehorsam' diesen als Schlüssel für die erlösende Sendung Christi vom Vater her, für seine Kenose und seinen Dienst, für seine rettende Heilstat.[171] Der Gehorsam ist kein allgemeines und abstraktes Gesetz, sondern das innerste freie 'Ja' Jesu zu seiner Sendung und zu seinem Schicksal, das in die personale liebende Beziehung zum Vater eingebunden ist. In Jesus sind Freiheit und Gehorsam eins. Der personale Gehorsam ist letztlich in das Höhere der Liebe aufgehoben.[172] - Viel stärker als von Balthasar bezieht Rahner die Konflikte Jesu mit dem Gesetz und der weltlichen Obrigkeit ein.

2. Armut Jesu

»Ich (Ignatius) habe die Nachfolge des armen und demütigen Jesus erwählt. Des armen und demütigen, keines anderen ...«[173] - Rahners Ausführungen zur Armut Jesu finden sich in den an Ignatius orientierten Aufsätzen, Betrachtungen und Predigten[174] und weniger explizit in den fundamentaltheologisch orientierten Überlegungen zur Christologie des 'Grundkurses', in dem nur kurz auf Jesu Liebe zu den Armen und Deklassierten, auf seine Solidarisierung mit den religiös und sozial Ent-

---

[169] KCh 160

[170] G 251

[171] Vgl. KCh 153-156.

[172] In der Liebe aufgehoben. Vom Sinn des Gehorsams, in: Horizonte der Religiosität 97.

[173] Rede des Ignatius von Loyola an einen Jesuiten von heute, in: XV, 373-408, hier 386; vgl. schon III, 335; dazu: H. Rahner, Ignatius als Mensch und Theologe, Freiburg 1964, 251-311.

[174] Theologie der Armut, in: VII, 435-478, bes. 446-452; BigEB 100-116.124ff.131.136f. 145.152.258f.174ff.197f. 203.261.

rechteten hingewiesen wird.[175] In den Kurzformeln des Glaubens wird nicht von der Armut Jesu gesprochen.

Mit nüchternem Blick liest Rahner die Schrift: Jesus wird arm geboren, ohne daß dabei etwas Außergewöhnliches oder besonders Radikales festzustellen wäre. Mit Armut meint er gerade das selbstverständliche Los kleiner Leute mit der durchschnittlichen, gewöhnlichen und alltäglichen Unbekanntheit.[176] Dazu zählt auch das verborgene Leben in Nazareth, wo sich Jesus in mühsamer Arbeit und Plage sein Brot verdient (Mt 13,55; Mk 6,3).[177] Zur Zeit seines öffentlichen Wirkens lebt Jesus zwar arm (Lk 9,57; Mt 8,20); er wird aber nicht bettelarm oder vom Hunger bedroht. Er besaß z. B. Geld (Joh 12,6) und ließ sich von reichen Frauen und Freunden unterstützen. Rahner spricht sogar von einer gewissen »Mittellage« Jesu.[178] Jesus wollte in seiner Armut kein Sozialprogramm oder das Ideal gesellschaftlicher oder wirtschaftlicher Weltgestaltung im Ganzen konstruieren.[179] Der Besitz wird nicht einfach als solcher verurteilt, die Reichen sind nicht die zu bekämpfenden Klassengegner.[180] Die Armut steht für Jesus im Kontext seiner Botschaft vom Reich Gottes, durch die der Mensch in eine radikale und absolute Entscheidungssituation zwischen 'Ja' und 'Nein' gesetzt ist: der Besitz, der Reichtum und die mit ihm gegebene Macht, der Genuß, die Sicherheit, das Haben-Wollen und die Sorgen können ein großes Hindernis gegen die geforderte Entscheidung sein.[181] Der Ruf zur Armut um des Himmelreiches willen ist - analog zu dem der Jungfräulichkeit - die Konsequenz der eschatologischen Heilssituation. Es geht um die radikale Bereitschaft für das Reich Gottes und um das Maß der Freiheit für Jesus selbst. Als eschatologische Geste hat sie ihren Sinn nicht in sich selber: freiwillige Armut steht im Dienst der Liebe - Jesus fordert jene auf, die ihm nachfolgen, den Besitz den Armen zu geben -[182], sodaß durch den freiwilligen Verzicht die Armut anderer überwunden werden soll. Sie steht im Dienst der missionarischen Sendung (Mt 10,9).[183] Der biblische Befund bietet schließlich noch eine Art von Gütergemeinschaft Jesu mit seinen Jüngern, die als Zeichen der neuen Bruderschaft in Christus gilt.[184]

---

[175] G 245

[176] BigEB 148f.

[177] BigEB 152.159

[178] VII, 447.450

[179] VII, 448

[180] VII, 449.452

[181] VII, 448-449 (Mt 6,19f.;13.22;19,23f.;Mk 4,19;10,25;Lk 1,53;6,24;16,19;12,15-21;12,34).

[182] VII, 448 (Mt 19,16-30;Lk 9,3.57;12,33;18,22).

[183] VII, 450f.

[184] VII, 451; vgl. Art. Armut, in: KThW 36.

3. Jungfräulichkeit und Ehelosigkeit[185]

In biblischer Sicht meint Jungfräulichkeit und Ehelosigkeit weder das bloße Unverheiratet-Sein noch sexuelle Unberührtheit, sondern den verwirklichten Entschluß, sich um des Reiches willen (Mt 19,10ff.) für dauernd geschlechtlich zu enthalten. Diese Lebensform ist im NT an die mit dem Erscheinen Christi gegebene Heilssituation gebunden. Davor gab es sie nicht.

Rahner bietet keine exegetischen Ausführungen über Mt 19,10ff.; auch spirituelle Meditationen zur Ehelosigkeit Jesu selbst sind nicht zu finden. Wichtig ist ihm, daß Jesus im Evangelium klar vom Verzicht um des Himmelreiches willen spricht[186], ohne diesen Verzicht von allen zu fordern. Bei Paulus (1Kor 7,25) liest Rahner, daß die Ehelosigkeit gut ist im Hinblick auf die mit Jesus Christus gegebene eschatologische Situation. Zugleich spricht der Apostel vom 'ungeteilten' Dienst für Christus. - Diese paulinische Hinordnung der Ehelosigkeit auf den ungeteilten Dienst am Herrn und die Qualifikation der Ehe als geteilte Sorge für die Welt greift Rahner im Unterschied zu von Balthasar systematisch nicht auf.

Exkurs: Maria, die Jungfrau[187]

In den Aufsätzen über die Entsagung und über die Ehelosigkeit im besonderen kommt bei Rahner anders als bei von Balthasar Maria praktisch nicht vor. Rahner denkt konkret von der Ehelosigkeit des Priesters und des Ordensmannes her. Auch Erwägungen über Keuschheit und Jungfräulichkeit im allgemeinen sind ihm eher fremd. Nicht zu finden ist eine Metaphysik der Geschlechter.

---

[185] Art. Evangelische Räte, in: KThW 121f.; Art. Jungfräulichkeit, in: KThW 220.

[186] KCh 183

[187] Vgl.; Art. Maria, Mariologie, in: LThK² 7, 27f.84-87; Art. Maria, in: KThW 267ff.; Die unbefleckte Empfängnis, in: I, 223-237; Zum Sinn des Assumpta Dogmas, in: I, 239-252; Das Dogma von der unbefleckten Empfängnis und unsere Frömmigkeit, in: III, 155-167; Virginitas in partu, in: IV, 173-205; Dogmatische Bemerkungen zur Jungfrauengeburt, in: K. S. Frank, u. a., Zum Thema Jungfrauengeburt, Stuttgart 1970, 121-158; Menschliche Aspekte der Geburt des Herrn, in: X, 203-205; Jungfräulichkeit Marias, in: XIII, 361-376; Maria und das christliche Bild der Frau, in: XIII, 353-360; Mut zur Marienverehrung, in: XVI, 321-335; Maria und die Kirche, in: BigEB 262-269; Maria, Mutter des Herrn 62-72. - Sekundär: R. Pesch, Gegen eine doppelte Wahrheit, in: K. Lehmann (Hg.), Vor dem Geheimnis Gottes 20-37; K. Neumann, Der Praxisbezug 49.

Wiederholt hat er sich zu Fragen der 'virginitas' Mariens geäußert. Dabei geht es aber zunächst nicht um die Lebensform der Jungfräulichkeit und Ehelosigkeit.[188] In den Schriften zur Mariologie werden die Mariendogmen im Hinblick auf die Heilsgeschichte gedeutet. »Als ... radikal und vollendet Erlöste ist sie (Maria) die 'unbefleckt Empfangene', als radikaler Neuanfang in Geist und Fleisch ist sie die jungfräulich Empfangende, und zwar so, daß sie (als vollendet Erlöste) von dieser ihrer heilsgeschichtlichen Funktion total und für ihr ganzes Leben in Anspruch genommen wird, Amt und Person zusammenfallen.«[189] Dies gilt für die in der Schrift bezeugte Jungfräulichkeit *vor* der Geburt, d.h. daß Maria den Sohn Gottes ohne Zutun des Mannes empfing (Mt 1,18ff.; Lk 1,34-35; DS 533.1880).[190] Vom Kern der Übereignung an den heilsgeschichtlichen Dienst Christi ist die Jungfräulichkeit zu sehen: »Was dann mit virginitas, als auch mit virginitas post partum gemeint ist, bedeutet im Kern nichts anderes, als daß Maria in diese heilsgeschichtliche Funktion vollkommen und ausschließlich dienend hineingenommen wurde. Sie hat gewissermaßen keine Existenz außerhalb dieser Funktion.«[191]

Die Jungfräulichkeit steht im Kontext der Berufung zur Gottesmutterschaft.[192] Zentral geht es um das Realsymbol der reinen Empfänglichkeit des Gnadengefäßes[193], um die bedingungslose Bereitschaft, die das Kommen Gottes möglich macht.

Die Klammer zwischen Jungfräulichkeit und Gottesmutterschaft ist bei Rahner nicht von vornherein Bedingung der Möglichkeit für die Gottessohnschaft Jesu, wie es bei von Balthasar der Fall ist: der formale und abstrakte Begriff der hypostatischen Union fordert die Jungfrauengeburt nicht.[194] Die Gottessohnschaft Jesu resultiert nicht schon daraus, daß er keinen irdischen Vater hat, sondern »daher, daß das ewige Wort, das sich zu Gott dem Vater wie sein Sohn verhält, eine menschliche Natur annimmt und deswegen von dieser sohnhaften Personalität her einen Vater im Himmel hat, gleichgültig wie das Entstehen seiner menschlichen Natur gewesen ist oder gewesen wäre.«[195] Aber die Menschwerdung des Sohnes Gottes ist freie Gnade schlechthin. Er kommt nicht aus der Dynamik der Welt und setzt nicht die schuldverstrickte Geschichte der Menschheit fort, sondern ist schöpferischer Neuanfang aus der ursprünglichen Initiative Gottes.[196] Die Herkunft aus der Verfügung Gottes kommt greifbar im Fehlen eines irdischen Vaters zur Erscheinung. Die Argumentation der Christologie 'von oben' in Verbindung mit der 'greifbaren Erscheinung' bildet die Klammer zur Askese und Jungfräulichkeit Mariens.

---

[188] Die 'virginitas', besonders jene 'in partu' dient ihm zum Teil als 'Anschauungsmaterial' dogmenhermeneutischer Probleme oder zur Verhältnisbestimmung von Dogma und Exegese.

[189] IV, 196

[190] Art. Maria, in: KThW 268.

[191] Dogmatische Bemerkungen zur Jungfrauengeburt 158; vgl. Art. Maria, in: KThW 268; Art. Brüder Jesu, in: KThW 64. - Die Jungfräulichkeit *in* der Geburt bedeutet, daß Marias Gebären vom Verletzenden und Leidvollen der Sünde nach Gen 3,16 in dem Sinn und Umfang ausgenommen ist, insofern es Erscheinung der Herrschaft der Sünde ist (Art. Maria, in: KThW 268).

[192] Maria, die Mutter des Herrn 66

[193] Vgl. X, 203-224.

[194] Dogmatische Bemerkungen zur Jungfrauengeburt 124

[195] Maria, die Mutter des Herrn 67

[196] Dogmatische Bemerkungen zur Junfrauengeburt 141; vgl. Art. Maria, in: KThW 268.

Maria stellt sich der Tat Gottes 'von oben' zur Verfügung. In ihr kommt die Gabe Gottes 'von oben' im Fleisch schlechthin zur Erscheinung. Sie findet in Maria ganzheitlich, d.h. auch in der leibhaften Existenz, ihren Ausdruck. Ihr ganzes Leben ist sie Mutter des Herrn und als solche Jungfrau. In ihr wird greifbar präsent: »Gott ist der Gott der freien Gnade, der Gott, der durch all unser Bemühen nicht heruntergezogen werden kann, den wir nur empfangen können als die sich selber unaussprechlich frei schenkende Gnade.«[197] Darin ist sie »Vorbild aller christlichen Jungfräulichkeit« um des Himmelreiches willen.[198] Sie sagt allen Christen, daß das Letzte Gnade ist, die erwartet und empfangen werden muß. Sie zeigt und lehrt allen, daß sie keine Türme von Babel bis in den Himmel bauen können, sondern nach aller Mühe und Anstrengung »arme Bettler, unnütze Knechte sind, die das Eigentliche und das Letzte von Gott und ihm allein erhalten müssen.«[199] Dieser Lebensvollzug, diese Haltung hat sich bei jedem Christen auch leiblich zu konkretisieren.

Entscheidend ist bei der Jungfräulichkeit die heilsgeschichtliche Einbindung: sie ist nicht schon in sich oder allgemein als total zu begreifen[200]; sie konkretisiert und verleiblicht die Unverfügbarkeit der Gnade Gottes 'von oben' und repräsentiert die ganzheitliche Einheit von heilsgeschichtlicher Funktion und Person.

Mit Ausnahme des Komplexes Jungfrauengeburt und Gottessohnschaft Jesu treffen sich die Ausführungen Rahners zur Jungfräulichkeit Mariens mit jener von Balthasars (Herkunft Jesu nicht aus der Dynamik der Welt, sondern durch die Initiative Gottes 'von oben'; Priorität der Gnade; Hinordnung der Jungfräulichkeit auf Bereitschaft, Empfänglichkeit und Mutterschaft; heilsgeschichtliche Einbindung, Verknüpfung von Jungfräulichkeit, Armut und Gehorsam), Rahner erhebt aber die Jungfräulichkeit Mariens nicht zum metaphysischen oder theologischen System. Sie wird weder in den systematischen Überlegungen zur Christologie noch im Zusammenhang mit der Ehelosigkeit explizit aufgegriffen. Die Meditationen zur Jungfräulichkeit Mariens stehen unvermittelt neben den Ausführungen zur Ehelosigkeit als eschatologischem und ekklesiologischem Zeichen.

Zudem bindet Rahner die Würde der geschöpflichen Freiheit im Gegenüber zu Gott nicht ausdrücklich an die *Frau* Maria. Fremd ist ihm auch das Bild der Brautschaft und der Hochzeit zwischen Christus und der Kirche (Maria). Rahner denkt das Gegenüber des Menschen zu Gott von der hypostatischen Union her. Dies wird in der transzendentalen Christologie deutlich.

II. Die Räte als Angelpunkt der Hypostatischen Union (Transzendentale Christologie)

Die Phänomenologie der faktisch im Glauben nachvollzogenen Jesus-Beziehung fordert in sich eine transzendentale Reflexion, wenn das ge-

---

197 Maria, die Mutter des Herrn 69
198 A.a.O. 70; vgl. BigEB 263-266.
199 Maria, die Mutter des Herrn 71
200 A.a.O. 65

schichtliche Verhältnis nicht in Zufälligkeit oder Willkür aufgelöst werden soll. Rahner verfolgt mit der transzendentalen Christologie das Anliegen, die Menschwerdung Gottes im Horizont menschlichen Selbst-
und Weltverständnisses so zu denken, daß hypostatische Union, Selbstmitteilung Gottes, Heilszusage und menschliche 'Natur' nicht in einem
zufälligen, bloß äußerlichen und instrumentellen Verhältnis und so im
Grunde einander fremd und bloß willkürlich gesetzt, gegenüberstehen.[201] Er sucht nach einer Einheit von ontischer und soteriologischer,
ontologischer und funktionaler Christologie.[202] Eine solche geht von der
Voraussetzung aus, daß Sein und Erkanntsein im letzten dasselbe sind
('intellegens in actu est intellectum in actu; ens et verum convertuntur').[203] Als Schlüssel für diese Einheit wird sich der personale Gehorsam Jesu zu erweisen haben. Der Begriff der hypostatischen Union hat
das Dogma: »Gott ist Mensch geworden und dieser menschgewordene
Gott ist der konkrete Jesus Christus« so zu entfalten, daß die reale einmalige Einheit zwischen Gott und Mensch zum Tragen kommt. Dabei
darf nicht übersehen werden, »daß der Mensch Jesus in seiner menschlichen Wirklichkeit Gott mit einem kreatürlichen, aktiven und
'existentiellen' Aktzentrum in absoluter Unterschiedenheit (anbetend,
gehorsam, geschichtlich werdend, frei sich entscheidend usw.) gegen-
übersteht.«[204] Diese Einheit in der Unterschiedenheit von Gott und
Mensch in der hypostatischen Union versucht Rahner von der 'potentia
oboedientialis' her deutlich zu machen. Diese 'potentia oboedientialis'
ist, wie wir sahen, identisch mit dem geistig-personalen Wesen des Menschen. Der Mensch ist von sich aus die »unendliche Leere der Transzendenz«.[205] Als »arme Verwiesenheit«[206] auf die Fülle ist er die
»Grammatik einer möglichen Selbstaussage Gottes«[207] , das Vokabular,
die Chiffre Gottes[208], er ist 'potentia oboedientialis' für eine radikale
Selbstaussage Gottes und als solcher schon anfanghaft ('initium unionis') das Ereignis der Selbstmitteilung. Die Existenz des Menschen entscheidet sich daran, ob er die 'arme Verwiesenheit auf die Fülle' ab-

[201] Zur Christologie vgl. I, 169-222; III, 47-60; IV, 137-155; IX, 227-241; X, 203-208; XIII,
   172-187; XV, 206-208; Art. Jesus Christus, in: SM II, 920-957; BigEB 100-116; Christologie - systematisch und exegetisch (zus. mit Thüsing); G 180-312; Ich glaube an Jesus
   Christus.

[202] Art. Jesus Christus, in: SM II, 931f.

[203] A.a.O. 935

[204] A.a.O. 928

[205] G 216

[206] G 216

[207] G 221

[208] G 222; vgl. BigEB 110.

lehnt und den Gehorsam verweigert oder sich selbst enteignet und an das Geheimnis der Fülle weggibt. In der Weggabe seiner selbst kann er die Wirklichkeit Gottes selber werden.[209] So ist der Mensch als der 'Andere' Gottes zugleich der 'non aliud': er ist in ursprünglicher Definition das, »was Gott selber (Gott bleibend) wird, wenn er sich selbst entäußert in die Dimension des Anderen-seiner-selbst, des Nichtgöttlichen.«[210] Diese Möglichkeit ist in der Schöpfung durch eine anfanghafte Selbstmitteilung Gottes grundgelegt. Zugleich steht sie auch unter der Zweideutigkeit menschlicher Freiheit. Die allgemeine transzendentale Erfahrung muß sich wesensnotwendig geschichtlich auslegen.[211] Die Selbstmittteilung Gottes muß geschichtlich zu sich selbst kommen. Grundsätzlich kann jede geschöpfliche Wirklichkeit der Vermittlung der kategorialen, besonderen Offenbarung dienen. Offenbarung im Vollsinn ist dort gegeben, wo die Einheit der transzendentalen Selbstmitteilung und ihrer geschichtlichen Vermitteltheit (die selbst freie personale Offenbarung ist) irreversibel, unwiderruflich, endgültig, absolut und einmalig glückt. Offenbarung im Vollsinn ist dann wirklich, wenn ihre Zusage und die freie geschichtliche glaubende Annahme in einem endgültig zur Erscheinung kommen.[212] Diese Idee impliziert den Gottmenschen, in dem - als gnadenhaftem Höchstfall menschlicher Wirklichkeit - Welt und Geschichte qualifiziert werden: ihr Sinn und Ziel besteht in der Einheit mit Gott[213], die für den Menschen das Heil bedeutet. Der Mensch wartet also auf die irreversible Heilszusage Gottes in der Geschichte: Christus ist sie.[214] Er ist die Synthese von Transzendenz und Geschichte, das 'absolutum concretissimum', das in realsymbolischer Einheit die transzendentale und geschichtlich kategoriale Dimension umfaßt[215], er ist die Fülle der Zeiten, der Sinn und das Ziel der Geschichte.

Der Idee des Gottmenschen (hypostatische Union) als des absoluten Heilsbringers ist die Struktur der Armut und des Gehorsams eingeschrieben. Beide sind auf seiten des Menschen die innere Klammer zwischen Anthropologie und Theologie: in der menschlichen Offenheit für

---

[209] G 216; zum Verhältnis von Theologie und Anthropologie, vgl. VII, 43-65; XII, 387-406; Art. Anthropologie, in: SM I, 176-186; Grundentwurf einer theologischen Anthropologie, in: HPTh II/1, 20-38.

[210] Art. Anthropologie, in: SM I, 184.

[211] G 157; vgl. V, 158; VII, 24.248.391; SG 65; vgl. Offenbarung und Überlieferung 11-25.

[212] G 159; Offenbarung und Überlieferung 15f.

[213] G 201.287-298; Art. Jesus Christus, in: SM II, 922f.; Christologie im Rahmen des modernen Selbst- und Weltverständnisses, in: IX, 227-241; XV, 18-20.

[214] I, 208; G 161.

[215] Ich glaube an Jesus Christus 60

Gott, in seiner Armut als grundsätzliche Verwiesenheit und im Gehorsam ist die 'potentia oboedientialis' für die hypostatische Union gegeben.[216] Christus ist in der hypostatischen Union der gnadenhaft einmalige Höchstfall der Anthropologie[217]: in Armut und Gehorsam, d.h. in die Übereignetheit an Gott, kann Gott sich im Menschen Jesus endgültig aus- und zusagen. Dabei hebt der Gehorsam, d.i. die Übereignung des menschlichen Aktzentrums, die kreatürliche Freiheit des Menschen Jesus Gott gegenüber nicht auf, sondern setzt diese Freiheit voraus (wider den Monotheletismus). Die Freiheit der Menschheit Jesu vollendet sich im Gehorsam, in der restlosen Übereignung an Gott: »Der Mensch Jesus steht in einer seine ganze Wirklichkeit von vorneherein und total durchherrschenden Willenseinheit mit dem Vater, in einem 'Gehorsam', aus dem er seine ganze menschliche Wirklichkeit bezieht; er ist schlechthin der, der sich dauernd vom Vater her empfängt und der sich in allen Dimensionen seiner Existenz dem Vater restlos übergeben hat; er ist der, dessen 'Grundbefindlichkeit' (als ursprüngliche Einheit von Sein und Bewußtsein) die radikal vollendete Herkünftigkeit von Gott und Übereignetheit an Gott ist.«[218]

Die personale Einheit mit Gott und die aktive Eigenständigkeit des Menschen Jesus wachsen darum im selben Maß.[219] So ist der freie Gehorsam Jesu die Grundlage für das 'Unvermischt' und 'Ungetrennt' in der hypostatischen Union. Der Gehorsam gehört zum inneren Vollzug der Selbstmitteilung Gottes als irreversibles Heilsereignis: in ihm empfängt der Mensch die Zusage, in ihm realisiert sich zugleich die freie Annahme der Selbstmitteilung Gottes durch den Menschen. So ist der Gehorsam Jesu die innere Mitte des endgültig in der Geschichte getanen und ereigneten Heils, der siegreich angekommenen Gnade.[220] Armut und Gehorsam erweisen sich so als Klammer zwischen der historisch-biblischen und der transzendentalen Christologie. Die transzendentale Christologie hat sich damit als »hörende Christologie«[221] gezeigt. Der Gehorsam Jesu drückt letztlich bei Rahner der Anthropologie und der Christologie den Stempel auf. Damit trifft er sich mit von Balthasar.

---

[216] Art. Jesus Christus, in: SM II, 930.

[217] Art. Anthropologie, in: SM I, 185; VI, 548; I, 184.

[218] G 296; vgl. I, 193 (Jesus ist der Mensch, der die einmalige absolute Selbsthingabe an Gott lebt); Art. Jesus Christus, in: SM II, 935.

[219] Art. Jesus Christus, in: SM II, 948.

[220] A.a.O. 945; G 332.

[221] I, 206.

1. Menschwerdung Gottes und Räte

Armut und Gehorsam haben sich als innere Form der Möglichkeit von Menschwerdung erwiesen. Jetzt ist zu fragen, wie ihrerseits die Menschwerdung Gottes die Form der Räte prägt[222]. Von der Menschwerdung her denkt Rahner eine letzte Positivität der Schöpfung: in Christus begegnet Gott ganz als einer, der sich wahrhaft, ernsthaft und bedingungslos der Schöpfung zuwendet, ja in der menschlichen Natur sich selbst mitteilt. In Christus ist ontologisch grundgelegt, daß der Adressat der Selbstmitteilung Gottes im Ereignis nicht aufgelöst wird oder untergeht, sondern zu sich selbst kommt.[223] In ihm wird eine »gute Endlichkeit«[224] gedacht, ohne sie zu vergötzen: »Wenn Gott Mensch geworden und es in Ewigkeit bleibt, dann und darum ist aller Theologie verwehrt, vom Menschen gering zu denken. Sie dächte ja von Gott gering.«[225] In der Menschwerdung Gottes wird die »nichtige Kreatur unendlich wichtig, unsagbar groß und schön, weil beschenkt durch Gott selbst und mit ihm selbst.«[226] Dies gilt im besonderen Maß für die Freiheit des Menschen, die »umso mehr (wächst), je mehr Gott in ihm und vor ihm wächst.«[227] Mit der positiven Begründung menschlicher Freiheit durch die Inkarnation geht Rahner Hand in Hand mit von Balthasars Kritik an der Vorstellung des dämonischen Gottes, dessen Einheit kein 'aliud' duldet. Die Theologie darf auch nach Rahner Gott nicht als einen denken, »der tötet, um selber lebendig zu werden, ... dessen Wesen und eigentliche Absolutheit alles Endliche 'vampirhaft' in sich aufsaugt und verschlingt.«[228] Der Mensch braucht also nicht den Platz zu räumen, damit Gott Platz findet. Auf Grund der Menschwerdung Gottes hat jede Beziehung zu Gott, jeder religiöse Akt inkarnatorische Struktur, denn Gott mittelbar im Geschöpf und in der Aufgipfelung der Geschöpflichkeit, im Realsymbol der Selbstmitteilung in Jesus Christus zu finden, ist keine vorläufige und zu überwindende Phase. Das Gottes-

---

[222] Vgl. Die ewige Bedeutung der Menschheit Jesu für unser Gottesverhältnis, in: III, 47-60; Art. Anschauung Gottes, in: SM I, 159-163; Art. Menschheit Christi, in: LThK²7,301.

[223] XIII, 214

[224] XIII, 224

[225] BigEB 112; vgl. G 223

[226] XV, 381

[227] III, 53

[228] III, 53; vgl. G 91.

verhältnis wird in alle Ewigkeit durch die Menschheit Jesu im Heiligen Geist vermittelt sein.[229]

In Jesus Christus vollzieht sich die liebende Öffnung und Beziehung des endlichen Subjektes zum unendlichen Geheimnis. In ihm wird die Endlichkeit nicht als Sperre gegen Gott, sondern als Vermittlung zur Unmittelbarkeit Gottes gelebt.[230] Im christologisch-pneumatologischen Ineinander von Vermittlung und Unmittelbarkeit, das in Inkarnation und Auferstehung Jesu seinen Grund hat, ist die Einheit mit Gott in der bedingungslosen liebenden Annahme Gottes zugleich die Vollendung menschlicher Freiheit.[231]

Diese positive Begründung endlicher Freiheit und menschlicher Vermittlung durch die Inkarnation bedeutet für die Räte, daß ein auf Weltverneinung und Negation des Menschen aufbauendes Verständnis von Armut, Ehelosigkeit und Gehorsam ausgeschlossen werden muß. Die Räte stehen nicht im Dienst des Nihilismus oder auf der Opferliste eines dämonischen, letztlich vernichtenden Gottes. Sie sind in das Strukturgefüge personaler Beziehung und Liebe zwischen Mensch und Gott bzw. zwischen Mensch und Mensch hineingenommen. Bei aller Betonung der Askese wird es letztlich nicht um Weltflucht, sondern die im Fleisch der Sünde durchgehaltene Liebe zur Welt gehen.

So impliziert Armut im weiteren Sinn die Selbstannahme der Kreatürlichkeit. In Armut nimmt der Mensch seine eingeschränkte und begrenzte Existenz als positiv an. Der Gehorsam ist unter der Perspektive der Menschwerdung ein Akt höchster Freiheit und Relation und nicht deren Aufhebung. Der Mensch ist freier Sohn und nicht mehr Knecht.[232] Die Ehelosigkeit, die bei Rahner nicht ausdrücklich anthropologisch fundiert wird, ist von der Inkarnation her nicht bloß Verzicht, sondern eine positive Möglichkeit des Menschseins. In Maria bedeutet die Jungfräulichkeit ihre leib-seelische, ganzheitliche Hineinnahme in die heilsgeschichtliche Aufgabe. Sie ist hingeordnet auf die Mutterschaft.

Für die Lebensform der Räte insgesamt hat die inkarnatorische Struktur zur Folge, daß sie dem positiven schöpferischen Ruf Gottes, d.h. seiner Liebe entspringen. Als Form positiver Endlichkeit stehen sie un-

---

[229] Vgl. auch: Dogmatische Fragen zur Osterfrömmigkeit, in: IV, 157-172; Über die Spiritualität des Osterglaubens, in: XII, 335-343; Ich glaube an Jesus Christus 55f.; Art. Auferstehung Christi, in: LThK² 1, 1038-1041; SM I, 416-425.

[230] G 175; vgl. X, 557 (Die Antwort des Glaubens auf die Herausforderung durch den 'Horizontalismus').

[231] Vgl. XIII, 224; zur 'vermittelten Unmittelbarkeit' vgl. auch IV, 170.

[232] Vgl. G 275.

ter dem Gesetz der Verleiblichung. Ihre Konkretion ist ontologisch und christologisch nicht bloß Material oder äußere Bewährungsprobe, sondern innerer Vollzug der Liebe. Durch die Menschwerdung Gottes wird ein isoliert individuelles Verständnis der Räte auf Kommunikation und Solidarität hin gesprengt.

2. Räte und »suchende Christologie« (Interkommunikation)

In der Menschheit Jesu wurzelt auch die »Interkommunikation aller Menschen bis in die letzte Tiefe ihrer Existenz, bis in ihr Heil hinein.«[233] Aus der ewigen Bedeutung der Menschheit Jesu für das Gottesverhältnis und die menschliche Interkommunikation folgt für Rahner die Einheit von Gottes- und Nächstenliebe.[234] Mitte der 60iger Jahre sieht er eine neu heraufziehende Epoche, für welche ' Nächstenliebe ' das wirklich bewegende Urwort und 'Schlüsselwort' sein könnte.[235]

Ohne den transzendentalen Ansatz zu verlassen, wohl aber durch eine gewisse Korrektur und Differenzierung des Ansatzes von »Geist in Welt«, kommt Rahner mehr und mehr zu einem personalen Denken[236]: er geht dabei weiterhin vom Selbstvollzug, Selbstbesitz und der Selbsttat des Menschen in Erkenntnis und Freiheit aus; aber der Mensch realisiert sich in der Vermittlung durch die Umwelt, die in ihrer 'Wahrheit' und 'Eigentlichkeit' die personale Mitwelt ist.[237] Im transzendentalen Denken müssen wahre geistige Subjektivität, Individualität und Je-Einmaligkeit kein Gegensatz zur geistigen Bezogenheit, zur Sozialität in gegenseitiger Mitteilung, zur liebenden Personengemeinschaft und zur Einheit mit allen und mit dem Ganzen sein.[238] Dem Subjekt geht es (nur!?) formal in Erkenntnis und Freiheit immer um sich selbst.[239] Diese formale Bestimmung will Rahner aber nicht im Sinne einer Egozentrik mißverstanden wissen. Die Notwendigkeit der Vermittlung durch den (das) Andere(n) ist keine bloße aufzuhebende und zu bewältigende Ne-

---

[233] Der eine Mittler und die Vielfalt der Vermittlungen, in: VIII, 218-235, hier 223.

[234] Über die Einheit von Gottes- und Nächstenliebe, in: VI, 277-298; Glaube, der die Erde liebt 85-95; Art. Liebe, in: SM III, 234-252; G 302f.; zu den Quellen: vgl. Viller-Rahner, AMV 70f. (Klemens von Alexandrien).

[235] VI, 297

[236] Vgl. zu dieser 'Korrektur' das Gespräch zwischen Rahner und Simons - Zur Lage der Theologie 28-31.

[237] VI, 287

[238] Über die heilsgeschichtliche Bedeutung des Einzelnen in der Kirche, in: SG 89-128, hier 93.

[239] VI, 287f.

gativität oder Andersheit für das 'Ich'. »Die freie Selbstverfügung ist als sittlich richtige und vollendete gerade die liebende Kommunikation mit dem menschlichen *Du* als solchem.«[240] Selbstverfügung in Endgültigkeit und Freiheit ist in höchster kategorialer Form nur im Wagnis, in bedingungsloser Treue und Verläßlichkeit, in der Verantwortung der Nächstenliebe möglich. Diese ist nicht bloß regionales Tun, sondern Grund und Inbegriff der Sittlichkeit überhaupt. »Der Akt personaler Liebe zum menschlichen Du ist also der umfassende, allen anderen Sinn, Richtung und Maß gebende Grundakt des Menschen.«[241] Weil also Nächstenliebe zur Transzendentalität des Menschen gehört, ist ontologisch gesehen radikale Nächstenliebe immer schon Gottesliebe.[242] Implizit ist deshalb absolute Nächstenliebe schon eine suchende Christologie: Wer den Nächsten bedingungslos liebt und sein ganzes Leben für ihn einsetzt, vertraut implizit oder explizit der geschichtlichen irreversiblen Selbstmitteilung Gottes in Jesus Christus, die den Tod einschließt.[243]

Diese 'suchende Christologie' entspricht dem biblischen Zeugnis, besonders einer für Rahner zentralen Stelle, nämlich Mt 25,31-45.[244] So ist ontologisch und christologisch Nächstenliebe ein Akt der 'caritas', der übernatürlichen Gottesliebe. Umgekehrt öffnet auch die explizite Gottesliebe auf die Ganzheit der Wirklichkeit und impliziert ontologisch und christologisch Nächstenliebe.[245]

Nächstenliebe und Gehorsam

Durch die Christologie wird bei Rahner das Verständnis des Subjekts und seiner Freiheit umgepolt: der Weg der Freiheit geht vom Akzent auf der 'selbsterwirkten Rezeptivität' zur Verwiesenheit und Öffnung auf das menschliche Du bis zur Liebe des anderen um seiner selbst willen.

In den Aufsätzen über die Einheit von Gottes- und Nächstenliebe kommt der Gehorsam nicht explizit vor. Ausdrücklich in die intersubjektive Liebe eingebunden wird der Gehorsam erst in einem späten

---

[240] VI, 288

[241] VI, 288

[242] Jesus lieben 61; Glaube, der die Erde liebt 83-95.

[243] Vgl. die radikale Nächstenliebe als 'suchende Christologie': X, 209-214; XIII, 172-187; XV, 206-235; Ich glaube an Jesus Christus 15; Wer ist dein Bruder? passim; Wie können wir Jesus lieben 62; Art. Jesus Christus, in: SM II, 924ff.

[244] Ich glaube an Jesus Christus 26.63; dazu: K. Neumann, Der Praxisbezug 113f.126/Anm. 72.

[245] VI, 295; vgl. X, 559f.

Aufsatz, in dem der oben skizzierte Weg der Freiheit in seinen einzelnen Etappen nachgezeichnet wird.[246] Gehorsam ist hier die »fundamentale Eigentümlichkeit des richtigen Menschseins: Der Mensch ist ein Wesen, das sich nicht in sich verschließen darf, das anderes zur Kenntnis nehmen muß, das in seiner Selbstverwirklichung nur das wird, was es werden soll, wenn er dem anderen, dem Fremden, dem von ihm Verschiedenen gerecht wird, wenn er sachgerecht lebt und denkt.«[247] Gehorsam bedeutet die »gelehrige Aufmerksamkeit«, die Offenheit, die Bereitschaft zu hören aus Respekt vor der Wirklichkeit, wie sie ist. Im Gehorsam wird der Mensch Sachen und Personen gerecht, weil er sie nicht sofort Nützlichkeitserwägungen unterwirft.[248] Er impliziert den Respekt vor der Würde des anderen, die Achtung vor den Regelungen, die ein friedliches Zusammenleben untereinander ordnen. Jedem wird das Sein zugestanden.

Zur Aufrechterhaltung des friedlichen Zusammenlebens kann der 'Gehorsam' auch Kompromisse oder ein Nachgeben fordern. Im Gehorsam ist es die Aufgabe eines jeden, dem anderen zu seiner Selbstverwirklichung zu verhelfen[249], auf das Wohl des anderen bedacht zu sein. Auf höherer Ebene bedeutet der Gehorsam das »Eingehen in die einmalige, je unableitbare Freiheit des anderen«, die »freie liebende Respektierung« dieser Freiheit[250] und letztlich die Bereitschaft, sich selbst herzugeben. Als gegenseitige Hingabe von zweckfreien Persönlichkeiten heißt der Gehorsam: »Nicht nur Du sollst sein, nicht nur Dich im allgemeinen und ganzen bejahe ich, sondern Deine Freiheit in ihrer Unableitbarkeit liebe ich, nehme sie in meine Freiheit auf. Ich will, was Du willst.«[251]

Der Gehorsam ist also der freie Modus der Sachgerechtigkeit, der Personengerechtigkeit, der Zweckfreiheit und der Selbstlosigkeit der Liebe. In diesen Ausführungen Rahners über den Gehorsam wird deutlich, wie Rahner mögliche Aporien des 'transzendentalen Ansatzes' überwindet: im ersten Ansatz war Freiheit noch als Fähigkeit zur 'Negation der Sinnlichkeit' (und damit auch des personalen Anderen) verstanden worden (vgl. S. 168). Dem Subjekt war es letztlich immer um sich selbst gegangen. - Im Gehorsam wird nun die zirkuläre Struktur des sich selbst

---

[246] In der Liebe aufgehoben. Vom Sinn des Gehorsams, in: Horizonte der Religiosität 93-100.
[247] A.a.O. 93
[248] A.a.O. 95
[249] A.a.O. 95
[250] A.a.O. 96
[251] A.a.O. 96

setzenden und im anderen zu sich kommenden Subjektes aufgebrochen. Personale Differenz wird eröffnet. Die Anerkennung des Anderen steht nicht unter dem Diktat des Vorstellens, Begreifens, der Aneignung, Bewältigung oder Herrschaft. Der Andere wird positiv als Anderer wahrgenommen. In einem weiteren Sinn gehört somit der Gehorsam zur Grundstruktur menschlicher Kommunikation, insofern sich der Mensch vom Du her empfängt und in selbstloser Liebe zum Du hin verwirklicht. So kommt Rahner durch die Christologie zu einem positiven Verständnis eines innerweltlichen und auch interpersonalen Gehorsams, wie es bei von Balthasar schon im Rahmen von Phänomenologie und Analogie entfaltet war. Rahner wird bei dieser Korrektur des als Negation der Welt verstandenen 'Vorgriffs' seinem 'transzendentalen Ansatz' nicht untreu: er verlagert das Gewicht nicht einfach auf den anderen Pol, z.B. auf die Objektivität, der gegenüber das Subjekt reine Registratur und Vorurteilsfreiheit sein müßte. Anerkennung und Gehorsam einer menschlichen Autorität gegenüber geschehen in Freiheit. Der Gehorsam hebt das freie Urteil nicht auf, sondern setzt dieses voraus. Insofern ist der intersubjektive Gehorsam in ein Kräfteverhältnis eingeordnet, in dem freies Urteil und damit auch Kritik, Protest und möglicher Ungehorsam Platz haben.

Das Wissen um die aktive Rolle des Erkennens, um die Freiheit des Gehorchens bewahrt vor einer Selbst-Immunisierung des Subjektes. Wenn dieses sich einer konstitutiv ethischen Bedeutung bewußt bleibt, kann es nüchtern seine eigenen Voraussetzungen hinterfragen.[252] Selbsterkenntnis und Selbstbezug ermöglichen Rahner das Wissen um die Würde der Freiheit und zugleich Selbstkritik.

Nächstenliebe und Armut

Die Phänomenologie radikaler Liebe impliziert bei Rahner den Verzicht, das Lassen, die Armut. Armut (und Gehorsam) werden zur Form vorbehaltloser, selbstloser Nächstenliebe. Konkret geht Rahner vom biblischen Maß (Mt 25,31-46), d.h. von der Liebe zu den Geringsten als Liebe zu Christus aus: Die Würde des armen Nächsten und des Leiden-

---

[252] Vgl. dazu etwa die Ausführungen von H. G. Gadamer: »Wer seiner Vorurteilslosigkeit gewiß zu sein meint, indem er sich auf die Objektivität seines Verfahrens stützt und seine eigene geschichtliche Bedingtheit verleugnet, der erfährt die Gewalt der Vorurteile, die ihn unkontrolliert beherrschen, als eine *vis a tergo* ... Wer sich aus der Wechselseitigkeit einer solchen Beziehung herausreflektiert, der verändert diese Beziehung und zerstört ihre sittliche Verbindlichkeit.« (Wahrheit und Methode, Tübingen [4]1975, 343).

den wurzelt in der Inkarnation, in der Gott die Armut der Kreatur angenommen hat. »Er steht ja selbst auf der Seite des Armen, weinend, hungernd und sterbend.«[253]

Mt 25,31-46 wird von Rahner in die verschiedenen kirchlichen, gesellschaftlichen, wirtschaftlichen und globalen Ebenen hinein entfaltet: in der Einheit von Gottes- und Nächstenliebe wurzelt die theologische Begründung der kirchlichen Sozialarbeit[254] und der kirchlichen Entwicklungsarbeit (Misereor)[255], wo er auf die notwendige gesellschaftliche Objektivation und Verifikation christlicher Liebe und Barmherzigkeit hinweist. Mt 25 ist der Ausgangspunkt seines Eintretens für die Theologie der Befreiung[256], es ist der Knoten seiner Predigt für Biafra (1968)[257]. Die Brüderlichkeit in der Gemeinde erwächst ebenso daraus wie der prophetisch-kritische Einsatz für Menschenwürde, Freiheit, Frieden und Gerechtigkeit auf nationaler Ebene (Arbeiterfrage) wie auf internationaler Ebene (Nord-Süd-Konflikt)[258]. Rahner denkt dabei vom biblischen Richtmaß der Ohnmächtigen und Armen her.[259] Die Aufgabe von Theologie und Kirche ist von da aus weniger eine konservative als eine ideologie- und gesellschaftskritische.

An dieser Liebe zu den Ärmsten scheidet sich letztlich wahre Liebe von »lebensweisem Egoismus«.[260] Sie führt in den Schmerz, die Entsagung, in die Unbegreiflichkeit des sich selbst genommenen Daseins, wo kein Echo, kein Lohn, keine Anerkennung oder Bestätigung zurückkommt. Ohne Anziehungskraft wird der Arme um seiner selbst willen geliebt. Barmherzige Liebe muß selbst arm und selbstlos ein, damit der Arme sie ohne Demütigung empfangen kann. Barmherzige Liebe ist bei Rahner 'simul dives et pauper', d.h. in der Einheit von Armut und Fülle zu denken: der Geber wird in freier Selbstmitteilung demütig und leer, wenn er sich selbst gibt.[261]

---

[253] Preis der Barmherzigkeit (Albert Schweitzer) 1965, zit. nach: Politische Dimensionen des Christentums. Ausgewählte Texte zu Fragen der Zeit, hg. und erläutert von H. Vorgrimler, München 1986, 262.

[254] VIII, 667-688; K. Rahner wurde die Caritas-Medaille verliehen (Bilder des Lebens 137).

[255] XIV, 273-283

[256] K. Rahner, Politische Dimensionen des Christentums 170-188; vgl. GL 164-169; Befreiende Theologie, Stuttgart 1977, 6-8; Glaube und Gerechtigkeit (hg. Kerber/Zwiefelhofer), München 1976.

[257] Politische Dimensionen des Christentums 167.174-179 (Hungern für Biafra).

[258] Vgl. ebd., sowie auch: Strukturwandel der Kirche als Aufgabe und Chance (1972) 88-91; Wer ist dein Bruder?

[259] XV, 296 (im Kontext der atomaren Abrüstung).

[260] Wer ist dein Bruder? 40; Ich glaube an Jesus Christus 26.29.63.

[261] Politische Dimensionen des Christentums 262

Die Zuwendung Gottes zu den Armen qualifiziert Rahner als barmherzige Agape - in einer gewissen Kontrastierung zum Eros: »Die Botschaft des Evangeliums (verkündigt) die Liebe, die sich zur Armut herabneigt, sich nicht - wie der Eros - an der Schönheit des Geliebten entzündet, sondern ihn barmherzig liebt, obwohl oder weil er arm, niedrig, nichtig ist.«[262] Diese Stelle deutet eine kommunikativ solidarische Dimension der Ehelosigkeit an, die sonst bei Rahner nicht ausgeführt ist. Sie macht auch deutlich, was sich sonst nur als Vermutung nahelegt: auch in der Nächstenliebe kommt Rahner von Gott zur Welt, d.h. Maß ist letztlich Christus, der gerade dem Ärmsten seine Würde verleiht.

In der selbstlosen Liebe zum Nächsten sind Askese, Kommunikation und Solidarität miteinander verknüpft. Die Armut ist insgesamt in eine heilsgeschichtliche Bewegung hineingenommen: Im Lassen der Welt ist sie Verzicht; im Mitvollzug des Abstiegs Gottes zur Welt führt sie zur Selbstannahme und zur armen Liebe zum Armen. Der asketische Aspekt der Armut ist in die positive Liebe des armen Anderen (gen. obj.) um seiner selbst willen integriert.

Die Bedeutung der Menschwerdung Gottes setzt bei Rahner gerade den Ärmsten, den Geringsten ins Licht. In Christus wird nun der Arme seinerseits zum Maßstab, um zwischen emanzipatorischem Glück und Gottes Heil zu differenzieren. In der ontologischen und christologischen Fundierung der Liebe zum Armen wird ein monadisches Freiheits- und Emanzipationsverständnis gesprengt. Zugleich wird ein abstraktes Gleichheitsideal aufgebrochen. Am Armen hat sich für Rahner letztlich konkrete Solidarität und universale Kommunikation zu bewähren.[263] - Metz und die Theologie der Befreiung werden auf diese Grundstruktur der Einheit von Gottes- und Nächstenliebe und der Differenz von Welt und Heil um des Armen willen zurückgreifen. Im Armen öffnet sich auch der Blick für das Kreuz. Radikale Nächstenliebe führt in den Schmerz und die Unbegreiflichkeit des Kreuzes. Der selbstlos Liebende erlebt bittere Enttäuschungen, wenn er der Dumme und Ausgenützte ist. Der Arme und die Liebe zum Armen werden zur Klammer zwischen der Menschwerdung Gottes und dem Tod Jesu.

---

[262] A.a.O. 260
[263] Ich glaube an Jesus Christus 29; Wer ist dein Bruder? 40; XV, 296.

3. Der Tod Jesu und die Räte

Die Menschwerdung Gottes geschieht nicht in einen sündenfreien Raum hinein. Jesus nimmt das hinfällige, schwache und todgeweihte Fleisch an, in dem sich die Sünde durch menschliche Interkommunikation verobjektiviert hat.[264] Letzte Konsequenz der Inkarnation ist die Annahme des Sündentodes: »Wenn Gott sich in die Leere der Geschöpflichkeit selber aussagt, dann entsteht nicht nur der Mensch und Christ, sondern der Gekreuzigte und sein Schicksal.«[265] Der Kreuzestod Jesu macht die letzte Wahrheit des menschlichen Todes in einer von der Sünde geprägten Struktur offenbar. Dieser Tod Jesu ist durch Armut und Gehorsam geprägt. Zugleich sind die Räte für Rahner erst vom Kreuz her zu verstehen.

Der Tod als freie Tat und Folge der Sünde

Rahner sieht im Tod des Menschen einerseits ein naturales Widerfahrnis, in dem - analog zur Geburt - die menschliche Endlichkeit am deutlichsten wird. Der Tod ist radikale Selbstentmächtigung, äußerste Ohnmacht, Entzug, totales Verfügtwerden, das letzte Dunkel des menschlichen Lebens. Analog zur selbsterwirkten Rezeptivität in der Erkenntnis steht für Rahner der Mensch seinem naturalen Geschick, der letzten Passibilität im Tod frei gegenüber. Im Tod kommt die Spannung zwischen Natur und Person voll zum Austrag. Der Tod ist - wie bei Heidegger - die letzte und höchste Tat der Freiheit, er ist die »getane Endgültigkeit des frei gezeigten Daseins.«[266] In ihm verfügt der Mensch endgültig, ob er seine Endlichkeit, das absolute Verfügtwerden und die letzte Ohnmacht, das Sein zum Tode, annimmt oder in Verzweiflung verwirft.[267] Die personale Freiheitstat will Rahner nicht im platonisch dualistischen Sinn mißverstanden wissen. Vom erkenntnismetaphysischen Einheitsgrund von Geist und Sinnlichkeit her wendet sich Rahner gegen eine Trennung von Leib und Seele im Tod.[268] Der Tod ist ein ganzheitlich menschliches Geschehen, das auch den geistigen Grund betrifft. Die Seele »wird ... im Tod nicht akosmisch, sondern allkosmisch werden.«[269] In der konkreten geschichtlichen Situation wird der Tod so erfahren, wie er nicht sein sollte: als innerer Widerspruch zur Dynamik des Menschen, als Abbruch von außen und als Strafe. In dieser Form ist die Einheit von

---

[264] Vgl. I, 217; Art. Einheit der Menschheit, in: LThK² 3, 756f.

[265] EpEx 255; Theologie des Todes 56ff.; Art. Theologia crucis, in: LThK² 10, 61; Art. Tod Jesu, in LThK² 10, 221-226.231f.; Art. Erbsünde, in: SM I, 1104-1117; Art. Erlösung, in: SM I, 1159-1176; dazu: A. Grün, Erlösung durch das Kreuz. Karl Rahners Beitrag zu einem heutigen Erlösungsverständnis, Münsterschwarzach 1976.

[266] IV, 430

[267] III, 91; G 290.

[268] Theologie des Todes 75f.

[269] A.a.O. 22

tätiger freier Vollendung und Verfügung durch Gott verhüllt.[270] Darin ist der Tod eine Folge und das Erscheinungsbild der Sünde.[271] In seiner Verhülltheit, als Abbruch, ist der Tod der Höhepunkt der Konkupiszenz, durch die der Mensch seinen Tod nie ganz in Freiheit einholen kann. Das Fehlen der Gnade bewirkt die Widerständigkeit und Hemmung des Menschen. Christlich gesehen ist die Erbsünde, die Tendenz zur persönlichen Schuld als die logisch negative Antwort, als Nein gegen Gott, universal und menschlich nicht aufhebbar. Durch Sünde pervertierte Freiheit bedarf der Interpretation, des Gerichtes und der vergebenden Begnadung durch Gott. Die Frage nach Heil impliziert die Erlösungsbedürftigkeit von Schuld in der Vergebung.[272]

Jesus ist am Kreuz den Tod als Sichtbarkeit und Folge der Sünde (der Erbsünde und aller persönlichen Sünden) in der absoluten Widersprüchlichkeit, Fremdheit, Abgründigkeit, in der Leere und Ausweglosigkeit, in der Finsternis und Gottverlassenheit gestorben.[273] Er begegnet dem letzten Nein der Sünde zur Gnade im letzten Willen zur Autonomie. In diesem Tod identifiziert sich Jesus in personaler Freiheit mit allen Menschen. In der freien Annahme des Todes als Erscheinung der Sünde umspannt er den Gegensatz von Natur und Person, von Sünde und Gnade. Der Tod Jesu ist Höhepunkt seiner letzten Identifikation mit dem sündigen Menschen und Gipfel seiner Liebe und seines Gehorsams Gott gegenüber.[274] Das Nein der Sünde wird besiegt und umgewandelt, indem Christus es annimmt, ausleidet und in gehorsamer Liebe dem Vater übergibt.[275] So stirbt Jesus am Kreuz den »Tod, der das Lebendige und ewig Gültige bei Gott gebiert.«[276] Zur inneren Form dieses Todes gehören Gehorsam und Armut.

Die Räte und die Selbstmitteilung Gottes am Kreuz

Im Kreuzesgehorsam vollzieht sich die irreversible Selbstmitteilung Gottes in Zusage und Annahme.[277] Im Gottmenschen wirkt Gott selbst

---

[270] A.a.O. 44f.

[271] A.a.O. 32; vgl. Art. Erbsünde, in: SM I, 1104-1117, hier 1112 - wenn Adam als natürlicher Mensch ohne Sünde gestorben wäre, so wäre sein Tod unverhüllte und freie Vollendung des Menschen in Gott gewesen.

[272] Art. Erlösung, in: SM I, 1159-1176; G 113f.; II, 98.

[273] BigEB 222f.; EpEx 241; XIII, 301.

[274] Theologie des Todes 57; BigEB 125f.; Gehorsam geworden bis zum Tod, in: Gott ist Mensch geworden 49-57; Die Gegenwart des Ölbergleidens Jesu, in: GL 82-88.

[275] Theologie des Todes 57

[276] XIII, 301

[277] Art. Erlösung, in: SM I, 1171f.

diese Geschichte, auch die Geschichte der Sünde und deren geschichtliche Objektivation. Am Kreuz geschieht zugleich die radikalste Annahme der vergöttlichenden Selbstmitteilung von seiten der Kreatur. Im Tod leidet Jesus die Schuldsituation aus und nimmt sich so als menschliches Freiheitswesen endgültig an. In diesem Tod und in der Annahme durch Gott in der Auferstehung wird die endliche menschliche Wirklichkeit radikal und frei Gott übergeben und von Gott angenommen. In der Einheit der beiden Annahmen wird die Selbstmitteilung Gottes irreversibel und eschatologisch. Schlüssel dieser Einheit von Gott und Mensch ist der *Gehorsam* Jesu. Er ist der Offenbarung nicht äußerlich oder bloß funktional, sondern gehört zu ihr wesentlich.

Die Wesen*armut* des Menschen findet ebenso am Kreuz ihre Vollendung. Auch sie gehört zur Irreversibilität der Selbstmitteilung: »indem unser 'Haben' Gottes immer wieder durch die Gottverlassenheit (Mt 27,46; Mk 15,34) des Todes, in der Gott allein radikal uns entgegentritt, darum hindurchgeht, weil Gott sich selbst in Liebe preisgegeben hat und dies in seinem Tod real wird und zur Erscheinung kommt. Der Tod und somit auch Armut und Gottverlassenheit gehören zur *Selbst*aussage Gottes.«[278]

Zur Heilsbedeutung des Todes Jesu

Als irreversible Selbstzusage Gottes in der Geschichte und gehorsame, sich selbst übereignende Annahme der Selbstmitteilung sind Leben, Tod und Auferstehung Jesu in einem analogen 'quasisakramentalen' und 'realsymbolischen' Sinn *Ursache* des Heilswillens Gottes, indem »das Bezeichnete (hier: der Heilswille Gottes) das Zeichen (den Tod Jesu und seine Auferweckung) setzt und durch es hindurch sich selbst bewirkt«.[279]

Mit der Anwendung sakramententheologischer Begriffe auf die Soteriologie will Rahner einerseits einer bloß äußerlichen oder juridischen Bedeutung des Kreuzes für das Heil entgehen: »Das Zeichen gehört eben zur Vollendung des Wesens dieser Gnade, die sich gerade darin geschichtlich als irreversibel meldet.«[280] Jesus ist am Kreuz konkretes,

---

[278] Art. Jesus Christus, in: SM II, 952.

[279] Vgl. Art. Soteriologie, in: LThK² 9, 894-897; Art. Erlösung, in: SM I, 1159-1176; G 251; XII, 267ff.; vgl. A. Grün, Erlösung durch das Kreuz, passim.

[280] XII, 268

konstitutives und produktives Vorbild; erst durch ihn wird für andere der Zugang zu Gott ermöglicht und bewirkt.[281]

Mit dem Kreuz als Realsymbol des Heilswillens Gottes will Rahner zugleich einem physischen oder moralischen Sinn von 'Ursache' ausweichen: »Weil es einen Heilswillen Gottes gibt, gibt es Kreuz und Auferstehung; nicht aber: Weil es das Kreuz gibt, gibt es uns gegenüber den Heilswillen Gottes.«[282] Der Heilswille Gottes ist grundlos. Insofern gibt es keine Erklärung dafür, warum wir durch den Tod erlöst sind oder ob etwa das Kreuz mit der Gottverlassenheit Jesu für Gott notwendig war. Rahner wehrt sich heftig gegen alle Vorstellungen, in denen durch das Kreuz der zürnende und Genugtuung fordernde gerechte Gott erst umgestimmt werden muß oder einer Beeinflussung bedarf, damit der Heilswille in Kraft tritt.[283] Die Initiative zum Heil und zur Vergebung im Kreuz geht von Gott aus. Eine mythologische Vorstellung eines Kampfes Gottes gegen Gott wird verworfen. Insofern ist Rahner auch mit den Kategorien von Opfer, Sühne, Genugtuung und Stellvertretung sehr zurückhaltend.

Das Ereignis der Selbstmitteilung Gottes ist die Einheit von Zusage und Annahme, von Gnade und Freiheit. Der Mensch wird in der Gnade Gottes zum freien Gehorsam ermächtigt. Insofern sind Fremderlösung und Selbsterlösung keine strenge Alternative.[284] Die Gnade Gottes konstituiert die Freiheit des Menschen und befähigt zur Annahme der vergebenden Selbstmitteilung.

In diesem Sinn wird die Vorstellung des *Opfers* personal gedeutet: der Tod ist Opfer, insofern der Mensch sich in ihm in einem freien Akt liebenden Gehorsams an Gott übergibt und übereignet.[285] Unter *Sühne* versteht Rahner den Vollzug des gottgemäßen Lebens im Fleisch der Sünde, unter Genugtuung die Anerkennung der Güte und Heiligkeit Gottes als Tat des Lebens und des Todes.[286] Sühne und Genugtuung stehen damit im Kontext der geschichtlichen Objektivationen menschlicher Freiheit und Sünde. Die Verwandlung des Todes als Erscheinungsbild und Folge der Sünde durch das liebende Ausleiden in *Sühne* sucht Rahner auf anthropologischer Ebene zu erklären. Ähnlich wird Stellvertretung verstanden. Sie setzt den Menschen als Wesen der In-

---

[281] KCh 142.157.166

[282] XII, 261

[283] XII, 262. - Das ist der Grund für seine Skepsis gegenüber einer juridisch mißverstandenen Satisfaktionstheorie, in der die Priorität des Heilswillens Gottes verdunkelt wird.

[284] Vgl. XII, 260f.; Versöhnung und Stellvertretung, in: XV, 251-261.

[285] Vgl. KCh 158; vgl. Art. Opfer, in: LThK² 7, 1174f.; vgl. G 277.

[286] Vgl. Art. Genugtuung, in: KThW 123.

terkommunikation voraus, in der es ein gegenseitiges Annehmen, Mittragen oder Abtragen der Objektivationen von Freiheit und Schuld gibt. Christus ist in seinem *Gehorsam* Stellvertreter, indem er ewig bleibender Zugang, endliche Vermittlung zu Gott ist. Der Gehorsam ist dabei Realsymbol der Vermittlung des Menschen zu Gott. Es geht um die innere Struktur von Glaube, Hoffnung und Liebe als Annahme göttlicher Selbstmitteilung im sich selbst transzendierenden Loslassen und der Annahme der eigenen begrenzten Bedingungen. Übersteigen, Loslassen und Annahme im Gehorsam werden im Tod am Kreuz als Grundstruktur menschlicher Existenzvollzüge abgelesen.[287] So drückt die Christologie letztlich der Anthropologie den Stempel auf. Die Selbstmitteilung Gottes am Kreuz hat die Struktur der Vergebung und der Krisis. Sie bestätigt nicht einfach menschliche Grundvollzüge, sondern konstituiert den Sünder zum Hörer. Die Glaubensgnade beugt in den Gehorsam.[288] Armut und Gehorsam Jesu am Kreuz sind so letztlich 'causa exemplaris' und 'causa finalis' von Erlösung, nicht aber 'causa efficiens'.

Rahner sieht den Tod von der Armut und vom Gehorsam Jesu her. Er setzt sich damit von Heidegger[289] ab, der die Freiheitstat des Menschen im Tod letztlich monologisch denkt. Bei Rahner ist der freie Todesgehorsam in die Begegnung mit Gott hineingestellt. Die Freiheit im Tod ist für Rahner gerade nicht (idealistische) Selbstsetzung und Selbstbemächtigung des Todes.

Wenn man die soteriologische Relevanz des Todes von der Armut und vom Gehorsam Jesu her thematisiert, so wird auch ein monologisches Symbol- und Sakramentenverständnis korrigiert, das Rahners soteriologischen Ansatz mitprägt:

Der ontologische Symbolbegriff geht vom Subjekt aus, das sich notwendig ausdrückt. Das Symbol steht im Raum des Selbstvollzugs (z. B. des Heilswillens Gottes), nicht primär im Raum der Begegnung. Die symbolische Konkretion (z. B. das Kreuz) steht dabei zum ursprünglich mit sich selber versöhnten Einen in einem Ent-

---

[287] Vgl. EpEx 33ff.195f.; vgl. Art. Gehorsam, in: KThW 137; BigEB 27f.; Art. Tugenden, in: SM IV, 1040; G 332; A. Grün, Erlösung durch das Kreuz 109-111.

[288] I, 32

[289] Vgl. M. Heidegger, Sein und Zeit, Tübingen 1967, 235-267: »Das Sterben muß jedes Dasein jeweilig selbst auf sich nehmen. Der Tod ist, sofern er 'ist', wesensmäßig je der meine ... Am Sterben zeigt sich, daß der Tod ontologisch durch Jemeinigkeit und Existenz konstruiert wird.« (240) - »Der Tod als Ende des Daseins ist die *eigenste, unbezügliche*, gewisse und als solche unbestimmte, unüberholbare Möglichkeit des Daseins.« (258f.) - Der Tod zwingt das Seiende, »sein eigenstes Sein von ihm selbst her aus ihm selbst zu übernehmen« (263f.); zum Todesverständnis Heideggers vgl.: J. Demske, Sein, Mensch und Tod. Das Todesproblem bei Martin Heidegger, Freiburg 1963; G. Vogl, Das Problem des Todes bei Martin Heidegger (Sein und Zeit) und Augustinus, Wien 1966.

sprungs- und Abfolgeverhältnis. Damit aber kommt die Unversöhntheit der Welt wie auch das Moment des personalen Anderen und damit überhaupt das Drama der Geschichte kaum in den Blick.

Wenn nun der Heilswille Gottes vom Gehorsam Jesu her gedacht wird, so öffnet sich der Raum für geschichtlich reale Interkommunikation und damit auch für Sühne oder Stellvertretung. So erhält der Tod Jesu stärker ein dialogisches und geschichtlich-konkretes Profil. - Armut und Gehorsam prägen also bei Rahner die Theologie des Todes mit. Umgekehrt sind die Räte vom Tod her zu verstehen. Neben der Inkarnation ist der Tod Jesu der zweite Eckpfeiler für den Selbstvollzug der Räte.

Selbstverwirklichung und Annahme des Kreuzes

Durch die Bindung an Menschwerdung und Tod Jesu stehen die Räte ihrerseits bei Rahner in der Schwebe zwischen Selbstbesitz, Selbstannahme und Selbstlosigkeit. Rahners transzendentales Denken verknüpft beide Pole. So geht er mit Ignatius den Weg der aktiven Selbstlosigkeit.

Der Fortschritt im geistlichen Leben ist in den ignatianischen Exerzitien davon abhängig, ob einer aus seiner Eigenliebe, seinem Eigenwillen und seinem Eigennutz herausspringen kann. Zugleich leiten die Exerzitien dazu an, daß sich der Exerzitant auf sich selbst zurückbesinnen kann.[290] Dieser Rückbezug ist auf die Läuterung der Begierden, auf die Umkehr und das nüchterne Sehen der eigenen Motive, Antriebe und Vorurteile und somit auf die Lauterkeit der Nachfolge ausgerichtet. Im Rückbezug auf das positive Selbst bleibt sich das Subjekt seiner endlichen Bedingtheit und seiner Konkupiszenz bewußt. So ist der Rückbezug der Selbstlosigkeit auf das Subjekt kein innerer Widerspruch. Er gründet in der inkarnatorisch-gnadentheologisch verankerten Positivität der endlichen Freiheit und ist eingebunden in die heilsgeschichtliche Bewegung zwischen Inkarnation und Tod. Es geht Rahner um das Grundgesetz des Lebens, »daß Tod Leben, Selbstverleugnung Selbstgewinn, Armut Reichtum und Schmerz Gnade ist.«[291] Rahner greift damit die thomanische Synthese auf, die das 'eudaimonistische' Streben nach ewiger Seligkeit mit der Interesselosigkeit reiner Liebe verbindet.[292] Er will so auch das neuzeitliche Subjektverständnis positiv aufgreifen, in der Krisis

---

[290] EB 235; Vgl. dazu Rahner, Selbstverwirklichung und Annahme des Kreuzes, in: VIII, 322-326; Selbstverwirklichung oder Selbstverleugnung?, in: Im Gespräch II, 95-98.

[291] Es ist vollbracht (zu Joh 19,30), in : GL 72.

[292] Vgl. dazu auch: A. Raffelt, Interesse und Selbstlosigkeit, in: CGG 16, 129-160.

des Todes läutern und zur Einheit von Selbstannahme (in der Verdanktheit von Gott) und Selbstlosigkeit, von Selbstverwirklichung und Kreuz, von Freude, Selbstbejahung und Tod führen.[293] - Die Räte - unter ihnen explizit Armut und Gehorsam - sind Paradigmen für diese Schwebe zwischen Selbstliebe und Selbstlosigkeit. In ihnen vollzieht sich Selbstannahme und der Überstieg auf den anderen, auf Gott hin.

Armut und Gehorsam wurden bisher als innere Strukturprinzipien für das Verständnis des Todes verstanden. Es ist nun zu fragen, wie Rahner den Zusammenhang zwischen Kreuz, Nachfolge und Berufung denkt.

4. Nachfolge des Gekreuzigten

Jesus ist in symbolischer Einheit zugleich geschichtlich einmalig und universal absolut. Er ist die Synthese von immer gültigen Normen und einmaligem Vorbild: »Jesus wird in dieser Liebe zu ihm das konkrete Absolute, in dem die Abstraktheit der Normen und die Unbedeutendheit des bloß kontingenten Einzelnen überwunden ist.«[294] Im 'konkreten Absoluten' ist der 'garstige Graben' zwischen Geschichte und Normativität überwunden. Darin gründet die Christusbeziehung als Existential, die inneres Moment der Heilsvollendung ist: »Ein persönliches Verhältnis zu Jesus Christus in intimer Liebe personaler Art (gehört) zum christlichen Dasein wesentlich«.[295] Diese persönliche Begegnung und Liebe geschieht in der Hinwendung zu Schrift, Sakrament, in der Feier seines Todes, im Leben der Gemeinde, im Gebet und in der Nächstenliebe.[296] Es ist eine Schicksalsgemeinschaft, die das eigene Selbstverständnis vom konkreten Leben Jesu her empfängt.[297] Im einmaligen Anruf Gottes, der konkret-personal in Jesus Christus auf den Menschen zukommt, erhält dieser Anteil an den Mysterien des Lebens Jesu von seiner Geburt bis zum Tod.[298] Die Mysterien des Lebens Jesu sind konkrete Norm und Maß des christlichen Lebens.[299] So ist der Ruf Gottes

---

[293] So ist die Selbstannahme in der Armut und Begrenztheit der Endlichkeit schon gekennzeichnet durch Gehorsam, der sich von Gott empfängt. In der Annahme des Bitteren und Unverstandenen ist schon ein Sterben mitgegeben; vgl. Biblische Predigten 29.

[294] Jesus lieben 26

[295] G 301; vgl. Nachfolge Christi, in: GL 96ff.

[296] G 302-303

[297] Ich glaube an Jesus Christus 60

[298] Vgl. a.a.O. 62.

[299] BigEB 129; EpEx 222; DynK 79.13f.; Visionen und Prophezeiungen 27; Art. Mysterien des Lebens Jesu, in: LThK² 7, 721f.

ein Ruf in die Nachfolge Jesu, die primär vom Kreuz her verstanden wird: »Der Christ, jeder Christ und zu allen Zeiten, folgt Jesus in der Konkretheit seines Lebens nach, indem er mit ihm stirbt; Nachfolge Jesu hat ihre letzte Wahrheit und Wirklichkeit und Allgemeingültigkeit in der Nachfolge des Gekreuzigten.«[300] Der Tod ist dabei nicht auf das Ende des Lebens fixiert; Nachfolge des Gekreuzigten geschieht das ganze Leben hindurch in der Erfahrung von Gebrechlichkeit, in der Annahme von Krankheiten, Enttäuschungen, unerfüllten Erwartungen, im Untergang greifbarer Güter.[301]

Weil Rahner den Begriff der Nachfolge primär vom Tod Jesu her denkt, ist dieser Begriff bei ihm nicht wie bei von Balthasar so eng und exklusiv an die Nachfolge Jesu in den buchstäblich verstandenen Räten gebunden. Rahner entfaltet zunächst ein spirituell-existentielles Verständnis der Räte. Eine Rede von der 'brutal wörtlichen Nachfolge', die unmittelbar in den Rätestand führt, ist ihm fremd.

Zur Demut und Armut gehören schon die Annahme der normalen Lebensumstände oder die Fähigkeit des Wartens ohne Sensationsgier.[302] Die nüchterne Annahme der Liebe Gottes, die 'indifferente' Offenheit für den Ruf Gottes, fordert von jedem Christen ein Lassen, d.h. entsagende Armut. Im Tod folgt schließlich jeder Christ der Armut Jesu nach: »Zumindest im Tod ist der Mensch wirklich der Allerärmste: ausgeleert, ohnmächtig und aller Ehren dieser Welt entblößt wie nirgends sonst«.[303]

Auch der Gehorsam wird zunächst in einem geistlich weiten Sinn als Annahme der Begrenztheit, der Kreatürlichkeit, der Bedingtheit und des Schmerzens, der unvermeidlichen Lasten des Lebens verstanden. Fundamental wird der Gehorsam Jesu in der Gottes- und Nächstenliebe aus ganzem Herzen realisiert (Mt 7,21; 5,27; Lk 11,2f.; Mk 7,1-23). Gehorsam ist die Annahme der letzten Verfügung über sich selbst im Tod. Fundamental ist an dieser Stelle die Gehorsamspflicht des Menschen Gott gegenüber.

Die Ehelosigkeit sucht Rahner gar nicht erst spirituell zu begründen, er setzt dafür gleich bei der Torheit des Kreuzes, beim Ruf zur konkreten Lebensform an, ohne jedoch von vornherein den Begriff der Nachfolge mit dem ehelosen Leben zu verbinden.

---

[300] Nachfolge des Gekreuzigten, in: XIII, 192; vgl. G. Zasche, Der Preis der Nachfolge, in: WT 387-392.

[301] XIII, 194.203

[302] EpEx 105f.

[303] BigEB 103

So kann kein konkreter Inhalt der Nachfolge für alle Christen zugleich angegeben werden. Das hängt zum einen damit zusammen, daß im Leben Jesu nicht alle Lebensweisen, -situationen und -stationen realisiert wurden: er war z. B. keine Frau, hat das Alter nicht vorgelebt, kannte die meisten Berufe nicht, war auf eine bestimmte Kultur und Gesellschaft beschränkt, lebte in einer bestimmten Zeit und in einem bestimmten Land.[304] Zum anderen gibt der Ruf Gottes verschieden Anteil an den Mysterien Jesu.

Im Hinblick auf die Räte heißt das, daß das Beispiel Jesu nicht einfach nachgeahmt oder reproduziert werden kann. Weder Armut, noch Gehorsam, noch Ehelosigkeit Jesu können zur Deduktion konkreter Verhaltensweisen für den je-einzelnen herangezogen werden. Die Armut Jesu und seine Präferenz für die Armen sind noch kein unmittelbares Muster des Stils der Nachfolge in der Armut und für die Armen. Zudem hält Rahner die Frage bewußt offen, ob die Option für die Armen und die Solidarisierung mit ihnen heute das entscheidende Stilprinzip der Nachfolge bei jedem einzelnen Christen sein muß, wie es in der Alten Kirche Martyrium und Jungfräulichkeit waren.[305] Auch bei der Nachahmung des Gehorsams Jesu will Rahner differenzieren. Er warnt davor, bestimmte menschliche Mentalitäten wie Unterwürfigkeit oder Gehorsam auf Jesu zu projizieren, um sie dann, von ihm her legitimiert, als Ideal von anderen einzufordern.[306]

Rahner denkt Nachfolge, Heiligkeit, Heiligung und Vollkommenheit weniger von der materialen Nachfolge Jesu in Armut, Gehorsam und Ehelosigkeit, sondern vom Liebesgebot und von der Verpflichtung zur konkreten Berufung her. Jede Berufung, jede konkrete Gabe, jedes Charisma hat heilsgeschichtlichen Charakter[307]: Sie nehmen am Kreuzes- und Todesschicksal Jesu teil, insofern die Liebe Gottes in Freiheit über weltimmanente Möglichkeiten hinausruft. Jede Berufung hat so christologischen und in Christus auch entsagenden, die Welt transzendierenden eschatologischen Charakter. Jede konkrete Gabe ist ekklesiales Zeichen, da in ihr die siegreiche Ankunft und Annahme der Selbstmitteilung Gottes bezeugt wird.

Auch wenn der konkrete Ruf nicht materialiter zur Lebensform der Räte führen muß, so ist doch in der immanenten Struktur der Annahme

---

[304] XIII, 193; KCh 143.
[305] XIII, 190-192.
[306] KCh 144
[307] Vgl. VII, 414f.

des Rufes von allen der Geist der evangelischen Räte und die Gesinnung der Bergpredigt verlangt.

Viertes Kapitel

Trost - Ruf - Wahl

In den bisherigen Ausführungen waren die Räte - ausdrücklich nur Armut und Gehorsam - im analogen Sinn Strukturprinzip und ethischer Vollzug des Verhältnisses zwischen Geschöpf und Gott. Zugleich haben wir versucht, systematische Knotenpunkte des Denkens Rahners in ihren Konsequenzen für die Räte als Stand zu bedenken, ohne jedoch die konkrete Lebensform der Räte schon ausdrücklich einzuführen. Für den konkreten Ruf zu den Räten haben wir nun bereits angesprochene Linien weiterzuführen: die ontologische Grundlegung von Armut, Gehorsam, Indifferenz, die gnadenhafte unmittelbare Beziehung des Menschen zu Gott, die Liebe als Mitte christlicher Ethik, die Berufung aller zur Vollkommenheit in dieser Liebe, die gnadenhafte und inkarnatorische Begründung der positiven endlichen Freiheit und Individualität, die im Ruf konstituiert wird, die Christologie als Aufgipfelung der Anthropologie (besonders im Gehorsam), die Mysterien des Lebens Jesu als konkrete Norm christlichen Lebens, die Verankerung von Armut, Ehelosigkeit und Gehorsam im Leben Jesu, das Verständnis des Rufes Gottes als Ruf in die Nachfolge des Gekreuzigten, der Tod als Strukturprinzip der Annahme jedes Rufes. Alle diese Aspekte waren letztlich schon von der Exerzitienerfahrung des Ignatius geprägt bzw. dienten der ontologischen und theologischen Grundlegung der Exerzitien.

I. Die Logik der existentiellen Erkenntnis

Rahner rechnet mit Ignatius in den Exerzitien unbefangen damit, daß Gott sich dem einzelnen mitteilt und ihm seinen Willen kundtut.[308] Die-

---

[308] DynK 83 (vgl. Ignatius, EB 15.180.183.330.336); Art. Das Charismatische in der Kirche, in: LThK² 2, 1027-1130; sekundär: K.P. Fischer, Gotteserfahrung 41-92; N. Schwerdtfeger, Gnade und Welt 297-341; K. Neumann, Der Praxisbezug 163-169; M. Schneider, Unterscheidung der Geister. Die ignatianischen Exerzitien in der Deutung von E. Przywara, K. Rahner und G. Fessard (ITS 11) Innsbruck 1983, 95-133; B. Fraling, Exi-

ser Wille Gottes ist für den einzelnen konkret und individuell; er ist nicht die bloße Ableitung oder Anwendung einer allgemeinen Norm. Ohne einer einseitigen Situationsethik zu huldigen (Individualethik gibt es nur im Rahmen einer allgemeinen Ethik)[309], schreibt Rahner jedem Menschen auf Grund seiner transzendentalen Verfaßtheit ('potentia oboedientialis', 'übernatürliches Existential') das Vermögen und die Aufgabe zu, die Berufung durch den Individualwillen Gottes für die eigene Existenz zu erkennen und zu verwirklichen. Hauptanliegen der Exerzitien ist das Erkennen des Willens Gottes, die Wahlentscheidung und die Ausführung des Willens Gottes.[310] Vom Menschen ist dabei die Disposition der Indifferenz gefordert. Von sich aus darf das Geschöpf keine Option für eine bestimmte Lebensform (z. B. für die Räte) in die Wahlsituation einbringen. Entscheidend für die Wahl ist nicht eine Hierarchie unter den Ständen, auch nicht ein materiell gefüllter Begriff von Nachfolge, sondern die 'Logik der existentiellen Erkenntnis'. In dieser sieht Rahner mit Ignatius die entscheidende Methode, um den Willen Gottes zu erkennen. Für Rahner steht im Mittelpunkt dieser Logik eine Grundevidenz, die den einzelnen Regeln der Unterscheidung der Geister vorgeordnet ist. Diese 'Grundevidenz' ist in der Erfahrung des »gegenstandslosen Trostes« gegeben, in dem Gott unmittelbar auf die Seele einwirkt.[311] Für die 'consolacion sin causa precedente' ist entscheidend, daß sich die Seele ganz zur Liebe Gottes gezogen weiß.[312] Dieses objektlose Trosterlebnis wird zum zentralen Kriterium für alle sonstigen Bewegungen der Seele, speziell für die Findung des konkreten Imperativs.[313]

In der Trosterfahrung selbst kann nicht gewählt werden, da kein Wahlgegenstand gegeben sein kann. Die Erkenntnis des Individualwillens und die Wahl geschehen in der der Urtröstung nachfolgenden Zeit. Der Wahlvorgang in der sogenannten »zweiten Wahlzeit« des Ignatius erfolgt durch die Konfrontation bestimmter kategorialer Wahlgegenstände, z. B. von Ständen oder Berufen, mit dem athematischen, transzendentalen Trosterlebnis. Die Kongruenz zwischen Urtröstung und Wahlgegenstand ist dann gegeben, wenn der Gegenstand die Öffnung und Transparenz zu Gott, das Hingezogensein zu seiner Liebe aufrecht

---

stentialethik im Zeichen der Exerzitieninterpretation, in: WT 63-81; H.D. Egan, »Der Fromme von morgen wird ein Mystiker sein«, in: WT 99-112.

[309] DynK 178

[310] DynK 80

[311] Vgl. DynK 113-136, hier 117.129; EpEx 257-276.

[312] Ignatius, Bericht des Pilgers 29f.; EB 175f.316.330.336; DynK 125.

[313] DynK 124-136

erhält. Diese ist Hinweis für die Gottgewolltheit einer konkreten Berufung. Dagegen ist Verdunkelung der Öffnung durch einen Gegenstand
ein Zeichen dafür, daß dieser nicht von Gott stammt. Der Ruf Gottes,
der auf der Kongruenz von 'innen' und 'außen' aufbaut, konstituiert den
Menschen in seiner höchsten Individualität. Seine Annahme - die Indifferenz und sich selbst übergebendes Loslassen voraussetzt - führt den
Menschen zu sich selbst und zu seiner Freiheit. Insofern ist der Ruf
Gottes keine Fremdbestimmung, sondern höchste Radikalisierung des
menschlichen Wesens. Rahner selbst spricht vom »Ruf ins Eigene«.[314]
Deswegen darf ihm aber keine monadische Auffassung des Menschen
und keine anthropologische Reduktion des Rufes unterschoben werden. Gott ist für Rahner grundsätzlich auch der Andere, nicht bloß das
Ziel, auf das hin der Mensch 'immer schon' dynamisiert und finalisiert
ist. Der Ruf ist nicht einfach identisch mit einem vorgegebenen Dasein-
sentwurf des Menschen, er wird vom freien personalen Gott erst gestiftet. Er ist nicht die bloße »Explikation meines eigenen Daseinsge-
fühls«[315], nicht bloße Idee und ergeht auch nicht bloß transzendental im
innersten Gewissen. Rahner insistiert auf dem Ruf als autoritativ han-
delnder Größe in der Konkretion der Geschichte, er besteht auf dem
»autonomen Anspruchscharakter« der Botschaft Christi.[316] Die Betrachtungen des Lebens Jesu in der zweiten Exerzitienwoche sind konstitutiv
für die Wahl und das bedeutet: Die Annahme des Rufes und damit die
Annahme seiner selbst und seiner Freiheit in der Wahl ist zugleich ein
Mitvollzug, ein Loslassen seiner selbst und Mitvollzug des Sterbens
Jesu.[317] Der Ruf steht unter dem Zeichen des Kreuzes und kann zu
Glücksvorstellungen und Sehnsüchten in Widerspruch treten. Rahner
spricht von einer »gekreuzigten Transzendentalität« des Menschen.[318]
Der Ruf führt zum Mitvollzug der Kenose in die Kirche und in die Welt
hinein. Er läßt mit Jesus arm werden, der sich an die armen Brüder ver-
liert und diesen dient.[319] Insofern ruft Gott gerade ins Andere und zum

---

[314] Maria, Mutter des Herrn 48; vgl. M. Schneider, Unterscheidung der Geister 79-133; E.
Mitterstieler, Christlicher Glaube als Bestätigung des Menschen, Frankfurt/M. 1975.

[315] G 332-335, hier 334.

[316] G 335; IX, 491.

[317] Schon: III, 344; SG 520; Art. Jungfräulichkeit, in: KThW 220; neuerdings verdeutlicht
in: »Im Anspruch Gottes«, in: GuL 59 (1986) 245.

[318] XIV, 198; vgl. Im Gespräch I, 242f.; Im Gespräch II, 95-105; schon in »Versuch eines
Aufrisses einer Dogmatik« spricht er von der »Übernatur in sich als Kreuz der Natur«
(I, 31); vgl. auch: Selbstverwirklichung und Annahme des Kreuzes, in: VIII, 322-326.

[319] Vgl. Visionen und Prophezeiungen 55.

Anderen.[320] Bei der Erfahrung der Kongruenz von gegenstandslosem Trost und Wahlgegenstand geht es also nicht um eine eigenmächtige, eudaimonistische Selektion von seiten des Menschen, sondern um die geschenkte Erkennbarkeit und Gewißheit des Willens Gottes, dessen Annahme inneren Frieden schenkt.[321]

In seiner an Ignatius orientierten Theologie des Rufes greift Rahner die 'transzendentale Methode' auf und korrigiert zugleich ihre Aporien. Diese Transformation läßt sich etwa an folgenden Beobachtungen festmachen:

Nach dem Zusammenbruch der theologischen mittelalterlichen Weltordnung wurde neuzeitlich das 'ich denke' und 'ich handle' zum unzweifelhaften Fundament und zum Ausgangspunkt, von dem aus das Subjekt sich entwirft.[322] Gott ist bei Descartes und Kant zur Sicherung der Erkenntnis noch denknotwendig. Bei Kant wird er als 'Koordinator' zwischen dem natürlichen Glücksbedürfnis und der sittlichen Handlungsforschung postuliert, ohne daß der Gottesglaube selbst praktische Konsequenzen hätte. Insgesamt - in grober Verallgemeinerung - wird Gott zur bloß transzendentalen Bedingung der Möglichkeit, zum Horizont, zur Funktion, zum Resultat und Ziel des menschlichen *autonomen* Denkens und Handelns. Der Mensch entwirft sich und die Welt von sich her. Gott ist kein geschichtsmächtiges Subjekt mit einem eigenen Willen und einem eigenen freien Handeln:[323] Bei Kant verdirbt der Begriff des Willens Gottes »alle Religion«, und von einem »Handeln Gottes« können wir beim Königsberger Philosophen nichts wissen.[324] Gott bleibt im Grunde ein notwendiger Statist, der nicht der Andere für den Menschen, sondern nur dessen immanente Verlängerung ist. Gott ist nicht der absolut Freie, der den Menschen unbedingt in Anspruch nehmen kann.

---

[320] Deutlich wird dies in Rahners spirituellen Ausführungen zu den drei Menschengruppen im Exerzitienbuch des Ignatius, EB 187-196: BigEB 187-196; EpEx 198-212, sowie in den Predigten und Betrachtungen in: VII, 137-149.

[321] Von da her ist die Rahnersche Formulierung aus der Entscheidungslogik des Alltags zu verstehen, in der vom Menschen das gewählt wird, was »zu ihm paßt«, d.h. ihn freut und innerlich befriedigt (DynK 145). Rahner setzt »zu ihm passen« unter Anführungszeichen und differenziert zwischen der Alltagslogik und der Logik der Exerzitien, die eine christologische Logik ist; vgl. auch: DynK 141; XII, 157; Ignatius, EB 333; L. Lies, Ignatius von Loyola. Theologie - Struktur - Dynamik der Exerzitien, Innsbruck 1983, bes. 43-76.

[322] Vgl. dazu den sehr instruktiven Beitrag von H. Kessler, Der Begriff des Handelns Gottes. Überlegungen zu einer unverzichtbaren theologischen Kategorie, in: H.-U.v. Brachel/N. Mette (Hg.), Kommunikation und Solidarität. Beiträge zur Diskussion des handlungstheoretischen Ansatzes von Helmut Peukert in Theologie und Sozialwissenschaften, Freiburg/Schweiz - Münster 1985, 117-130.

[323] Vgl. I. Kant, Von einem neuerdings erhobenen vornehmen Ton in der Philosophie (1796), in: Werke in zehn Bänden, hg. v. W. Weischedel, Bd. 5, Darmstadt 1968, 360/Anm. 414; sowie: W. Schulz, Der Gott der neuzeitlichen Metaphysik, Pfullingen 1957.

[324] I. Kant, Der Streit der Fakultäten (1798), in: Werke Bd 9, 333/Anm. 102 und 312-315/Anm. 66-70.

Rahner hingegen versteht das transzendentale Denken und das 'übernatürliche Existential' im Strukturgefüge konkreter geschichtlicher Berufung. Mit Ignatius rezipiert er die neuzeitliche Wende zum Subjekt positiv;[325] zugleich korrigiert er die Aporien dieser Wende: Aus dem Menschen als Bezugsmitte, Herr, Maß und Kriterium wird die endliche Person als entschränkte, geöffnete, gemessene und verfügte. Die intentionale, eindimensionale und zirkuläre Dynamik menschlicher Erkenntnis und Freiheit wird 'unterbrochen': Die menschliche Dynamik ist bei Rahner nicht monadisch oder narzißtisch zu denken. Sie hat die Form des suchenden und vernehmenden Hörens. Das transzendentale Denken wird dialogisch gesprengt, weil die Selbstmitteilung Gottes und der konkrete Ruf die Priorität einnehmen. Zugleich überwindet Rahner in der 'Logik der existentiellen Erkenntnis' den abstrakten Formalismus der Ethik Kants.[326] Die Freiheit des Menschen ist konkret eingebunden in den Ruf.

So gehören Armut und Gehorsam zur Struktur jeder Berufung. Daß Gott ins Andere ruft, zeigt sich bei Rahner gerade auch im charismatischen Ruf zur konkreten Lebensform der wortwörtlich verstandenen Räte.

II. Der charismatische Ruf zu den Räten

Die gehorsame Wahl der Erwählung durch Gott hat ihren letzten Grund in der schöpferischen Liebe Gottes, der unmittelbar an der Seele handelt. Das Ursprüngliche ist die Erfahrung der Gnade und damit einer Stimmigkeit, die in sich evident ist. Der wortwörtliche Ruf zu den Räten wurzelt in einem personalen Gottes- und Christusverhältnis: er ist darin kein äußeres Gesetz, sondern Geschenk und Nötigung des Geistes.[327] Dieser charismatische Ruf ist eine im Evangelium bezeugte Möglichkeit der Nachfolge. Außerhalb dieser Erfahrung des Trostes und der Kongruenz gibt es keine legitime Begründung für die Wahl der Räte. Ausgangspunkt für die konkrete Wahl kann keine objektive metaphysische oder theologische Abstufung zwischen Räten und Weltstand, keine ekklesiologische oder soziologische Funktion, nicht einmal die größere Ausdrücklichkeit der Nachfolge Jesu, sondern nur die konkrete schöpferische Selbstmitteilung Gottes an das Geschöpf sein.

---

[325] Moderne Frömmigkeit und Exerzitienerfahrung, in: XII, 173-197.
[326] Vgl. die Aufsätze zur Existentialethik, in: II, 227-246; VI, 521-536; XII, 41-53.
[327] Vgl. Gott der Gesetze, in: GL 39.

Diese ist letztlich unableitbar. Für die Lebensform der Räte postuliert Rahner einen solchen übernatürlich personalen Ruf.[328] Dabei ist die Liebe zu Gott das je höhere Gut, das den Verzicht auf positive Güter wie Besitz, Ehe und Selbstverfügung legitimiert. Die Räte sind primär in den Raum der grundlosen, funktionslosen Liebe hineingenommen.

Die Betonung der charismatischen Grundstruktur der Berufung darf bei Rahner nicht mystizistisch mißverstanden werden. Er will den Berufungsbegriff 'entmythologisieren' und 'entmystifizieren'. Es geht nicht primär um besondere Erfahrungen, sondern um nüchterne Erwägungen ('Hast du die erforderliche Eignung? Hast du die richtigen Beweggründe? Hast du Angst vor einer Dauerverpflichtung?'), die in Indifferenz und im Vertrauen auf Gottes Führung zu einer unwiderruflichen Entscheidung führen.[329] - Bei der charismatischen Struktur des Rufes geht es also weniger um die Besonderheit der Erfahrung als vielmehr um die Unableitbarkeit eines konkreten Weges gegenüber Kriterien von außen. Der Grund für eine konkrete Entscheidung liegt in der Evidenz des personalen Rufes selbst.[330]

Allgemeine, abstrakte Überlegungen auf metaphysischer Ebene, wonach etwa die Räte dem Geist, die übrigen Christen der Welt zugeordnet werden oder die Räte in sich als ganze, ungeteilte, unmittelbare Nachfolge qualifiziert werden, haben sich letztlich der Priorität der theologischen Wahrheit der Menschwerdung und der personalen Erfahrung zu beugen bzw. sind diesen nachgeordnet. Eine besondere Verknüpfung konkret welthafter Vollzüge (Besitz, Ehe, Macht) mit der Konkupiszenz, denen gegenüber die Räte weniger gefährdet wären, ist ihm fremd.[331]

Der konkrete Ruf kann auch zur Ehe und - allgemein - in den Weltstand führen. Der Begriff der 'Berufung' wird nicht auf das Priestertum oder auf die Räte eingeschränkt. Rahner spricht anders als von Balthasar von einer *positiven* Berufung und Sendung zur Ehe, zu einem weltlichen Beruf oder einer irdischen Aufgabe[332]. Deshalb ist »die Ehe für die, die dazu berufen sind, nicht nur 'erlaubt', sondern eine Berufung, ein ihnen von Gott positiv zugedachtes Moment an der ihnen angebotenen Heiligkeit«.[333]

---

[328] III, 63; VII, 416; Art. Jungfräulichkeit, in: KThW 220.

[329] Bin ich berufen? Kriterien für eine Lebensentscheidung, in: Horizonte der Religiosität 41-50.

[330] Auch Visionen, Prophezeiungen und Privatoffenbarungen können auf die Berufung hingeordnet sein und haben in diesem Sinn charismatische Struktur: »Privatoffenbarungen sind in ihrem Wesen ein Imperativ, wie in einer bestimmten geschichtlichen Situation von der Christenheit gehandelt werden soll; sie sind wesentlich keine neue Behauptung, sondern ein neuer Befehl« (Visionen und Prophezeiungen 27).

[331] Vgl. Was macht die Ehe christlich?, in: Im Gespräch I, 230.

[332] VII, 406.413

[333] VII, 412.

Zu differenzieren ist im Hinblick auf das Ergehen und Annehmen des Rufes: Normalerweise werden Besitz, Ehe, Unabhängigkeit vom Menschen »nicht gewählt, weil er Gott liebt, sondern weil er sich darin vorfindet, bzw. sie ergriffen hat, bevor er sich darin ausdrücklich der Liebe Gottes konfrontiert erfährt.«[334]

III. Räte und Liebe

Im Horizont der Universalität der Berufung ('übernatürliches Existential') und der charismatischen 'vocatio propria', die als konkreter Imperativ auf den je einzelnen zukommt, ist bei Rahner der Zusammenhang und die Differenzierung zwischen Räten und Liebe zu denken. Der Zusammenhang und die Differenz werden in den Kategorien der symbolischen Wirklichkeit, des sakramentalen Zeichens gedacht.[335] Dies hat zur Konsequenz, daß sich die Liebe nicht spiritualistisch verflüchtigen darf. Der menschliche Akt der Liebe kommt erst zu sich selber, wenn er sich gestalthaft vermittelt, d.h. verleiblicht.[336] Die äußere Tat, der Ausdruck, das Symbol sind konstitutiv für die Liebe. So ist die Konkretion der Liebe in einer bestimmten Lebensform für die Liebe selbst nicht rein äußerlich oder zufällig. Wenn Gott in einem Ruf einen konkreten Stand als 'besseres Mittel' anbietet und der Mensch dieses als solches erkennt, dann ist dieser Stand, die konkrete Lebensform nicht mehr ein beliebiger Rat, eine Möglichkeit unter vielen, sondern eine sittliche Forderung und Verpflichtung: »Eine Weigerung ihm gegenüber wäre die ausdrückliche Verweigerung des Willens zum größeren Wachstum in der Liebe Gottes und also Schuld, Sünde.«[337] So ist die Annahme eines konkreten Rufes eine unter schwerer Sünde gebotene Pflicht. Der Ruf kann nicht eigenmächtig variiert oder abgeändert werden, ohne gegen das Liebesgebot zu verstoßen.[338]

Die Unterscheidung zwischen Gebot und Rat spielt dabei für Rahner wie für von Balthasar praktisch keine Rolle. Zentral ist allein der souveräne schöpferische Ruf Gottes als 'konkreter Imperativ', dem der Mensch Gehorsam zu leisten hat. Der Mensch hat das zu wählen, was Gnade ist. So sind die Räte für den Berufenen Konkretion der Liebe. -

---

[334] VII, 426
[335] VII, 427f.
[336] Vgl. IV, 278.288; X, 422.
[337] VII, 416
[338] Vgl. V, 495.508.

Als Symbol nehmen sie aber auch an der bleibenden Spannung zwischen Symbolgrund und symbolischem Ausdruck teil. In dieser Spannung dürfen für Rahner die Liebe und ihre verobjektivierenden konkreten Zeichen, d.h. auch die konkrete Lebensform der Räte, nicht einfach identifiziert werden. Als für den Berufenen nicht eigenmächtig variierbare Konkretion der Liebe stehen die Räte doch *unter* der Liebe als ihr dienende Mittel.[339] Der Gehorsam ist um der Freiheit, der personalen Beziehung und der Liebe willen; die Askese in Armut und Ehelosigkeit geschieht um der Liebe Gottes willen und wird in die heilsgeschichtliche Bewegung Gottes zur Welt hineingenommen.

So sind die Räte Konkretionen der Liebe, innere Form (als 'Selbstlosigkeit') der Liebe, und zugleich haben sie sich damit an der Liebe messen und korrigieren zu lassen. Der Christ im Rätestand hat sein eigenes asketisches Leben zu »entmythologisieren«.[340] Er lebt nicht schon von vornherein in der engeren Nachfolge, die Entsagung ist nicht schon *in sich* etwa das Ganzopfer der Liebe.[341] Es gehört für Rahner zum immanenten Wesensvollzug der Räte, nüchtern der eigenen Realität ins Auge zu schauen, vom Liebesgebot her zu beurteilen, um so in der Dynamik des 'magis', der je größeren Liebe Gottes zu bleiben.[342]

Es sei an dieser Stelle schon angemerkt, daß bei Rahner verschiedene Dimensionen des Symbolbegriffs zum Teil unvermittelt nebeneinander stehen. Der ontologische Symbolbegriff geht vom Subjekt aus, das sich notwendig ausdrückt. Die Räte als symbolischer Ausdruck des Menschen stehen dann fast abrupt neben dem konkreten Imperativ Gottes, der in die Räte ruft. Nachteilig wirkt sich hier aus, daß Rahner wohl die Selbstmitteilung Gottes trinitarisch strukturiert und auch den Symbolbegriff trinitarisch-christologisch verankert, beim konkreten Ruf zu den Räten aber die trinitarische Struktur nicht ausführt und auf den ontologischen Symbolbegriff zurückgreift, bei dem die dialogische Struktur kaum in den Blick kommt. So erscheint das Symbol der Räte als voluntaristische Setzung Gottes, ohne daß darin inkarnatorische, geschichtliche oder solidarische Dimensionen vermittelt würden. In dieser Perspektive bleibt der Zusammenhang zwischen den Räten und der Nächstenliebe, z. B. die Hinwendung zum Ärmsten, die Wahrnehmung des Anderen um seiner selbst willen - was den Symbolbegriff anbelangt -

---

[339] VII, 410ff.; III, 61.181; VIII, 345f.; EpEx 124.
[340] Vgl. EpEx 63-69.
[341] Vgl. VII, 407.426.
[342] III, 342f.

ausgeklammert. Diese Unausgeglichenheiten kehren z. T. in der heilsgeschichtlichen Einordnung der Räte wieder.

Fünftes Kapitel

Die Räte zwischen Inkarnation, Kreuz und Eschaton
(Gott allein und Gott in allem)

I. Der Glaubensakt und die Entsagung

Wir haben nach den Räten im Horizont einer ontologischen Anthropologie gefragt, sie als Strukturprinzip des 'übernatürlichen Existentials'
erwiesen und als Klammer zwischen biblischer und transzendentaler
Christologie aufgezeigt. Der charismatische Ruf zu den wortwörtlich
verstandenen Räten ist zwar unableitbar, aber doch von der Gesamtstruktur des Denkens Rahners geprägt. In allen Schritten ging es um
dieses gegenseitige Bedingungsverhältnis: um das Verständnis der Räte
vom anthropologischen und theologischen Gesamthorizont Rahners
her wie auch um die prägende Kraft der Räte in dieser Struktur. Wir
bewegen uns nun spiralenförmig weiter: Um die Berufung zur Lebensform der Räte heilsgeschichtlich und in der Folge auch ekklesiologisch
zu situieren, müssen wir die bereits entfalteten Fäden aufgreifen, die
das Strukturgefüge des religiösen Aktes prägen. Die Räte nehmen bei
Rahner an der Gesamtbewegung des Glaubens teil, werden aber in dieser Struktur schwerpunktmäßig der Eschatologie zugeordnet.
Vom 'übernatürlichen Existential' und dessen gnadenhafter Vollendung, der hypostatischen Union her, sind Mensch und Gott, Welt und
Heil wurzelhaft eins. Heils- und Offenbarungsgeschichte müssen als
»Synthese des Heilshandelns Gottes und gleichzeitig des Menschen«
verstanden werden.[343] Zugleich ist die Schöpfung durch die Selbstmitteilung Gottes in ihrer positiven Endlichkeit konstituiert und in Differenz zur unendlichen Freiheit Gottes gesetzt. Einheit und Differenz
müssen im Horizont dynamischer Zuordnung und Bewegung in personaler Freiheit verstanden werden. Die *Differenz* wird besonders durch
die personale Souveränität und Freiheit Gottes, durch Sünde und Tod

---

[343] G 147; vgl. V, 115-135; XV, 11-23; vgl. dazu: K. H. Weger, Karl Rahner 110-116.

und durch die Armen als Maßstab ins Profil gesetzt: »Es ist dem Christen verboten (einziges Verbot, das ganz ernst genommen werden muß), sich mit weniger als der unendlichen Fülle Gottes zu begnügen, sich im Endlichen endgültig glücklich anzusiedeln oder in seiner Enge zu ersticken, frevelhaft bescheiden meinen, Gott könne im Dienst diese durch tausend Bedingtheiten endliche Kreatur nicht ernst nehmen.«[344] Sinn und Heil der Welt und des Menschen liegen in »Gott und sein(em) ewigen Leben selbst.«[345]

Der zweite Angelpunkt in der Differenz zwischen Welt und Gott ist die Schuld. Gerichtete (an Jesu Maß genommen) und ungerichtete schuldhafte (Unheils)Geschichte sind ko-existent. Durch die absolute Selbstmitteilung Gottes in Jesus Christus erhalten die Gegensätze zwischen Heil und Unheil, zwischen Gnade und Schuld eine letzte Verschärfung.[346] Im Zusammenhang damit stehen Kreuz und Tod: über der Geschichte bleibt das Kreuz aufgerichtet.[347] »Das endgültige Heil, die absolute Erlösung von Schuld, Leid und Tod geschieht nicht auf dieser Erde, sondern durch den Tod Jesu, durch unseren Tod hindurch, durch den allein wir durchbrechen in das ewige Leben Gottes selbst.«[348]

Rahner versteht ignatianische Frömmigkeit auf der Linie der christlich-mystischen Tradition als eine »Frömmigkeit des Kreuzes«[349], die »mönchisch« ist im Sinne des 'Monachos', des fern von der Welt in Gott Einsamen. Der 'Mönch' Ignatius läßt Rahner das Gebet sprechen: »Es komme die Gnade und es gehe diese Welt.«[350] Darin gleicht er sich dem armen, verachteten und verspotteten, dem gekreuzigten Jesus an, dem er in Leid, Schmach und Verleumdung nachfolgen will.[351] Die Räte qua Entsagung symbolisieren das Je-mehr des personalen Gottes gegenüber der Welt. Sie zeigen an, daß Gott allein das Ziel der Welt sein kann. Als 'ars moriendi' verweisen sie auf den Tod Jesu, durch den allein die Welt zum Heil gelangen kann.

Das Lassen der Welt ist aber in keiner Phase die einzige Realisationsform des Glaubens. Die Frömmigkeit des Kreuzes ist zugleich - igna-

---

[344] XIV, 13

[345] V, 123

[346] V, 121.131

[347] XV, 20

[348] Politische Dimensionen des Christentums 49; vgl. Erlösung und Emanzipation, in: Im Gespräch II, 278-282.

[349] III, 334

[350] Didache 10 (III, 335).

[351] III, 336

tianisch - eine »Mystik der Weltfreudigkeit«.[352] Das Hineinsterben in
Gott, die Verlagerung der Mitte in den Dreifaltigen Gott, die Nachfolge des Gekreuzigten vollziehen auch den Abstieg Gottes in die Welt
mit. »Ignatius kommt von Gott zu Welt.«[353] Die Entsagung wird zur
Grundlage für das »Gott finden in allen Dingen«.[354] Die Räte vollziehen
diese universale Bewegung mit. Sie hüten die Universalität der kenotischen Liebe Gottes. Ohne arme, gehorsame und selbstlose Hinwendung
zu den Geringsten wäre die Liebe nicht wirklich konkret und universal.
So ist Rahners Frömmigkeit mit Ignatius und Klemens von Alexandrien
weltlich und überweltlich zugleich.[355] Gottes- und Weltverhältnis sind in
ständiger heilsgeschichtlicher Bewegung, im Übergang. Rahner verfällt
dabei nie in einen reinen Horizontalismus. Mit der freien Transzendenz
Gottes als Vollendung des Menschen, der Relevanz des Kreuzes und
Todes, und den Armen als Richtmaß bringt er christliche Spezifika in
das Verhältnis von Welt und Heil ein: eine bestimmte Form von Weltflucht als Relativierung der Weltgeschichte gehört für Rahner immer
wesentlich zum Christentum.[356] Die Vollendung der Welt und des Menschen muß dialektisch gedacht werden.[357] Die Vollendung des Reiches
Gottes ist einerseits freie Tat Gottes, die nicht (bloß) der linear evolutiv
notwendige Zielpunkt der weltlichen Entwicklung oder der menschlichen Geschichte ist. Sie wird eine radikale Transformation sein. Anderseits ist die endgültige Aufhebung der Geschichte in die Vollendung
durch die freie Tat Gottes keine Zerstörung oder Verharmlosung von
menschlicher Freiheit und Geschichte. Weil Gott sich als innerster
Grund, als Dynamik und als eigentliches Ziel der Welt eingestiftet hat
(begründet in der hypostatischen Union) und zugleich immer größer als
die Welt zu denken ist, stehen Heil, Gnade und Weltaufgabe in einem
differenzierten gegenseitigen Bedingungsverhältnis: je nach epochaler
Situation und konkreter personaler Berufung kann der Mensch entweder »nur im Vollzug der innerweltlichen Hoffnung seine Hoffnung auf
die absolute Zukunft in echter Freiheit realisieren«[358] oder zum Lassen

---

[352] III, 329-348

[353] III, 329-348

[354] III, 346; Erfahrung des Geistes 45.55.

[355] Vgl. Die ignatianische Mystik der Weltfrömmigkeit, in: III, 347. - Zu Klemens: Strom.
VII, 3.18.2 (AMV 62). - Vgl. De termine aliquo in theologia Clementis Alexandrini, in:
Gregorianum 18 (1937) 426-431.

[356] V, 134

[357] Über die theologische Problematik der »neuen Erde«, in: VIII, 580-592. - Immanente
und transzendente Vollendung der Welt, in: VIII, 593-609.

[358] Rechtfertigung und Weltgestaltung in katholischer Sicht, in: XIII, 307-323, hier 321.

und Verzicht auf innerweltliche Werte aufgefordert sein.[359] In beiden, in der Annahme des Weltauftrags und im Befolgen des Rufes in die Entsagung, darf Gott nicht zum Garanten, zum Mittel, zum Götzen, zur Kalkulation oder Projektion, zum Beruhigungsmittel für unsere Angst oder zur Rechtfertigung unserer Feigheit und negativen Weltflucht mißbraucht werden. Seine Transzendenz ist nicht funktionalisierbar, sie ist »unverbrauchbar«.[360] Er ist die Vollendung der menschlichen Freiheit, aber nicht die vom Menschen entworfene. Die Vollendung in Gott ist größer als unsere Sorge und unser Einsatz für die Zukunft; sie übersteigt aber auch die Entsagung, die qua Verzicht kein Attribut der Vollendung ist.[361] »Weder Weltflucht noch Weltliebe, weder Aktion noch Kontemplation, weder duldende Identifikation mit den Deklassierten noch Kampf für Veränderung gesellschaftlicher Verhältnisse, weder Theologie des Kreuzes noch Theologie der Glorie, weder Entsagung noch humaner Genuß der Welt, weder Leben noch Tod und so fort können *allein* je für sich die einzige Maxime und das einzige Gestaltungsprinzip eines christlichen Lebens sein.«[362]

Exkurs: Zum Begriff der Erfahrung

Die Polarität von Weltfreudigkeit und Weltflucht, die Spannung zwischen »Gott allein« und »Gott in allen Dingen«, die wurzelhafte Einheit von Gott und Welt und die personale Differenz zwischen Gott und Mensch und schließlich die Pole Inkarnation und Tod Jesu prägen jede religiöse Erfahrung. Gotteserfahrung ist bei Rahner zugleich eine Form der Selbsterfahrung und führt zur Welterfahrung. Gotteserfahrung, religiöse Erfahrung, Gnadenerfahrung meinen primär nicht partikuläre Erlebnisse wie Inspiration, Belehrung, Mystik, Erscheinung, Privatoffenbarung oder Prophetie, sondern die Tiefe und die Radikalität jeder geistig personalen Erfahrung[363] wie Schweigen, Verzeihen, *Gehorchen,* Opfer, Einsamkeit, Treue zum Gewissen, Liebe zu Gott, Tod, Wagnis, Tun der Pflicht, Selbstlosigkeit, Leidensbereitschaft, Hoffnung, Verantwortung, letzte Freiheit, Schönheit, Freude, Ertragen des Alltags, Gebet, Loslassen, Fallen, Annahme der Verzweiflung, sich dem Geheimnis anvertrauen, Einüben des Todes, Reue, Versöhnung, Schmerz, Wüste, Begegnung,

---

[359] XIII, 322

[360] Die unverbrauchbare Transzendenz Gottes und unsere Sorge um die Zunkunft, in: XIV, 405-421, bes. 420.

[361] Vgl. VII, 432.

[362] XIV, 172

[363] Über die Erfahrung der Gnade (1954), in: III, 105-109; vgl. schon: Die ignatianische Mystik der Weltfreudigkeit (1937), in: III, 329-348; Art. Gnadenerfahrung, in: LThK² 4, 1001f.; Von der Not und dem Segen des Gebetes 35.54-57; Gotteserfahrung heute, in: IX, 168-170; Erfahrung des Geistes 38-42; Erfahrung des Geistes, in: XIII, 226-251; XV, 275; G 68.

Sehnsucht, Gelassenheit, Schuld, Angst, Güte, Entschiedenheit, ... Diese Gotteserfahrung als Tiefe und Radikalität jeder geistig personalen Erfahrung meint keine 'schlechte Endlichkeit' im Sinne einer Reduktion Gottes auf das Selbstverständnis des Menschen. In allen anonymen Formen ist nie eine 'incurvatio in seipsum' im Sinne eines Egoismus oder einer schlechten Monadologie gemeint.

In den von Rahner konkret angeführten personalen Erfahrungen ist der Mensch immer schon entgrenzt, d.h. exzentrisch gedacht: Offenheit, Mitsein, Lassen und Empfangen, Freiheit und *Gehorsam* sind für diese Erfahrungen mit konstitutiv. Die Unmittelbarkeit der Gotteserfahrung ist nicht orphischer, neuplatonischer oder buddhistischer Art.[364] Sie greift vielmehr die metaphysische und ethische Struktur des Gott-Geschöpf-Verhältnisses auf. Die Erfahrung der Selbstmitteilung Gottes läßt den Bereich des Glaubens, Hoffens und Liebens, der Indifferenz, der Armut und des Gehorsams nicht hinter sich, sondern will in diesen aufgenommen werden:[365] Der Weg der Mystik ist die Indifferenz und - von der hypostatischen Union her - der Gehorsam.[366] Der Weg zur Positivität der Erfahrung (als Ruf Gottes, Gott in allen Dingen) führt darum über die 'via negativa', die Armut, das Sich-Lassen, das Sterben.[367]

Rahner greift hier im Kontext von Erfahrung die 'via purgativa' der Tradition auf.[368] Sie hat bei ihm aber ein eindeutiges christologisches Maß: Der »Geschmack des reinen Geistes« geht den Weg Jesu. »Der Kelch des Hl. Geistes ist identisch in diesem Leben mit dem Kelch Christi. Ihn aber trinkt nur der, der langsam ein wenig gelernt hat, in der Leere die Fülle, in dem Untergang den Anfang, im Tod das Leben, im Verzicht das Finden herauszukosten.«[369] Die menschliche Erfahrung des Geheimnisses ist im Raum der Analogie als 'docta ignorantia' zu 'begreifen': das unbegreifliche Geheimnis »hat ihre Positivität, ihre selige Inhaltlichkeit, ihr Sagbares, wenn auch nicht eigentlich Aussagbares«.[370] Das Geheimnis ist nicht »leere Unverstandenheit« oder »reine negative Abwesenheit«.[371] Unverfügbar verfügt es konkret über den Menschen. Zu diesem personalen Geheimnis kann der Mensch be-

---

[364] III, 343f.

[365] Vgl. XII, 341ff.; XIII, 210f.; VII, 161; Glaube, der die Erde liebt 68; Kleines Kirchenjahr 104; Gebete der Einkehr 99; Mystik - Weg des Glaubens zu Gott, in: Horizonte der Religiosität 11-24, hier 21; Die enthusiastische und gnadenhafte Erfahrung, in: XIII, 54-77; vgl. schon: Der Begriff des Exstasis bei Bonaventura, in: XII, 152-162; HW 110; zum Zusammenhang von Glaube und Liebe, Wahrheit und Liebe, zur Perichorese von 'verum et bonum', vgl.: Art. Liebe, in: SM III, 241; MySal II, 377-381 (Trinität); HPTh I, 123; VIII, 563-566; Art. Erfahrung, in: KThW 107.

[366] Horizonte der Religiosität 19

[367] Vgl. III, 107; Erfahrung des Geistes 45. - Für die »Logik der existentiellen Erkenntnis« ist das zuletzt betont in: Im Anspruch Gottes. Bemerkungen zur Logik der existentiellen Erkenntnis, in: GuL 59 (1986) 241-247, hier 245.

[368] Vgl. Die geistlichen Sinne nach Origenes, in: XII, 111-136; Die Lehre von den 'geistlichen Sinnen' im Mittelalter, in: XII, 137-172.

[369] Erfahrung des Geistes, in: XIII, 247; vgl. III, 107; Worte vom Kreuz.

[370] Über den Begriff des Geheimnisses, in: IV, 76; Art. Geheimnis, in. LThK² 4, 593-597; SM II, 186-196.

[371] IV, 76; vgl. dagegen: W.J. Hoye, Die Verfinsterung des absoluten Geheimnisses. Eine Kritik der Gotteslehre Karl Rahners, Düsseldorf 1979.

ten.[372] Rahner will 'Gott in allen Dingen finden', weil die Selbstmitteilung Gottes und der Heilswille Gottes in Jesus Christus universal ist.[373] Er sucht die Spuren der Gotteserfahrung mitten im Alltag, in Vollzügen wie Arbeit, Gehen, Sitzen, Stehen, Lachen, Essen oder Schlafen.[374] Aber diese Positivität der Erfahrung ('via affirmativa') hat sich (bleibend gültig) aufheben zu lassen: »Die höchste Erkenntnis ist die Erkenntnis des höchsten Geheimnisses als eines solchen.«[375] Gerade in den letzten Lebensjahren dominiert bei Rahner die 'negative Theologie'. Doch auch wenn Rahner platonische Tendenzen hat, wenn er vom »Kerker des Daseins«, vom »Gefängnishof meiner Endlichkeit« oder vom »Müll der Geschichte«[376] spricht, löst sich die 'negative Theologie' nie in einen leeren, vergleichgültigenden Agnostizismus auf. Die negative Theologie steht unter dem christologischen Maß, deren Eckpfeiler Inkarnation und Tod sind. 'Via affirmativa' und 'via negativa' kommen in der 'via eminentiae' zusammen: Rahner 'beschreibt' die Erfahrung des Geheimnisses in den polaren Bildern von Licht und Nacht, Klarheit und Dunkel, Begreifen und Unbegreiflichkeit, Heimat und Unheimatlichkeit, die an Mystiker wie Eckhart und Johannes vom Kreuz erinnern.[377] »Das Geheimnis ist das ewige Licht und die ewige Ruhe«.[378]

Letztlich ist jede Erfahrung wieder auf das je neue personale verfügbare Stehen vor Gott hingeordnet: Indifferenz und Gehorsam sind nicht bloß der Weg der Mystik, sondern auch ihr Ziel.[379] Wenn Rahner von der Notwendigkeit einer neuen Mystagogie spricht, so geht es nicht um eine elitäre Einweihung in Gnosis oder besondere Erfahrung, sondern um die Wahrnehmung der Selbstmitteilung Gottes als innerster Mitte des Menschen, die in der »Logik der existentiellen Erkenntnis« als konkreter Anruf und Anspruch Gottes anerkannt wird.[380]

Gottes-, Gnaden-, Geisterfahrung und Mystik stehen bei Rahner somit in einem Netz von Bezogenheiten: Die Erfahrung Gottes ruft die Freiheit des Menschen an;

---

[372] In diesem Sinne hat Rahner eine Reihe von Gebeten geschrieben: »Ich glaube, weil ich bete« (Im Gespräch II, 81f); Worte ins Schweigen; Gebete der Einkehr; Gebete in BigEB und EpEx. Die Gebete sind zusammengefaßt in: Gebete des Lebens (hg. A. Raffelt). Vgl. K.H. Weger, Ich glaube, weil ich bete. Für Karl Rahner zum 80. Geburtstag, in: GuL 57 (1984) 48-52; K.P. Fischer, Gotteserfahrung 82-84.

[373] XIII, 243

[374] Alltägliche Dinge; Von der Not und dem Segen des Gebets 70-75; Worte ins Schweigen 46-51; Erfahrung des Geistes 55f.; G 156; dazu: H. Vorgrimler, Gotteserfahrung im Alltag. Der Beitrag Karl Rahners zu Spiritualität und Mystik, in: K. Lehmann (Hg.), Vor dem Geheimnis Gottes 62-78; J.B. Metz, Glaube in Geschichte und Gesellschaft 202.

[375] IV, 81

[376] VII, 141; Gott meines Lebens, in: GL 23; Erfahrungen eines katholischen Theologen, in: K. Lehmann (Hg.), Vor dem Geheimnis Gottes 118f.

[377] Vgl. die Weihnachtsbetrachtung in: III, 35-46; Glaube, der die Erde liebt 21-46; Erfahrung des Geistes 27ff.41f.; Gott meines Lebens, in: GL 20; dazu: K. Neumann, Praxisbezug 159f.; K.P. Fischer, Gotteserfahrung 87ff.

[378] IV, 81

[379] Horizonte der Religiosität 19

[380] In diesem Sinne ist bei Rahner der Mystiker zu verstehen (»Der Fromme von morgen wird ein 'Mystiker' sein oder er wird nicht mehr sein«); vgl. VII, 22; XIV, 375; Im Gespräch II, 34. - Zur Mystagogie: III, 346f.; XV, 375-380; Die Notwendigkeit einer neuen Mystagogie, in: HPTh II/1, 269-271; H.D. Egan, Der Fromme von morgen wird ein 'Mystiker' sein, in: WT 99-112; R. Bleistein, Mystagogie und Religionspädagogik, in: WT 51-60.

sie wird zur positiven Selbsterfahrung, die über sich hinausgerufen zur Welterfahrung wird. Mit der christologischen Normierung des Erfahrungsbegriffs reinigt Rahner die Mystik von neuplatonischer Engführung:[381] der Mensch kann sich nicht durch Entsagung, durch die eigene Leere und Nacht oder durch den eigenen mystischen Tod autonom vergöttlichen. Unchristlich ist die Auffassung, welche die menschliche Leere in natürlicher Entsprechung zur göttlichen Fülle sieht und so Gott in das innere Wesen des Menschen hineinzwingt, ohne Respekt vor der souveränen freien Liebe. Askese kann Gott nicht zwingen.

Zugleich korrigiert Rahner einen Erfahrungsbegriff, der die eigene Vollendung in der Gewißheit seiner selbst im Wissen, in der reinen Selbstbezüglichkeit sucht.[382] Die Positivität der Erfahrung setzt schon personale Offenheit, Indifferenz, Armut und Gehorsam voraus; sie führt in eine neue Offenheit für Erfahrung, ohne diese in ihrer Konkretion fixieren und erzwingen zu wollen. Das Subjekt ist nicht Herr der Erfahrung; es ergreift nicht Besitz von ihr. Die Armut und der Gehorsam des Subjektes sind in die Dynamik der gnadenhaft freien Mitteilung des je größeren Geheimnisses hineingenommen.

II. Das eschatologische Schwergewicht der Räte

Die Räte stehen - wie wir gesehen haben - grundsätzlich in der Spannung zwischen 'Gott allein' und 'Gott in allem'. Sie hüten die Differenz zwischen Gott und Welt, sie verweisen auf den Tod als Grenze zwischen Welt und Heil. Zugleich sind sie in der Liebe zum Geringsten der Prüfstein für wahre Universalität. In heilsgeschichtlicher Perspektive jedoch werden die Räte *schwerpunktmäßig* dem 'Sterben mit Christus', der transzendenten, die Welt übersteigenden Dimension des Glaubens, der Gnade von oben, Gott, insofern er das Je-mehr zur Welt ist, zugeordnet. Bis in die 60er Jahre sind für Rahner die Räte mit Entsagung synonym: Askese im engeren Sinn ist »Entsagung auf geltende, persönliche Güter« wie »eheliche Gemeinschaft, Freiheit, Besitz, Unabhängigkeit«.[383] Das Wesen der evangelischen Räte sieht Rahner im Verzicht

---

[381] Über das Problem des Stufenweges zur christlichen Vollkommenheit, in: III, 11-34, hier 34.

[382] Hegel etwa charakterisiert die Erfahrung als »dialektische Bewegung, welche das Bewußtsein an ihm selbst, sowohl an seinem Wissen, als an seinem Gegenstande ausübt« (Phänomenologie des Geistes, WW 2, ed. Glockner, 78f.). »Das Prinzip der Erfahrung enthält die unendlich wichtige Bestimmung, daß für das Annehmen und Für-Wahrhalten eines Inhalts der Mensch selbst *dabei* sein müsse, bestimmter, daß er solchen Inhalt mit der *Gewißheit seiner selbst* in Einigkeit und vereinigt finde.« (G.F.W. Hegel, System und Philosophie 1, WW 8, ed. Glockner, 50); vgl. dazu: H.G. Gadamer, Wahrheit und Methode 336-338.

[383] Zur Theologie der Entsagung, in: III, 61-72; BigEB 73; Über die evangelischen Räte, in: VII, 404-434; vgl. G. Zasche, Der Preis der Nachfolge, in: WT 387-392.

auf Reichtum, Ehe und freie Selbstbestimmung.[384] Ihre theologische Bedeutung liegt auf der Linie der Entsagung in der Vergewisserung und Objektivation des Glaubens:»Der Sinn der Armut ist demnach der Akt des Glaubens an die Gnade von oben als die einzige Erfüllung des menschlichen Daseins.«[385] Die Räte als Entsagung bezeugen, daß Gott nur gefunden werden kann, wenn der Mensch selbst-los wird, sich in Freiheit ganz überläßt und verliert und so»die göttliche Nutzlosigkeit der Liebe zu Gott«[386] einübt. Gott will nicht um eines anderen Nutzens, einer Funktion, sondern um seiner selbst willen geliebt und angebetet werden.[387] Diese Liebe Gottes um seiner selbst willen betont Rahner gerade in einer Zeit (1968), in der sonst die horizontalen Implikationen der Gottesliebe im Vordergrund stehen und die Immanenz der Zukunftshoffnung betont wird.»Es muß in unserer Zeit Zeugnis abgelegt werden, daß Gott, Gebet, Entsagung, Selbstverleugnung usw. nicht nur Chiffren sind, die einen profanen Humanismus vernebeln und endlich abgeschafft werden sollen, sondern Wirklichkeiten, ohne die auch die Nächstenliebe auf die Dauer nicht bestehen kann; ohne die diese ihre Radikalität und ewige Gültigkeit auch verliert.«[388]

Damit sind die Räte das Korrektiv einer rein horizontalistischen Identifikation von Gottes- und Nächstenliebe, die einer Ideologie des Endlichen, einer »Absetzung des Vaters« (Bloch) und einer Negation der personalen Transzendenz gleichkäme. Sie setzen für jeden Humanismus das Maß: der Mensch ist nur dann in seiner Würde zu verstehen, wenn er als Mensch vor dem Geheimnis Gottes 'begriffen' wird.

Analog zu dieser Orientierung der Räte als Entsagung sind die Räte auf den Tod hin ausgerichtet, insofern dieser die radikale Selbstentmächtigung, die äußerste Ohnmacht, Entzug und totales Verfügtwerden bedeutet. Die Bereitschaft zum Tod wird für Rahner schon im Leben existentiell und frei realisiert, wenn der Mensch über sich als Wesen der 'potentia oboedientialis' in der freien Annahme und Weggabe des ganzen Seins in den Gehorsam hinein total verfügen läßt.[389] Die Askese

---

[384] III, 61

[385] VII, 453

[386] XIV, 414; vgl. WCh 63-84.

[387] XIV, 408; Wer ist dein Bruder? 14f.; vgl. Art. Theologische Tugenden, in: LThK² 10, 76-80.

[388] Brief an die Karmelitinnen von Echt, in: ChG 89; vgl. Wer ist dein Bruder? 14f.; Art. Theologische Tugenden, in LThK² 10, 76-80.

[389] III, 91f.; vgl. EpEx 33.195; GL 193.

und besonders die Räte sind eine Form der 'ars moriendi'.[390] In Askese und Gehorsam realisiert der Mensch frei, was in der Passion eher schicksalhaft vollzogen wird: das Loslassen, Übersteigen, die Übergabe und die Annahme der eigenen Existenz vor dem je größeren Geheimnis des personalen Gottes, die Existenzverlagerung aus dieser Welt in Gott hinein. Darin ist der Mensch hineingenommen in das Sterben Jesu.[391] Weil also Gott nicht nur der Grund, sondern auch das personale Je-mehr und das Gegengewicht zur Welt ist und weil der Mensch nur durch den Tod hindurch zur letzten Gemeinschaft mit Gott gelangen kann, besteht für Rahner zwischen den Räten als Entsagung und den christlichen Grundhaltungen Glaube und Hoffnung ein innerer Zusammenhang. Askese als Verzicht bricht die Welt in ihrer 'Gerundetheit' auf, läßt sie zu einem Ding zweiter Ordnung werden und verlagert die Existenzmitte in Gott. »In der Entsagung *allein* kommt das Spezifische des Glaubens als Annahme der übernatürlichen Gnade Gottes zur Erscheinung.«[392] Auch zwischen Räten und Hoffnung besteht ein objektiver Zusammenhang: Die Grundstruktur der Hoffnung ist der Exodus, das Sich-selbst-Loslassen und Einlassen in die absolute Unverfügbarkeit Gottes.[393] Ihr Ziel ist immer *mehr* als die Evolution, das Geplante, Verfügbare, Begreifliche und endlich Machbare. Ihr Grundcharakter ist Entgegennahme von Wahrheit und Liebe. Die absolute Zukunft kann nur im Sich-Verlieren in Gott hinein gewonnen werden.[394] In der Entsagung wird die radikale unerschütterliche Hoffnung in Gottes absoluter Zukunft allein gegründet.

Mit der primären Zuordnung der Räte zu Askese und Tod setzt Rahner die Akzente anders als von Balthasar. Zwar sind auch beim Basler Theologen die Räte vom Kreuz her zu verstehen, aber durch die Bindung an das Kreuz werden Armut, Jungfräulichkeit und Gehorsam zugleich von der Eucharistie, d.h. von konkreter Leiblichkeit, von der Hochzeit zwischen Christus und der Kirche und von der Fruchtbarkeit her verstanden. - Diese eucharistische und hochzeitliche Dimension der Räte spielt bei Rahner keine Rolle, wenngleich auch er die Räte nicht exklusiv im übernatürlichen, eschatologischen Bereich ansiedelt. Denn eine exklusive Zuordnung der Räte zum Eschaton würde seinem Ver-

---

[390] III, 97; vgl. Grundentwurf einer theologischen Anthropologie, in: HPTh II/1, 36. Askese ist nichts anderes als das personale freie Von-sich-aus-Ergreifen seines notwendigen Seinmüssens zum Tode (Passion und Askese, in: III, 90).

[391] Vgl. z. B. Art. Jungfräulichkeit, in: KThW 220.

[392] VII, 423; III, 66ff.; BigEB 75.

[393] VIII, 569

[394] VIII, 245

ständnis der Einheit in Unterschiedenheit und Bezogenheit von Natur und Gnade, von Schöpfung und Erlösung, von Welt und Heil, von Materie und Geist widersprechen und die Auferstehung als Vollendung der Inkarnation ignorieren.[395] Kein Pol kann für sich allein die Wahrheit beanspruchen.

Es ist der christlichen Askese untersagt, die Welt, das Irdische, gnostisch-manichäisch-dualistisch mit Sünde zu identifizieren und alles Natürliche auf dem Weg zur Hybris, zum Absturz zu sehen. Es wäre unchristlich, die Welt nicht als Gottes, als Christi Welt zu sehen.[396] Der Christ in den Räten ist nicht einfach der Erlösung, dem Heil, der Gnade zugeordnet, während er die anderen in der 'Welt' beläßt. »Christliche Askese will gar nicht 'hundertprozentig' sein.«[397] Die Armut impliziert zwar ein gelöstes Verhältnis zum Besitz und auch realen Verzicht, aber kein Auswandern aus der Welt, die soll gar nicht 'chemisch rein' sein. Die Ehelosigkeit verzichtet auf eine bestimmte Form von Liebe, aber nicht auf menschliche Beziehung allgemein. Der Gehorsam läßt sich binden, kann aber keine bloße Passivität oder Flucht vor der Verantwortung sein; er ist auch kein 'Kadavergehorsam'. Die Entsagung in den Räten kann nicht der Autarkie, der Abgeschiedenheit *an sich* dienen. Entsagung wird von der Liebe Gottes zur Welt durchkreuzt, sie hat den inkarnatorischen Abstieg der Gnade in die Welt mitzuvollziehen.[398] Der Christ in den Räten kann einen positiven Beitrag zur Heilung der Welt, z. B. auch durch kulturelle oder soziale Arbeit leisten. In der Kontemplation ist er in die Sendung der Kirche zur Weltverantwortung, er hat die Verpflichtung zur Nächstenliebe.

Der asketische Christ darf in der Entsagung nicht hybrid werden, indem er diese zur exklusiven, radikalen Eigentlichkeit des Glaubens erhebt. Er hat sich selbst zu relativieren, indem er zum einen bekennt, daß auch er Gott nicht in sein Leben hineinzwingen kann, daß Gottes Freiheit und Gnade größer ist als der Verzicht. Die Räte sind in die Dynamik der Gnade hineingenommen. Sie dürfen nicht als moralische Selbsterlösung verstanden werden.[399] Zum anderen muß der Rätechrist wissen, daß Gott auch in und durch die Welt gefunden werden kann, daß auch

---

[395] Vgl. Grundsätzliches zur Einheit von Schöpfungs- und Erlösungswirklichkeit, in: HPTh II/2, 208-228; Vollzugsmomente im konkreten christlichen Weltverhältnis, in: HPTh II/2, 228-239; Art. Kirche und Welt, in: SM II, 1336-1357.

[396] HPTh II/2, 226; III, 74; Art. Askese, in: KThW 36f.

[397] III, 103; vgl. auch VII, 425.

[398] HPTh II/2, 230

[399] III, 75-78; vgl. AMV 68.

die Aktion von Gott getragen ist. So hat z. B. der um der Liebe zu Gott willen Ehelose in der Ehe ein Sakrament der Liebe Gottes zu sehen.[400] Und doch leben Askese und evangelische Räte primär die welttranszendente und eschatologische Gnade. Insofern sind sie von den 'Laien' zu trennen. Sie gehören nicht der Welt an, sondern sind aus ihr herausgenommen. Der ursprüngliche Weltort ist aufgehoben.[401] Dies ist die Voraussetzung für ihre Sendung und ihr Apostolat. Sie kommen 'von oben', d.h. von Gott zur Welt. Rahner hebt grundsätzlich alle, die durch Gelübde an die Räte gebunden sind, von den Weltchristen ab. Das gilt auch für die Säkularinstitute, die durch das Gelübde der Ehelosigkeit einem bestimmten Bereich der Welt, nämlich der Ehe, entsagen. Damit widerspricht er von Balthasar, der die Säkularinstitute an den Knotenpunkt von Welt und Heil stellt.[402]

Den Rätechristen gegenüber stehen die 'Laien', die an ihrem ursprünglichen Weltort bleiben und diesen im Vollzug ihres Christseins nicht verlassen (Familie, Beruf, Politik). Dies gilt auch für das »Laienapostolat«[403], dessen konstitutive Orte Ehe, Familie und Öffentlichkeit sind. Rahner spricht von einem echten eigenen Christsein, von einer wirklichen Berufung des Laien zum Apostolat, von der Heiligung der Welt durch die Laien. Ehe und Beruf sind dabei für Rahner nicht im Grunde auswechselbares Material, an dem sich die Berufung zur Vollkommenheit äußerlich zu bewähren hätte, sondern innere Momente auf dem Weg zur Heiligung.[404]

Von Balthasar hingegen kennt keine originäre Heiligung der Welt durch die Laien; sie können kein Apostolat im engen Sinn ausüben, da sie durch die Ehe geteilt und so nicht im vollen Sinn verfügbar sind.[405] Die Heiligung der Welt ist primäre Aufgabe der Säkularinstitute, die ungeteilt nach den Räten leben. Von Balthasar ten-

---

[400] III, 99

[401] Vgl. Über das Laienapostolat, in II, 339-373; Laie und Ordensleben, in: SG 364-396.

[402] H. U. von Balthasar , Wesen und Tragweite der Säkularinstitute, in: Civitas (1955/56) 196-210. - Zu dieser Kontroverse vgl.: G. Pollak, Der Aufbruch der Säkularinstitute und ihr theologischer Ort. Historisch-systematische Studien, Vallendar Schönstatt 1986, 177-1986.

[403] Über das Laienapostolat, in II, 339-373, bes. 359-362; III, 313-328; Sakramentale Grundlegung des Laienstandes in der Kirche, in: VII, 330-350; Weihe im Leben und in der Reflexion der Kirche, in: XIV, 113-131.

[404] vgl. z. B. VII, 412

[405] H. U. von Balthasar, Der Laie und das Ordensleben 19-23. - Dieser Aspekt scheint mir in der ansonsten kundigen Studie von G. Pollak, Der Aufbruch der Säkularinstitute und ihr theologischer Ort 177f. nicht berücksichtigt zu sein. Interessant wäre in diesem Zusammenhang ein Vergleich der theologiegeschichtlichen Verankerung: Rahner geht mehr auf den Spuren des Klemens von Alexandrien und des Johannes Chrysostomus (vgl. Askese und Mystik in der Väterzeit 278-291; III, 313-328), die die Berufung des Laien zur Heiligung der Welt betonen. Von Balthasar denkt eher mit Basilius: der Rä-

diert dazu, das eigentliche Christsein, den 'Ruf' im strengen Sinn, den Rätechristen zuzuschreiben. Die Laien erhalten eine von den Räten geprägte und von diesen abgeleitete Vollkommenheit.

Beide - Räte- und Weltstand - sind für Rahner in der Kirche Werkzeuge der Universalisierung des Heilswillens Gottes gegenüber der ganzen Menschheit. Die Kirche hat als Sakrament des Heils für die Welt exemplarischer Vortrupp zu sein.[406]

So sind für Rahner der Rätestand und der Weltstand verschiedene Berufungen, Akzente, Momente der *einen* Heiligung der Welt zur vollkommenen Liebe. Die Führung des Geistes teilt in der konkreten Berufung das Maß zwischen Askese und Weltbejahung zu. Beides steht im Lebensvollzug der Kirche: »Das Lassen der Welt, um Gott im Glauben zu finden und so die gelassene Welt von Gott einst wiedergeschenkt zu erhalten oder die Liebe zur Welt, die deren Leben liebt und deren Tod in gläubiger Geduld bejaht und in beidem - von Gott geschenkt - Gott findet.«[407]

Auf der Grundlage dieser schwerpunktmäßigen heilsgeschichtlichen Zuordnung der Räte zum Sterben mit Christus und zur transzendenten Dimension des Glaubens können wir uns jetzt der ekklesiologischen Bedeutung der Räte und ihrer Situierung in der Kirche zuwenden.

Sechstes Kapitel

Ekklesiologie und Räte

Der indirekten Methode (vgl. S. 163f.) entsprechend sind für den Komplex der Ekklesiologie mehrere Fäden aufzugreifen und aufeinander zu beziehen: die Linie, die bei der charismatischen Berufung des Einzelnen ansetzt und diese pneumatologisch in die Kirche einbindet ('existentiale Ekklesiologie'), der Weg, der von der objektiven irreversiblen Bleibendheit der Selbstmitteilung Gottes in der Geschichte herkommt ('essentiale Ekklesiologie'), der heilsgeschichtliche Aspekt, der die Kirche aus der Seite des Gekreuzigten fließen läßt, die vielen praktischen Aufgaben, Probleme und Konflikte und schließlich der Versuch,

---

techrist ist der eigentlich vollkommene Christ (vgl. die Einleitung zu Basilius, in: Die großen Ordensregeln 37-59).

[406] V, 397; XIV, 397; XV, 146; XVI, 164.

[407] III, 103

in der Symboltheologie alle Fäden trinitarisch aufeinander zu beziehen. Im Hinblick auf die Räte richtet sich unser Augenmerk auf den charismatischen Ursprung als Vollzug der subjektiven Heiligkeit in der Kirche, auf den ekklesiologischen Ort der objektiven Lebensform, auf die kirchliche Einbindung des konkreten Rätelebens im Verhältnis zu den Laien und zum Amt, ihre Hinordnung auf die Heiligung der Welt und schließlich auf ihre symbolische Einheit.

I. Existentiale und essentiale Ekklesiologie

An Ignatius orientiert entwickelt Rahner eine Ontologie und Theologie des Einzelnen und des Konkreten. Die Unmittelbarkeit des Einzelnen zu Gott ist immer schon christologisch vermittelt. Ignatius ist in seinen Exerzitien immer schon beim Leib Christi in der Geschichte, der Kirche.[408] Die Kirchlichkeit ist der andere unumstößliche Pol ignatianischer Frömmigkeit: »Jegliches Urteilen zurücksetzend, müssen wir den Geist bereit und willig halten, um in allem der wahren Braut Christi unseres Herrn zu gehorchen, die da ist unsere heilige Mutter, die hierarchische Kirche.«[409] - »Wir müssen, um in allem sicher zu gehen, immer festhalten: was meinen Augen weiß erscheint, halte ich für schwarz, wenn die hierarchische Kirche so bestimmt, weil wir glauben, daß in Christus unserem Herrn, dem Bräutigam, und in der Kirche, seiner Braut, derselbe Geist wohnt, der uns zum Heil unserer Seele leitet und lenkt; denn durch den gleichen Geist und unseren Herrn, der die zehn Gebote gab, wird auch unsere heilige Mutter, die Kirche gelenkt und geleitet.«[410]

Als treuer Sohn seines Ordensvaters steht Rahner existentiell und theologisch in dieser unaufhebbaren Polarität der christlichen Existenz zwischen der Bedeutung des Einzelnen vor Gott und der notwendigen Kirchlichkeit des Glaubens. Die gnadenhafte Erhöhung der Individualität bewahrt die Hinordnung auf die interpersonale Liebe und übersteigt diese zugleich. Der Mensch ist in seinen Beziehungen immer 'mehr' als die konkrete Gemeinschaft. Das Pneuma verbindet die übernatürlich-gnadenhaft Einzelnen zur gemeinschaftsbildenden Sichtbarkeit des personal-unmittelbar Gerufenseins vor Gott in der Kirche. Auf dieser Ebene ist die Kirche bleibend charismatisch grundgelegt: Berufung und Charismen des Einzelnen, die in der 'Logik der existentiellen Erkennt-

---

[408] XII, 182; XV, 394.
[409] Ignatius, EB 353 (Übertragung von A. Haas).
[410] EB 365

nis' konkret personal erkannt werden, sind konstitutiv für die Kirche, insofern die subjektive Heiligkeit als siegreiches Ankommen der Selbstmitteilung Gottes zu den Wesensvollzügen der Kirche zählt.[411]

Aber ebenso inkarnatorisch und pneumatologisch vermittelt ist die Kirche die objektive Präsenz der Selbstmitteilung:[412] Die Kirche ist für Rahner geschichtliche Präsenz und Bleibendheit der Selbstmitteilung Gottes in der Geschichte, das »dauernde quasisakramentale Heilszeichen«[413] der Gnade, das Grundsakrament des Heils.[414] Ohne diese Bleibendheit wäre die Selbstmitteilung Gottes nicht irreversibel. In der Objektivität des Wortes, der Sakramente, des Amtes, der Tradition und Institution wird die von Gott *angebotene* Gnade geschichtlich präsent.[415] Die Kirche in ihrer dialogischen, gesellschaftlichen und institutionellen Verfaßtheit als Gesellschaft des Rechtes, des äußeren Wortes, der geschriebenen Schrift, der Hierarchie, der Sakramente, der Verwaltung und sogar der Bürokratie ist Konsequenz der Inkarnation und pneumatologisch vermittelt.[416]

Die Räte stehen am Schnittpunkt zwischen der subjektiv charismatischen und der objektiv institutionellen Dimension der Kirche: Sie sind zeichenhafte existentielle Repräsentation der sich verleiblichenden, siegreich angenommenen Gnade in Glaube, Hoffnung und Liebe.[417] Insofern die siegreiche Annahme der Gnade wesenskonstitutiv für die Kirche als Geheiligte und Heilige ist, gehören die Räte zum Wesensvollzug von Kirche: sie sind es als Zeichen und Zeugnis.

---

[411] DynK 38-73; Bemerkungen über das Charismatische in der Kirche, in: IX, 415-431, hier 415f.

[412] Ekklesiologische Grundlegung, in: HPTh I, 117-148; G 313-387; V, 249-277; 379-410; VI, 301-320.348-367; VII, 103-120; VIII, 329-354; IX, 479-497; XIV, 11-22.73-90; Kirche und Sakramente. Kommentar zur dogmatischen Konstitution über die Kirche (art. 18-27), in: LThK² 12, 210-247; M. Kehl, Kirche als Institution 172-238; K. Lehmann, Karl Rahner und die Kirche, in: K. Lehmann (Hg.), Vor dem Geheimnis Gottes 120-135.

[413] VII, 431. -»Die Kirche ist die gesellschaftlich legitim verfaßte Gemeinschaft , in der durch Glaube und Hoffnung und Liebe die eschatologisch vollendete Offenbarung (als dessen Selbstmitteilung) in Christus als Wirklichkeit und Wahrheit für die Welt präsent bleibt« (HPTh I, 124).

[414] VIII, 351

[415] VII, 431

[416] Vgl. SG 104;

[417] Vgl. VII, 431.

II. Die Räte als objektiver Wesensvollzug von Kirche

1. Das ekklesiologische Zeichen

Zum Verständnis des 'Zeichens' bei Rahner ist das Strukturgefüge seiner Symboltheologie zu beachten:[418]

Die Ontologie des Symbols geht von der notwendigen gestalthaften Vermittlung des Subjektes zu sich selbst aus.[419] Theologisch gesehen hat der ontologische Aufweis des Symbols in seiner Einheit und Differenz einen trinitarischen Ursprung: In der Trinität ist höchste Einfachheit und doch wahre und reale Unterschiedenheit der Personen.[420] Der Logos ist die innere und äußere Aussagbarkeit des Vaters: 'Wer mich sieht, sieht den Vater' (Joh. 14,9). Die Offenbarung in Christus ist die Selbstoffenbarung Gottes im ursprünglichen Sinn; die Person Jesu mit ihren menschlichen Äußerungen ist dabei als Symbol bzw. als konstitutives Zeichen zu verstehen. »Christus in seiner geschichtlichen Existenz ist in einem die Sache und ihr Zeichen, sacramentum und res sacramenti der erlösenden Gnade, die durch ihn nicht mehr, wie vor ihm, als noch verborgener Wille des fernen, transzendenten Gottes über die Welt waltet, sondern in ihm als der Welt endgültig eingestiftet gegeben ist und zur Erscheinung kommt.«[421] Sein Kreuz ist Realsymbol der *vergebenden* Selbstmitteilung Gottes in Zusage und Annahme. Jesu Menschheit ist der Offenbarung nicht bloß werkzeuglich äußerlich, sondern die raumzeitliche Greifbarkeit, die konstitutive Symbolwirklichkeit, in der die Offenbarung zu sich selber kommt; diese Vermittlung wird auch eschatologisch nicht überwunden.[422] Die Christologie ist so bei Rahner die theologische Grundlage für das Verständnis des Symbols. Vom inkarnatorischen Grundgesetz her kann die Gnade nicht ohne geschichtliche Raumzeitlichkeit bzw. symbolische Ausdrücklichkeit bleiben.[423] Sie ist nie bloß innerlich und subjektiv, sondern immer zugleich subjektiv und kirchlich, innerlich und leibhaftig, existentiell und kollektiv. Daraus folgt, daß die Kirche selbst sakramentalen Charakter hat: »Kirche als Ursakrament bedeutet die eine und bleibende, zeichenhafte, inkarnatorisch strukturierte Präsenz des eschatologischen Heiles Christi, eine Präsenz, in der Zeichen und Bezeichnetes 'unvermischt und ungetrennt' vereint sind: Gnade Gottes im 'Fleisch' einer geschichtlich-kirchlichen Greifbarkeit.«[424] Innerhalb der geschichtlichen Raumzeitlichkeit spricht Rahner von den Selbstvollzügen der Kirche in Wort[425] und Sakrament[426] als Ausdruck der

---

[418] Vgl. Theologie des Symbols, in: IV, 275-311. - Zur Herkunft des Symbolgedankens aus der Herz-Jesu-Verehrung vgl. III, 137.379.381.396; IV,310.

[419] IV, 278.288; vgl. X, 422.

[420] IV, 271.290

[421] Kirche und Sakramente 15

[422] Vgl. Die ewige Bedeutung der Menschheit Jesu, in: III, 47-61 und IX, 298.

[423] Vgl. dazu: Sakramentale und personale Frömmigkeit, in: II, 115-141, hier 127.133f.

[424] Kirche und Sakramente 21f. - Ekklesiologische Grundlegung, in: HPTh I, 121; IV, 298; VIII, 341; X, 384.

[425] Priesterliche Existenz, in: III, 295-312; X, 382f.

inkarnatorischen Struktur des Heils, als Zeichen der siegreichen vergebenden Gnade Gottes, als situative Verwirklichung dieser ankommenden Gnade und als Anbruch der verheißenen Zukunft. Die konkreten Vollzüge haben eine gewisse Variationsbreite: wie es in der Verkündigung des Wortes eine gestufte Verbindlichkeit gibt (als Ausformung des einen Bleibens in der Wahrheit), so spricht Rahner bei bestimmten Zeichen und Akten von einer »qualifizierten Öffentlichkeit« bzw. »qualifizierten Leibhaftigkeit«.[427] In der existentiellen subjektiven Annahme des gnadenhaften Wirkens Gottes in Glaube und Liebe wird dieses Wirken »quasi-sakramental« sichtbar.[428] Die Differenzierung zwischen »sakramental« und »quasi-sakramental« schließt an die Ontologie des Zeichens an: innerer Vollzug und äußere Objektivation gehören zwar unlösbar zueinander, stehen aber nicht in einem eindeutigen Verhältnis. Theologisch gibt es keine sichere Erfahrung der angenommenen Gnade, d.h. keine subjektive Gewißheit der eigenen Rechtfertigung, keine Eindeutigkeit der eigenen Selbstlosigkeit.[429] Die subjektive Annahme bleibt in einer objektiven Ambivalenz. Deswegen kann Rahner a) das Gericht Gott allein vorbehalten und b) in aller Nüchternheit illusionslos Schuld ernst nehmen, aller Selbstgerechtigkeit mißtrauen und selbstgerechte Träume entlarven.[430]

Die evangelischen Räte als *ekklesiologisches Zeichen* sind in diesem symboltheologischen Strukturgefüge zu sehen: sie sind eingeordnet in die Wesensvollzüge der Kirche in Wort, Sakrament, Amt und Recht; sie gehören zu den »quasi-sakramentalen Wesensvollzügen« in der existentiellen Annahme der Selbstmitteilung durch Glaube, Hoffnung und Liebe. Sie sind unter den Charismen anzusiedeln als der Kirche als ganzer, wesensnotwendiger Ausdruck ihrer subjektiven Heiligkeit.[431]
»Evangelische Räte sind ... ein unaufhebbares Wesensmoment an der Gestalt der Kirche, insofern diese greifbar das darstellen, was sie innerlich lebt: die göttliche Liebe, die die Welt eschatologisch transzendiert.«[432] Die Räte stellen den überragenden Wert des Gottesreiches und die Vergänglichkeit der Welt dar.[433] In der Kirche muß greifbar werden, daß die Zukunft der Kirche und der Welt, der letzte Sinn und die Vollendung des Menschen die Selbstmitteilung Gottes im ewigen Leben ist.[434] Eine solche Greifbarkeit des Glaubens und der Hoffnung

[426] Kirche und Sakramente; G 396.
[427] II, 133
[428] II, 135
[429] II, 290 (DS 1533f.; DS 1563-1566); vgl. K. Neumann, Praxisbezug 215.
[430] Von der Not und dem Segen des Gebetes 131; EpEx 269; BigEB 29.35.80.239.250.278; SG 459; Ekklesiologische Grundlegung, in: HPTh I, 148; VII, 51.
[431] Vgl. VIII, 353; vgl. auch: Die Träger des Selbstvollzuges der Kirche, in: HPTh I, 149-215.
[432] III, 70; vgl. Art. Jungfräulichkeit, in: KThW 220; vgl. auch: Die siebenfältige Gabe. Über die Sakramente der Kirche 171-189 (Zu einer Profeß).
[433] VII, 432-455
[434] Vgl. Kirche und Parusie Christi, in: VI, 348-367.

auf den transzendenten Gott als Ziel des Menschen ist sonst nicht gegeben.[435]

Die evangelischen Räte sind somit in ihrer Fülle und Ganzheit »Glaubensobjektivation und Zeugnis der wirklich indefektiblen glaubenden Kirche«.[436] Die Überzeugung, daß die Räte ein »unaufhebbares Wesensmoment« an der Gestalt der Kirche repräsentieren, äußert Rahner in verschiedenen Kontexten.[437] Er hält es für eine »kryptogame Häresie«, »wenn von den evangelischen Räten, von Gelübde und Ordensstand nicht mehr oder höchstens noch unsicher und betreten gesprochen wird.«[438]

Diese grundsätzliche Wesensaussage trifft noch keine genaue Aussage über die konkrete Form der Räte. Rahner spricht von der Notwendigkeit des kontemplativen Ordenslebens[439], er meint zur Ehelosigkeit: » Es wäre entsetzlich, wenn es eine Kirche gäbe, in der es die himmlische Torheit des Verzichts auf die Ehe um Christi willen nicht mehr gibt.«[440] Die Kirche hat für ihn ihrem Wesen gemäß zeugnishaft arm zu sein.[441] »Die Spiritualität der Zukunft wird eine Spiritualität der Bergpredigt und der Evangelischen Räte sein und bleiben.«[442]

Offener (als z.B. von Balthasar) ist Rahner dabei im Hinblick auf neue Formen der Räte. Die Trias von Armut, Ehelosigkeit und Gehorsam ist für ihn nicht unlösbar eins. So ist er zwar der Überzeugung, daß die »ehelosen Formen des Ordenslebens ... immer bleiben« werden; er kann sich aber auch neue, nicht-zölibatäre gemeinschaftliche Formen des Ordenslebens vorstellen.[443]

Wenn Rahner die evangelischen Räte als 'ekklesiologische Zeichen' qualifiziert, so tut er dies im Sinne einer unaufgebbaren Wesensaussage, d.h. einer dem Kern gegenüber nicht zufällige oder äußerliche. Die Räte partizipieren aber auch am anderen Charakter des 'Zeichens', nämlich der Ambivalenz des Ausdrucks gegenüber dem repräsentierten

---

[435] VII, 428; vgl. Zukunft der Orden, in: StdZ 197 (1979) 433f.; Über das kontemplative Leben, in: U. Dobhan/V.E. Schmitt, Karmel in Deutschland. Information - Reflexion. Theresia v. Avila - 400. Todestag, München 1981, 11-16.

[436] VII, 431; vgl. Theologische Bemerkungen zum Begriff Zeugnis, in: X, 164-180; Zur Theologie des Todes 73-106; XIII, 304.

[437] II, 70 (1953); V, 570 (1961); Zukunft der Orden, in: StdZ 197 (1979) 437f.; Über das kontemplative Leben (1981).

[438] V, 570

[439] Chancen des Glaubens 141ff.197ff.; Über das kontemplative Leben 16.

[440] XIV, 239

[441] Theologie der Armut, in: VII, 444f.; vgl. Die Unfähigkeit zur Armut in der Kirche, in: X, 520-530.

[442] XIV, 371

[443] Zukunft der Orden, in: StdZ 197 (1979) 433.

Grund. Die Räte repräsentieren zwar *ein* Prinzip des Glaubens und der Hoffnung (nämlich die Freiheit des transzendenten Gottes als Vollendung des Menschen), sie sind aber nicht *das* Prinzip des Christentums schlechthin; sie können die Verleiblichung der Selbstmitteilung Gottes nicht exklusiv beanspruchen.[444] Der Ausdruck kann den Grund auch verdunkeln. Die Räte repräsentieren das Eschaton zwar in einer Form, wie es sonst nicht der Fall ist; sie sind aber als Zeichen der angenommenen Gnade nicht eindeutig, weil Zerrformen (wie Flucht, Weltverachtung, Selbstvergottung, ...) den Grund der Liebe verdunkeln können.[445] Die Räte sind deswegen nicht schon 'in sich' vollkommen. Sie sind in das Strukturgefüge der Liebe einzuordnen und von diesem Maß auch kritisch zu richten bzw. zu entmythologisieren.

Das bessere Mittel?

Auf dieser Ebene des Zeichens, das Ausdruck einer Wirklichkeit ist und doch zu ihr in Differenz steht, handelt Rahner den Vergleich zwischen Ehe und Ehelosigkeit, zwischen Räte- und Weltchristen ab: Ausgangspunkt ist für ihn zum einen die Berufung aller zur Heiligkeit der Kirche (LG V, 39-42).[446] Jeder Christ ist zur Vollkommenheit in der Gottes- und Nächstenliebe aus ganzem Herzen und ganzer Kraft berufen. Die Vollkommenheit der Liebe ist *eine*. Sie kann nicht in eine höhere (Räte) und niedrigere (Weltchristen) unterteilt werden. Von da aus kann es keine Konkurrenz *an sich* zwischen den beiden Lebensformen geben. Beide sind Wege zur Vollkommenheit, haben grundsätzlich heilsgeschichtlichen Charakter und damit ekklesiologische, soteriologische und eschatologische Bedeutung, sie sind Teilnahme am Kreuzes- und Todesschicksal Christi zum Heil aller.[447] Beide stehen unter der Pflicht des 'magis', des Je-mehr der »maior Dei gloria«.[448] Die Begründung der Väter, daß in den Räten, besonders in der Jungfräulichkeit, das engelgleiche, eschatologische, himmlische Leben vorweg realisiert werde (mit Bezug auf Mt 22,30) und ihnen deswegen der Vorzug zu geben sei, ist für Rahner nicht stichhaltig. Die Räte antizipieren, wenn sie von der Liebe geschieden sind, nicht das ewige Leben. Entsagung qua Verzicht ist für Rahner noch kein Charakteristikum der eschatologi-

---

[444] WCh 135f.

[445] VII, 431

[446] VII, 406.410f.

[447] VII, 414f.

[448] Vom Offensein für den je größeren Gott, in: VII, 32-53.

schen Vollendung.[449] Zudem ist der Christ in Ehe und Beruf nicht bloß der Welt zuzuordnen. Menschliche Beziehung, Arbeit, u. a. sind nicht bloß äußeres Bewährungsmaterial für die Ewigkeit, sondern deren immanent konstitutives Moment[450]; insofern haben sie auch eschatologischen Charakter.

Und doch weiß Rahner natürlich auch um die Lehre der Tradition, daß es »besser und seliger« sei, um des Himmelreiches willen der Ehe zu entsagen (DS 1810). Beide Positionen - die Berufung aller zur einen Vollkommenheit in der Liebe und das »melius ac beatius« - werden vom Glaubensbewußtsein der Kirche festgehalten. Rahner sieht es als Aufgabe der theologischen Reflexion, die Vereinbarkeit der beiden Lehren durch ein nuanciertes und differenziertes Verständnis zu denken.[451]

Ein erster Ansatzpunkt dafür ist die absolute Priorität des konkreten Rufes. Dieser führt in die Nachfolge Jesu und läßt an der inneren Gesetzmäßigkeit des Lebens Jesu teilnehmen. Nachfolge Jesu ist aber keine buchstäbliche Nachahmung, keine Kopie oder Deduktion.[452] In der Nachfolge gehorcht der Christ dem Ruf Gottes, der sich in der 'Logik der existentiellen Erkenntnis' erschließt. Dieser Ruf, der nicht eigenmächtig manipuliert werden darf, kann in das Leben der Räte oder auch zur Ehe führen: Das 'bessere Mittel' der Nachfolge liegt für die Mehrzahl der Menschen in der Ehe: »Der Sinn des theologischen Satzes über die Jungfräulichkeit kann nicht darin liegen, daß die Mehrzahl die Jungfräulichkeit wählt«.[453] Die Ehelosigkeit ist die Ausnahme, die wenigen von Gott angeboten wird. Für den, der in das Leben der Räte durch eine spezielle Berufung gerufen ist, sind sie auch das bessere von Gott angebotene Mittel auf dem Weg der Vollkommenheit. In der Liebe ist er zu diesem Weg auch verpflichtet.[454] Das 'bessere Mittel' ist für Rahner relativ auf den, dem es gegeben ist. - Damit allein würde aber die tridentinische Formel des »melius ac beatius« nicht integriert. - Die Qualifikation der Räte als 'besseres Mittel' ist für Rahner auf objektiver Ebene in Hinblick auf die *Repräsentanz* der überweltlichen Dimension der Gnade Gottes zu suchen. In der Entsagung *allein* wird kirchlich und geschichtlich greifbar und sichtbar, daß die Vollendung der Welt und des Menschen in der transzendent gnadenhaften und

---

[449] VII, 432

[450] VII, 412

[451] VII, 408

[452] Vgl. BigEB 117-128; XIII, 188-202.

[453] VII, 414

[454] VII, 414.417

eschatologischen Selbstmitteilung Gottes liegt.[455] Diese Repräsentanz des Glaubens und der Hoffnung ist sonst so nicht gegeben.[456] Eine solche Repräsentanz der Transzendenz, der absoluten eschatologischen Zukunft ist an einem »natürlichen guten Akt« nicht sichtbar, nicht ablesbar.[457]

Die Argumentationsfigur des 'eschatologischen Zeichens' wird besonders für die Ehelosigkeit herangezogen, in der die »Taube auf dem Dach der Ewigkeit«[458] gegenüber dem Spatz der Ehe gewählt wird und so die Hoffnung auf das ewige Leben objektiv erscheint. Gerade die Jungfräulichkeit ist der »Ausdruck der Existenzverlagerung aus dieser Welt hinaus.«[459]

Rahners Ausführungen zum Zeichencharakter des Rätelebens gehen vom Vergleich mit 'natürlich guten sittlichen Akten' aus. Offensichtlich faßt er auch die Ehe unter diese. Von der Sakramentalität und der übernatürlichen Dimension der Ehe spricht er in diesem Zusammenhang nicht.

Unvermittelt dazu stehen Rahners theologische Abhandlungen zur Ehe, die primär um die Frage ihrer Sakramentalität kreisen.[460] In der Explikation des Ehesakramentes geht er vom grundsätzlich theologischen und gnadenhaften Charakter der Nächstenliebe in der gegenwärtigen Heilsordnung aus: in der Einheit von Gottes- und Nächstenliebe kommt die transzendentale Verwiesenheit des Menschen auf Gott nur in der Nächstenliebe zu sich selbst, wie umgekehrt die Gottesliebe die letzte Wesenstiefe zwischenmenschlicher Liebe ausmacht.[461] Zugleich wird in der konkreten Liebe, wenn sie kein Egoismus zu zweit sein will, die Einheit von Gottes- und Nächstenliebe als ganze vollzogen. Eheliche Liebe steht so in einem Strukturgefüge: »Eheliche Liebe ist von ihrem Grunde her ... auch Beziehung zu Gott, Ereignis der Gnade, liebende Eintracht mit jener Grundbewegung, in der durch die Gnade die Menschheit als Volk Gottes zur Einheit des Reiches Gottes in Liebe kommt.«[462] In dieser Perspektive ist die Ehe nicht bloß äußerliches willkürlich von Gott gewolltes Abbild zwischen Christus und der Kirche (Eph 5).[463] In der Ehe wird - im Maß ihrer Wesensverwirklichung - der Bund zwischen Christus und der Kirche präsent; sie ist eine der Verwirklichungen der einenden Liebe der Kirche. Als kleinste Gemeinschaft von Erlösten und Geheiligten ist sie kirchenbildend und von der

---

[455] VII, 429

[456] III, 72; VII, 424.428.

[457] III, 68

[458] ChG 157.169.194f.200

[459] Art. Jungfräulichkeit, in: KThW 220.

[460] Glaubend und liebend, München 1957; Vom Gottgeheimnis der Ehe, in: GuL 31 (1958) 107-109; Kirche und Sakramente 95-99; Die Ehe als Sakrament, in: VIII, 519-540; Art. Ehe, in: KThW 94ff.; Was macht die Ehe christlich?, in: Im Gespräch I, 230-239.

[461] Vgl. VIII, 523f.

[462] VIII, 529

[463] Vgl. KuS 95f.

Kirche getragen.[464] Vom Menschen her bleibt die Ehe - wie auch die Räte - grundsätzlich zweideutig, sie kann zur leeren Erscheinung degradieren.[465] Die Ehe verbleibt mit der Kirche (als Ursakrament) in einer Vorläufigkeit gegenüber der Endgültigkeit des Reiches Gottes. Mit der Hinordnung der ehelichen Liebe auf die Gottesliebe und die geeinte Menschheit als Konkretion des Universalen entfallen bei Rahner qualifizierende Vergleichspunkte zwischen Ehelosigkeit und Ehe, wie 'ganz' und 'geteilt' oder auch 'Geist und Natur', wie sie von Balthasar (S. 119-123) herangezogen hatte.

An diesen Ausführungen zeigt sich, daß der paulinische und tridentinische Komparativ der *Ehelosigkeit* gegenüber der Ehe für Rahner eine (bloß) ekklesiologische und gesellschaftliche Funktion hat.[466] Er wird primär werkzeuglich verstanden. Aus der kirchlichen Zeichenhaftigkeit erwächst für den Berufenen wohl die Verpflichtung, die Entsagung auch subjektiv zum 'besseren Mittel' auf dem Weg zur Vollkommenheit in der Liebe werden zu lassen. Aber diese Verpflichtung wurzelt primär im Ruf Gottes. Ekklesiologische Differenzierungen und Rangordnungen korrelieren nicht mit dem Maß der Heiligkeit oder dem Umfaßtsein durch die Liebe Gottes an sich. »Die sogenannten evangelischen Räte (bedeuten) nicht eine höhere Stufe der christlichen Vollkommenheit als solcher und also der von den evangelischen Räten her bestimmten Spiritualität, sondern anders geartete Lebensumstände und besondere Mittel, in denen und mit denen diejenigen, die eine allen Christen gemeinsame Vollkommenheit der Gottes- und Nächstenliebe anstreben, sich von den sonstigen Christen unterscheiden.«[467] Die Vollkommenheit in der Liebe als letztes Maß aller Ethik ist allen amtlichen Repräsentationen und zeichenhaften Realisationen vorgeordnet und grundgelegt: »Ein Unbekannter kann höher als der Papst das Christentum repräsentieren.«[468]

Anmerkungen zum Zeichenbegriff

Wie schon bei der Behandlung der Heilsbedeutung des Todes Jesu und beim Zusammenhang zwischen Räten und Liebe (S. 209f., 220-222) angedeutet, wird in den Ausführungen Rahners zum ekklesiologischen Zeichencharakter der Räte deutlich, daß bei ihm verschiedene Begriffe

---

[464] VIII, 531f.540

[465] Vgl. VIII, 530.540.

[466] VII, 428-430

[467] XIV, 175; vgl. KCh 170 (mit Kritik an 'castitas perfecta').

[468] Politische Dimensionen des Christentums 94f.; vgl. »Für die Kirche«, in: GL 143; Im Gespräch II, 76.

des Zeichens, des Sakramentes bzw. des Symbols z. T. unvermittelt nebeneinander stehen. Kritisch ist hier anzumerken, daß der ontologische Symbolbegriff vom Selbstvollzug des Subjektes aus geht und so nicht von vornherein im personal dialogischen Raum der Berufung steht. Ein von der Sakramententheologie her gedachtes Verständnis des Todes Jesu nimmt das reale Drama der Schuld kaum in den Blick. Beide Dimensionen werden bei der Qualifikation der Räte als ekklesiologischem und eschatologischem Zeichen nur sehr beschränkt aufgegriffen. Die Akzentsetzung auf der Askese läßt zwar in gewisser Hinsicht die Vorläufigkeit der Welt ins Blickfeld rücken, nicht aber konkretes Leiden des armen Anderen und auch nicht die Einbindung der Askese in den größeren Vollzug der Liebe. Die notwendige Ausdrücklichkeit der Entsagung gilt der weltüberschreitenden Dimension des Glaubens. Diese Zeichenhaftigkeit umfaßt nicht mehr die ganze Wirklichkeit der Berufung in symbolischer Einheit; sie drückt nicht mehr das Strukturgefüge Gott - Mensch - Welt, sondern nur einen zwar notwendigen, in dieser isolierten Fixierung aber partikulären Bereich aus. Damit 'halbiert' Rahner seine - auch trinitarisch strukturierte - Theologie des Symbols wie auch die inkarnatorische Dimension der Räte, die im Kontext des Zeichens auf die Ausdrücklichkeit des Verzichts reduziert wird. Auf der Suche nach einer theologischen Eigenwirklichkeit der Räte, die durch andere Stände so nicht abgedeckt ist, und im Bemühen, dem tridentinischen Komparativ einen theologischen Ort zu geben, kommt er zu einer relativ funktionalen Beschreibung der Räte als Zeichenwirklichkeit. Sie sind in einer 'Leerstelle' situiert. Wenn er zwar auf der Askese als Wesensnotwendigkeit für den Glaubensvollzug insistiert, bleibt er doch im Hinblick auf die Konkretion vage, unbestimmt und ortlos. Rahner hat zwar die Räte nicht auf diese zeichenhafte Dimension der Askese eingeschränkt - Armut und Gehorsam realisieren den 'transitus' zum konkreten, leidenden und armen Anderen und richten sich auf die reale Versöhnung -, er holt aber Kommunikation und Solidarität nicht mehr in die Zeichenwirklichkeit ein. Die Räte als Zeichen bleiben relativ unvermittelt im 'eschatologischen Quartier'. Einen weiter gefaßten Horizont der Vermittlung deutet er durch die in der Herz-Jesu-Verehrung verankerte und trinitarisch grundgelegte Symboltheologie an: Im Begriff des Herzens ist die personale, intersubjektive und transzendente Wirklichkeit ursprünglich in der Liebe umgriffen. Im Herz Jesu wird auch der heilsgeschichtliche Bezug zu Tod und Auferstehung ausdrücklicher in das Symbol hineingenommen. In einem trinitarischen Symbolverständnis können transzendentale und kategoriale Wirklichkeit, Transzendenz und Immanenz, Entsagung und Solidarität, Askese und Liebe,

Selbstannahme und Selbstlosigkeit ursprünglich aufeinander bezogen sein.[469] Das Symboldenken der Herz-Jesu-Verehrung sprengt ein exklusives Verständnis der Räte als 'Askese' und einen isolierten funktionalen Zeichenbegriff. Z. T. greift Rahner in den Ausführungen über die Räte als *Zeugnis* auf diese Dimensionen zurück.

2. Evangelische Räte als Zeugnis[470]

Im Begriff des Zeugnisses bündeln sich alle Aspekte der Theologie Rahners. Anthropologische Voraussetzung ist das 'Sich-selbst-gegeben-Sein' des Menschen in Freiheit, in dem dieser in einem letzten, existentiell 'absoluten' Sinn über sich zu verfügen vermag.[471] Wo Zeugnis als Selbstverfügung und als Tat der Freiheit geschieht, transzendiert sich der Mensch notwendig auf das Geheimnis Gottes: Zeugnis ist im strengen Sinn - ob reflektiert oder nicht - ein Ereignis der Gnade, weil getragen von der Selbstmitteilung Gottes.[472] 'Der' Zeuge, d.h. die personale Offenbarung, ist der absolute Heilsmittler.[473] Eine solche Endgültigkeit und Irreversibilität schließt notwendig die Annahme des Todes ein. In der Bindung an das Kreuz macht das Zeugnis auch die Differenz zwischen Welt und Heil deutlich; es offenbart die 'Sünde der Welt'.[474] In der Bindung an die Auferstehung wird im Zeugnis deutlich, daß nicht die Absurdität, sondern die absolute Zukunft Gottes selbst die Zukunft des Menschen ist. Insofern gehören Kreuz und Auferstehung »in jedem authentischem Zeugnis ... zusammen.«[475] Der theologische Zeugnisbegriff impliziert schließlich die kirchliche Dimension und die öffentliche Proklamation des Glaubens.[476]

Im Hinblick auf die kategoriale Inhaltlichkeit des Zeugnisses denkt Rahner zunächst ganz von der Theologie des Todes her: Im Tod ge-

---

[469] Vgl. SG 528-531.

[470] Viller-Rahner, AMV 29-40; Theologie des Todes. Mit einem Exkurs über das Martyrium 73-106; Art. Martyrium, in: LThK² 7, 134-138; Theologie der Freiheit, in: VI, 215-237; Über die evangelischen Räte, in: VII, 404-434; Selbstverwirklichung und Annahme des Kreuzes, in: VIII, 322-326; Theologische Bemerkungen zum Begriff 'Zeugnis', in: X, 164-180; Glaubensbegründung heute, in: XIII, 188-203; Dimensionen des Martyriums, in: XVI, 295-299.

[471] X, 165

[472] X, 168f.

[473] X, 173

[474] X, 179

[475] XII, 34

[476] X, 175f.

schieht die Endgültigkeit der Freiheit im Loslassen und in der Selbstübergabe; die Urform des Zeugnisses ist somit das Martyrium als Entschlossenheit der Nachfolge zum Tod.[477] Mit seinen weiteren Konkretionen des Zeugnisses bewegt sich Rahner auf der Linie der Vätertheologie. Askese (Buße, Entsagung von Begierden und Leidenschaften, Bemühen um Tugend)[478], das Mönchtum allgemein, Jungfräulichkeit (als olympisches Ringen um Keuschheit)[479] und gute Werke (z.B. der hochherzige Dienst an Pestkranken)[480] haben in der frühen Kirche nach der Verfolgungssituation das Martyrium als Vollkommenheitsideal abgelöst. Sie gelten als Martyrium im 'unblutigen' Sinn. Unter den konkreten Formen des Zeugnisses nimmt bei Rahner zunächst die Askese (und in dieser die Räte) einen qualifizierten Ort ein. Askese und Räte bezeugen, daß die Kirche als ganze sich frei der Passion Christi unterstellt. Insofern die Passion die freie gehorsame Annahme des Todes ist und das Heil bewirkt, haben die Räte als Teilhabe am Leiden soteriologischen Charakter.[481] Dies gilt im besonderen für die Ehelosigkeit, bei der Rahner - wie sonst kaum - das Kreuz, das Ärgernis und die Torheit des Evangeliums betont. Die Torheit der Liebe zu Gott, die 'gekreuzigte Transzendentalität', zeigt sich in der Annahme der individuellen Berufung zur Ehelosigkeit. In der Radikalität des Verzichts zeigt sich die notwendige Annahme des Kreuzes als Martyrium; öffentlich ist dieses der wahre 'Nonkonformismus', der gegen den Strom der bourgeoisen Selbstverständlichkeiten schwimmt.[482] In der Bindung des Zeugnisses an das Kreuz kommt die Überzeugung zum Ausdruck, daß »das Christentum und die Kirche nicht 'der Welt' konform sein«, sondern »unter Umständen ein radikal kritisches Verhältnis zu den Tendenzen und Moden und vermeintlichen Selbstverständlichkeiten der heutigen Zeit haben« sollen.[483]

Die positive Seite der Kritik liegt in der Exemplarität des Zeugnisses. Die Orden haben z. B. gegen den Herdentrieb und die Anonymität exemplarisch die unabwälzbare Einmaligkeit des Menschen in seinem Stehen vor Gott zu leben; das Verhältnis zu Gott darf dabei nie in

---

[477] X, 176; vgl. AMV 30.

[478] Z. B. Klemens v. Alexandrien, Hom. in Act. apost. 24,3, in: PG 60, 188; vgl. AMV 38-40.

[479] Vgl. AMV 41f. mit Verweis auf Methodius Olympius, Convivium decem virginum, in: PG 18,28-220;

[480] Vgl. AMV 39 mit Verweis auf Dionysios von Alexandrien, Epistula festalis ad Alexandrinos, in: PG 10,1333-1340;

[481] VII, 432

[482] KCh 200f.; Im Gespräch I, 65f.

[483] X, 478

bloße Zwischenmenschlichkeit aufgelöst werden.[484] Sie haben echte Gemeinschaft modellhaft vorzuleben. Insofern können sie, wie die Kirche als ganze, Oase[485] und Vortrupp[486] sein.

In der Ehelosigkeit zeigt sich letztlich auch die vom Geist erwirkte innere Selbstevidenz des Zeugnisses: eine Begründung und Legitimation des Zeugnisses von außen kann es von der Natur der Sache (das Zeugnis fordert die Totalität des menschlichen Aktes) nicht geben. Rahner will dem Evangelium glauben, dessen er sich nicht schämt.[487]

Eine gewisse Weiterentwicklung des Zeugnisbegriffes innerhalb der Räte erfolgt im Hinblick auf die Armut. Ohne den Entsagungscharakter dieses Rates aufzugeben, treten in den späten Jahren die Solidarität mit den Armen und der selbstlose Einsatz und aktive Kampf um soziale Gerechtigkeit in den Vordergrund.[488]

Beim Zusammenhang zwischen Gehorsam (konkretem kirchlichen Ordensgehorsam) und Kreuz ist Rahner sehr zurückhaltend. Jedenfalls scheint der Gehorsam praktisch nicht als 'Zeugnis' auf.

Der Zeugnischarakter der Räte ist mehr als ihre eschatologische Zeichenhaftigkeit auf die konkrete Heilsgeschichte in Tod und Auferstehung bezogen. Sünde, Paradox und Ärgernis sind stärker ins Profil gesetzt. Zudem wendet Rahner in den späten Jahren den Begriff des Zeugnisses auch auf Solidarität und Nächstenliebe an - was für das Zeichen nicht mehr geschehen ist.

Auch für das Zeugnis gilt das für das Zeichen Gesagte: Die Räte sind *ein* Zeugnis der Kirche, nicht das einzige und schlechthinnige. Sie stehen in einem offenen Gesamtgefüge. Als Zeichen und Zeugnis sind sie kirchlicher Wesensvollzug, aber nicht einfach *die* exklusive ekklesiologische Mitte, *der* kirchliche Brennpunkt schlechthin.

Exkurs: Zeugnis und Amt

Rahners Ausführungen über die priesterliche Existenz beruhen nicht auf einer Theologie der Berufung zur Armut oder Ehelosigkeit an sich, sondern auf den faktisch gelebten oder fragwürdig gewordenen Räten bei Priestern und Ordensleuten.

---

[484] X, 483f.

[485] XVI, 164 (im Hinblick auf die Gemeinde).

[486] V, 397; XIV, 397; XV, 146; Im Gespräch II, 17.

[487] KCh 186.205

[488] X, 169; vgl. Im Gespräch II, 65; Dimensionen des Martyriums, in: XVI, 295ff. (zu Bischof Romero); vgl. auch Rahners Nachwort zu: M. Lange/R. Iblacker (Hg.), Christenverfolgung in Südamerika, Freiburg 1980, 179-182.

Rahners primäres theologisches Anliegen ist dabei der innere Zusammenhang von Amt und Lebensform.[489] Rahner betont dabei einerseits die Trennung der Verkündigung und der Sakramente von der persönlichen Würdigkeit des Amtsträgers, die notwendig ist, wenn die Offenbarung Gottes freie Tat bleiben und nicht einfach aus dem Menschen abgeleitet werden will. In dieser Trennung soll aber gerade der tiefere Zusammenhang aufgezeigt werden: Im Blick auf den Zusammenhang von Erkenntnis und Liebe, von Erfahrung und Engagement, ist Rahner überzeugt, »daß die Verkündigung wesentlich getragen ist durch den Erweis, daß die gepredigte Gnade im Prediger selbst Wirklichkeit ist.«[490] Den Zusammenhang zwischen Amt und priesterlicher Heiligkeit sieht Rahner sehr eng. »Die Heiligkeit des Priesters ist die existentielle, durch die Gnade ermöglichte Aneignung seines *Amtes*, welche Aneignung selbst wieder ein notwendiges Moment ist an diesem Amt.«[491] Insofern kann das Amt in dem es um die Vergegenwärtigung des neuen und ewigen Bundes in Wort und Sakrament geht, nicht vom Charisma, von der persönlichen Heiligkeit losgelöst werden.[492] Die persönliche Heiligkeit im Zusammenhang mit dem Amt kann darum nicht in der reinen Innerlichkeit bleiben: sie bedarf der zeichenhaften Konkretion und »des Zeugnisses als eines personalen Engagements, als der Mitteilung durch den eigenen Vorvollzug des Mitgeteilten, der Mitteilung durch den Einsatz der eigenen Person.«[493]

In diesem Kontext von Verkündigung, Sakrament und Zeugnis, von Theologie und Heiligkeit, steht für Rahner der Zusammenhang zwischen dem Amt und der Lebensform der Räte. Die Ausführungen hierzu sind ein Beispiel seiner existentiellen Theologie aus einem ganz persönlichen Engagement heraus: So sieht er den Zölibat des Verkündigers als einen sichtbaren Ausdruck, daß die Verkündigung die ganze Existenz fordert.[494] Darin bezeugt der Priester im Verzicht auf innerweltliche Güter greifbar den hoffenden Glauben an das ewige Leben[495]; er läßt die Differenz zwischen Welt und Christus sichtbar werden. In der Entsagung zieht er das höhere Gut - die »Taube auf dem Dach« - dem »Spatzen in der Hand«[496] vor. Der Priester muß als Zeuge an konkreten Punkten die Unvernünftigkeit, Verrücktheit und Torheit des Kreuzes vorleben.[497] Die Begründung für den Zölibat liegt bei Rahner nicht in einem Zusammenhang von Eucharistie und Keuschheit, sondern in der Sorge, daß der Glaube ohne konkrete Entsagung seine Kraft verlieren und die Torheit des Evangeliums einer spießbürgerlichen Existenz weichen könnte.[498]

---

[489] Gott meiner Sendung, in: GL 124-131, bes. 128; IV, 316; vgl. Priesterliche Existenz (1942), in: III, 285-312; Priester und Dichter (1956), in: III, 349-375; vgl. K. Neumann, Praxisbezug 317-347.

[490] III, 307f.; vgl. VII, 238; X, 180; XII, 8 (Erweis des Geistes und der Kraft: 1 Kor 2,4).

[491] Kirche und Sakramente 94f.

[492] BigEB 209f.

[493] VII, 238

[494] »Dein Beruf ist dein Leben und dein Leben dein Beruf. Du hast kein Privatleben, das sich innerhalb und außerhalb deines Priestertums aufbauen könnte« (KCh 113).

[495] Vgl. II, 371; III, 73-104, bes. 98f.; III, 61-72, bes. 68ff.; VII, 404-434, bes. 419ff.; IX, 393.

[496] EpEx 109; VII, 423; Von der Not und dem Segen des Gebetes 15; ChG 169.

[497] ChG 168; BigEB 78.

[498] IX, 393f.

So tritt er gerade in der heftigen Auseinandersetzung Ende der 60iger Jahre leidenschaftlich für das Aufrechterhalten des weltpriesterlichen Zölibats ein.[499] Es geht dabei weniger um den Pflichtzölibat als um die 'innere Korrespondenz' des Zölibats als konkreter Lebenstat mit der Existenz des Verkündigers.[500] Das Schwinden dieser »deutlichste(n), einschneidendste(n), von der Schrift und Überlieferung her legitimierte(n) Existenzweise« wäre »Zeichen einer Glaubensschwäche«.[501]

Ein gewisser Wandel bzw. eine Akzentverschiebung vollzieht sich bei Rahner mit der Zunahme des Priestermangels. Schon 1968 kann er sich die Aufhebung des Pflichtzölibats unter Umständen vorstellen, weil er der Seelsorge den Vorrang vor dem Zölibatsgesetz gibt und die Eucharistie für einen höheren Wert hält als die Ehelosigkeit.[502] 1977 faßt er zusammen: »Die Sorge um einen genügend zahlreichen Seelsorgeklerus ist eine Verpflichtung, die als göttliches Recht auf der Kirche liegt, eine Verpflichtung, die im Konfliktfall das legitime Bestreben der Kirche nach einem zölibatären Seelsorgeklerus überbietet.«[503] Das »Recht der Gemeinde auf einen Priester als Vorsteher der Gemeinde und der Eucharistiefeier« ist »vorrangig gegenüber dem Recht der Kirche auf einen zölibatären Klerus.«[504] An der sinnvollen Konvergenz zwischen einer priesterlichen Berufung und dem Zölibat hält er aber ebenso fest wie an der Legitimität des Wunsches nach einem zölibatären Klerus.[505] Wichtig ist ihm dabei, daß die Konkretion der Torheit des Kreuzes als Nagelprobe für die Echtheit nicht verlorengeht. An die Stelle der Ehelosigkeit können für Rahner eventuell ein radikaler Einsatz für die Armen, z. B. in der Aussätzigen-Seelsorge bzw. - Pflege oder die Solidarität mit den Arbeitern treten. Konsequent stellt er 1975 die Armut des Priesters in das Zentrum seiner Ausführungen über die priesterliche Spiritualität: »Der Priester von heute und morgen ist der arme Priester, der diese Armut in seine eigentliche Existenz willig und mit einer positiven Akzentsetzung hineinläßt.«[506]

III. Die Räte im konkreten Lebensvollzug der Kirche

Der Zeichen- und Zeugnischarakter der Räte entfaltet deren ekklesiologische Relevanz auf objektiver Ebene. In einem weiteren Schritt fragen wir nun nach den Räten im konkreten Lebensvollzug der Kirche. Es geht dabei um ein zweifaches: um die Bedeutung der Kirche

---

[499] IX, 393 (1970).

[500] ChG 169

[501] KCh 196. Zu dieser Diskussion vgl. F. Böckle (Hg.), Der Zölibat. Erfahrungen - Meinungen - Vorschläge, Mainz 1968, zu Rahner 76-96.

[502] Im Gespräch I, 68ff.

[503] Pastorale Dienste und Gemeindeleitung (1977), in: XIV, 132-147, bes. 145-147 (»Zölibat«), hier 146; vgl. K. Rahner/K. Lehmann, Die gegenwärtige Diskussion über den Zölibat, in: Conc. 5 (1969) 222f.

[504] XIV, 146; vgl. Art. Jungfräulichkeit, in: KThW 220.

[505] Im Gespräch II, 70; XIV, 239.

[506] XIV, 198

(Kirchlichkeit) für die Räte und um die Prägekraft der Räte in der Kirche. Rahner ist dabei nicht auf einen Nenner zu bringen. Die Kirchlichkeit der Räte ist dabei (nur) ein Anwendungsfall dessen, was allgemein gilt. Im Hinblick auf den Gehorsam ist so bei Rahner zuerst die Kirchlichkeit des Christseins allgemein zu skizzieren, um darin die Kirchlichkeit der Räte einzuordnen. Dem Gehorsam des Rätechristen wird keine besondere Vorbildfunktion zugeschrieben. Anders ist es bei Askese und Armut. In dieser Hinsicht leben die Rätechristen, was die Kirche als ganze sein soll, nämlich arm.

1. Freiheit und Gehorsam in der Kirche

Ausgangspunkt für die Frage der Kirchlichkeit des Glaubens ist für Rahner das universale Vorweg der Gnade, die sich als Ruf je einzeln auf der Grundlage der Taufe konkretisiert. Von da her ist das Charismatische ein Wesenskonstitutivum der Kirche. Die gnadenhafte Subjekthaftigkeit gilt - auf der Basis des 'übernatürlichen Existentials' - für jeden Christen. Jeder Christ ist der von Gott in Jesus Christus zum ewigen Leben Berufene, Gerechtfertigte und Geheiligte, er ist Mitträger der einen Gnade in Christus und der geschichtlichen Greifbarkeit dieser Gnade in der Kirche.[507] Weil Rahner primär vom je individuellen Ruf Gottes her denkt, wird der Laie nicht zuerst in negativer Abgrenzung zum Klerus, sondern vom Wesen der Kirche her gesehen: »Der Laie in der Kirche ist kein Laie, sondern ein Christ.«[508] Als Begnadeter und Berufener ist der Laie Träger von Charismen zum Heil der Kirche und der Welt.[509] Er ist Träger des Wortes, Zeuge der Wahrheit und in Glaube, Hoffnung und Liebe und im Vertrauen, im Mut zur Ewigkeit und im Wagnis selbstloser Liebe Repräsentant der siegreich angenommenen eschatologischen Gnade Gottes.[510] Insofern muß ihm eine aktive Subjekthaftigkeit in der Kirche zukommen; er ist nicht bloß deren passiv empfangendes Objekt.[511] Das Charismatische in der Kirche kann ein Motor des Institutionellen sein, z. B. wenn der 'sensus fidelium' Neuaufbrüche bewirkt. Es kann ein Korrektiv zum Amt sein, insofern es

---

[507] II, 344
[508] VII, 346
[509] II, 343.345
[510] Vgl. VII, 337.
[511] II, 347; VII, 337.

im Vorgang der Rezeption die Tradition mitkonstituiert.[512] Grundsätzlich muß die Hierarchie für das dynamische Element des Charismatischen in der Kirche offenbleiben und dessen nicht veramtbare Initiativen fördern.[513]

Der andere Eckpfeiler ist die inkarnatorische, objektive Dimension der Offenbarung. Die Kirche ist für Rahner auch die bleibende Präsenz der Wahrheit in der Geschichte. Konkretes Organ und Träger der indefektiblen Selbstzusage ist das Amt.[514] Die inkarnatorische Grunddimension wird als Relativierung und Kritik eines sich selbst, die eigene Mystik oder Gottunmittelbarkeit vergötzenden Subjektes gedacht: der »autonome Anspruchscharakter der Botschaft Christi«[515] fordert das Subjekt personal und nimmt es in Pflicht. In der geschichtlichen Verlängerung ist die autoritative und institutionelle Tradition Indiz dafür, daß die Wahrheit von außen kommt als eine, die dem Subjekt nicht unbedingt passen muß: »Das Christentum ist die Religion des fordernden, meine Subjektivität gleichsam aus sich herausfordernden Gottes erst dann, wenn es in einer Kirchlichkeit autoritativer Art mir entgegentritt.«[516] Rahner versteht die Kirchlichkeit des Glaubens als notwendiges Regulativ zur Autonomie des Subjektes.[517] In der Kirchlichkeit kann und muß er eigenen Vorstellungen gegenüber kritisch sein, denn Erkenntnis und Wissen des Menschen stehen in der gnoseologischen Verfaßtheit der Konkupiszenz.[518] Die Objektivität der Gemeinschaft holt das Subjekt aus der Beliebigkeit und Begrenztheit (Hegel). Deshalb soll der Verstand in »Demut und *Gehorsam* an die Glaubenserkenntnis und an den Glaubensfortschritt der ganzen Kirche« gefangen genommen werden.[519] Dieser Gehorsam ist eine »Übung der Selbstlosigkeit, der Geduld und der Treue«.[520] Kirchlichkeit (d.i. Gehorsam in einem weiteren Sinn) ist so gesehen eine Konsequenz einer nüchtern-skeptischen Betrachtung der eigenen Subjektivität in erbsündlicher Verfaßtheit, weniger die ursprüngliche Erfahrung von Beziehung und Heil in der 'communio sanctorum'.

---

[512] IX, 418f.

[513] II, 346

[514] Kirche und Sakramente 86; Art. Lehramt, in: LThK² 6, 884-890.

[515] G 335; vgl. SG 524. Von dieser Sicht geht die legitime Autorität der Kirche über die eigene Einsicht in die Sache hinaus (II, 109).

[516] G 334; vgl. Ich glaube die Kirche, in: VII, 103-120; vgl. Gott der Gesetze, in: GL 38-47.

[517] GF 99; vgl. Art. Gehorsam, in: KThW 137.

[518] Vgl. Glaube in winterlicher Zeit 153.

[519] VII, 112

[520] Gott der Gesetze, in: GL 46

Der relative Dualismus zwischen der Berufung des Einzelnen durch Gott und der Objektivation der Selbstmitteilung Gottes wird bei Rahner trinitarisch vermittelt. In Christus und dem Geist Gottes sind Mensch und Gott, Leib und Geist, Geschichte und Transzendenz, Individualität und Intersubjektivität wurzelhaft aufeinander bezogen und versöhnt. In Christus und dem Geist kommt der Mensch zu Gott (Transzendenz) und Gott zum Menschen (Geschichte).[521] Der Glaube des Einzelnen und die Kirche, Freiheit und Institution, Charisma und Amt bleiben ständig aufeinander in Spannung bezogen. Rahner will sie nie gegeneinander ausspielen, weil beide Pole christologisch und pneumatologisch verankert sind, weil er gerade im Amt selbst ein Charisma sieht. Letztlich teilt er mit Ignatius die Überzeugung, daß es keinen absoluten Konflikt zwischen Gnadenerfahrung einerseits und Institution und Kirchlichkeit andersseits geben kann.[522]

Die menschliche Freiheit ist situationsbezogen, sie bleibt zu ihrer Realisation in die Geschichte verwiesen und kommt erst durch die Herausforderung, z. B. in Gesetz und Norm, zu sich selbst. Die Institution hat die Aufgabe, die Freiheit zu befreien und zu konkretisieren. Die Kirche hat für Rahner die »sakramentale Greifbarkeit der Freiheit in Individualität und Liebe«[523] zu sein, sie ist die Gemeinde der zur Freiheit Gerufenen. In beiden Fällen geht es Rahner um die Freiheit, die sich im Gehorsam verwirklicht, d.h. um personale Beziehung und nicht um eine isolierte Autarkie oder um Gehorsam an sich. Die Spannung ist nicht zwischen dem Einzelnen in seiner Autonomie und der Gemeinschaft, die Gehorsam fordert, zu suchen, sondern zwischen dem Einzelnen, der von der Berufung durch Gott her gedacht wird, und der Kirchlichkeit des Glaubens. In beiden Polen ist die Subjektivität schon aufgebrochen. Der Christ steht in der Kirche als einem offenen System: das Amt, das er von Gott gestiftet und legitimiert anerkennt und so als verpflichtend erkennt, kann durch Normen, Sakramente, Sittengesetz und auch durch Regierungsformen im Gewissen binden.[524] Rahner hält grundsätzlich an der Möglichkeit letztverbindlicher Äußerungen des kirchlichen Lehram-

---

[521] Vgl. Die ewige Bedeutung der Menschheit Jesu für unser Gottesverhältnis, in: III, 47-60; XIV, 13.

[522] Zu diesem Komplex: GF 91-100; XV, 394; dazu: M. Kehl, Kirche als Institution 223-238.

[523] II, 97.102.104

[524] II, 108f. Deswegen sind kirchliche Normen für den verpflichtend, »der in der Freiheitsentscheidung seines Gewissens die Kirche als göttliche Stiftung und die Autorität dieser Kirche als von Gott legitimiert anerkannt hat« (II, 109).

tes fest.[525] - Die relative Autorität der Kirche (z. B. das ordentliche Lehramt in seinen verschiedenen Graden von Verbindlichkeit entsprechend der Intensität des kirchlichen Selbstvollzugs) darf weder totalitär ausgelegt noch minimalistisch reduziert werden.[526]

Die Grenzen des Amtes liegen z.B. in der Unmöglichkeit der Festlegung konkreter Imperative z. B. im Hinblick auf Lebensentscheidung, Standes- und Berufswahl. Auch in der zunehmenden Komplexität der politischen, wirtschaftlichen oder kulturellen Wirklichkeit können immer weniger allgemeingültige Modelle oder Handlungsanweisungen vorgelegt werden. Das Amt kann und darf sich schließlich nicht so verstehen, daß von ihm jedes Leben und jede Initiative ausgeht. Auf Grund der heilsgeschichtlichen Bedeutung des Charismatischen muß es das Prinzip der Subsidiarität achten, öffentliche Meinung in der Kirche, Koalitionsfreiheit von unten, Freiräume für theologische Schulen und charismatische Aufbrüche zulassen.[527]

Rahner appliziert das für das Verhältnis Laie - Amt Gesagte auch auf die Beziehung der Orden zur kirchlichen Hierarchie: Die Lebensform der Räte ist charismatisch verankert, sie entspringt einem konkreten Imperativ. Die Kirchlichkeit bedeutet für die Räte die Ein- und Rückbindung an die größere Gemeinschaft der Kirche auch mit dem Amt. Es hat das Charisma zu prüfen, Regeln festzulegen und in einen institutionellen Rahmen einzubinden (Gelübde, kirchlich-soziologischer Status, Dauer, Funktion).[528]

Als Jesuit schämt sich Rahner seiner Kirchlichkeit nicht und meint damit auch die konkrete gesellschaftlich verfaßte Kirche.[529] Er wehrt sich aber heftig gegen ein totalitäres System, das von einem Punkt das Ganze der Wirklichkeit entwerfen will. Die Kirchlichkeit bedeutet für die Ordensgemeinschaften nicht, daß »sie durch Kirchenrecht und römische Organisation vereinnahmt oder durch diese von oben organisiert werden, wie es (1979) der Fall ist«.[530] Weil der Geist den Primat vor der Institution besitzt[531] und weil der Einzelne in seiner Einsamkeit

---

[525] G 269; Zum Problem Unfehlbarkeit. Antworten auf die Anfrage von Hans Küng (QD 54) Freiburg 1971, 9-70; vgl. Kritik der Kritik an der Kirche, in: KSÖ 8 (1982) 7-8.

[526] G 384

[527] II, 112f.119; VII, 344f.; IX, 429.

[528] VII, 430

[529] Vgl. zum Folgenden besonders: Zur Situation des Jesuitenordens nach den Schwierigkeiten im Vatikan, in: XV,355-372; Rede des Ignatius von Loyola an einen Jesuiten von heute, in: XV, 373-408.

[530] Zukunft der Orden, in: StdZ 197 (1979) 433.

[531] XV, 392

vor Gott nie völlig in der Gemeinschaft aufgeht[532], kann es keinen
'totalen Gehorsam', auch nicht z. B. der Jesuiten gegenüber dem Heiligen Stuhl geben. Die Orden sind nicht einfach die Exekutoren von Be-
fehlen und Wünschen des kirchlich zentralen Amtes oder Sprachrohr
einer autoritären Lehrgewalt. Es kann - bei grundsätzlicher Achtung des
Lehramtes - zu Abweichungen von authentischen kirchlichen Lehrmei-
nungen und zu Konflikten zwischen Orden und Amtsträgern kommen.[533] Weil es nun einmal so ist, »daß das kirchliche Lehramt irren
kann und auch schon oft geirrt hat«[534], kann es - bei ernsthafter Be-
mühung um eine positive Würdigung - auch öffentliche Kritik am Lehramt geben und zwar nochmals aus Gründen der Kirchlichkeit. Der
kirchliche Gehorsam der Orden hebt den notwendigen Pluralismus, das
Subsidiaritätsprinzip und die gestufte Verbindlichkeit des Lehramtes
nicht auf. Auch für den Ordenstheologen ist eine Enzyklika keine feier-
liche Definition. Solche Konflikte können freilich letztlich nur partiell
sein. Die letzte Einheit zwischen den Polen wird allerdings erst in Gott
selbst gegeben sein.

Die charismatische Verankerung der Berufung zu den Räten, die Unmittelbarkeit der Gottesbeziehung des Einzelnen, die nicht in Gemeinschaft und Institution aufgeht, haben also bei Rahner ein kritisches Potential in sich. Das Verhältnis zwischen Rätechristen und Laien denkt
Rahner dialogisch als gegenseitige Ergänzung. Durch die Universalität
des Berufungsbegriffes ('übernatürliches Existential') und die heilsgeschichtliche Bedeutung der konkreten Berufung (auch von Ehe und
weltlichem Beruf) ist ein kritisches Korrektiv und ein Gegenpol zu einem Kirchenmodell gesetzt, das einseitig linear und exklusiv die hierarchische Institution oder auch den Stand der Räte zur 'forma formans'
von Kirche und Welt erhebt, wie es bei von Balthasar tendenziell da ist.
In der gegenseitigen Ergänzung der verschiedenen Formen von Nachfolge kennt auch Rahner eine Prägung der Laien durch die Rätechristen und zwar besonders im Hinblick auf Askese und Armut. Diese
Prägung ist aber nicht einlinear wie bei von Balthasar.

---

[532] XV, 407
[533] Zu historischen Beispielen aus dem Jesuitenorden vgl. XV, 392ff.
[534] XV, 363

2. Vom Geist der Entsagung in der Kirche

Von Laien sind bei Rahner - in unterschiedlicher Akzentuierung - Askese und Entsagung gefordert. Askese und Entsagung im Kontext der Weltfrömmigkeit meint die Annahme der eigenen Wirklichkeit mit allem, was zur Natur dazugehört (Leiblichkeit, Geschlechtlichkeit, Schmerz, Mitsein, Abkünftigkeit, Eingefügtsein, Begrenztheit der eigenen Möglichkeiten, Kärglichkeit, Mühsal des Lebens, Todverfallenheit, Enttäuschung, Mißerfolg, Krankheit ...).[535] Sie impliziert eine Redlichkeit des weltlichen Lebens, die ein selbstgesetztes Maß gegen Laster, Gier, Macht, Genuß, Konsum, Flucht in Getriebe, Vergnügungen, Narkotika oder Analgetika und auch gegen sexuelle Ausschweifung kennt.[536] Echte Verantwortung impliziert Verzicht; die wahrhaft humane Welttat zum Wohle anderer fordert Selbstlosigkeit. Rahner geht es um die letzte Einheit von Mystik (Gotteserfahrung) und nüchterner Welttat ('in actione contemplativus'). Der sogenannte 'Weltchrist' darf die Welt nicht verklären oder vergötzen. Es gilt nüchtern einzugestehen, daß die Welt nicht einfach schon in allen Bereichen die personal Angenommene ist.[537] Für die welt- und menschenzugewandte Liebe gilt so das Prinzip der Nüchternheit und Unterscheidung. Die Arbeit, die Weltgestaltung hat nie absoluten Erfolg. Die Vollendung ist nicht erzwingbar, nicht machbar, sie ist nicht das platte Ergebnis einer innerweltlichen Geschichte. Auch der Christ, der seine Berufung primär in der Weltgestaltung sieht, hat die Untergänge der Welt geduldig anzunehmen.[538] Auch von ihm ist Entsagung gefordert, die sich nicht allein in der Lebensform der Räte realisiert.[539] Der Geist der Bergpredigt und der evangelischen Räte ist in jedem christlichen Dasein notwendig.[540] Die Räte bringen aber nicht bloß den *Geist* der Entsagung in die Gesamtkirche ein. Die Exemplarität der Räte für die Kirche erhält bei Rahner besonders in der Armut ein konkretes kirchliches und gesellschaftliches Profil.

---

[535] Vgl. Passion und Askese, in: III, 73-104; EpEx 91; Im Gespräch II, 96; Neue Askese des selbstgesetzten Maßes (1966), in: VII, 27-32; Der Wert der Dinge und die Armut des Christen, in: Kritisches Wort 77f.113-120.

[536] III, 89; VII, 27.

[537] VII, 426

[538] HPTh II/2, 230

[539] Vgl. VII, 423.

[540] VII, 410

3. Armut der Kirche

1960 spricht Rahner von der wesensgemäßen zeugnishaften Armut der Kirche. Sie ist Akt des Glaubens, Ausdruck der Solidarität und steht im Dienste der Verkündigung.[541] Mit dem Vat. II und dann immer wieder wird die Forderung laut, daß die Kirche selbst arm sein müsse, eine Kirche der Armen, auf der Seite der Armen und Unterdrückten zu sein hätte.[542] Im gesellschaftlich-politischen Kontext tritt massive Kritik an der Konsumgesellschaft, am Kapitalismus und Imperialismus auf. Strukturen der Ungerechtigkeit, der Entfremdung auf nationaler wie globaler Ebene (besonders die Nord-Süd-Linie) gilt es zu überwinden. In der Theologie entstehen in diesem Zusammenhang die Theologie der Welt, der Hoffnung, der Revolution, der Befreiung bzw. die politische Theologie. Kirchenpolitisch ist die Bischofssynode über 'Soziale Gerechtigkeit' (1971) zu nennen. Rahner greift dieses Anliegen auf, macht es sich auch zu eigen, stimmt aber nicht in das optimistische Pathos ein. 1972 schätzt er die Lage recht nüchtern und skeptisch ein.[543] Es wird der Kirche nicht gelingen, durch freiwillige Armut die Armut als Entfremdung zu besiegen. Die Botschaft der Kirche bleibt unglaubwürdig und unwirksam, weil sich im Grunde die verschiedenen Gruppen der Kirche weigern oder unfähig sind, die im Evangelium geforderte Armut und Solidarität mit den Armen zu konkretisieren. Die Kirche (auch wenn ihre hierarchische Spitze selbst nicht reich ist) steht doch eher auf der Seite der Reichen; der Klerus ist in deutschsprachigen Breiten zu sehr von der Konsumgesellschaft vereinnahmt, und auch die Laien dürften für den Kampf gegen die Armut kaum zu mobilisieren sein: »Es wird der Kirche nicht gelingen, den Kampf gegen die Armut durch ihre eigene 'Armut' zu führen, der an sich ihre Pflicht wäre«.[544] Rahner reiht diese Unfähigkeit in die vielfachen Versagen der Kirche ein (Ritenstreit, Aufklärung, Nationalismus, Arbeiterfrage, Apartheit, ...). Er entlarvt verschiedene Argumente für ein Zögern oder Nichtstun, z. B. den Hinweis auf die Erbsünde, als Alibi oder die Beschwörung, daß es keine Revolution geben dürfe. Sie sollen nur verschleiern, daß man gar nicht arm sein will.[545] Weil es an schöpferischer Phantasie fehlt, wird die Frage und die Forderung der Armut einzelnen oder Gruppen

---

[541] Theologie der Armut, in: VII,435-478.

[542] Vgl. Grundentwurf einer theologischen Anthropologie, in: HPTh II/2, 20-38.

[543] Vgl. Die Unfähigkeit zur Armut in der Kirche, in: X, 520-530.

[544] X, 524

[545] X, 526

wie Orden u. a. überlassen.[546] Und doch bleibt in der Nachfolge Jesu der Auftrag bestehen, daß die Kirche nicht reich für die Armen, sondern arm mit den Armen und Entrechteten sein müsse.[547]

In den späten Jahren gewinnt für Rahner die Nachfolge des armen und demütigen Jesus innerkirchlich ein noch kritischeres Profil. Der Ruf in diese Nachfolge ist - schon nach Ignatius - unvereinbar mit kirchlichen Machtpositionen, Pfründen und Würden.[548] In der Kraft des Geistes und der Torheit Christi haben die Orden eine 'Marginalisation' in der profanen und kirchlichen Gesellschaft anzunehmen. Rahner denkt an den Verzicht auf Stellen und Ämter derer, die an den Schalthebeln sitzen. In dieser gesellschaftlichen und kirchlichen Platzzuweisung können die Jesuiten (die Orden) »kritischer Stachel«, »gefährliche Erinnerung an Jesus« und schöpferische Bedrohung des »selbstverständlichen Betriebes« der kirchlichen Institutionen werden.[549]

Siebtes Kapitel

Perspektiven und Konkretionen

Auf Grund der ontologischen, anthropologischen, christologischen und ekklesiologischen Grundlegung und Einordnung können wir die einzelnen Räte von der gesamttheologischen Perspektive her zusammenfassend aufgreifen. Der methodische Gang von der Systematik zur Konkretion muß aber auch umgekehrt werden. In seiner 'indirekten Methode' geht Rahner von konkreten Fragen, Problemen und Nöten aus, die durchaus ein Eigengewicht erhalten und auf den systematischen Entwurf kritisch zurückwirken. Manche Aspekte wiederum bleiben eher isoliert stehen, ohne daß das Gesamtgefüge entscheidend davon mitbestimmt würde.

---

[546] X, 527f.

[547] Art. Armut, in: KThW 36; HPTh II/1, 36f.; Für einen Papst der Armen und Unterdrückten dieser Welt. Offener Brief an die deutschen Kardinäle, in: Süddeutsche Zeitung vom 16.8.1978 (34. Jg.), 8.

[548] XV, 387ff.

[549] XV, 387; Rahner greift dabei Gedanken seines Schülers J.B. Metz auf.

I. Gehorsam

1. Perspektiven des Gehorsams

Gerade der Gehorsam hatte sich in vielfachen Schattierungen durch die erkenntnistheoretischen, philosophischen, theologischen und spirituellen Knotenpunkte gezogen: er ist dabei zentral, ohne jedoch zum metaphysischen oder theologischen Universalprinzip 'an sich' überhöht zu werden.[550] Er gehört wesentlich zum Strukturgefüge der Beziehung des Menschen zu Gott (Kreatürlichkeit, 'Hörer des Wortes', 'Indifferenz'), ist aber in diesem Geflecht auf Liebe, Selbstmitteilung Gottes und Ruf Gottes sowie Freiheit, Verantwortung bezogen. Durch seine Erörterung im gedanklichen Kontext des 'übernatürlichen Existentials' und durch die Grundlegung in der 'hypostatischen Union' ist der Gehorsam für Rahner eine zutiefst personale Gesinnung und freie Tat. Der Mensch als Person und Geist ist weder im Verhältnis zu Gott noch in der Gemeinschaft bloß passiv formbare Masse, reine 'materia prima'.[551] Die Doppelpoligkeit im Menschen (als 'Geist in Welt', Transzendenz in Geschichte, Subjektivität und Kirchlichkeit des Glaubens) versagt einen eindeutigen Begriff des Gehorsams, der auf alle Bereiche gleichermaßen anwendbar wäre. Rahner will die anthropologische und christologische Tiefe des Gehorsams wahren, zugleich aber das Gehorsamsideal in kritischer Analyse von Mißverständnissen reinigen und dadurch auch begrenzen.[552] Gehorsam in einem weiten Sinn bedeutet »die freie und willige Annahme des Notwendigen«.[553] Im engeren Sinn ist Gehorsam »die in Gesinnung und Tat verwirklichte Anerkennung der legitimen Autorität in einer Gesellschaft, eine Autorität, die durch ein allgemeines Gesetz oder einen partikularen Befehl ihren Willen kundgibt bezüglich der konkreten Ziele und der zur Erreichung dieser Ziele geeigneten Mittel im Rahmen der betreffenden Gesellschaft«.[554]

---

[550] KCh 164f.

[551] WCh 169

[552] Marginalien zum Gehorsam, in: SG 493-516; Christus als Beispiel des priesterlichen Gehorsams, in: KCh 142-175; ChG 211-213; Was heißt Ordensgehorsam?, in: WCh 159-174; Art. Gehorsam, in: KThW 137.

[553] KCh 145

[554] KCh 146

2. Konkretionen des Gehorsams

Im Gehorsam als evangelischem Rat geht es primär nicht um die Unterwerfung unter einen konkreten Befehl des Oberen, sondern um die »Übernahme eines gemeinsamen religiösen Lebens, das von der Kirche als Anschluß an das Beispiel und die Lehre Jesu, als möglicher Ausdruck eines gottübereigneten Lebens anerkannt wurde«.[555] Es geht also um die liebende Annahme und das Tun des Willens Gottes in der dauernden Bindung an eine bestimmte Lebensform in der Kirche.[556] Ein solcher Gehorsam darf nie total sein.

Die Dignität der Person wurzelt im *Ruf Gottes*, der im *Gewissen* erkannt und als solcher anerkannt wird. Die Unersetzbarkeit der Person in ihrem Gewissensanspruch wird in den verschiedenen Bezugsfeldern des kirchlichen Gehorsams nicht aufgehoben (Kirchlichkeit des Glaubens, priesterlicher Gehorsam, Ordensgehorsam, ...). Gegen das Gewissen darf nicht befohlen werden. Der Christ (Priester, Ordensmann/-frau) hat das Recht und die Pflicht, sich über die Sittlichkeit des Befehls ein Urteil zu bilden.[557] Der Glaubensgehorsam darf also kein Alibi für die Flucht in die Unmündigkeit sein. Der Gehorsam an sich als Opfer der Freiheit, als Schmerz und Entsagung, als 'Befehl ist Befehl' ist noch kein Wert.[558] Der Gehorsam einem Amt oder Oberen gegenüber geht davon aus, daß kirchliche Autorität von Gott stammt. Ein solcher Gehorsam ist aber nicht mit dem Verhältnis zwischen Kindern und Eltern (»Ordensgehorsam ist kein Kindergehorsam«)[559], zwischen Jünger und Meister, zwischen einem hörigen Schüler und seinem Guru zu vergleichen.[560] Kirchlicher Gehorsam und Ordensgehorsam ist kein Asyl für Infantile, er setzt freie Erwachsene voraus. Ebenso wenig ist kirchlicher Gehorsam mit Herrschaftsstrukturen einer feudalen wirtschaftlichen und politischen Ordnung zu vergleichen.[561] Die kirchliche Gehorsamsstruktur impliziert keine Über- und Unterordnung im personalen Bereich. Rahners Einordnung bewegt sich nuanciert zwischen dem nüchternen Respekt vor der sachlichen Richtigkeit des Befehls, den funktionalen Notwendigkeiten in einer Gemeinschaft im Hinblick auf die Koordinierung der Arbeit einerseits und der Realisierung intimer perso-

---

[555] Art. Gehorsam, in: KThW 137; vgl. Marginalien, in: SG 506f.
[556] SG 506
[557] KCh 151
[558] WCh 169
[559] SG 495
[560] SG 494f.; WCh 160.
[561] KCh 164

naler Einheit zwischen dem Befehlenden und dem Gehorchenden andererseits.[562] Zu differenzieren ist zwischen der Befehlskompetenz in einem Orden, die zunächst beschränkt ist auf die funktionale Richtigkeit im Zusammenleben und in der Ausrichtung auf apostolische Ziele[563] sowie dem Feld der geistlichen Führung und Begleitung und der Ebene der sakramentalen Buße (Beichtvater). Wenn die Autorität letztlich von Gott stammt, so heißt das nicht, daß sich die Entscheidungen und Befehle des Oberen unmittelbar auf eine Inspiration oder Erleuchtung durch Gott berufen können.[564] Der Obere ist nicht von Amts wegen der Gescheitere. Er hat zunächst auf Einsicht zu bauen, um Verständnis zu werben und Argumente zu liefern. Sachliche Kompetenz, Vernunft, Weitblick und Intelligenz bekommen nicht das Vorzeichen der Offenbarung.

Der Obere hat selber ein 'Hörender' zu sein: Von ihm gehen nicht alle Initiativen aus. Es gibt im menschlichen Bereich gar keine absolut »autarke menschliche Autorität, die nur Aktivität und in keiner Weise Passivität wäre«.[565] Die Obrigkeit kann also das Leben nicht allein von oben, im Instanzenweg entwerfen, sie ist nicht einmal die »absolute Verwalterin und Lenkerin aller Kräfte«[566], in dem Sinn, daß sie alles positiv zumindest erlauben müßte. Eine Gemeinschaft ist ein Geflecht von Kräften, von Initiativen und Ausführung, von Aktion und Übernahme. Deswegen werden viele Initiativen der Obrigkeit selbst Reaktion auf charismatische Aufbrüche sein, mit denen sie rechnen muß, die sie fördern und aufrufen soll und auf die hin sie selbst eine Hörende sein muß. Rahner wendet das Subsidiaritätsprinzip im Sinne eines »demokratischen Gegengewichtes«[567] auch auf das Verhältnis zwischen den Einzelnen und ihren Gemeinschaften an. Die Methoden der Verwirklichung werden verschieden sein. Auf Beratung und Information wird der Obere immer angewiesen sein. Rahner ist aber nüchtern genug, um zugleich festzustellen, daß es keine totale Demokratisierung des Ordensgehorsams geben kann.

In diesem Strukturgefüge des Gehorsams (Einzelner - Gott - Kirchlichkeit) kann es wohl Konflikte und Spannungen geben. Dann kann der Ordensgehorsam Teilhabe am Kreuz Jesu werden. Das darf vom Oberen nicht so verstanden werden, daß er dem 'Untergebenen' zum Kreuz

---

[562] Vgl. II, 244.
[563] WCh 163
[564] KCh 150
[565] SG 500
[566] SG 501
[567] SG 499

werden soll, daß er die Aufgabe hat, ihn klein zu machen und zu demütigen, um damit womöglich die Tugend zu fördern.

Für den 'Untergebenen' wird im Befehlsempfang deutlich, daß seine Subjektivität geöffnet, aufgebrochen und transzendiert werden muß, daß der Wille Gottes nicht sein eigenes Produkt ist. Die Sinnwidrigkeit eines Befehls kann in einem Leben, das sich durch Gelübde gebunden hat, um der Leibhaftigkeit der Gnade des Kreuzes willen als sinnvoll erachtet werden. »Ein solcher Befehl kann aufgefaßt werden genau so, wie der Heilige in der Nachfolge Christi Mißerfolg, Schmach, das Scheitern der Lebenspläne, das Martyrium und tausend andere 'nicht-sein-sollende' Schicksale als die im geheimsten doch ersehnte Leibhaftigkeit erkennt, in die hinein verwirklicht der Glaube an die Gnade Gottes von daher doch erst zu seiner Vollendung kommt.«[568] Die Annahme eines Befehls, dessen Sinn nicht eingesehen wird, kann zur Einübung in das letzte Müssen des Todes werden.[569]

Aber es gilt auch das andere: auch ein eventueller Ungehorsam kann sich an Jesus normieren, der - mit einer gewissen Selbstverständlichkeit von der jüdischen Tradition her den Eltern gehorcht und sich auch unter die staatliche Autorität fügt - mit der religiösen und staatlichen Autorität in Konflikt gerät. Ohne daß der (Un-)Gehorsam Jesu den Obrigkeiten gegenüber einfach reproduziert werden könnte, kann Jesus unter Umständen zum Vorbild eines Konfliktes mit der Autorität oder auch des Ungehorsams gegen die kirchliche Obrigkeit werden.[570] Ein solcher Ungehorsam dürfte nicht um der Autonomie willen geschehen, sondern müßte sich am dienenden, leidenden und sterbenden Gehorsam Jesu normieren lassen. In dieser Spannung von Gehorsam und möglichem Ungehorsam ist für Rahner ein ehrliches Gewissen ein »größerer Wert als das reibungslose Funktionieren der Verwaltung«.[571] Voraussetzung für eine Gewissensentscheidung gegen den Oberen müssen aber Vorsicht im Urteil, Selbstkritik, die Würdigung der Meinung des anderen, Liebe, Bescheidenheit und der Wille zur Zusammenarbeit bleiben. Insgesamt sind die Güter abzuwägen, z. B. die personale Einsicht und die notwendige Kooperation: »Das geglaubte Beste, das Einheit und Zusammenarbeit unmöglich macht, kann nicht das Beste sein.«[572] Eine Gemeinschaft kann auch gezwungen sein, sich gegen das Gewissen des Einzelnen zu richten. Ein Konflikt kann für den Einzelnen mit dem Verlassen der Gemeinschaft enden, weil die Ansprüche nicht miteinander vereinbar sind.[573]

---

[568] SG 512
[569] SG 515
[570] KCh 161.168f.
[571] KCh 152
[572] KCh 147
[573] WCh 152

II. Armut

1. Perspektiven der Armut

Wenn Rahner von der Armut im Zusammenhang mit der Triade der evanglischen Räte spricht, steht sie primär unter dem Vorzeichen der Askese. Der Zeichencharakter des die Welt transzendierenden Glaubens auf die angebrochene Endzeit hin ist an die Entsagung gebunden. Vielfältiger ist das Bild, wenn Rahner den einzelnen Rat der Armut aufgreift: die 'indirekte Methode' kennt viele Anknüpfungspunkte, sodaß insgesamt ein pluraler, dynamischer Armutsbegriff entfaltet wird. Diese Pluralität ist im Durchgang durch einzelne systematische Knotenpunkte schon in nuce grundgelegt worden. Z.T. greifen die konkreten Überlegungen Rahners zur Armut neue Aspekte auf, die systematisch keine besondere Rolle spielen oder zu kurz kommen (z.B. Kirche als 'communio'). Die folgenden 'Perspektiven und Konkretionen' der Armut fassen z.T. schon Gesagtes zusammen. Das Plus der konkret gelebten Armut gegenüber allgemeinen Erwägungen wird aber ebenso ins Profil zu setzen sein.

In *anthropologischer* Perspektive ist der Mensch die *arme* Verwiesenheit auf das unendliche freie Geheimnis. Armut meint das Stehen vor Gott in Indifferenz und Verfügbarkeit, d.h. das, was mit 'geistlichem Leben' gemeint ist. Im anthropologischen Horizont impliziert solche Armut die Annahme der Endlichkeit, Kreatürlichkeit, Begrenztheit, Abkünftigkeit, das Verfügtwerden. Dazu gehört auch das Hineingestelltsein ins Fleisch der Sünde (Mißerfolg, Enttäuschung, Leid, Krankheit, Einsamkeit, Todverfallenheit). In der Armut der Endlichkeit ist der Tod axiologisch anwesend. Dazu zählt auch ein Verzicht auf fertige Antworten, das Eingeständnis, daß viele Probleme nicht zu bewältigen sind und die Zukunft nicht im voraus gewußt werden kann.[574] Die Armut des Todes als letzter Wesensvollzug des Menschen besagt eine letzte Ohnmacht und ein Verfügtwerden, zu dem sich der Mensch in Freiheit entscheiden kann. Als religiöser Begriff meint Armut den Verzicht auf Selbstrechtfertigung, Annahme der Gnade Gottes mit leeren Händen, Verschwendung der Liebe 'umsonst'.[575]

Die anthropologische Perspektive wird durch die *christologische* zu sich selbst geführt. Rahner steht mit Ignatius in der Nachfolge des armen Je-

---

[574] VII, 409
[575] Art. Armut, in: KThW 35f.

sus.[576] Die Nachfolge in der Armut kann keine Nachahmung sein. Die Konkretion hängt entscheidend am charismatischen Ruf.[577] Mit der Christologie steht die Armut (im Geiste) prinzipiell unter dem Gesetz der Inkarnation d.h. der Verleiblichung.[578] Die Armut vor Gott verleiblicht sich in der Konsumaskese und in der Gütergemeinschaft. Die christologisch fundierte Einheit von Gottes- und Nächstenliebe setzt die Armut in die Relation zu den Armen und führt zur Solidarität mit ihnen, sie führt zur Präsenz in der Welt der Armen[579]: Diakonale, soziale, politische und ökonomische Dimensionen haben hier ihre Wurzeln. Christologisch wird die Armut auch im Tod Jesu verankert: Armut als Verzicht ist eschatologisches Zeichen und Zeugnis für den überragenden Wert des Gottesreiches und für die Vergänglichkeit der Welt.[580] Die Dinge sind unter dem endzeitlichen Vorbehalt relativiert. In der Armut kommt das lebenslängliche Pilgerdasein des Menschen zum Ausdruck.[581] - Beide Aspekte - Inkarnation und Eschaton, Verzicht und konkrete Solidarität - sind aufeinander bezogen: In der Konsumaskese geht es um den Gebrauch der Dinge für das Reich Gottes und den gemeinsamen Dienst.[582] Am evangelischen Rat der Armut wird das 'universale concretum' der Selbstmitteilung Gottes deutlich: In der Armut geschieht die zeichenhafte existentielle Vergewisserung des Glaubens an den transzendenten personalen Gott, in ihr realisiert sich zeichenhaft die Universalität der Heilszusage Gottes, die sich ja gerade am Ärmsten zu bewähren hat. In der Armut als Verzicht und Solidarität wird bei Rahner deutlich, daß für ihn die Zuordnung von Welt und Heil unter dem christologischen Maß steht.

Ekklesiologisch ist die Ordensarmut Zeichen des Wesensvollzugs von Kirche in Glaube und Hoffnung, insofern diese auf den welttranszendenten Gott gerichtet sind. Im Hinblick auf die Armut ist Rahner kein Individualist: die Konsumaskese ist hingeordnet auf die Praxis der Gütergemeinschaft und als solche Zeugnis und Ausdruck brüderlicher Liebe.[583] Der Aspekt der 'communio' kommt in den übrigen systematischen und existentiellen Überlegungen zur Ekklesiologie kaum in den

---

[576] Grundentwurf einer theologischen Anthropologie, in: HPTh II/1, 36; Die Armut wurzelt im Beispiel Jesu; PC 1. Vgl. PC 13; LG 4, 43 (2 Kor 8,9; Mt 8,22).

[577] XV, 386.; PC 29.

[578] Theologie der Armut, in: VII, 441.

[579] Vgl. Kritisches Wort 77f.; Art. Kirche und Welt, in: SM II, 1351-1353.

[580] Theologie der Armut, in: VII, 444.452-455 (vgl. LG 43); Kritisches Wort 77f.

[581] VII, 444

[582] VII, 469f.474

[583] VII, 450; darin PC 15.

Blick. Wenig entfaltet ist auch der Gedanke der 'communio' als ursprünglicher Ort des Heils. Vor einer Euphorie der Gemeinschaft wird der spirituelle Individualist Rahner durch eine nüchterne Sicht der Realität und durch das Pathos des Einzelnen vor Gott bewahrt. So steht letztlich auch der Gedanke der Gütergemeinschaft als Zeichen der kommenden Bruderschaft (nach dem Vorbild der Jerusalemer Urgemeinde) relativ isoliert da.[584]
Systematisch nicht einfach ableitbar sind die Konkretionen der Armut als evangelischer Rat. Der Ansatz bei den konkreten Vollzügen hebt Aspekte, Fragen und Probleme ans Licht, die systematisch so nicht da waren.

2. Armut in den Orden[585]

In den Konferenzen und Vorträgen vor Ordensleuten geht es Rahner zunächst um eine nüchterne begriffliche Klärung, Differenzierung und Entmythologisierung der Ordensarmut. In einer Fixierung auf den Verzicht auf Güter qua Eigentum und Verfügungsrecht sieht er die Gefahr der Verdunkelung des Zeichens. Armut im theologischen Sinn ist nicht schon durch das Fehlen von Privateigentum im juridischen Sinn oder durch Abhängigkeit in der Verfügung über Güter gegeben.[586] Es wäre pharisäisch, wollte man den Begriff der Armut auf das Fehlen des juridischen Verfügungsrechtes reduzieren, weil ja die Ordensleute 'de facto' über etwas verfügen. Das größere Problem stellt jedoch die Armut der Gemeinschaft dar: Der Einzelne kann nicht einfach als arm bezeichnet werden, wenn der Orden, die Gemeinschaft reich ist. »Ein reicher Orden kann keine armen Ordensleute haben.«[587] In seiner Analyse meint Rahner zwar, daß im Vergleich zum Gesamtumfang der Güter und der Produkte die Klöster, die Orden und auch die Kirche ärmer geworden seien. Diese Entwicklung betrifft sicher auch die soziale und politische Macht, die mit dem Besitz verbunden war. Die Orden wurden in ihrer gesellschaftlichen Position durch andere, z.T. religionsfeindliche Mächte verdrängt und auch in ihrer Existenz bedroht. Diese Bedrohung ist aber keine wirtschaftliche Ungesichertheit in dem Sinne, daß die Ge-

---

[584] VII, 450f.

[585] Die »Theologie der Armut« (jetzt VII, 435-478) wurde ursprünglich 1960 als Vortrag innerhalb einer Ordenskonferenz gehalten; vgl. Randbemerkungen zur Armut in den Ordensgemeinschaften, in: Jetzt 14 (1982), Heft 2, 15-16.

[586] VII, 438.462

[587] VII, 439

fahr des Verhungerns bestünde oder die Orden auf Betteln oder Almosen angewiesen wären. So kommt er insgesamt zum Schluß, daß die Ordensarmut von ihrem Zeugnischarakter eingebüßt hat.[588]

Rahner stellt - so Böckmann[589] - als erster den kirchenrechtlichen Begriff der Armut in Frage. Ein krampfhaftes Festhalten an der Armutsform des Gründers würde zu einer statischen Verengung führen,[590] die der christologischen, ekklesialen und sozial-weltlichen Dimension nicht gerecht wird. Leitbild für die Gemeinschaft sollte nicht die Armut an sich sein, sondern die Konsumaskese und die Gütergemeinschaft.[591] Die Armut ist dann funktionales Organisationsprinzip von Gemeinschaften. Die Gütergemeinschaft ist eingebettet in das Geschehen von Kommunikation, in der neue Zellen der Herzlichkeit und Menschlichkeit geschaffen werden.[592]

Mit der Kirche stehen die Orden im Dialog mit der Welt (GS 40), im Dienst der Menschheit (GS 11), sind sie Sauerteig und Seele für eine bessere Weltordnung (GS 40).[593] Die Mitglieder der Orden sollen die Lebensverhältnisse der Menschen, die Zeitlage und die Erfordernisse der Kirche wirklich kennen (PC 2). Von daher ist ein dynamischer und schöpferischer Armutsstil zu entwickeln. Dabei ist die Armut zunächst bloßes Mittel zur Bewältigung von kirchlichen oder gesellschaftlichen Aufgaben. Die konkrete Form der materiellen Armut sollte nicht dem Dienst und der Verfügbarkeit für die missionarische Sendung widersprechen, weshalb Rahner im Betteln keine zeitgemäße Form der Armut sieht.[594] Bei aller Differenzierung, Funktionalisierung und Relativierung der konkreten Armut hält er jedoch ein bestimmtes Maß an konkret-realer und auch materieller Armut und Entbehrung für jeden Orden als unerläßlich.[595] Caritative, wissenschaftliche, pädagogische, missionarische oder apostolische Ziele dürfen die Armut nicht gefährden oder aufheben. Dabei sind Unterschiede entsprechend der persönlichen Berufung, den ordensspezifischen Zielen und den epochalen Erfordernissen kirchlich und theologisch sinnvoll und berechtigt. Mögliche Konkretionen sieht Rahner in einer Konsum- und Genußaskese, im

---

[588] VII, 461

[589] A. Böckmann, Die Armut in der innerkirchlichen Diskussion heute 246.

[590] VII, 437

[591] VII, 446

[592] VII, 475

[593] Vgl. Art. Kirche und Welt, in: SM II, 1337f.1349f.1355; Gegenwart der Kirche, in: HPTh II/1, 188-221.

[594] VII, 442.451f.476

[595] VII, 441

Willen zu einem einfachen Leben, in einer Hygiene der Bedürfnisse, die von der Beziehung zu Gott bestimmt werden.[596] Askese und Armut sind dabei nicht privatistisch mißzuverstehen, sie sind eingeordnet in die Solidarität und in den Kampf um Gerechtigkeit für Arme und Deklassierte.[597]

3. Armut des Priesters

Die Armut des Priesters hat für Rahner zunächst eine spirituelle Dimension: sie ist die »Absprungsbasis für diese letzte, gekreuzigte, von der Gnade radikalisierte Transzendentalität des Menschen in das unbegreifliche Geheimnis Gottes.«[598] Die geistliche Armut verzichtet auf Kalkulation und nimmt in Glaube, Hoffnung und Liebe die Sackgassen des Lebens, die Nacht und die Bedrohtheit von der Unbegreiflichkeit Gottes an. Spirituelle Armut kann annehmen, loslassen und sich radikal verschenken.

Die Armut des Priesters ist auch ökonomisch und sozial zu verstehen. Rahner schlägt eine Revision des Lebensstils vor, um sich in der Teilnahme am Los Jesu auf die Seite der Deklassierten zu begeben und nonkonformistisch »Tuchfühlung« mit den Armen zu nehmen.[599] In der »Option für die Armen« ist auch eingeschlossen, daß der Priester nicht unbedingt Verteidiger bestehender gesellschaftlicher Verhältnisse sein soll, sondern durchaus zum sozialkritischen Gewissen werden kann. Die Armut kann auch den Mut fordern, »soziologisch unten zu sein«.[600] Schließlich hat die priesterliche Armut für Rahner auch kulturelle Konsequenzen.[601] Gemeint ist kein primitives Banausentum, keine Faulheit oder kein Desinteresse im Namen der Frömmigkeit. Kulturelle Armut meint die Konzentration auf die eigene Berufung und Fähigkeit, die es mit sich bringt, nicht überall kompetent mitreden zu können. Sie impliziert das Eingeständnis der Beschränktheit der Kräfte, auf Grund derer auf wichtige Dimensionen des menschlichen Daseins verzichtet wird.

---

[596] VII, 441.464.472f.
[597] XV, 404
[598] XIV, 198
[599] Vgl. XIV, 179.198.206.
[600] XIV, 202
[601] XIV, 199

III. Ehelosigkeit und Ehe

1. Zur theologischen Begründung der Ehelosigkeit

Rahner kennt aus seiner Übersetzung und Neubearbeitung von M. Villers »Askese und Mystik in der Väterzeit« die Argumente der Patristik für die Jungfräulichkeit. Er referiert die Einordnung der Jungfräulichkeit als »engelgleiches Leben«[602], er hat Tertullian und Origenes gelesen, die dabei die Brautschaft und Vermählung mit Christus hervorheben[603], und schließlich ist ihm Ambrosius vertraut, der in der Jungfräulichkeit Mariens die Grundlage für ein eheloses Leben sieht.[604] Doch finden die Argumentationsmuster 'engelgleiches Leben' und 'Brautschaft mit Christus' keinerlei Rezeption in den spirituellen Aufsätzen Rahners. Die Jungfräulichkeit Mariens wird im Exerzitienbuch hinsichtlich der ehelosen Lebensform relevant, nicht aber in den Aufsätzen und Briefen im Zusammenhang mit der Zölibatsdiskussion Ende der 60iger Jahre. Die Jungfräulichkeit Mariens dient nicht der *Begründung* für einen eventuellen Vorzug der Jungfräulichkeit.

Rahner hält nichts von einer Begründung der Ehelosigkeit aus einer natürlichen Sittenlehre heraus.[605] Eine solche könnte leicht manichäisch leibfeindliche und platonische Tendenzen in sich bergen. Sexuelles Unberührtsein, Enthaltsamkeit, Unverheiratetsein sind keine Werte an sich. Auch das Argument vom notwendigen Kampf gegen die Begierde greift zu kurz.[606] Objektive metaphysische Rangordnungen können nicht Motiv der Wahl sein. Erst recht können weltlich funktionale Begründungen nicht halten. Die Ehelosigkeit in christlicher Perspektive wird nicht primär vom Menschen her, d.h. 'von unten' her gedacht.

Grundlage ist vielmehr ein besonderer positiver charismatischer Ruf Gottes in Christus, der dem Einzelnen gilt. Ein solcher besonderer gnadenhafter Ruf ist für die Wahl der Ehelosigkeit notwendig.[607] Ohne diesen durch nichts ableitbaren und nicht von außen begründbaren Ruf ist

---

[602] z. B. Johannes Chrysostomus, De virginitate X, in: PG 48, 540.548; vgl. AMV 50.

[603] Tertullian, De oratione 22, in: CC 1, 268-271; Origenes, Hom. in Num 20,2, in: PG 12, 728ff.; vgl. AMV 52.

[604] Ambrosius, De institutione virginis et S. Mariae virginitate perpetua ad Eusebium, in: PL 16, 303-334; vgl AMV 52.

[605] EpEx 141; vgl. Art. Jungfräulichkeit, in: KThW 220; Der Priester, zu gut für die Ehe? Mann in der Zeit (Köln) 1968, 10f.

[606] Vgl. Art. Jungfräulichkeit, in: KThW 220.

[607] Vgl. Art. Jungfräulichkeit, in: KThW 220; auch: LG 43; PC 5.

einer abstrakt allgemeinen Ebene eines 'An-sich' zwischen Ehe und Ehelosigkeit zu vergleichen, nach Vereinbarkeit oder Unvereinbarkeit mit dem Weg der Nachfolge zu fragen oder allgemein ein 'Mehr' oder 'Weniger' abzuwägen.[608] Der Einzelne hat im Gespräch mit Gott selbst, d.h. im Gebet seine Entscheidung zu klären und zu wagen. Für den Berufenen ist die frei übernommene Ehelosigkeit eine sittliche Verpflichtung und der 'bessere Weg' zur Vollkommenheit in der Liebe. So wird gerade am Ruf zur Ehelosigkeit das freie personale 'Mehr' Gottes gegenüber der Welt, die göttliche Liebe, die die Welt eschatologisch transzendiert, und die souveräne Verfügung Gottes über den Menschen deutlich. Die Ehelosigkeit um des Himmelreiches willen ist für Rahner klar in der Schrift bezeugt: Jesus und Paulus sprechen vom Verzicht auf die Ehe als »echte(r), hohe(r) und heilige(r) Möglichkeit des christlichen Daseins«.[609] Rahner will dem Evangelium glauben, dessen er sich nicht schämt[610] und das ihn heißt, diesen Weg als Weg der Liebe zu gehen. Er wendet sich gegen einen selektiven Umgang mit der Schrift, wenn etwa in den reformierten Kirchen eine Mauer des Schweigens um die Worte Jesu zur Ehelosigkeit errichtet wird.[611]

Die Motivation für die Ehelosigkeit wird also primär im Ruf Gottes, im Evangelium, im Beispiel und in der Nachfolge Jesu verankert. Mit der Betonung der 'Entsagung', die mit der Ehelosigkeit verbunden ist, will Rahner auf den positiven Wert der Ehe hinweisen. Die Ehelosigkeit um des Himmelreiches willen baut nicht auf einer Abwertung oder Desavouierung der Ehe auf, die Sakrament ist. Als Verzicht ist die Ehelosigkeit Zeichen für das Reich Gottes, das diese Welt transzendiert. Als Entsagung hat sie auch Anteil an der Dimension des Kreuzes und des Paradoxons im Kierkegaardschen Sinn. In dieser Perspektive ist sie auch Kritik einer bürgerlichen, in sich abgerundeten Existenz.

2. Der nüchterne Blick für die Realität

Der Verzicht ist für Rahner nicht in sich das Bessere. Er erhält seinen Sinn vom Ruf der Liebe, vom Reich Gottes her. Der letzte Sinn und die letzte Gültigkeit der Jungfräulichkeit muß von der Liebe her bestimmt werden. Der Verzicht birgt auch echte menschliche Gefahren, er kann

---

[608] Vgl. KCh 191ff.
[609] KCh 183; vgl. LG 43; Im Gespräch I, 68-70.
[610] KCh 186.205.
[611] KCh 204

unter Umständen mehr an Liebe zerstören als realisieren.[612] Es gilt nüchtern wahrzunehmen, daß die Entsagung in Vertrocknung, Kommunikationsunfähigkeit, Menschenhaß, in Bequemlichkeit, Ruhe oder im Versuch, sich anderweitig durch Ersatzhandlungen schadlos zu halten, enden kann. Die Einsamkeit kann zu Härte, Lieblosigkeit oder Zynismus führen. Auch der Zölibatäre springt oft nicht über den eigenen Schatten, kann ängstlich und feige vor den Möglichkeiten seines Lebens kapitulieren. Auch bei ihm kann langsam, aber trostlos die innere Spannkraft nachlassen und das Leben ohne großen äußeren Bruch spießbürgerlich versanden. Deswegen meint Rahner, daß jener, der im Zölibat nur die Möglichkeit eines Egoismus verwirklicht, lieber heiraten sollte. Die mit dem Verzicht gegebenen Gefahren gilt es, nüchtern und mit Klugheit fernzuhalten: durch positives Wachhalten der Berufsideale, geistige Interessen, Arbeit, gesunden Ehrgeiz, Leistungswillen, Gebetsleben und persönliche Nähe zu Gott, durch eine vernünftige Lebensweise und durch den Willen zum Verzicht.[613] So soll die Entsagung, die Ehelosigkeit, der priesterliche Zölibat nicht zum 'non plus ultra', zu einem theologischen Mythos hochstilisiert werden.[614] Er hat sein Maß an der Vollkommenheit der Liebe zu nehmen.

Trotz dieser Einschränkungen will Rahner die Ehelosigkeit auch anthropologisch vermitteln. Bei aller Betonung des Verzichtes sieht er in ihr eine *menschliche* Möglichkeit, die Erfahrung von Sinnhaftigkeit schenken kann.[615] Sie ist nicht reine Entsagung, reine Negativität oder gar Abnormität, die nur mit einem psychischen Defekt zu erkaufen wäre. Sie bedeutet nicht den Verzicht auf jede menschliche Begegnung, sondern nur auf eine bestimmte Form von ihr. Eine anthropologische Komponente des Verzichtes auf Ehe sieht Rahner in der Sexualität. Sie ist nicht einfach eine das ganze Leben bestimmende Tatsache. Sie ist Aufgabe, Frage und Chance. Zum 'Leben' gehört auch Verantwortung, Geheimnis, Schmerz und Verzicht, der z.B. um eines höheren Gutes willen die Ehe beiseite lassen kann, ohne sie zu tabuisieren oder zu verdrängen.

Die andere anthropologische Verwurzelung der Entscheidung zur Ehelosigkeit sieht er in der Gestalt menschlicher Freiheit: zu ihr gehört wesentlich Bindung und Endgültigkeit, auch Treue, Pflicht und Aushalten. Ein vorläufiges Engagement bis auf Widerruf würde der Entscheidungs-

---

[612] Art. Jungfräulichkeit, in: KThW 220.

[613] EpEx 163

[614] EpEx 162; vgl. SG 529.

[615] Vgl. KCh 183-187; LG 46; PC 12-15.

und Endgültigkeitsstruktur menschlicher Freiheit widersprechen. Wenn also für den Berufenen die frei angenommene Ehelosigkeit zur sittlichen Verpflichtung wird, so ist sie ihm zugleich die Gestalt seiner Freiheit.

Ergebnis und Ausblick

Die Räte haben sich als ein Strukturprinzip der Rahnerschen Theologie erwiesen: Seine Anthropologie ist nicht humanwissenschaftlich, biologisch oder anthropozentrisch in dem Sinn bestimmt, daß der Mensch sich selbst das Maß der Gewißheit wäre. Er denkt die Anthropologie von vornherein theologisch. Der Mensch ist derjenige, der auf Gott hin offen ist, der in seinem Transzendieren die Differenz zur Transzendenz erfährt und so in der Beziehung zu Gott um einen qualitativen Abstand weiß. Zugleich ist der Mensch zur unmittelbaren Gemeinschaft mit Gott berufen; Gott selbst ist die Wesensmitte des Menschen. In dieser Perspektive sind die Räte im weiten analogen Sinn ein Paradigma für das Verhältnis von Theologie und Anthropologie: der von sich aus unbestimmbare Mensch erfährt in ihnen durch die schöpferische Liebe Gottes seine konkrete Berufung. Der Priorität und Souveränität Gottes steht der Mensch als kreatürlicher, als gehorsamspflichtiger und endlicher gegenüber. Die durch Gott konstituierte menschliche Freiheit ist fähig, sich in der Unbedingtheit der Existenz ganz zu entscheiden und zu binden.

In Konsequenz zu dieser anthropologischen Grundlegung zählen die Räte als ein Angelpunkt für die Christologie, der einmaligen gnadenhaften Aufgipfelung der Anthropologie. Armut und Gehorsam gehören zur inneren Form der hypostatischen Union, der Irreversibilität der Selbstmitteilung Gottes als Heil in der Geschichte.

Ekklesiologisch sind die Räte eschatologisches Zeichen und Zeugnis für die Irreversibilität der Selbstmitteilung Gottes in der existentiellen und je personalen Annahme.

So stehen die Räte bei Rahner an systematischen Brennpunkten. Zugleich sind sie für ihn ein Korrektiv an jeder zu sehr geschlossenen Systematik: Dies wird in der Aufnahme und Brechung der 'transzendentalen Methode' deutlich. Denkt man mit Rahner die Räte im analogen Sinn als Strukturprinzip der Transzendentalität des Menschen, so wird ein monologisches, bloß selbstbezügliches Subjekt konkret geschichtlich und dialogisch gesprengt. So kommt im Gehorsam der Andere als Anderer zur Geltung. So scheidet sich am konkret Armen fiktive von wahrer Liebe. Im charismatischen Ruf zu den Räten wird die personale Dimension des unverfügbar verfügenden Gottes gegen eine monistische Sicht von Theologie und Anthropologie sichtbar. Rahner setzt mit den Räten einen deutlichen Gegenakzent 'von oben' zur menschlichen Dynamik 'von unten'. Die Selbsttranszendenz des Menschen wird zur hörenden Bereitschaft. In Armut und Gehorsam erkennt sich der Mensch als Erkannter und konkret Berufener. An den Räten hat sich letztlich auch der Begriff universaler Kommunikation und Solidarität zu verifizieren. Dieser ist bei Rahner nur von der Schwebe zwischen Gott selbst (Gott allein) und Gott in allem her möglich. So wird in der Berufung zu den Räten das Je-mehr Gottes gegenüber der Welt ('Deus semper maior') wie auch das 'semper minor' (Christus im Ärmsten) symbolisch konkret.

Rahners Theologie ist - auch - eine Theologie der Räte (im Sinne des gen. subj.): sie sind strukturprägend und systemsprengend. Auch für die Theologie der Räte im Sinne des gen. obj. leistet Rahner Entscheidendes: Die Verantwortung der Berufung zu den Räten in der Gnadenerfahrung verknüpft Armut, Ehelosigeit und Gehorsam mit der Vollkommenheit in der Liebe. Als Ereignis der freien Gnade, als Charisma ist der Ruf zu den Räten jeder Funktionalisierung oder bloß soziologisch-kirchlichen Verzweckung entzogen. In der Selbstevidenz und in der letzten 'Warumlosigkeit' der Berufung teilen die Räte die Struktur des Glaubens, der vorausgesetzt wird, wenn er sich auszulegen und zu legitimieren hat. Die »Vernünftigkeit« der Räte wird durch die Entkräftung von Einwänden gesucht, ohne daß noch einmal ein äußerlicher objektiver positiver Grund genannt werden könnte. Die Evidenz der Berufung zu den Räten überdauert bei Rahner einen Argumentationsnotstand, so z. B. wenn er nur noch einbringen kann, daß er sich des Evangeliums nicht schäme.

Die Rationalität der Räte wird durch ihre Einbindung in das größere anthropologische, ontologische und theologische Ganze zu erweisen versucht. In diesem Ganzen haben sich die Räte (vornehmlich Armut und Gehorsam) als Grundkonstanten erwiesen.

Ein entscheidendes Kriterium für das Verstehen der Räte ist deren Hineinnahme in die heilsgeschichtliche Bewegung zwischen Inkarnation und Tod. Rahner nimmt so die Räte aus einer Isolation und immunisierenden Ideologie heraus. Er stellt sie in die Schwebe zwischen Selbstannahme und Selbstlosigkeit, Weltflucht und Weltfrömmigkeit, Einsamkeit und Gemeinschaft, Freiheit und Gehorsam, Konkretion und Universalität, Askese und Solidarität. Sie stehen in der Spannung zwischen der Bedeutung des Einzelnen vor Gott und der Kirchlichkeit des Glaubens. Sie entspringen der Unmittelbarkeit des Menschen zu Gott, dem Je-mehr Gottes, dem Geheimnis Gottes und sind hingeordnet auf das 'Gott in allem'. Rahner insistiert auf der Berufung aller zur Vollkommenheit und auf den konkreten Imperativen der je-Einzelnen. So stehen die Räte insgesamt in der Schwebe zwischen dem paradoxen Umsonst des Kreuzes und dem Ringen nach einem Begriff. Auf Grund der Einordnung der Räte in dieses Strukturgefüge ist eine Eindeutigkeit der einzelnen Räte und der Lebensform als geschlossener Trias verwehrt. Eine solche Eindeutigkeit müßte von Freiheit, Liebe und Individualität abstrahieren. Die Räte sind bei Rahner nicht von *einem* systematischen Entwurf verstehbar.

Die Vielfalt der Aspekte - bedingt durch die indirekte Methode - bringt für die Räte Unausgeglichenheiten, die nicht mehr vermittelt werden. So übernimmt Rahner die Dreizahl der Räte unbefangen aus der Tradition, ohne sie in ihrer Einheit und Zusammengehörigkeit systematisch zu begründen oder sie materialiter direkt aus der Nachfolge Jesu abzuleiten.

Die Räte werden zwar z.T. anthropologisch grundgelegt und christologisch verankert, die Brücke zur Konkretion ist dann aber - auf Grund der Unableitbarkeit des Rufes - von außen her gesehen fast positivistisch willkürlich gesetzt. Rahner erklärt die Räte zu einem Wesensvollzug von Glaube, Spiritualität und Kirche, die Situierung dieses Wesensvollzuges allein in der eschatologischen Dimension wirkt aber konstruiert. Am stärksten ist die Ehelosigkeit von dieser einseitigen Zuordnung betroffen. Ihre Hinordnung auf die 'communio' der Kirche, auf das Reich Gottes, das schon mitten in der Welt ist, auf die neue Familie Gottes wird kaum deutlich. Es fehlt auch eine Verknüpfung mit und Differenzierung zu den Haltungen der Keuschheit und Jungfräulichkeit. Nicht auf einen Nenner zu bringen sind bei Rahner letztlich auch die Priorität der allgemeinen Berufung zur Heiligkeit in der Vollkommenheit der Liebe, die antielitäre Ader Rahners,[616] die sich gegen eine Sonderspiritualität wehrt und sein konkretes Zeugnis und Engagement für die Lebensform der Räte. Diese Spannung läßt sich z. B. an den Ausführungen über die Armut Jesu festmachen: in der exegetischen Analyse spricht er von einer materiellen 'Mittellage' Jesu, mit Ignatius dagegen betont er ganz stark die Nachfolge des armen Jesus.

---

[616] Vgl. F. J. Cauto, Zur antielitären Tendenz der Theologie Karl Rahners, in: WT 467-486.

Bei Rahner ist es kein Gegensatz, daß er sich emphatisch für die Räte einsetzt und zugleich lange differenziert und 'entmythologisiert'. Existentielles Zeugnis für die unableitbare und unverfügbare konkrete Gnade und intellektuelle Redlichkeit bzw. Nüchternheit greifen hier ineinander.

Rahners Spiritualität und Theologie übt gerade auch in der Interferenz zwischen beiden einen bleibenden Einfluß in der Gegenwart aus. Ohne Rahner als Lehrer zu verleugnen, profiliert J. B. Metz die Räte - durchaus traditionell auf der Linie von Augustinus und Thomas v. Aquin - dialektisch kritisch im Hinblick auf Entfremdungen im gegenwärtigen Bewußtsein.

DRITTER TEIL

Identität aus Nachfolge
(J. B. Metz)

———————

Als dritter Autor soll J. B. Metz (* 1928) zu Wort kommen. Denn bei ihm erhält das Gefüge von Spiritualität und Systematik in einem 'nachidealistischen' Kontext eine neue Prägung. Als Schüler Karl Rahners ist er zunächst von diesem geprägt, obwohl ihm H. U. von Balthasar nicht so fremd ist, wie es auf den ersten Blick zu scheinen vermag. Das Einlassen auf neue Gesprächspartner gibt dem theologischen Weg von J. B. Metz ein anderes Profil, ohne daß er damit grundsätzlich seinen Lehrer verleugnen würde. Expliziter als sein Lehrer tritt er in offensive Auseinandersetzung mit den Traditionen von Aufklärung und Säkularisierung, hört er auf die marxistische Herausforderung, läßt er sich auf das Gespräch mit E. Bloch und mit der Frankfurter Schule ein. W. Benjamin verdankt er wichtige Inspirationen (Erzählung, Tradition, Unabgeschlossenheit der Geschichte, Solidarität mit den Toten). Er will Theologie mit dem Gesicht zu 'Auschwitz' treiben. Mit Kierkegaard und Bonhoeffer erhält der Primat der Praxis das spezifisch christliche Gesicht der Nachfolge. Schließlich wird er von den Aufbrüchen der Kirche in Lateinamerika angeregt bzw. regt er diese mit an[1].

In allem ist er ein »unbelehrbarer Apologet traditionellen Zuschnitts«.[2] Metz ist Fundamentaltheologe, der das spezifisch Christliche 'dialektisch-kritisch' öffentlich einzubringen und die christliche Identität in der je neuen Gegenwart zu bestimmen versucht. Methodisch ist seine Hermeneutik von Dialektik, d.h. von der Unterbrechung, bestimmt. Die

---

[1] Ein Ausdruck dieser gegenseitigen Anregung ist die Festschrift zum 60. Geburtstag: E. Schillebeeckx (Hg.), Mystik und Politik. Theologie im Ringen um Geschichte und Gesellschaft. Johann Baptist Metz zu Ehren, Mainz 1988.

[2] Laut eigener Aussage bei einer Tagung der deutschsprachigen Fundamentaltheologen am 4.3.1986 in Freiburg i. Br.

kritische Negation erhält einen zentralen Stellenwert, wie es bei Rahner nicht der Fall war.

Metz hat keine historische Arbeit im strengen Sinn geschrieben. Wenn er andere beerbt, geht es kaum um eine autorengerechte Darstellung, sondern um das (zum Teil gar nicht zitierte) Aufgreifen von Inspirationen, die schöpferisch kritisch in den gegenwärtigen Diskurs eingebracht werden.

Von diesem Ausgangspunkt her ist von Metz kein theologisches Gebäude mit den traditionellen dogmatischen Traktaten, keine Erkenntnistheorie oder philosophische Anthropologie zu erwarten. Der Sprachstil kommt vom lebendigen Wort, von Predigten, Vorträgen und Interviews. Er entwirft Skizzen, faßt gerne thesenhaft zusammen und liefert leidenschaftliche und visionäre Plädoyers. So hat er auch kein umfassendes systematisches Werk geschrieben. Bei den Büchern handelt es sich im wesentlichen um Aufsatzsammlungen.

Das Denken von Metz und dessen Relevanz für seine Deutung der Räte soll hier an zentralen Knotenpunkten der geschichtlich biographischen Entwicklung dargestellt werden, von der Anthropozentrik zur Säkularisierung, zum Primat der Zukunft und der Praxis; diese Linien gehen ein in die 'Politische Theologie'. Diese wird in verschiedene Themenstränge aufgegliedert (Apologetik, Zeit [Zukunft, Gedächtnis, Tradition, Erinnerung], Theorie - Praxis, Subjektkonstitution).

Die evangelischen Räte mit der Armut an der Spitze begleiten die theologische Entwicklung. Methodisch kann es nicht darum gehen, nur jene Texte herauszugreifen, an denen explizit die Trias entfaltet wird. Vielmehr muß das größere Bedeutungsfeld der einzelnen Räte in den Blick genommen werden: Armut - geringster Bruder, Elend, Askese, Leid, Solidarität; Gehorsam - Aufklärung, Emanzipation, Freiheit, Kritik, Anerkennung, Gedächtnis, Erinnerung, Autorität. Die Ehelosigkeit hat eine gewisse Sonderstellung. Sie wird nur im ausdrücklichen Zusammenhang mit den Orden thematisiert. Das Bedeutungsfeld, z. B. Jungfräulichkeit, Keuschheit, Mann - Frau, Ehe ist bei Metz nicht existent. Die klassische Trias setzt er voraus, ohne damit zu sagen, daß es nur diese drei Räte gäbe.[3] Fragen der biblischen Begründung und der historischen Genese werden nicht erörtert.

---

[3] Vgl. Zeit der Orden (= ZO) 48.

Erstes Kapitel

Die Räte im Umfeld der Transzendentalphilosophie

I. Anthropozentrik

In seiner ersten Veröffentlichung »Heidegger und das Problem der Metaphysik«[4] wendet sich Metz noch gegen die agnostisch-kantische Transzendentalphilosophie. In den folgenden Jahren wird er Schüler K. Rahners: er überarbeitet dessen philosophische Grundwerke »Geist in Welt« ([2]1957) und »Hörer des Wortes« ([2]1963). Mit seinem Lehrer leitet ihn in der eigenen theologischen Dissertation »Christliche Anthropozentrik« (1962) das apologetische Anliegen der Vermittlung und Versöhnung von christlicher Offenbarung und neuzeitlichem Denken. Dem transzendental idealistischen Paradigma, das er vor allem von K. Rahner in der Theologie entfaltet sieht, schreibt er das große Verdienst zu, »die klassischen Traditionen der Väter und der Scholastik in einer offensiv produktiven Auseinandersetzung mit den Herausforderungen der europäischen Moderne zu beerben: Entdeckung der Subjektivität als Krise der klassischen Metaphysik; kritisch-produktive Konfrontation mit Kant, deutschem Idealismus und Existentialismus einerseits, den sozialen Prozessen der Säkularisierung andererseits«.[5]

'Anthropozentrik' ist für Metz der Oberbegriff für das Philosophieren der Neuzeit. Diese epochal neue 'Denkform' wird im Kontrast zur Kosmozentrik der Griechen entwickelt; diese ist vom Leitbild der welthaften Objektivität geprägt, in der sich das Seinsverständnis des Subjektes an das Objekt verliert. So wird das Subjekt auf eine dinghaft statisch verstandene Natur reduziert.[6] Dagegen wird im Seinsverständnis der Neuzeit das menschliche Sein in seiner Einmaligkeit und Unvergleichlichkeit zum Maß: in der Subjektivität wird das Sein ansichtig; die dinghafte Welt ist auf diese hingeordnet bzw. wird von ihr abgeleitet.[7] Angelpunkt und entscheidender Übergang ist das Werk des Thomas v. Aquin. Der Aquinate wird bei Metz nicht retrospektiv von der griechischen Philosophie, sondern prospektiv vom neuzeitlichen Denken her gedacht. Er knüpft dabei an Thomas an, der vom Subjekt als Beisichsein, Selbstverhältnis, Selbstgegebenheit und Sichselbstgehörigkeit spricht und die 'reditio completa subjecti in seipsum' bedenkt.[8] In der Anwendung der 'transzendentalen Methode', worin die »denkende Seinserschließung ... Selbsterschließung des denkenden Menschen«[9] ist, folgt Metz seinem Lehrer K. Rahner.

---

[4] In: Scholastik 28 (1953) 1-22; vgl. dazu: R. Schaeffler, Die Wechselbeziehungen zwischen Philosophie und katholischer Theologie, Darmstadt 1980, 272f.

[5] Unterwegs zu einer nachidealistischen Theologie, in: J. B. Bauer (Hg.), Entwürfe der Theologie, Graz-Wien-Köln 1985, 209-232, hier 210.

[6] Anthropozentrik (= AZ) 48

[7] AZ 49

[8] AZ 52f.; der Thomas-Abschnitt ScG IV, 11 war schon bei »Geist in Welt« und «Hörer des Wortes« entscheidend.

[9] AZ 55

Wenn der Mensch nach dem Sein fragt, sucht er zugleich sich selbst zu begreifen. Von diesem Ansatz her sieht Metz bei Thomas die menschliche Individualität in ihrer Freiheit und unantastbaren Einmaligkeit neu gedacht. Der Wandel des Seinsverständnisses von der Kosmozentrik zur Anthropozentrik erscheint beim Aquinaten materialiter noch überlagert. In Ansätzen wird die Neuorientierung schon sichtbar: die Welt wird vom Menschen her gedacht; sie ist als erkannte ein »Komplementärbegriff zum Menschen«. Die Weltbegegnung wird zur Selbstbegegnung. Mensch und Welt sind »apriori synthetisiert in dem einen Sein des Menschen«[10]. Zentral kommt diese Synthese im Leib des Menschen zum Ausdruck. Die Leiblichkeit des menschlichen Selbstseins ist ein Grundprinzip thomanischer Anthropologie. Der Leib-Seele-Dualismus wird von der höheren Einheit des menschlichen Seins umgriffen, das als ganzes seelisch und leiblich Subjektivität und Existenz, Situation und Leiblichkeit ist.[11] Die Wirklichkeit des Leibes ist »nichts anderes als seine wirkliche Seele, insofern diese nur dadurch wirklich sein kann, daß sie sich selbst ausdrückt und darstellt in einer vorgegebenen Raum-Zeitlichkeit«. Der Leib ist »nicht etwas anderes als die Seele, sondern diese selbst in ihrer 'Außenerfahrung', in ihrer welthaften, raumzeitlichen Selbstgegebenheit.«[12]

Nicht bloß die Welt ist nach Metz für Thomas anthropologisch zielgerichtet: auch die Transzendenz, das Sein Gottes, wird in anthropologischer Vermittlung gedacht.[13] Das betrifft zunächst den 'Begriff' der Transzendenz, die nicht objektiv, dinglich, statisch, gegenständlich oder bereichhaft gedacht werden darf. Im Anschluß an Rahner vollzieht sich die Transzendenzerschließung vom menschlichen Selbstvollzug in Erkenntnis und Wille her. Der Vorgriff auf das Eine und Ganze konstituiert die menschliche Subjektivität. Die Transzendenz als 'befreiende Freiheit' begründet die menschliche Freiheit. Das Verfügtwerden durch Gott ermöglicht die Selbstverfügung des Menschen.[14] Gott ist also nicht Konkurrent neben oder über dem Menschen, sondern »das Woraufhin des menschlichen Selbstbezugs« in Erkenntnis und Wille, der eine »finis ultimus«, dem sich der Mensch in Liebe zuwenden kann.[15]

Im Horizont menschlicher Subjektivität werden schließlich Offenbarung, Gnade und Glaube interpretiert: »Die anthropozentrische Spitze des Gnadengeschehens ist für Thomas konstitutiv.«[16] Die Gnade ist ein spezifischer Modus des menschlichen Selbstseins, das Glaubenslicht eine vertiefte Weise des geistigen Selbstbesitzes

---

[10] AZ 68f.

[11] AZ 70-72; vgl. Leib und Seele, in: Die Antworten der Religionen 117f.

[12] Caro cardo salutis, in: Hochland 55 (1962) 103f. - So können dann Aussagen über die Seele wie über den Leib suppositiv für den ganzen Menschen gelten; vgl. Art. Seele, in: LThK² 9, 570f.

[13] AZ 73; diese anthropologische Ausrichtung der Theologie verfolgt Metz konsequent in allen Phasen seines Denkens. Es geht stets um die Frage der Subjektkonstitution, um das Problem der Rettung des Individuums, um die Suche nach einem Identitätsprinzip. Eine Weltfrömmigkeit im Sinne einer sakramentalen Sicht der Schöpfung vertritt Metz nicht.

[14] AZ 80f.; Art. Entscheidung, in: HThG I, 281-288; vgl. Art. Freiheit, in: HThG I, 403-414; Freiheit als philosophisch-theologisches Grenzproblem, in: Gott in Welt I, 287-314.

[15] AZ 80

[16] AZ 83

des Menschen, eine vervollkommnete und verstärkte Selbstgelichtetheit.[17] In der christlichen Offenbarung bzw. in der christologisch grundgelegten Einheit von Gottes- und Nächstenliebe gilt der Mensch als Bruder Christi, als Sakrament des Gottessohnes (Mt 22,37-40; 1 Joh 4,7-21). Die Gottesliebe muß deshalb radikal anthropozentrisch gedacht werden.[18] An diesen philosophischen und theologischen Knotenpunkten weist Metz eine Konvergenz zwischen christlichem Glauben und neuzeitlicher Anthropozentrik auf.[19] Von bleibender Bedeutung ist für ihn die Wende des Denkens von der Gegenständlichkeit zur Subjektivität, von der Substanz zum Subjekt, vom objektivistischen zum transzendentalen, vom ontischen zum ontologischen Verständnis des Seins, von der Natur zur Geschichte, von der abstrakten zur konkreten Allgemeinheit.[20]

Die Räte sind in der 'Anthropozentrik' nicht direkt angesprochen. Indirekt ist aber die zentrale Stellung menschlicher Freiheit und Subjektivität wichtig. Geschichte wird primär zur Geschichte menschlicher Freiheit, die als Vermögen zur Ganzheit und Endgültigkeit des Daseins gefaßt wird.[21] Der 'Begriff' der Transzendenz als 'finis ultimus' des Menschen hat zur Folge, daß diese nicht in einem völligen Jenseits zur Geschichte stehen kann, sondern auch ihre innere Vollendung sein muß.[22] Diese Überwindung des Natur-Übernatur-Dualismus wird entscheidend für das Ineinander von Erlösung und Emanzipation bzw. Befreiung. Die Korrelation von Gnade und Freiheit ist implizit schon ideologiekritisch, weil damit metaphysische Konstellationen, die den Menschen als bloße Potenz und Materie begreifen, überwunden sind. Freiheit und Aufklärung untergraben so in gewisser Hinsicht die Bedeutung des Gehorsams im Glaubensvollzug.[23] An dieser Stelle werden auch die Aporien des transzendentalen Ansatzes sichtbar: er bleibt im Grunde monadisch. Das Subjekt wird zu wenig als Relation, das Ineinander von menschlicher und göttlicher Freiheit wird zu linear gedacht. Offenbarung, Gnade und Glaube werden primär auf den Selbstvollzug und das

---

[17] AZ 81f.

[18] AZ 109; vgl. Art. Mitsein, in: LThK² 7, 429f.; diese Formulierungen lassen vermuten, daß J. B. Metz auch von Balthasar wichtige Anregungen übernommen hat: zum Menschen als 'Bruder' bzw. 'Sakrament Christi' vgl. H. U. von Balthasar, Die Gottesfrage des heutigen Menschen, Köln 1956.

[19] Es kann hier weder um die historische Frage gehen, ob diese anthropologische Grundorientierung zum ersten Mal bei Sokrates ('Erkenne dich selbst' - R. Schaeffler, Die Wechselbeziehungen 273), bei Augustinus (G. Greshake, Gottes Heil - Glück des Menschen, Freiburg 1983, 73) oder bei Thomas v. Aquin (Metz) zu finden ist, noch um die Legitimität der Thomasinterpretation noch um die Problematik der Konvergenz zwischen Glaube und neuzeitlichem Denken in der Anthropozentrik.

[20] AZ 111

[21] Vgl. Freiheit, in: Gott in Welt I, 291f.

[22] AZ 112

[23] Die ideologiekritische Relevanz existentialer Hermeneutik hat mit Blick auf Bultmann D. Sölle, Politische Theologie, Stuttgart 1971, 20f. ausgeführt.

Selbstsein des Subjektes ausgelegt. Die Gefahr der anthropologischen Reduktion ist nicht auszuschließen. Metz selber überwindet in der 'Anthropozentrik' durch den Rückgriff auf die thomanische Anthropologie der Leiblichkeit den cartesianischen Dualismus von 'res cogitans' und 'res extensa', der sich bei Kant in der Entgegensetzung von 'noumena' und 'phainomena' weiterzieht. Damit ist grundsätzlich die Welthaftigkeit und Leiblichkeit positiver Selbstvollzug der menschlichen Freiheit; diese ist nicht mehr prinzipiell mit dem Index der 'negatio' von Welt behaftet. Ein positiver kommunialer Freiheitsbegriff wird allerdings nicht entwickelt. Im Rückgriff auf die biblische Sicht des Menschen als Bruder und Sakrament Christi ist im Kern die Subsumierung der Anderen unter die 'Kategorialität' überwunden, d.h. das Du wird nicht mehr primär auf das zu sich selbst kommende transzendentale Subjekt reduziert. Damit ist positiv der Raum von Begegnungen, Liebe und Solidarität eröffnet.

Im Jahre 1962 erscheint neben der 'Anthropozentrik' auch das schmale, jedoch dichte Bändchen 'Armut im Geist'. Der Grundduktus dieser spirituellen Schrift ist jenem der 'Anthropozentrik' nicht fremd. Einige Akzente sind jedoch anders gesetzt. Die ausdrückliche Thematisierung der Räte nimmt Linien der theologischen Dissertation auf und bedient sich z. B. ihrer Kategorien; zugleich jedoch erweisen sich die Räte als systemsprengend und weiterführend.

II. Armut im Geiste

Während Verbindungslinien zwischen der 'Anthropozentrik' von Metz und dem philosophisch-theologischen Werk Rahners evident sind, bleibt die spirituelle Verwandtschaft der beiden eher im Hintergrund. Metz ist selbst kein Ordensmann. Er nennt auch seine spirituelle Verankerung kaum; und doch verbindet ihn die 'mystische' Komponente seiner Theologie ebenso mit seinem Lehrer wie die Jesusfrömmigkeit, in der besonders der arme und leidende Jesus hervorgehoben werden.[24] Was thematisch später unter anderen Nomenklaturen läuft (Auschwitz, Praxis, Kritik von Evolution, Solidarität, ...), wird im dichten kleinen Bändchen 'Armut im Geiste' ansatzhaft ausdrücklich christologisch zentriert. Die 'Anthropozentrik' wird dabei unter das christologische Maß

---

[24] Die Relevanz der 'Jesusmystik' für die eigene theologische Biographie deutete Metz bei einer Tagung der deutschsprachigen Fundamentaltheologen am 4.3.1986 in Freiburg i. Br. an.

gestellt: Armut und Gehorsam werden zu den zentralen Wesensaussagen des Menschen.

Anthropologisch rückt die Fraglichkeit des Menschen in den Vordergrund: der Mensch ist für Metz wie für Rahner der »große Bedürftige«, der - weil er unbegrenzt offen ist - auch unbegrenzt fragwürdig ist.[25] Die Wende von der Substanz zum Subjekt erfährt eine spirituelle Deutung: der Mensch ist kein geschlossenes, fertiges, in sich ruhendes Ding, sondern »unruhig im Herzen«. Die Armut hütet das Geheimnis des Menschen, der nur da Mensch ist, wo er sich dem Geheimnis aussetzt. Die 'transzendentale Bedürftigkeit' relativiert alles Irdische, sie schleift Bastionen, nimmt gewohnte Horizonte weg.[26] Im Hinausstehen ins Geheimnis, in dem sich der Mensch nackt, entblößt, von »Natur aus religiös«[27] zeigt, läßt er sich vom Geheimnis total ansprechen, betreffen und verfügen. Im freien Gehorsam bejaht der Mensch das anrufende Geheimnis und in diesem die eigene unendliche Wesensarmut, die zugleich der »einzige angestammte Reichtum des Menschen ist«.[28] Vor Gott hat der Mensch keine Stütze, keine Sicherung oder Macht. Der Mensch ist sich selbst treu, wenn er sich zur Armut des menschlichen Geistes bekennt und dem totalen Anspruch der unverfügbaren Transzendenz Gottes stellt. Diese 'Wesensaussage' ist für Metz wie für von Balthasar kritische Instanz gegen eine bloß herrschaftliche und instrumentelle Vernunft: der Mensch findet Trost und Geborgenheit nicht im bloßen Durchschauen und Beherrschen der Dinge, sondern nur, wo er sich in unendlicher Armut an das Geheimnis bindet.[29] Die Anthropozentrik wird vor jeder Hybris oder falschen autonomen Selbstsetzung bewahrt.[30] Zugleich ist der Mensch an die Erde gebunden: In der konkreten Selbstannahme wird der »kategorische Imperativ« christlichen Glaubens artikuliert: »Du sollst dein dir angebotenes und aufgetragenes Menschsein liebend annehmen und ihm nicht zu entrinnen trachten! Du sollst dir selbst treu sein! Du sollst dich zu dir bekennen!«[31] Der Gehorsam ist darin kritische Instanz gegen die Versuchung zur Rebellion

---

[25] Armut im Geiste (= AG) 29f.

[26] AG 30

[27] AG 31

[28] AG 31, vgl. 13; in dieser Meditationsschrift geht Metz natürlich nicht auf theologische Fragen dieser Einheit von Armut und Fülle, Gehorsam und Freiheit, z.B. im Hinblick auf den paradiesischen Urstand, ein. Auch historische Abhängigkeiten, z.B. von den Kirchenvätern, werden nicht aufgegriffen.

[29] AG 30

[30] Die Hölle wäre für Metz dort, wo der Mensch vor dem »Tabernakel des eigenen Ichs« kniet (AG 38).

[31] AG 8

oder zur Flucht aus der Enge des Lebens. Diese Grundaussagen werden christologisch verwurzelt: In der Armut und im Gehorsam Jesu hat Gott der Menschheit ihr wahres Wesen eingeschrieben. Beide sind relationale Größen in der Dynamik von Begegnung und Begnadung: »nur in ihr (der Armut) kommt der Mensch bei Gott an wie auch Gott nur in ihr wahrhaft beim Menschen ankommt.«[32] Armut und Gehorsam sind für Metz der »Umschlagplatz zwischen Himmel und Erde«.[33] - Er geht damit Hand in Hand mit Rahner (Gehorsam als Angelpunkt der hypostatischen Union) und von Balthasar (der Gehorsam Jesu als 'universale concretum'). - Die Fleischwerdung Gottes entspringt paulinisch dem Geist des Gehorsams (Phil 2,5-11).[34] Von seiten Gottes ist sie Preisgabe in die Ohnmacht, die Hineingabe in das Nichts der Verlassenheit, Gotteslosigkeit und Vergeblichkeit.[35] Jesus selbst - und dieser Aspekt wird von Metz wie von seinem Lehrer Rahner hervorgehoben - lebte und kannte die *Armut der Gewöhnlichkeit*: er war kein Genie, kein Künstler, äußerlich kein Idealmensch. Auch die *Armut der Ärmlichkeit*, in Elend, Hunger, Fremde, Einsamkeit und Betteldasein war ihm nicht fremd. Er wird danach richten (Mt 25,31-46).[36] Anderseits kennt und hat Jesus eine große und einmalige Sendung, die ohne Beispiel ist. Auch diese Würde und Last ist mit Armut verbunden.

Metz situiert die Armut und den Gehorsam weiter im Horizont der Versuchung Jesu. Damit erhalten sie schon in der frühen Phase ein stärker kritisches Profil im Gegenüber zu Grundformen der Konkupiszenz als etwa bei Rahner: arm bleiben heißt, gegen die Versuchung des 'Man', gegen faule Kompromisse und Konventionen anzukämpfen und der eigenen Sendung treu zu bleiben, wenn diese mit Einsamkeit verbunden ist. Die andere Seite der Versuchung richtet sich ebenso gegen Armut und Gehorsam: der Satan will das Menschsein des Logos doketisch und monophysitisch zum bloßen Schauspiel, zur Maske, zur Verkleidung oder Marionette verzerren. Er lockt zur Flucht vor dem Einlassen in die Vergeblichkeit, er verleitet zum Hinwegträumen über die Abgründe.[37]

---

[32] AG 27f.

[33] AG 28; die zentrale Stellung des Gehorsams kehrt in dieser Form in der weiteren Entwicklung bei Metz nicht wieder.

[34] AG 9

[35] AG 18f.

[36] AG 42; Mt 25,31-46 ist für Metz in allen Phasen seiner Theologie wie für Rahner implizite oder explizite Norm.

[37] AG 15-17

Auch die *Armut der Endlichkeit*[38] lebt Jesus existentiell: durch ihn ist sie Chance und Aufgabe der endgültigen Entscheidung, die von vielen Möglichkeiten scheidet und darin Abschied, Opfer und Verzicht fordert. Es gilt die Stunde, den Kairos, zu nutzen, um die Entscheidung nicht zu verpassen.[39] In Christus zeigt für Metz - und er trifft sich dabei mit von Balthasar - die Phänomenologie der Liebe die Armut als inneres Wesen: »jede menschliche Begegnung geschieht im Geiste der Armut«.[40] Verzicht auf Sicherheit und Kleinwerden ist Voraussetzung für das Ankommen des Du in seiner Selbstaussage.[41] Im Gehorsam, der sich in Entäußerung, Selbsthingabe und Dienst konkretisiert, nimmt sich der Mensch als einer an, der sich nicht selbst gehört. Das Bild vom Weizenkorn drückt für Metz die Wahrheit des Menschseins aus.[42] Armut und Selbstentäußerung werden nicht mystizistisch welt- und du-los entleert. In der Menschheit Jesu sind Gottes- und Menschenliebe ursprünglich eins.[43] Metz spricht mit Anklängen an die Terminologie von Balthasars vom 'Sakrament des Bruders' und greift wiederholt ein nichtkanonisches Jesuswort auf: »Wer seinen Bruder sieht, sieht seinen Gott.«[44] Die Leiblichkeit der Liebe verwehrt die Reduktion der Armut auf den Geist.

Schließlich lebt Jesus die unausweichliche *Armut des Todes*. Er verwirklicht die Armut im Geiste als »entschiedene Einsamkeit unseres Selbstseins«, als »einsame Entschiedenheit unserer Treue« ohne Flucht und Ungeduld.[45] Der Tod bündelt den Gehorsam, die Armut der Krise, der Fragwürdigkeit und der Verhülltheit seiner selbst. Er ist wie bei Rahner die Endgültigkeit der Lebenstat und tiefste Ohnmacht, Passion und Entmächtigung in einem.[46] Der Tod Jesu am Kreuz ist letzte Annahme, das »Große Ja« zur Armut.[47] Gehorsam und Armut werden als Annahme und Hingabe vollendet. Armut und Gehorsam sind so letztlich

---

[38] AG 50

[39] Kol 4,5; Eph 5,16; Joh 2,4; 7,6-8; AG 51; vgl. dazu: Die »Stunde« Christi. Eine geschichtstheologische Erwägung, in: WuW 12 (1957) 5-18.

[40] AG 52

[41] AG 52; zur Ankunft vgl. Vergessener - unvergeßlicher Advent, in: Hochland 51 (1958) 97-103.

[42] Joh 12,25 (AG 35f.); Phil 2,8 (AG 6).

[43] AG 38

[44] AG 38; 1962 konnte er Rahner noch mit einem gewissen Recht eine transzendentale Engführung und den Mangel an personalem und geschichtlichem Denken vorwerfen. Vgl. dazu: H. Snijdewind, Preis der Gnade, in: E. Schillebeeckx (Hg.), Mystik und Politik 263.

[45] AG 53.20

[46] AG 54

[47] AG 19

die Wahrheit des Lebens vor Gott, die »Mutter von Glaube, Hoffnung und Liebe.«[48] Zu dieser Armut gehört es auch, daß sie *vorläufig*, d.h. auf dem Wege bleibt. Vorbilder sind darin die Propheten. Diese bewegen sich in einem »Niemandsland« und sind heimatlos, weil sie sich von ihrer vertrauten Herkunft loswagten, die Gegenwart nicht in ihrer Verfügbarkeit und Zuhandenheit einengten und die Zukunft nicht vom Maß der Durchschaubarkeit und Planung betrachteten. So wurden die Propheten »Pioniere und Schrittmacher der Menschheit«.[49] Die reine Wesensarmut wird nie ganz gelebt: »nie holen wir das Bild unseres armen Wesens ganz ein«, »nie loten wir die Tiefe unserer Armut völlig aus.«[50] Die Konkupiszenz zerreißt die Einheit von Idee und Existenz. In ihr zeigt sich die *Armseligkeit unserer Armut*, die sich noch einmal verweigert und vor der Preisgabe in der Passion schützen will.[51] Die letzte Erfüllung findet die Armut in der preisgebenden, sich an das Geheimnis weggebenden *Anbetung Gottes*.[52] Darin gehört die 'Armut der Armut' nicht mehr sich selbst, sondern Gott, sie sagt nicht mehr Ich, sondern Du. Zugleich ist »in der rühmenden Anbetung Gottes ... der Mensch total vor und zu sich selbst gebracht.«[53] In der letzten Preisgabe der Armut empfängt er seine Kraft (2 Kor 12,10).[54]

Schließlich ist für Metz - wie für von Balthasar - die Armut auch der eschatologische Lebensvollzug des Menschen.[55]

In dieser spirituellen Schrift 'Armut im Geiste' wird somit der transzendentale Ansatz positiv aufgenommen ('transzendentale Bedürftigkeit') und zugleich korrigiert. Armut und Gehorsam sind Wesensmomente der theologischen Anthropologie, Christologie, Soteriologie und Eschatologie. Die Entweltlichung eines einseitigen transzendentalen Denkens wird im Rückgriff auf die biblische Christologie überwunden. In der personalen Dimension des Gehorsams gelangt Metz zum Du. Der christologische Kern führt auch zur praktischen Neuorientierung, wobei sich 'Theorie' und 'Praxis' ergänzen. An 'Defiziten' bleibt eine gewisse

---

[48] AG 27

[49] AG 48; hier sind die ersten Anklänge für den Primat der Zukunft und die Kategorie des Novum zu finden. Insgesamt bleibt 'Armut im Geiste' christologisch auf die Gegenwart konzentriert. Zum anderen ist auch hier die 'Elitefunktion' der Räte bzw. Orden angesprochen, die bei von Balthasar inhaltlich den Namen 'Stellvertretung' trug.

[50] AG 56f.

[51] AG 57, vgl. Art. Konkupiszenz, in: HThG I, 403-414.

[52] Vgl. AG 60f. - Die Anbetung als Haltung vor Gott wird später zwar nicht negiert, tritt aber in ihrer Bedeutung zurück. Zentral wird in der späteren Phase das 'Standhalten vor Gott' angesichts des Leids.

[53] AG 62

[54] AG 63

[55] AG 37

Idealisierung, die aber in Ansätzen schon überwunden ist: in den 'Wesensaussagen' kommt der Verzichtcharakter der Askese kaum zum Ausdruck. Zudem geraten die geschichtlich reale Armut, das Elend als Entfremdung und auch die Zerrformen des Gehorsams praktisch nicht ins Blickfeld. Insofern ist diese spirituelle Schrift noch dem 'transzendental idealistischen' Paradigma verhaftet. Das Meditieren von Armut und Gehorsam (Jungfräulichkeit und Ehelosigkeit kommen nicht vor) weist aber schon auf Übergänge zur 'Theologie der Welt' bzw. zur 'Politischen Theologie' hin.

Zweites Kapitel

Askese im Kontext der »Theologie der Welt«

Die 'Anthropozentrik' zeigt schon eine positive Einschätzung der Neuzeit und deren theologischer Legitimation. Das Subjekt wurde mit Hilfe der Kategorien der Transzendentalphilosophie gedacht. Die Meditation der Räte hatte diese Denkform aufgegriffen, zugleich aber kritisch auf das Du und die Welt hin überschritten. Der Rückgriff auf die thomanische Anthropologie der Leiblichkeit ist ebenso als Korrektur von transzendentalen Engführungen zu betrachten.

Dies führt insgesamt bei Metz zu einem gewissen Wandel in den Jahren nach 1962: der spätere Titel des Aufsatzbandes »Theologie der Welt« (1968)[56], der Aufsätze aus den Jahren 1962-1968 umfaßt, verrät den neuen Akzent: Metz geht es in diesen Jahren um die Versöhnung des Christentums mit der Welt bzw. um die Verifikation des Christentums an der Weltlichkeit der Welt. Die Denkfigur bleibt gleich: wie die neuzeitliche Subjektivität nicht in Opposition zur biblischen Überlieferung, sondern als von dieser ermöglicht und grundgelegt gedacht wurde, so stellt sich jetzt der Glaube der radikalen und universalen Weltlichkeit der Welt, denkt diese nicht abwehrend zur eigenen Identität, will sie nicht in die Unmittelbarkeit Gottes zurückholen, ebensowenig wie die

---

[56] J. B. Metz (Hg.), Weltverständnis im Glauben, Mainz 1965; Weltverständnis im Glauben. Christliche Orientierung in der Weltlichkeit der Welt von heute, in: GuL 35 (1962) 165-184; Art. Welt, in: LThK² 10, 1023-1026 (1965); Grundstrukturen im heutigen Verhältnis der Kirche zur Welt, in: HPTh II/2, 203-207; Versuch einer positiven Deutung der bleibenden Weltlichkeit der Welt, in: HPTh II/2, 239-267.

in der Aufklärung wurzelnde Trennung von Religion und Gesellschaft restaurativ überholt werden soll.

Metz begründet die positive Bewertung der Säkularisierung, das Ja zur neuzeitlichen Verweltlichung der Welt christologisch: »Die Weltlichkeit der Welt, wie sie im neuzeitlichen Verweltlichungsprozeß entstand, ist in ihrem Grunde, freilich nicht in ihren einzelnen geschichtlichen Ausprägungen, nicht gegen, sondern durch das Christentum entstanden; sie ist ursprünglich ein *christliches* Ereignis und begrenzt damit die innergeschichtlich waltende Macht der 'Stunde Christi' in unserer Weltsituation.«[57] In der Schöpfung und in ihrer Aufgipfelung der Inkarnation ist die Welt einerseits angenommen (vgl. 2 Kor 1,19f.)[58] und zugleich in ihr weltliches und geschichtliches Eigensein freigesetzt, weil Gott in seiner transzendenten Weltüberlegenheit erscheint.[59] Gott ist Garant der Freiheit des Menschen und der Eigenwirklichkeit der Welt. Metz sieht damit mit Gogarten die Säkularisierung, Entgöttlichung, Entzauberung, Entmythisierung der Welt theologisch legitimiert.[60] Eine 'Theologie der Welt' macht die Nichtgöttlichkeit der Welt sichtbar und gibt sie so für den Menschen als zuhandenes Material und Objekt des technischen Experimentes, des politischen Handelns (Säkularisierung des Staates) und des philosophischen Denkens (Eigenständigkeit der Vernunft) frei.[61] Die Welt trägt nicht mehr die 'vestigia Dei', sondern die 'vestigia hominis', sie ist gerade keine theologische Größe.[62]

Metz will damit den neuzeitlichen Säkularisierungsprozeß nicht undifferenziert 'taufen'. Er insistiert auf der Differenz zwischen der vom Glauben her zu bejahenden Weltlichkeit der Welt und der faktischen, oft autonomistisch mißverstandenen Weltlichkeit. In der inkarnatorisch orientierten theologischen Phase dominiert dabei die wurzelhafte Einheit von Welt- und Heilsgeschichte im Logos.[63]

In diesem Kontext spricht Metz nicht ausdrücklich von den Räten, wohl aber von '*Askese*'. Diese ist im Zusammenhang von Weltbejahung der Nachvollzug der annehmenden und freisetzenden Deszendenz Gottes.[64] Die Überwindung der Welt im Glauben gibt diese zugleich frei, nimmt

---

[57] Theologie der Welt (=ThW) 16 (1962); dieser ursprünglich in: GuL 35 (1962) 165-184 erschienene Artikel war vorbereitet durch: Die »Stunde« Christi. Eine geschichtstheologische Erwägung, in: WuW 12 (1957) 5-18.

[58] ThW 18

[59] ThW 23

[60] ThW 30ff.; vgl. U. Ruh, Säkularisierung, in: CGG 18, 59-100.

[61] ThW 33

[62] ThW 30.33

[63] ThW 14

[64] Vgl. ThW 38 (1962).

sie an und läßt sie gewähren: »Die christliche Askese steht ja grundsätzlich im Dienste diese 'Annahme', dieses 'Ja' - nicht eigentlich im Dienste eines ursprünglichen 'Nein', das letztlich immer 'leichter' zu vollziehen ist als das 'Ja'.«[65] In der Bejahung der Welt gilt es, den Pluralismus auszuhalten und sich illusionslos und nüchtern auf die Welt in ihrer Vieldeutigkeit und Fremdheit einzulassen.[66] In asketischer Weltannahme braucht die Welt weder ideologisch-mythisch verklärt werden, noch ist aus ihr in eine ortlose, rein negative und im Grunde resignativ-nihilistische Zukunft und Utopie zu fliehen.[67] Askese ist in diesem Kontext eine Figur der inkarnierten Freiheit. In der Askese ist jede naive Unmittelbarkeit gebrochen; der Glaube hat nie reine Legitimationsfunktion. Die kritische Distanz zur faktischen Weltlichkeit ist schon gesetzt. In der Betonung der Annahme der Welt und des Selbstseins erhält die Gegenwart ihr positives Gewicht. Aufgabe der Orden ist es zwar schon, »die Kirche und ihre etablierten Ordnungen unter den eschatologischen Vorbehalt Gottes zu rücken«,[68] ihre Askese steht dabei aber für die »Knechtsgestalt der weltüberwindenden Weltverantwortung«.[69] Die Kritik verfällt (noch?) nicht zur reinen Negation. Mit der zunehmenden Erfahrung der mit der Humanisation der Welt zum Teil verbundenen Inhumanisierung, d.h. mit der Einsicht in die Dialektik der Aufklärung, verlagern sich die Akzente: die bleibende Gültigkeit der Säkularisierung wird dialektisch aufgebrochen und weitergeführt; Metz schreitet von einer inkarnatorisch bestimmten Annahme und Legitimation der weltlich gewordenen Welt zu ihrer eschatologisch orientierten Kritik.[70] Diese Akzentverschiebung geht Hand in Hand mit dem Einlassen auf neue Gesprächspartner wie E. Bloch, K. Marx, W. Benjamin und die Frankfurter Schule.

---

[65] ThW 43/Anm. 50

[66] ThW 38f.42

[67] ThW 43

[68] ThW 127. Vgl. dazu: T. R. Peters, Eine Religion beweist sich stets selbst. Zur Aktualität Overbecks und seiner theologiekritischen Anfragen, in: E. Schillebeeckx (Hg.) Mystik und Politik, 228-233.

[69] ThW 95

[70] Diese positive Phase der Säkularisierung sieht Metz später - ohne sie zu negieren - sehr kritisch; vgl. Glaube in Geschichte und Gesellschaft (= GGG) 23f.139.

Drittes Kapitel

Askese und Theologie der Hoffnung

I. In der Erbschaft von Ernst Bloch: Primat der Zukunft

»Für Ernst Bloch, den Achzigjährigen, dem ich erst spät begegnete, im Gespräch nach gemeinsamen öffentlichen Diskussionen, und von dem ich, der junge Theologe, nie fortging ohne Dankbarkeit und größere Nachdenklichkeit«[71] - so umschreibt Metz in einer Widmung sein Verhältnis zu E. Bloch. Mit der Auseinandersetzung mit E. Bloch ist bei Metz die Akzentverschiebung von der Inkarnation zur Eschatologie, von der Theologie der Welt zur Theologie der Hoffnung verbunden.

E. Bloch entwickelt eine Ontologie des Noch-Nicht-Seins, eine Wissenschaft des Neuen, eine Hoffnungsphilosophie in Absetzung vom Gewesenheitsdenken der abendländischen Spekulation, die sich mit der reinen Theorie begnügt und archäologisch im Immerseienden den eigenen Gegenstand sucht. Ontologisch beruft er sich auf die aristotelische Lehre von der Materie, in deren unbegrenzter Potentialität er das utopische Moment entdeckt. Metaphysisch erneuert er die Postulatenlehre Kants, in welcher er die Bedingung der Möglichkeit eines »Reichs der sittlichen Werte« in der Zuordnung der Möglichkeitskraft der Materie und der Schöpferkraft des utopischen Glaubens sieht, sodaß an der Begegnung beider die neue Welt hervorgehen kann.[72] Historisch will er den Hoffnungsgehalt menschlicher Überlieferungen in Mythen, Kunst, Musik, Philosophie und besonders in der Religion freilegen. Ziel der Utopie des Reichs ist die Naturalisierung des Menschen und die Humanisierung der Natur. Wesensimmanent zur Utopie des Reichs gehört der Atheismus[73]: die Stelle, die Gott einnahm, wird frei als Schöpfungsregion für den Menschen. Auf dieser Linie interpretiert Bloch die Bibel utopisch und atheistisch: in Ex 3,14 wird Gott fallengelassen; es erhebt sich die Hoffnung auf das novum als Traum.[74] Der Exodus wird umgekehrt: aus dem befreienden Gott wird der Auszug aus Gott. Die Botschaft der Menschwerdung Gottes führt dazu, daß der Mensch sich selbst entdeckt und damit Gott aufhören läßt.[75] Jesus predigt als Sozialrevolutionär die Utopie des Reiches ohne Gott. Vom Noch-Nicht der Utopie her, muß er jede Einheit von Schöpfung und Eschaton ablehnen. Der ausdrückliche Dualismus der Zeitalter, der unvermittelte Gegensatz zwischen 'dieser' und der 'kommenden'

---

[71] Metz in seinem Beitrag zur Bloch-Festschrift: Gott vor uns. Statt eines theologischen Arguments, in: Ernst Bloch zu Ehren 227 (1965).
[72] E. Bloch, Geist der Utopie (Ges. Werke XVI) Frankfurt 1976; vgl. R. Schaeffler, Die Wechselbeziehungen 287ff.
[73] E. Bloch, Atheismus und Christentum (Ges. Werke XVI) Frankfurt 1968, 98ff. 190-201.
[74] Atheismus und Christentum 347
[75] Vgl. Das Prinzip Hoffnung, Frankfurt 1959, 1493ff.

Welt ist für Bloch das Kriterium der Unterscheidung. Jede irgendwie behauptete Einheit wäre ein Anzeichen einer reaktionären Ideologie, welche die Zukunft entschärft und die Praxis lähmt. Eine Christologie mit Christus als Mitte der Zeit muß daher abgelehnt werden.[76]

II. Die marxistische Herausforderung: Primat der Praxis

»Meine kritische Aufmerksamkeit richtete sich vom Idealismus ... auf den Versuch von Karl Marx, die Welt als historisches Projekt zu begreifen«, in dem die Menschen Subjekte ihrer Geschichte werden.[77] Von Marx lernt er die Absage an jede gesellschaftliche Unschuld oder Neutralität der Religion, das Bedenken des ideologischen Zusammenhangs von Erkenntnis und Interesse, das Pathos der Kritik, die Betonung der gesellschaftlichen Praxis und die Berücksichtigung der Strukturen. Mit dieser Hinwendung von Metz zu Marx ist die Kritik am transzendental-idealistischen Paradigma verknüpft.

Der Primat gilt bei K. Marx der praktischen Vernunft: »Die Frage, ob dem menschlichen Denken gegenständliche Wahrheit zukomme, ist keine Frage der Theorie, sondern eine *praktische* Frage. In der Praxis muß der Mensch die Wahrheit, i.e. Wirklichkeit und Macht, Diesseitigkeit seines Denkens beweisen.«[78] Die Praxis ist die entscheidende noetische Kategorie; sie ist nicht bloßer Anwendungsfall eines feststehenden theoretischen Systems. Entscheidend ist bei Marx an dieser Stelle, daß das Subjekt sich wesentlich durch die Praxis konstituiert, was aber zur Konsequenz hat, daß der Atheismus wesentliche Voraussetzung der Subjektwerdung des Menschen ist. Der Gedanke von Geschöpflichkeit und Gnade widerspricht im Kern der Freiheit des Menschen, die erst durch totale Emanzipation zu ihrem Wesen kommt: »Ein Wesen gibt sich erst als selbständiges, sobald es auf eigenen Füßen steht, und es steht auf eigenen Füßen, wenn es sein Dasein sich selbst verdankt. Ein Mensch, der von der Gnade eines anderen lebt, betrachtet sich als abhängiges Wesen. Ich lebe aber vollständig von der Gnade eines anderen, wenn ich ihm nicht nur die Unterhaltung meines Lebens verdanke, sondern wenn er noch außerdem mein Leben geschaffen hat; wenn er der Quell meines Lebens ist, und mein Leben hat notwendig einen solchen Grund außer sich, wenn es nicht meine eigene Schöpfung

---

[76] Vgl. Th. Pröpper, Der Jesus der Philosophen und der Jesus des Glaubens, Mainz 1976, 30.

[77] Vgl. Unterwegs 212-217, hier 215; Marxismus als Herausforderung an die Theologie?, in: J. B. Metz (Hg.), Anfragen an den Marxismus und an das Christentum 53-66; Politische Theologie und die Herausforderung des Marxismus. Ein Gespräch des Herausgebers mit Johann Baptist Metz, in: P. Rottländer (Hg.), Theologie der Befreiung und Marxismus, Fribourg/Münster 1986, 175-186.

[78] K. Marx, Die deutsche Ideologie (1845/46), Thesen über Feuerbach, in: MEW 3,5.

ist.«[79] Insofern ist die Kritik der Religion ebenso wie die Kritik alles Bestehenden die Voraussetzung der Zurückführung der menschlichen Welt auf den Menschen selbst[80]: d.h. Ideologie- und Religionskritik sind Voraussetzung der Subjektwerdung des Menschen. Es bleibt das Grunddogma des historischen Materialismus, daß sich der Mensch durch die Bestimmung der materiellen Produktion bestimmt.[81] Das Subjekt wird bei Marx wesentlich als Handlungssubjekt gedacht. Die Vernünftigkeit der Praxis besteht in der Veränderung und Neugestaltung der Produktionsweise. Insofern ist vernünftige Praxis immer schon kritisch revolutionär; Kritik und Emanzipation sind Voraussetzung, daß der Mensch durch Praxis zu seinem 'positiven Selbstbewußtsein' und zur eigenen Wesenshaftigkeit kommen kann. Der Atheismus ist so wesentlicher Bestandteil des Menschenbildes und des Praxisbegriffes. Die Kritik der Religion ist Voraussetzung aller Kritik.[82] Insofern wird durch Marx mit der Aufklärung die Funktion der Religion im gesellschaftlichen Prozeß durchschaut und unter Ideologiekritik subsumiert. Die Praxis als entscheidende noetische Kategorie verändert das Bewußtsein, auch in seiner religiösen und theologischen Dimension. Religion und Theologie sind nur ein Fall im Verhältnis von Erkenntnis und herrschaftlichem Interesse; diesem gegenüber ist der marxistische Verdacht total.

In der Aufnahme der marxistischen Idealismuskritik des 19. Jhd. und im Gespräch mit E. Bloch will Metz die theologischen Engführungen transzendentaler und existentialer Provenienz überwinden.[83] Diese beiden bleiben in der naiven Entzweiung zwischen Subjekt und Welt als Geschichte. Dagegen gilt es, im Prozeß der Subjektkonstitution alle Dimensionen zu berücksichtigen: die biologische, soziale, kommunikative, sprachliche Sozialisation, politisch ökonomische Schichten, Entscheidungsstrukturen, Institutionen, Normen, Machtverhältnisse. Die Theologie kann sich kein idealistisches Geistreich der Subjektivität oder Intersubjektivität konzipieren.[84]

Was bei Metz in der 'Theologie der Welt' schon anfanghaft konzipiert war, wird jetzt detailliert: er versteht neuzeitlich die Welt als Geschichte mit einer anthropozentrischen Spitze, als Werdewelt.[85] Das Weltverhalten wird praktisch bestimmt und auf die Zukunft ausgerichtet. »Das Weltverhältnis, vor dem der christliche Glaube seine Hoffnung verantworten muß, ist in einem fundamentalen Sinne zukunftsorientiert; es ist

---

[79] K. Marx, Ökonomisch-philosophische Manuskripte (1844), in: MEW Ergänzungsband I, 544.

[80] Zur Judenfrage, in: MEW 1, 370.

[81] »Das Sein der Menschen ist ihr wirklicher Lebensprozeß. Es wird von den wirklich tätigen Menschen ausgegangen« (Deutsche Ideologie, in: MEW 3,26).

[82] Zur Kritik der Hegelschen Rechtsphilosophie (1843-1844), in: MEW 1, 378.

[83] Unterwegs 210-215; GGG 44-74. 136-148; vgl. H. Peukert, Wissenschaftstheorie - Handlungstheorie - Fundamentale Theologie, Frankfurt 1976, 50-64.

[84] ThW 76; Unterwegs 211f.; H. Peukert, Wissenschaftstheorie 53; vgl. D. Sölle, Politische Theologie 77-83.

[85] ThW 46-50; ursprünglich in: LThK² 10, 1023-1026 (1965).

deshalb nicht rein kontemplativ, sondern betont operativ ausgerichtet.«[86] Primat der Praxis und der Zukunft stehen im Zusammenhang mit der positiven Einschätzung der Selbstkonstitution des Subjektes, das seine Zukunft selbst produziert (Marx).[87]

Der Primat der Zukunft und der Praxis werden in einer Relecture der Bibel im Verständnis der Offenbarung als Geschichte (Pannenberg) verwurzelt: »Die neuzeitliche Zukunftsorientierung und das darin wirksame Verständnis von Welt als Geschichte ist selbst fundiert im biblischen Verheißungsglauben«.[88] Mit E. Bloch interpretiert Metz Ex 3,14 als Zusagewort, als Verheißung für die Zukunft.[89] Die Transzendenz Gottes gilt als Macht der Zukunft, durch welche die Freiheit in ihren geschichtlichen Möglichkeiten freigesetzt wird. Alttestamentliche und neutestamentliche Offenbarung, Bund und Selbstmitteilung Gottes werden eschatologisch interpretiert: in der von Jesus angesagten und in ihm angebrochenen Nähe des Reiches Gottes sieht Metz alles Gewicht auf die Zukunft verlegt.[90] Die verheißene Zukunft Gottes als der 'finis ultimus' des Menschen ist nicht jenseitig über uns, sondern in der *einen* Geschichte vor uns zu verstehen.[91] Die Zukunft des Reiches Gottes erfordert den irdischen Einsatz, die Mitarbeit des Menschen, die Orthopraxie. Mit diesem Schritt von einer inkarnatorisch bestimmten Theologie der Welt zur Theologie der Hoffnung gewinnt Metz eine kritische Sicht der Gegenwart, die in einem Verblendungs- und Entfremdungszusammenhang (Adorno) steht; die Differenz zwischen dem Glauben als Hoffnung und der gegenwärtigen Welt tritt stärker hervor.[92]

---

[86] ThW 77 (1966); vgl. GGG 47ff.

[87] ThW 79

[88] ThW 79

[89] Gott vor uns. Statt eines theologischen Arguments, in: Ernst Bloch zu Ehren 227-241. - Nach R. Schaeffler übernimmt er damit auch den Dualismus Blochs von Zukunft und Vergangenheit, der den Schöpfungsgedanken ausschließt. Tatsächlich kommt in dieser Phase der Kritik die Positivität der Schöpfung nicht zum Tragen (Die Wechselbeziehungen 291).

[90] ThW 82

[91] ThW 79; Gott vor uns, in: Ernst Bloch zu Ehren; Der Mensch - Natur oder Übernatur, in: Die Antwort der Religionen (1964) 109f.

[92] ThW 83

III. Askese und Hoffnung

Im Rahmen der Hoffnungstheologie wird die Bedeutung der *Askese* wieder aufgegriffen.[93] Bejahung und Annahme bleiben das Vorzeichen der Askese. In der Hervorhebung der Differenz zwischen faktischer Welt und verheißener Zukunft erhält die asketische Annahme der Welt, die Weltverantwortung die Form der Kreuzesnachfolge.[94] Insofern sind eine Ideologie der Zukunft oder ein unkritischer Optimismus schon gebrochen. Die verheißene Zukunft ist nicht der Motor für eine reine Weltflucht, die in einer unangreifbaren, bequemen und künstlichen Lebenswelt enden würde. Askese im Kontext der Weltverantwortung führt zur Kritik an der Selbstverliebtheit und an einem bloß konformen Verhalten; sie impliziert die Bereitschaft zum schmerzlichen Konflikt.[95] Der Christ hat sich in Askese und Kreuzesnachfolge der Anpassung an eine auch durch sündige Strukturen geprägte Welt zu widersetzen. Kritik, Konflikt, Protest und die Notwendigkeit der Überwindung gelten der Diktatur gegenwärtiger Plausibilitäten, der Sklaverei des bloß Planbaren, Fertigen und Überschaubaren, sowie der Resignation, weil darin die Kategorie des 'novum' entfällt.[96] Leid, Kreuz, Verzicht und Askese dürfen nicht als Werte in sich gesehen werden; sie treten in den Dienst der solidarischen Hoffnung nicht aus der Welt hinaus, sondern mit der Welt in die verheißene neue Welt: »Nicht Flucht aus der Welt, sondern Flucht mit der Welt 'nach vorn' ist die Grundbewegung asketischer Weltflucht.«[97] Im asketischen Vollzug der gekreuzigten Hoffnung braucht auch der Tod nicht ausgeblendet werden: die Askese bleibt für Metz wie für Rahner »Einübung in das Sterben, ... Einübung in eine Hoffnung wider alles Hoffen.«[98] Eine individualistische, weltlose Verengung des Todesverständisses soll überwunden werden. Früher und stärker als sein Lehrer verknüpft er das Sterben mit der Bruderliebe: Askese als Einüben ins Sterben vollzieht die Inkarnation Gottes in seiner Liebe zum Geringsten der Brüder mit, indem sie sich selbstvergessen entäußert und einläßt.[99] Askese und Kreuzesnachfolge bilden die Klammer zwischen Inkarnation und Eschaton, zwischen konkreter

---

[93] Die Theologie der Welt und Askese, jetzt in: ThW 92-95 (1966).
[94] ThW 92
[95] ThW 93
[96] ThW 92
[97] ThW 93
[98] ThW 94f.
[99] ThW 95; vgl. Wille zum Dialog 134f.

Praxis und utopischer Hoffnung. In der Verwirklichung von Annahme und Solidarität korrigieren sie einen Glauben, der sich zur reinen Kritik verflüchtigt; ebenso ist ein Praxisbegriff überwunden, der ausschließlich von der Selbstkonstitution des Subjektes her denkt. Entscheidend ist schließlich, daß der Arme, d.h. der geringste Bruder, zum Maß der Solidarität wird.

Im Hintergrund bzw. praktisch ausgeblendet sind Dimensionen der Armut wie Gewöhnlichkeit oder Endlichkeit. Offen bleibt die Frage, wie sich menschliche Praxis und Gottes verheißene Zukunft, Emanzipation und Erlösung zueinander verhalten. Der Akzent liegt auf der Identität. Der Gehorsam tritt hinter das Anliegen der Vermittlung von Glaube und Aufklärung zurück. Themen wie 'personaler Ruf' oder 'Verfügung menschlicher Freiheit' kommen nicht vor. Gott scheint zumindest zum Teil zur Chiffre von Zukunft verflüchtigt zu werden. Fragen des Gebetes bleiben latent verborgen: die negative Theologie wird in einem Maß betont, daß Gott als personales Gegenüber nicht mehr artikuliert wird.[100]

Viertes Kapitel

»Gegenlogik« der Räte (»Politische Theologie«)

Die 'Politische Theologie' steht in der Entwicklungslinie der bisherigen Themen: die Anthropozentrik als theologische Legitimität der Neuzeit war durch die Anthropologie der Leiblichkeit zur 'Theologie der Welt' übergeführt worden. Die 'christliche Taufe' der Säkularisation ist zugleich die Kritik ihrer faktischen Realisierung. Das Verständnis von Welt als geschichtlicher Werdewelt legt den Primat auf die Praxis und auf die Zukunft. Die positive Aufnahme der Aufklärung als Ideologie- und Religionskritik führt - wenn sich Glaube und Theologie nicht auflösen lassen wollen - zur Notwendigkeit der öffentlichen, gesellschaftlichen Apologie des Christentums. Diese Fäden werden in der 'Politischen Theologie' aufgenommen: »Das Verhältnis zwischen Glaube und Welt läßt sich theologisch bestimmen mit dem Begriff einer 'schöpferisch-kritischen Eschatologie'; eine solche Theologie der Welt

---

[100] Vgl. Gott - Person oder Chiffre, in: Die Antwort der Religionen (1964) 98-100. - An dieser Stelle ist zu fragen, ob beim Dualismus Zukunft - Gegenwart der 'Gott vor uns' eine Seligpreisung in die Gegenwart hinein sprechen kann.

muß gleichzeitig 'politische Theologie' sein.«[101] 'Politisch' meint zunächst einfach die 'Leibhaftigkeit' der christlichen Existenz, die Interpersonalität, Sozialität und Gesellschaftsbezogenheit einschließt.[102] Metz will mit diesem Neuansatz die Kirche aus ihrem Ghetto-Dasein und aus ihrer Neutralität herausholen, in der sie unfähig ist, neue Erfahrung zu machen oder neue Strömungen des öffentlichen Bewußtseins zu assimilieren.[103] Insofern sind transzendentale, personale, existentiale und idealistische Engführungen im Subjektivbegriff zu korrigieren und zu überwinden.[104] Bei der 'Politischen Theologie' geht es Metz um das theologisch-hermeneutische Grundlagenproblem, wie der universale Anspruch der christlichen Botschaft speziell unter den geistesgeschichtlichen und gesellschaftspolitischen Bedingungen der Neuzeit, besonders der Aufklärung, zur Geltung und zur Sprache gebracht werden kann.[105] 'Politisch' meint zunächst einfach die Notwendigkeit der Öffentlichkeit in der Theologie.[106] Die Apologie des Christentums soll wider die Privatisierungstendenzen öffentlich verantwortet werden. Dies ist notwendig, weil seit der Ideologie- und Religionskritik bei Marx und der Aufklärung Theologie und Kirche ihre 'kognitive Unschuld' verloren haben; weil der marxistische Verdacht und die Kritik gegen die Religion total ist, hat die Theologie politisch zu sein, d.h. sich öffentlich zu verantworten. 'Politische Theologie' meint nicht die Ideologisierung, Immunisierung konkreter politischer Herrschaftssysteme oder Strategien. Metz will nicht in einen alten Integralismus im Sinne von C. Schmitt zurückfallen.[107] Er will damit auch nicht die Totalität des Politischen oder die Reduktion aller Wirklichkeit auf Politik affirmie-

---

[101] ThW 84 (1966)

[102] ThW 87

[103] Vgl. Kirchliche Autorität im Anspruch der Freiheitsgeschichte, in: J.B. Metz/J.Moltmann/W.Oelmüller, Kirche im Prozeß der Aufklärung. Aspekte einer neuen »Politischen Theologie«, München/Mainz 1970, 85-87.

[104] ThW 87

[105] Art. Politische Theologie, in SM III, 1232-1240; vgl. S. Wiedenhofer, Politische Theologie, Stuttgart u. a. 1976, 31f.; - zur Kritik an einer Engführung des Evangeliums durch bloße Innerlichkeit und Individualismus vgl. schon L. Ragaz, Das Evangelium und der soziale Kampf der Gegenwart, Basel 1906, 30: »Also Gottesherrschaft auf Erden, Umgestaltung der Erde nach seinem Willen, Befreiung des Menschen aus aller Not des Leibes und der Seele und volle Entfaltung seiner königlichen Herrlichkeit; Gemeinschaft des Menschen mit dem Vater und dadurch mit den Menschen in Liebe und so ein neuer Himmel und eine neue Erde - das ist Jesu frohe Botschaft und das 'ewige Evangelium'.« Die 'religiösen Sozialisten' werden allerdings in der geistigen Ahnenreihe von Metz nicht ausdrücklich angeführt.

[106] Unterwegs 211f.

[107] Vgl. »Politische Theologie in der Diskussion« (=PThD), in: H. Peukert (Hg.), Diskussion zur »Politischen Theologie«, Mainz 1969, 267-301, hier 278; zur Kritik: H. Maier, Kritik der politischen Theologie, Einsiedeln 1970.

ren. Zugleich will er sie nicht eingeschränkt wissen auf eine theologische Theorie der Politik im Sinne einer Soziallehre.

Auch wenn er eingesteht, die historische Hypothek des Begriffes nicht in allen Nuancen bedacht zu haben, hält er doch an ihm fest. Die öffentliche Verantwortung der Theologie darf nicht in vorkritisches Denken oder in einen theologischen Positivismus zurückfallen. Aufklärung, Säkularisation, Emanzipation und gesellschaftliche Praxis gilt es aufzunehmen, kritisch im Hegelschen Sinn aufzuheben und neu 'dialektisch' zu vermitteln. Metz schreibt der 'Politischen Theologie' eine kritische Funktion in dreifacher Hinsicht zu: indem sie versucht, die eschatologische Botschaft des Christentums unter den Bedingungen heutiger Gesellschaft zu formulieren, ist sie Gesellschaftskritik; in der Korrektur von Privatisierungstendenzen der jüngsten Theologie treibt sie Theologiekritik; da die kritische Vernunft vor kirchlichen Institutionen nicht Halt macht, hat die 'Politische Theologie' auch eine kirchenkritische Funktion.[108]

In einer ersten Phase seiner 'Politischen Theologie' (1965 -1969)[109] entwickelt Metz zunächst einen aufgeklärten Begriff der kritischen Vernunft. Sein Programm der 'Entprivatisierung' stellt er auf eine Ebene mit der Entmythologisierung. Die theologische Begründung wird in der biblischen Tradition gesucht: das Heil ist dort nicht privat, rein innerlich, leiblos, entleert von Geschichte und Gesellschaft, sondern bleibend gesellschaftlich-politisch weltbezogen.[110] In Jesu Verkündigung wird der öffentliche Anspruch unterstrichen: das Ärgernis des Kreuzes bedeutet Konflikt mit den öffentlichen Mächten. Die Evangelien der Kirche sind der Gattung der öffentlichen Proklamation zuzuordnen.[111] Von dieser grundsätzlichen Leiblichkeit und Öffentlichkeit wendet sich Metz der eschatologischen Grundperspektive zu (Primat der Zukunft) und bestimmt die Funktion der Theologie als kritisch-schöpferische in gesellschaftlich-praktischer Hinsicht gewendete Wissenschaft. Die erste Phase ist also eschatologisch-zukunftsorientiert, operativ und gesellschaftskritisch. Diese Prinzipien bleiben allerdings in einer abstrakten Allgemeinheit.

In der zweiten Phase[112] (ab 1969) bringt Metz die christliche Tradition als befreiende und gefährliche Erinnerung in das herrschende Bewußtsein ein. Die Kirche sieht er als Trägerin, Tradentin und Zeugin der ge-

---

[108] Vgl. ThW 99; vgl. S. Wiedenhofer, Politische Theologie 13.

[109] Vgl. S. Wiedenhofer, a.a.O. 20f.

[110] Vgl. ThW 105.

[111] ThW 101.105

[112] Vgl. S. Wiedenhofer, Politische Theologie 22f.

fährlichen Erinnerung an die Freiheit Jesu.[113] Anliegen sind die konkrete Inhaltlichkeit und die Herausarbeitung des spezifisch Christlichen in Theorie und Praxis. Das erzählende Gedächtnis des Leidens und die Solidarität mit den Toten korrigiert den exklusiven Anspruch der Zukunft; Vergangenheit und Gegenwart erhalten ihr Gewicht.

Kriterium wird das 'solidarische Subjektsein aller' mit universaler Gerechtigkeit. Die Konstitution des Subjektes hat eine mystisch-politische Doppelstruktur. Gottesfrage und Nachfolge sind für die 'Rettung des Menschen' unabdingbar. Dabei wird den Orden (also den 'Rätechristen') eine entscheidende Rolle zugewiesen.

Im folgenden werden die einzelnen konstitutiven Themen der 'Politischen Theologie' unter dem Gesichtspunkt der Räte befragt. An den verschiedenen Knotenpunkten wird der Weg von einer eher abstrakten Kritik und Allgemeinheit zur konkreten Nachfolge beschritten:

I. Der Arme als Maßstab

1. Apologie im Angesicht der Armen

Die 'Politische Theologie' von Metz versteht sich als nachidealistische Apologie.[114] Er will die eschatologische Botschaft des Christentums unter den gegenwärtigen gesellschaftlichen Bedingungen im Sinne einer Veränderungsethik zur Sprache bringen, um so die Theologie aus ihrer 'kognitiven Vereinsamung', aus der Sphäre des Privaten und Intimen und aus ihrem Ghetto herauszuholen und die christliche Hoffnung theoretisch praktisch zu verantworten.[115] Unter den Bedingungen der Neuzeit hat eine solche Verantwortung die konkrete geschichtliche Situation mit den Erfahrungen, Kämpfen, Leiden und Widersprüchen, Systemtheorien kritisch aufzubrechen und sich der Situation der Gegenwart und der konkreten Zeit zu vergewissern. Das Selbstverständnis des Menschen, die Konzeptionen von Welt und Geschichte sind 'loci theologici'.[116]

In der ersten Phase (bis 1969) ist er teilweise in Gefahr, die Theologie fremdbestimmen zu lassen, indem er die neuzeitliche Anthropozentrik,

---

[113] PThD 296-301; vgl. zusammenfassend GGG 77ff.

[114] Vgl. Art. Apologetik, in: SM I, 266-276; GGG 3-25.

[115] GGG 10.13

[116] GGG 3f.; dazu: G. Bauer, Christliche Hoffnung und menschlicher Fortschritt, Mainz 1976, 42-44.

die Säkularisation, den Primat der Zukunft, die 'kritische Negation' der 'Kritischen Theorie' legitimiert und theologisch überhöht. Er bleibt zumindest relativ abstrakt und allgemein, wenn er fordert, daß sich die geschichtliche gesellschaftliche Potenz der christlichen Liebe in der Entschlossenheit zu Gerechtigkeit, Freiheit und Friede zu äußern hat, dabei spezifisch jedes Freund-Feind-Schema zu überwinden und Versöhnung von der universalen Hoffnung her je neu zu riskieren ist.[117]

In der zweiten Phase ist die Vermittlung zwischen Glaube und Neuzeit stärker dialektisch-kritisch[118]: nach den Verkürzungen durch Phänomenologie, Existentialismus, Personalismus, Transzendentalphilosophie (Derealisierung, Geschichtslosigkeit) werden nun die Aporien isoliert gesetzter Säkularisierung, der Aufklärung, Autonomie, Emanzipation, des historisch-dialektischen Materialismus, aber auch der universalgeschichtlichen Hermeneutik deutlich. Ihre unkritische Übernahme führt zur Selbstauflösung theologischer Vernunft wie auch zum Tod des menschlichen Subjektes.[119]

So will Metz weiterhin die »Ungleichzeitigkeit kirchlicher Verhaltensweisen und Lebenspraxen mit der heutigen Gesellschaft ... überwinden«, ohne dabei die theologische Vernunft an das Gegenwartsbewußtsein anzupassen.[120]

In der Verantwortung des Glaubens wendet sich Metz stufenweise dem biblischen Befund zu: im Artikel »Apologetik« (1967)[121] liegt das Hauptgewicht der Legitimität des Glaubens noch auf der 'kritischen Potenz'. Dagegen wird die Apologie in »Glaube in Geschichte und Gesellschaft« (1977) - entsprechend der Dialektik von Theorie und Praxis - durch Rechenschaft und *Nachfolge* vorgenommen.[122] Zentrum ist die Passion Jesu: im Leiden legt er Rechenschaft und Zeugnis vor der politisch-staatlichen Welt ab. Dementsprechend war auch christliche Apologetik als öffentliche Verantwortung der Hoffnung eine Sache auf Leben und Tod: Justin war Apologet und Märtyrer. Die eschatologisch-apokalyptische Dimension wird vom Endgericht Christi her gesehen (2 Kor 5,10; Mt 25,31-46), vor dem der Mensch Rechenschaft über seine Nachfolge (Praxis) abzulegen hat.

Das Maß der Legitimation hat sich also von der 'kritischen Potenz' zum leidenden und *armen* Jesus verlagert. Die Verantwortung der Hoffnung

---

[117] ThW 111f.129
[118] GGG 23ff.
[119] GGG 7.25
[120] PThD 298
[121] In: SM I, 266-276.
[122] Vgl. schon ThW 104f.

geschieht wesentlich im Zeugnis der Nachfolge; diese wiederum ist bei Metz zentral (auch) als Weg zu den *Räten* gekennzeichnet: der Erweis des Geistes und der Kraft geschieht durch die freiwillige Solidarisierung mit denen, die unfreiwillig arm, gehorsam und ehelos leben müssen.[123] In der dialektischen Rückwirkung auf die Theorie bedeutet dies, daß die Armen und Kleinen selbst Subjekte der Theologie werden müssen und daß auf ihre Prophetie zu hören ist. Die Armen werden zum Maßstab des Begriffes der 'Wahrheit'.[124]

2. Die Armen und die Wahrheit

In der ersten Phase der 'Politischen Theologie' betont Metz den geschichtlich-futurischen Charakter der Wahrheit, der dialektisch zum operativen Charakter zu vermitteln ist.[125] Das Grundproblem ist das Verhältnis von Eschatologie - Utopie und Geschichte, Gesellschaft, Praxis. Mit der 'memoria' des Leidens stellt sich auch die Wahrheitsfrage neu. Die rein negative Theologie und Anthropologie, die vorher eine ideologiefreie Vermittlung des Evangeliums sichern sollte[126], erfährt eine Korrektur und inhaltliche Bestimmung: Die Ideologiekritik Marx' hatte auf die Interessensbedingtheit jeder Erkenntnis hingewiesen und damit auch der Theologie ihre 'kognitive Unschuld' genommen. In letzter Konsequenz führt dies aber zur totalen Nivellierung[127]: wenn die Erkenntnis der Wahrheit als törichter Versuch erklärt wird, dann wird 'Tugend und Laster', 'Ehre und Unehre', 'Kenntnis und Unwissenheit' gleichgemacht, dann gibt es keine Unterscheidung mehr zwischen sittlichen Prinzipien und verbrecherischen Grundsätzen. Sub-

---

[123] GGG 148; ZO 76; vgl. »Aufstand der Hoffnung«. Eine Rückbesinnung auf das »Hoffnungsdokument« der Gemeinsamen Synode, in: HK 36 (1982) 503-508.

[124] Hier wird nur stichwortartig der Gedankengang von Metz skizziert. Den Komplex Proletariat und Prophetie, d.h. die Frage nach dem historischen Subjekt der Wahrheit greifen wir stärker im Zusammenhang mit der Theologie der Befreiung auf - s. unten S. 362-369. Metz selbst geht praktisch nicht auf Positionen philosophischer Systeme (Wahrheit als 'adaequatio' oder Wahrheit als das 'Ganze') ein. Auch eine Auseinandersetzung mit gegenwärtigen Wahrheitstheorien (Konsenstheorie, Korrespondenztheorien, semantische und sprachanalytische Theorien von Wahrheit, Kohärenz- und Intersubjektivitätstheorien ...) findet sich bei Metz nicht ausdrücklich; vgl. dazu: H. Peukert, Wissenschaftstheorie - Fundamentale Theologie passim.

[125] Art. Politische Theologie, in: SM III, 1235; vgl. dazu S. Wiedenhofer, Politische Theologie 31ff.

[126] Art. Politische Theologie, in: SM III, 1237-1239.

[127] Vgl. GGG 104-119; Unterwegs 312ff.; Metz verweist auf die Vorrede der Rechtsphilosophie Hegels; vgl. zum folgenden: G.F.W. Hegel, Grundlinien der Philosophie des Rechts (WW 7, ed. Glockner) 19-37; bes. 32f.

jektive Zwecke, Meinungen, Gefühle hätten die gleiche Würde wie objektives Recht und Wahrheit. Die Nivellierung und Aufhebung der Wahrheitsfrage würde die Zerstörung »der inneren Sittlichkeit und des rechtschaffenen Gewissens, der Liebe und des Rechts unter den Privatpersonen, wie auch die Zerstörung der öffentlichen Ordnung und der Staatsgesetze« implizieren.[128] Metz fragt nach wahrheitsfähigen Interessen, die nicht zur Relevanzfrage degradiert werden, die dem katastrophischen Wesen der Geschichte standhalten und die Solidarität mit den *Armen*, Kleinen und Opfern nicht ausblenden: »Wahr ist das, was für alle Subjekte relevant ist - auch für die Toten der Besiegten.«[129] In Anknüpfung an die Perichorese der Transzendentalien ('verum et bonum convertuntur') ist das 'universale iustum' (= 'bonum') das Kriterium für die Wahrheit: »Die Wahrheitsfrage und die Gerechtigkeitsfrage sind aufeinander bezogen: verum et bonum convertuntur. Das Interesse an strikt universaler Gerechtigkeit gehört in die Prämissen der Wahrheitssuche. Insofern hat die Erkenntnis der Wahrheit ein praktisches Fundament.«[130]

So werden für Metz die beschädigten und verlorenen Individuen, d.h. die Armen, letztlich zum Maß des Denkens. Zunächst war es der Gedanke der Freiheit gewesen. Eine ähnliche Denkentwicklung von der kritischen Freiheit zu den konkret Armen läßt sich bei Metz feststellen, wenn wir seinen Ausführungen über Geschichte und Zukunft nachgehen. Dabei wird auch die Rezeption und Kritik des Praxisbegriffes von Marx durch Metz noch deutlicher werden.

II. Räte im Kontext von Zukunft und Geschichte

1. Armut und negative Theologie

In der Erbschaft von Ernst Bloch und Karl Marx betont Metz zunächst den Primat der Zukunft und der Praxis. Entscheidend ist die hermeneutische Vermittlung des utopischen Denkens mit der 'Politischen Theologie'.

---

[128] A.a.O. 30

[129] GGG 57

[130] Unterwegs 214f.; vgl. Marxismus als Herausforderung an die Theologie, in: Anfragen an den Marxismus und an das Christentum 56f. - Auch für von Balthasar steht das 'bonum' im Zentrum der Transzendentalien. Inhaltlich ist es bei ihm aber stärker von der Liebe als von der Gerechtigkeit geprägt.

Der 'Gott vor uns' als Gott der Zukunft ist der Grund für die Kritik der Gegenwart.[131] Geschichtlich und ideologiekritisch gedacht wird eine hermeneutisch reflektierte Eschatologie als 'negative' Theologie bestimmt: »Christliche Eschatologie ist ... keine Ideologie der Zukunft. Die *Armut* ihres Wissens um die Zukunft ist gerade teuer ... Christliche Eschatologie ist vor allem auch theologia negativa der Zukunft.«[132]

Die Armut wird so zur ideologiekritischen Instanz, an der sich der eschatologische Vorbehalt als Kritik des Bestehenden artikuliert. Dies wird näher ausgeführt im Beitrag: »Technik - Politik - Religion im Streit um die Zukunft des Menschen«[133], in dem Metz die Frage nach der Zukunft dreifach thematisiert: »als Thema technologischer Planung, als Thema gesellschaftspolitischer Zielsetzung und als Thema religiöser Verheißungsbotschaft.«[134]

Im Anschluß an die Frankfurter Schule wird eine rein technologische Planung der Zukunft kritisiert, da diese eine Versuchung zur Anpassung, Funktionalisierung und Strukturalisierung des Menschen, seiner Vernunft und seiner Freiheit in sich birgt. Eine bloß instrumentelle Vernunft würde zu seiner Auflösung führen.[135] Eine rein technologische Rationalität unterstützt verschleiert politische Herrschaftssysteme und wird selber auf rationale Art totalitär. - Die Armut dient in diesem Kontext als antitotalitäre Denkfigur. Durch sie wird der Vorbehalt gegenüber einer instrumentellen Vernunft wie auch gegenüber politischer Macht artikuliert. Zukunft, humaner Fortschritt, Freiheit und universaler Friede sind nur dort möglich, wo gegen die Verabsolutierung der technischen Vernunft auf der Differenz zwischen technisch-wissenschaftlicher Planung und politischer Initiative bzw. Herrschaft insistiert wird. Im Streit zwischen Technik und Politik schreibt Metz mit W. Benjamin der religiösen Utopie und der Theologie die Rolle zu, die Politik kritisch befreiend zu inspirieren, damit diese sich nicht endgültig beherrschen lasse.[136]

---

[131] Vgl. Wille zum Dialog, in: R. Garaudy/J.B. Metz/K. Rahner, Der Dialog, oder: Ändert sich das Verhältnis zwischen Katholizismus und Marxismus? Hamburg 1966, hier 123f.

[132] Experientia spei, in: Diakonia 1 (1966) 189; vgl. Wille zum Dialog 123; Art. Politische Theologie, in: SM III, 1238.

[133] In: Erwartung - Verheißung - Erfüllung, hg. von W. Heinen/J. Schreiner, Würzburg 1969, 157-183; vgl. auch: Der zukünftige Mensch und der kommende Gott, in: H.J. Schultz (Hg.), Wer ist das eigentlich - Gott? München 1969, 260-275.

[134] Technik - Politik - Religion 159

[135] A.a.O. 160f; vgl. M. Horkheimer, Zur Kritik der instrumentellen Vernunft, Frankfurt 1967; M. Horkheimer/Th. W. Adorno, Dialektik der Aufklärung. Philosophische Fragmente, Frankfurt 1969.

[136] Technik - Politik - Religion 166f.; Kirche und Welt im Lichte einer »politischen Theologie«, in: ThW 99-116.

Die biblische Botschaft ist auch kein direktes politisches Wort oder eine politische Ethik[137]. Sie wird gesellschaftskritisch-befreiend interpretiert. Die Kritik hat zunächst die Gestalt des eschatologischen Vorbehalts, der es versagt, ein innerweltliches Subjekt (Partei, Gruppe, Nation, Klasse, Religion) zum Gesamtsubjekt der Geschichte zu erheben.[138] Die Kritik artikuliert sich als 'bestimmte Negation', weil sie sich immer an konkreten Verhältnissen entzündet.[139] Die schöpferische Kraft der Theologie entspringt der Botschaft vom Kommen der Gottesherrschaft als Reich der Freiheit und des Friedens. Damit impliziert sie den Impuls, den Frieden und die Freiheit Gottes schon jetzt in Glaube, Hoffnung und Liebe praktisch-gesellschaftlich zu bewahrheiten. Auch dieses Engagement ist nicht totalitär, denn in allem »bleibt die *Armut*, die darum weiß, daß uns die Verheißungen des Reiches Gottes nur durch die tödliche Negation der bestehenden Wirklichkeit im Kreuz Jesu Christi zugesprochen sind. Doch ist diese Armut keine Resignationsfigur. Sie ist Verweigerung der Konformität, Einstehen für die Hoffnungslosen, nüchternes Exerzitium jener Liebe, die sich als strebloser Einsatz für Freiheit und Frieden der anderen begreift.«[140] Der Armut kommt hier also eine immense kritische Funktion zu: sie hütet das Geheimnis der Zukunft Gottes ('negative Theologie'), sie relativiert und kritisiert technische und politische Emanzipationsprozesse. - Bei der kritischen Vermittlung zwischen Utopie und Geschichte verflüchtigen sich bei Metz in der ersten Phase der 'Politischen Theologie' andere Grundanliegen wie die Leiblichkeit, die Einheit von Materie und Geist, die Inkarnation und Leiblichkeit der Auferstehung, die Konkretion der Bruderliebe, die gegenwärtige Geschichte und der Praxisbezug in postulatorischer Abstraktion. Metz will bloße Sozialkritik üben und dispensiert sich dabei von einer Soziallehre und politischen Ethik.[141] - Mit der Dominanz der Kritik gerät er nun selbst unter den Ideologieverdacht der bloßen Theorie, weil er die bloße Kritik und Negation sanktioniere und das Evangelium und die Kirche zum bloß schlechten Gewissen der Gesellschaft degradiere.[142] Es besteht bei Metz die Gefahr

---

[137] Metz fällt nicht hinter die Unterscheidung zwischen politischer und religiöser Ordnung zurück, wie dies H. Maier, Kritik der politischen Theologie (55ff.) anzunehmen scheint.

[138] Vgl. auch: PThD 280f.

[139] Technik - Politik - Religion 170

[140] Ebd.

[141] ThW 114f.

[142] Vgl. bes. H. Maier, Kritik der politischen Theologie - er klagt die Undeutlichkeit der Sprache bei Metz ein, bei dem bei aller Dialektik keine positive Vermittlung sichtbar werde (22); in einer Kirche, die alle richtet und von niemand gerichtet wird, sieht er eine theokratische Vorstellung (28); die Kirche könne nicht bloß das Establishment der

einer Funktionalisierung der Armut und des Kreuzes auf Kritik und Negation hin. Auch wenn sich die Kritik an bestimmten Verhältnissen entzündet, scheint die totale gegenwärtige Wirklichkeit unter einem universalen Verblendungs- und Entfremdungszusammenhang subsumiert. Von der inkarnatorischen Annahme der Welt bleibt kaum etwas übrig. Die Gegenwart wird unter einer Negativfolie gesehen, sodaß die 'bestimmten Verhältnisse', an denen sich die Kritik entzündet, entweder bloß funktionaler Anstoß der Negation sind oder in ihrem je individuellen Gesicht überhaupt nicht zum Vorschein kommen. Die Beschreibung der Not bleibt bei Metz großteils in abstrakter Allgemeinheit.

Im Vergleich zum Gewicht der Armut als kritischer Instanz bleibt das Einstehen für die Hoffnungslosen und das Exerzitium der Liebe relativ blaß. Wenn also die Armut zum bloßen Instrument der kritischen Negation degradiert wird, löst sich konkrete Solidarität auf. Zudem wird die Vergangenheit dem Vergessen anheim gegeben. Geschichte und Tradition stehen dann in Opposition zur Emanzipation.

Im Eingehen auf die Kritik am ersten Entwurf der 'Politischen Theologie' sucht Metz nach einem neuen Begriff von Geschichte und Tradition, in dem das vergangene Leiden eine humane Zukunft eröffnet.

2. Zukunft aus der Erinnerung des Leidens und der Nachfolge

Die Ursache für die Geschichtsvergessenheit und die Krise der Tradition sieht Metz in der Aufklärung. Die 'natürliche Vernunft' mußte sich gegen die Autorität der Tradition durchsetzen und sich so von der Geschichte emanzipieren.[143] – Im Gefolge der Aufklärung hatte Metz zunächst mit dem 'Prinzip Hoffnung' und der 'Kritischen Theorie' der Frankfurter Schule den Primat in die Zukunft verlegt.

In der Kritik der Kritik, in der Aufklärung über die Aufklärung geht es Metz ab 1969 um die Wiedergewinnung der Geschichte, der Tradition als humaner Größe.[144] Er knüpft an Adorno an, der den Verlust an Tra-

---

Kritik sein (29); das Verhältnis zur Welt sei nicht bloß durch Kritik zu bestimmen (Durchformung, leidende Annahme, kritische Freiheit, Stütze, Ordnung, Richten, Duldung, Isolation, ...). - Metz lasse sich außerdem nie auf schwierige Detailfragen ein und operiere z.T. unkritisch mit marxistischen Interpretationsmustern (34); das Staatswesen werde total negativ verzerrt (33); schließlich komme die legitime Autonomie des Politischen nicht zur Geltung; zum Vorwurf der bloßen Theorie vgl. 70ff.

[143] Vgl. GGG 33-35.
[144] PThD 267-301, hier 279.

dition als Einmarsch in die Unmenschlichkeit bezeichnet.[145] Mit W. Benjamin sieht Metz in der Erinnerung der Leidensgeschichte der Welt das Medium der Verwirklichung von Vernunft und Freiheit.[146] An die Theologie ist die grundlegende Frage gerichtet, wie sie die eigene christliche Tradition so einbringen kann, daß sie kritisch und schöpferisch Entfremdungssituationen und Verblendungszusammenhänge durchschauen, aufbrechen und zu einer befreienden Praxis führen kann. Im Eingehen auf die Kritik an der ersten Phase der 'Politischen Theologie' und im Versuch einer Neuprofilierung der eigenen Position entfaltet Metz den Begriff der »memoria«, d.h. von der befreienden und gefährlichen Erinnerung.[147] Es ist ein Weg zur Konkretion und zur Neubestimmung der Tradition; Öffentlichkeit, Aufklärung, Zukunft und Weltlichkeit waren zunächst noch allgemeine abstrakte Postulate. Zentral werden jetzt die Kategorien der Freiheitsgeschichte. Die 'memoria'-These entspringt einem spezifisch theologischen Anliegen: der Bindung der 'Politischen Theologie' an das Christusereignis. An der konkreten Gestalt Jesu hebt Metz das Verhalten zu den Armen, Unscheinbaren, Ausgestoßenen und Unterdrückten, die Botschaft vom Reich Gottes als vorbehaltloser Liebe und befreiender Macht sowie Leiden, Tod und Auferstehung hervor. Die 'memoria' Jesu darf nicht rein intellektualistisch rezipiert werden: Christus wird »so gedacht, daß er nie bloß gedacht wird.«[148] Das Testament der Liebe ist an die Praxis der Nachfolge gebunden.[149] Ein Wissen und Verstehen Jesu gibt es nur im Einlassen auf seinen Weg in der Nachfolge. Die Dialektik der Christologie ist so memorativ-praktisch: die 'memoria' Jesu stiftet an, für andere da zu sein, das Leben anderer durch solidarisches und stellvertretendes Leiden zu verwandeln.[150]

---

[145] Th. W. Adorno, Thesen über Tradition, in: Ohne Leitbild (Gesammelte Schriften 10, Teil 1) Frankfurt 1977, 310-320.

[146] W. Benjamin, Zur Kritik der Gewalt und andere Aufsätze, Frankfurt 1965, 78-94.

[147] PThD 284-296

[148] ZO 31; Unterwegs 224-230.

[149] PThD 291

[150] Unsere Hoffnung. Die Kraft des Evangeliums zur Gestaltung der Zukunft, in: Conc 11 (1975) 710-720, hier 713. - Dieser Aufsatz ist der ursprüngliche Entwurf von Metz für das Synodendokument: Unsere Hoffnung. Ein Bekenntnis zum Glauben in dieser Zeit, in: L. Bertsch u. a. (Hg.), Gemeinsame SYNODE der Bistümer in der Bundesrepublik Deutschland. Beschlüsse der Vollversammlung (Offizielle Gesamtausgabe I) Freiburg 1976, 84-111; zum Textentwurf von Metz, zu den Diskussionen, Korrekturen und Abstimmungen bei der Synode vgl. die Einleitung von T. Schneider, a.a.O. 71-84 (Lit.!). E. Arens, Unsere Hoffnung - Ein situatives Bekenntnis und seine Konsequenzen, in: E. Schillebeeckx (Hg.), Mystik und Politik 333-344 (Lit.).

Die Bedeutung des Leidens entfaltet Metz stärker unter dem Stichwort 'Auschwitz'.[151] Von dieser konkreten geschichtlichen Katastrophe her fordert er theologisch, daß theologische Reflexion auch und gerade dem katastrophischen Wesen der Geschichte standzuhalten hat. Mit der Erfahrung von 'Auschwitz' ist es versagt, objektiv von einem 'Sinn' zu sprechen, das Leid zu deuten, zu erklären oder in ein größeres Ganzes, sei es in die Universalgeschichte oder auch in den Prozeß Gottes einzuordnen.[152]

Die Form des Einbringens der Leidensgeschichte und der Erlösung ist die Erzählung: diese ist für Metz die Sprache der »Systemunterbrechung«, des »Antiwissens«.[153] Er deutet sie im praktischen und performativen Sinn der Sprachhandlung und ordnet sie in eine kritische Öffentlichkeit ein.[154]

Theologisch geht es in der Erzählung um die Grundfrage, wie Heil und geschichtliches Leben miteinander in Verbindung gebracht werden können, ohne daß Erlösung subjektlos und geschichtslos wird. Das Geschick Jesu in Kreuz und Auferstehung entzieht sich rein theoretischer Erklärung; es kann angemessen nur erinnernd erzählt werden in der Absicht, zur praktischen Nachfolge zu bewegen.[155]

Nur in der solidarischen Liebe zum *Geringsten*, d.h. in der Nachfolge des Gekreuzigten, erweist sich der Mensch als österlicher: wer nicht liebt, bleibt im Tod (1 Joh 3,14).[156]

Die 'memoria'-These hat also bei Metz zwei Schwerpunkte: das Gedächtnis des Leidens und die solidarische Nachfolge; beide werden verknüpft im Begriff der »anamnetischen Solidarität«. Sie werden als Differenz zur Gegenwart eingebracht; denn es geht weiterhin um die Kritik situativer Entfremdungen und subjektiver Verblendungen: »Kriterium ihrer (Dogma, Glaube, Bekenntnisformel) gemeinen Christlichkeit ist

---

[151] Unterwegs 217-220; Jenseits bürgerlicher Religion (=JbR) 29-50; Ökumene nach Auschwitz. Zum Verhältnis von Christen und Juden in Deutschland, in: Gott nach Auschwitz. Dimensionen des Massenmordes am jüdischen Volk, Freiburg 1979, 121-144; Im Angesichte der Juden. Christliche Theologie nach Auschwitz, in: Conc 20 (1984) 382-389; Kampf um jüdische Traditionen in der christlichen Gottesrede, in: KuL 2 (1987) 14-23. Vgl. dazu: O. John, Die Allmachtsprädikation in einer christlichen Gottesrede nach Auschwitz, in: E. Schillebeeckx (Hg.) Mystik und Politik 202-218.

[152] GGG 118

[153] Vgl. Th. W. Adorno, Minima moralia. Reflexionen aus dem beschädigten Leben (Ges. Schriften 4) Frankfurt 1980.

[154] GGG 192

[155] Vg. J. B. Metz/J. Moltmann, Leidensgeschichte, Freiburg 1974; vgl. GGG 187.

[156] GGG 192; vgl. Ostern als Erfahrung, in: F. Kamphaus/J. B. Metz/E. Zenger, Gott der Lebenden und der Toten. Drei Ansprachen, Mainz 1976.

die kritisch-befreiende, aber auch erlösende *Gefährlichkeit*, mit der sie die erinnerte Botschaft in die Gegenwart einbringen.«[157]
Die Hermeneutik der Kritik und Gefahr trifft an diesem Punkt alle Systeme, in denen die Vergangenheit abgeschlossen, vergessen oder verdrängt ist. Das Gedächtnis des Leidens durchbricht die Diktatur des Faktischen, es sprengt technische und ökonomische Prozesse, die in ihrem Machbarkeitskult[158], ihrer Eigengesetzlichkeit, Manipulation, Anonymität und Funktionalisierung das solidarische Subjektsein zerstören und in gleichgültiger Langeweile, Apathie, Banalität und Resignation enden. Die Kritik an technologischen Zwängen bleibt. Im Gedächtnis des Leidens, in der Solidarität mit den Toten wendet Metz sich verstärkt politischen Siegerideologien zu. Grundlegend ist dafür der Aufsatz: »Erlösung und Emanzipation«.[159] Er denkt die Leidensgeschichte als Medium und Maß von Emanzipation und Erlösung. Alle Dimensionen des Leidens (Endlichkeit, Schmerz, Schuld, Tod, Gewalt, politische und soziale Unterdrückung) werden einbezogen. Eine totale Emanzipation wird z.B. dem Phänomen menschlicher Schuld nicht gerecht. Idealistisch-liberale, positivistisch-technische und auch marxistische Emanzipationsmodelle sind dialektisch: Emanzipation, Erfolge und Siege werden auf das eigene Konto geschrieben, in der Frage nach der Schuld erklären sie andere zum herrschenden Subjekt der Geschichte (Weltgeist, Natur, Klassengegner).
Eine totale Emanzipation als reine Tat des Menschen muß die Nachfolge vergessen, muß die Toten, die Opfer und die Besiegten einfach hinter sich lassen. Emanzipation ohne universale Erlösung degeneriert zur abstrakten Erfolgsgeschichte und Siegerideologie (Sozialdarwinismus).[160]
Die emanzipatorische Geschichtstheorie des Marxismus steht im Widerspruch zur universalen Solidarität: die Unterdrückten, die Opfer, die Toten der Vergangenheit gelten bloß funktional als Arbeiter für das Glück am Ende, an dem die Sieger der Geschichte auf Kosten der Unterlegenen obenauf bleiben (Selektionsprinzip).
Christliche Hoffnung als universale Solidarität hat dagegen mit den Augen der unsichtbaren Opfer, der Ärmsten und Elendsten zu

---

[157] PThD 289

[158] Vgl. Aufstand der Hoffnung 504.

[159] GGG 104-119; Marxismus als Herausforderung an die Theologie, in: Anfragen an den Marxismus 61ff.; Unsere Hoffnung 714f.; Vergebung der Sünden, in: StdZ 195 (1977) 119-128.

[160] GGG 104-109; vorweggenommen schon in: Leiden und Glück, in: Die Antwort der Religionen (1964) 150f. - Der Entwurf einer vollkommenen Humanität wäre die gefährlichste antihumane Utopie.

schauen.[161] Die Kritik der totalen Emanzipation wird um der *Armen* willen geleistet. Die Bedeutung der Leidensgeschichte ist in der christlichen Soteriologie verankert: diese hat in praktischer Erinnerungssolidarität mit den Opfern, Besiegten, Verstummten, Vergessenen und Toten den Blick nach rückwärts und vorwärts zu richten. Diese Solidarität wurzelt letztlich für Metz mit von Balthasar im Kreuz Jesu und im 'descensus' des Gekreuzigten als Mitsein mit den Toten. Dieser Abstieg ist für beide eine originäre Freiheitsbewegung, in welcher der Mensch seine Freiheit aus der erlösenden Befreiung durch Gott empfängt.[162] Nur weil es diese universale Solidarität gibt, muß Freiheitsgeschichte nicht zur Naturgeschichte degenerieren oder zur Siegerideologie erstarren. Metz bietet keine argumentative Soteriologie. Er geht nicht auf Fragen der Vermittlung seiner staurologischen Interpretation mit herkömmlichen Modellen (Satisfaktion, Opfer, Sühne, Stellvertretung) ein, er erläutert auch nicht, wie die Leidensgeschichte Medium erlösender Befreiungs- und Hoffnungsgeschichte ist. In einer »fundamental memorativ-narrativen Soteriologie« will Metz das »Sinnpotential« des Leidens heben, es als gefährlich befreiendes Gedächtnis erlöster Freiheit wachhalten, es argumentativ schützen und als Antigeschichte, als »nicht funktionales Antiwissen« schöpferisch kritisch in herrschende Systeme technischer oder politischer Provenienz einbringen.[163]

Durch diese stärkere Bindung der politischen Theologie an das Christusereignis mit dem Gedächtnis des Leidens und der damit verbundenen Bedeutung von Nachfolge bleibt wohl die Bedeutung der Kritik in der Gestalt der 'gefährlichen Erinnerung' erhalten, denn auch die christologische Hermeneutik ist eine Hermeneutik der Gefahr.[164] Es erfolgt eine gewisse Akzentverschiebung zugunsten des Erlösungsgedankens, der aus seiner emanzipatorischen und gesellschaftlichen Engführung herausgeholt wird: die christliche 'memoria' als Nachfolge Jesu ist nicht mehr »totale Kritik ... sie hat den Schmerz des Sich-Verharrens, des Ausharrens, der Geduld und der Ungeduld an sich.«[165]

Hand in Hand mit der Einsicht in die Aporien neuzeitlicher Emanzipationstheorien wird auch der im Grunde genommen monadische Praxis-

---

[161] Vgl. Aufstand der Hoffnung 505.

[162] GGG 115; H. U. von Balthasar, Mysterium Paschale, in: MySal III/1, 133-326; Ders., Die 'Seligpreisungen' und die Menschenrechte, in: HC 354-367.

[163] GGG 97-99

[164] Unterwegs 224ff.

[165] PThD 291

begriff erweitert: auch Empfangen, Dankbarkeit, Trauer, Melancholie, also insgesamt der pathische Charakter erhalten so ihren Platz.[166] Schwerpunkt der (prophetischen) theologischen Rede Metz' bleibt freilich der Aufweis der »kollektiven Vergiftung«[167] und die Kritik am bürgerlichen Subjekt. Dem morbiden Bürger will er als Therapie nicht die nachsichtige Gnade mit sich selber gewähren. Er verschreibt ihm eine apokalyptische Schocktherapie. Träger dieses 'Stachels im Fleisch' des Bürgers sind nicht zuletzt die Orden mit der Nachfolge in den Räten.

3. Die Räte als apokalyptischer Stachel

Die Problematik der Zeit zieht sich wie ein roter Faden durch die 'Politische Theologie'. Dem Primat der Zukunft und dem Gedächtnis des Leidens war ein Anliegen gemeinsam: kritisches Potential, gefährliche Erinnerung für die konkrete entfremdete und verblendete Gegenwart zu sein. Die Gegenwart tritt fast durchgehend als Negativfolie auf, gebündelt in den »Thesen zur Apokalyptik«[168]: das gegenwärtige Zeitalter kennzeichnet er als System der Zeitlosigkeit, sei es im Machbarkeitskult oder in einem Fatalismus, in Resignation und Apathie. Grundfigur ist die Evolution, in der alles vergleichgültigt und alles überrollt wird. Die Welt und ihre Leiden werden dem Tod überlassen. Auch der Theologie gilt der Vorwurf der Zeitlosigkeit bzw. Entzeitlichung: transzendental evolutionäre und universalgeschichtliche Entwürfe, sei es präsentischer oder futurisch utopischer Art, haben alle vom süßen Gift der Evolution getrunken. Die Rede von der Stetserwartung hält Metz für einen semantischen Betrug. Geschichtslos müssen im Grunde auch die Dualismen von Natur - Übernatur, präsentisch - futuristisch, Weltzeit - Existenzzeit, Glaubenszeit - Vernunftzeit bleiben. Die Langeweile, Objektivität, Anpassung, Passivität, Erwartungs- und Widerstandslosigkeit, Dauerreflexion und Berührungsangst der Praxis, die Herrschaft des Todes, evolutionäre Siegerideologie und Zeitlosigkeit will Metz in

---

[166] GGG 54. Erst damit hat eine Theologie der Schöpfung wieder Platz; aber diese ist bei Metz kaum ausgeführt; vgl. Unsere Hoffnung 716f.: »In der Hoffnung auf den Himmel und die neue Erde kommt unser Glaube an die Welt, als Schöpfung Gottes in sein Ziel.« - Zustimmungsbereitschaft zur Welt, Freude, Dankbarkeit und Lob werden aber gleich wieder zum kritischen Potential gegen bloße Naturbeherrschung, Bedürfnisbefriedigung, Apathie, Banalität, Ausbeutung, Leistungsdenken und Willkür funktionalisiert.

[167] ZO 15

[168] GGG 149-158; ZO 78-88; Unterbrechungen 85-94.

einem dritten Akt durch die Apokalyptik durchbrechen[169] (was zuvor die 'Zukunft' und die 'gefährliche Erinnerung' bzw. das Gedächtnis des Leidens hätten erreichen sollen). Metz greift zur 'Schocktherapie', wenn er Religion am kürzesten als 'Unterbrechung'[170] definiert: das Neue Testament sieht er voll von Krisen, von erlittener Verfolgung, von Ungerechtigkeit und Haß. Grundzüge sind die Diskontinuität, der Abbruch, das Ende der Zeit, ihr katastrophisches Wesen. Metz bindet die Christologie und die Nachfolge an die apokalyptische Naherwartung.[171] Dies gilt im besonderen für die Ehelosigkeit, die der unabfindbaren Sehnsucht nach dem 'Tag des Herrn' entspringt. Naherwartung und Parusiebewußtsein sind ausschließliche Gründe für die mystische Dimension der Ehelosigkeit.[172]

Nur durch die apokalyptische Unterbrechung und Abkürzung der Zeit werden Liebe und Solidarität, das Gedächtnis der Opfer und die Nachfolge nicht vertagt. Der Apathie und dem überraschungsfreien Kontinuum werden das 'Maranatha' der Bibel (mystisch) und die praktische Solidarität mit den 'geringsten Brüdern' (politisch) entgegengesetzt.[173] Die Apokalyptik als 'Stachel' und 'heilsamer Schock' darf nicht im Sinne eines bestimmungslosen Radikalismus, als ziellose Panik oder bloße Träumerei mißverstanden werden. Es geht Metz um die Fähigkeit, die Zeichen der Zeit zu erkennen, zum raschen Handeln zu motivieren, das Gespür für die Urgenz der Stunde zu wecken und Verantwortung zu begründen.[174]

Die Apokalyptik scheint ihm das geeignete Mittel zu sein, 'daß es Zeit wird' (Paul Celan), daß Nachfolge - auch im Zeit-Haben! - konkret wird.[175] Metz ist recht zu geben, wenn er sich gegen die Zeitlosigkeit und Apathie wendet, in dem er mit Benjamin die »Sekunde als Pforte« denkt, »durch die der Messias in die Geschichte tritt«[176] und in der praktischen Solidarität mit den geringsten Brüdern die geschichtliche Relevanz für das Eschaton sieht.

---

[169] Vgl. ZO 85.

[170] GGG 150f.

[171] GGG 156; ZO 78; der ambivalente Begriff der 'Apokalyptik' wird von Metz nicht in seinen religionsgeschichtlichen, exegetischen und geschichtsphilosophischen Dimensionen ausgelotet.

[172] ZO 63-67

[173] GGG 156; ZO 79f.

[174] ZO 83f.

[175] GGG 154

[176] GGG 154; die Verbindung von Apokalyptik und Mt 25,31-46 ist bei Metz evident. - Für viele apokalyptische Kampfaufrufe und Schlachtansagen trifft diese Verknüpfung jedoch nicht zu.

III. Die Armen und die Autorität

Indem Metz die Armen, Leidenden und Toten zum letzten Maßstab für die Wahrheit einbringt, kommt er zu einem neuen Begriff von Autorität. Er will dabei die Anliegen der Aufklärung kreativ rezipieren und zugleich die Aporien der Aufklärung, die zu einer totalen Krise der Autorität geführt haben, überwinden. In der ersten Phase der 'Politischen Theologie' geht es primär um die Versöhnung des Christentums mit der neuzeitlichen Freiheitsidee.

Die Wurzeln für die Autoritätskrise in der nachkonziliaren Kirche sieht er »in einer für Identität und Sendung der Kirche bedenklichen Isolation ihres praktischen Autoritätsverständnisses von der Freiheitsgeschichte der Neuzeit«.[177] Er beklagt, daß sich die katholische Kirche mit der Verbindung von Gnade und Freiheit stets schwer tat und an der sogenannten neuzeitlichen Freiheitsgeschichte, speziell an den Prozessen der bürgerlichen Aufklärung nicht eigentlich produktiv war. Die katholische Position sei vom 'Gegen' geprägt (Gegenreformation, Gegenaufklärung, Gegenrevolution).[178] Mit dem Postulat der Versöhnung von Gnade und Freiheit (Aufklärung) verknüpft Metz nicht die Auflösung von Autorität, Institution und Gehorsam an sich.[179] Er stellt nicht grundsätzlich die theologische Legitimität kirchlicher Autorität in Frage. Eine solche setzt er voraus: »Das Christentum läßt sich nicht rundweg von Institution und Autorität ablösen.«[180] So greift Metz die Aufklärung positiv auf und kritisiert zugleich ihre Folgen: Die bürgerliche Aufklärung hatte zu einer Autoritätskrise[181] und so im Grunde zu einer Auflösung jeden Gehorsams geführt. Als Ausgang aus der selbstverschuldeten Unmündigkeit bedeutete die Aufklärung mit ihrem Egalitätsprinzip eine Gefahr für die staatliche und religiöse Autorität. Die Dialektik dieser Aufklärung bringt neue Formen der strukturalistischen subjektlosen Anonymität, Bürokratie, Funktionalisierung und Entfremdung. Eine theologische Theorie des Subjekts fordert eine neue Autorität, die von der Aufklärung gelernt hat und dabei Freiheit, Ge-

---

[177] Kirchliche Autorität im Anspruch der Freiheitsgeschichte, in: J. B. Metz/J. Moltmann/W. Oelmüller, Kirche im Prozeß der Aufklärung. Aspekte einer neuen »politischen Theologie« 53-90, hier 59; vgl. Reformation und Gegenreformation heute, Mainz/München 1970.

[178] JbR 79ff.

[179] PThD 298

[180] Kirchliche Autorität 58

[181] GGG 36f.

rechtigkeit und solidarisches Subjektsein aller in der Sinngemeinschaft mit den Toten einklagt.

Aufklärung vollzieht sich als Kritik der klassischen Metaphysik[182], die als Ausdruck der Feudalherrschaft galt. Der Bürger ersetzt diese durch eine neue Herrschaftspraxis: er setzt die Vernunft als Herrschaft über die Natur im Interesse des Marktes ein und bestimmt sich selber durch das Haben. So entwarf die Neuzeit eine Herrschafts- und Machtanthropologie.[183] Wissen und Praxis wurden von Begreifen, Unterwerfen, Sich-Aneignen, Macht, Fortschritt, Erfolg, Verdinglichung bestimmt und zwar nicht bloß im Verhältnis zu den Dingen, sondern auch in zwischenmenschlichen und gesellschaftlichen Beziehungen. Das Prinzip des Tausches, der Verwertung und Vermarktung wird zum prägenden Moment der Intersubjektivität. Die so bestimmte Identität ist im Grunde egozentrisch, unverletzlich, unangreifbar, beziehungslos und blind für das Du, für die Geschichte und ihre Opfer. Ein solches Subjekt muß das Dunkel und die Schuld verdrängen, in Analgetika flüchten und endet so in Angst, Ratlosigkeit, Apathie und Resignation. Die aufgeklärte Vernunft bleibt ein Privileg einer Elite. Zudem führt die herrschaftliche instrumentelle Vernunft zu einem Wahrnehmungsverlust und zu einem Sprachzerfall. Die Welt ist bloß simuliert, reproduziert oder imaginär. Vereinsamung und Beziehungslosigkeit sind die Konsequenz.[184]

Metz will die neuzeitlichen Aufklärungs- und Freiheitsprozesse schöpferisch-kreativ assimilieren, wenn er auf die biblische Freiheitsbotschaft zurückgreift und diese als »Element der Inauguration« neuzeitlicher Freiheitsgeschichte ansieht.[185] Die neutestamentliche Freiheitsbotschaft ist die »Befreiung des Menschen von allen Dämonisierungen und Vergötzungen kosmischer und geschichtlicher Mächte, von allen Verabsolutierungen und Selbstinthronisierungen des Menschen.«[186] Mit dieser konkreten Freiheitserinnerung entgeht er einerseits einer bloßen Antistellung des Christentums zur Neuzeit (vgl. Gegenreformation, Romantik als Gegenrevolution und Gegenaufklärung), anderseits bietet er auch keine naive theologische Legitimation des Aufklärungs- und Mündigkeitsklischees. Die neutestamentliche Botschaft wird als *bestimmte* Freiheitserinnerung in die Aporien einer geschichts-, traditions- und au-

---

[182] GGG 38-40

[183] JbR 51-69; Aufstand der Hoffnung 504 (zum faustisch-prometheischen Weltbild).

[184] Die Zukunftsfähigkeit des Christentums 133; mit dieser Analyse der Neuzeit und der Kritik der Herrschaft und der Macht geht Metz mit von Balthasar konform.

[185] Kirchliche Autorität 68

[186] Ebd.

toritätslosen Kritik eingebracht und bleibt als solche auf die Autorität des geschichtlichen Zeugnisses bezogen.[187] Damit gelingt Metz - das Anliegen der Aufklärung aufgreifend - ein Zugang zur kirchlichen Autorität, indem er diese als freiheitsbezeugende versteht. Autorität wird nicht mehr im Namen neuzeitlicher Freiheits- und Emanzipationsansprüche kritisiert, sondern im Namen der armen und unterdrückten Völker, deren Freiheit und Befreiung die kirchliche Autorität einzuklagen und zu bezeugen hat.[188]

Mit diesem Aufweis der Aporien herrschaftlich verstandener Autorität verknüpft Metz innerkirchlich auch die Kritik an einer Obrigkeit, die sich als Vater gegenüber den Untergebenen versteht. Er fordert die Ablösung der *Vaterautorität* durch die *Zeugnisautorität*. Dieser Schritt ist für die Gehorsamsthematik relevant, insofern hier das personale Gegenüber des Gehorchenden, seine Legitimation und sein Anspruch artikuliert werden. Er wirft die Fraglichkeit der Vaterautorität in kirchlichen und theologischen Autoritäts- und Gehorsamsvorstellungen auf: ein patriarchales Vaterverhältnis kann nicht den Verständnishorizont der christlichen Rede vom Vater-Gott oder von der kirchlichen Autorität bilden.[189] So würden undifferenziert Gottesvorstellungen eines Götzen, Moloch, Tyrannen Einzug halten.[190] Prinzip der biblischen Hermeneutik ist die Dialektik, die es versagt, menschliche Bilder und Vorstellungen für Gott heranzuziehen: Der Vatername Gottes bleibt für den Christen - im Gegensatz zu Ernst Bloch - unersetzlich. Entscheidend ist dessen Verknüpfung mit der kommenden eschatologischen Herrschaft Gottes, die als vorbehaltlose, alle menschlichen Analogien zerbrechende Liebe ankommt.[191] Die Absage an jeden irdischen Vater (Mt 23,9) ist als Kritik patriarchaler Auffassung der religiösen Autorität zu deuten; jede unmittelbare Ableitung einer irdischen Autorität vom himmlischen Vater ist dadurch versagt. Jesus fordert in der Nachfolge die Trennung von allen natürlichen Vatererfahrungen und irdischen Ordnungszusammenhängen. Für ihn ist Gotteserfahrung primär eine Freiheitserfahrung.[192] Die Differenz zwischen verschiedenen Verstehensmodi von Vaterschaft kommt synoptisch im Bild vom Schwert (Mt

---

[187] A.a.O. 71; vgl. B. Welte, Vom historischen Zeugnis zum christlichen Glauben, in: Ders., Auf der Spur des Ewigen, Freiburg 1965, 337-350.

[188] JbR 79-84

[189] Kirchliche Autorität 74f.

[190] Vgl. Ermutigung zum Gebet 30f.; ZO 71

[191] ZO 75f.

[192] Kirchliche Autorität 75f.

10,34f.) und paulinisch bzw. johanneisch in der Rede von der Neu- und Wiedergeburt aus dem Geist (Röm 8,15; Joh 2,5) zum Ausdruck.[193] Mit diesem biblischen Zeugnis trennt Metz den Zusammenhang zwischen Gott und konkreter Autorität; er erteilt damit allen Gottesvorstellungen, die bloß irdische feudalistische Herr-Knecht-Verhältnisse spiegeln und letztlich einen anti-emanzipatorischen Restbestand aus der archaischen Herrschaftsordnung darstellen, eine Absage.[194] Im Selbstverständnis kirchlicher Autorität ist die Vaterautorität durch eine 'Zeugnisautorität' abzulösen. Mit Berufung auf Joh hat der Zeuge, der Märtyrer mit seiner ethischen Autorität die Grundlage des institutionell repräsentativen Elements zu sein.[195] Die durch radikale Nachfolge charismatisch geprägte Zeugnisautorität bestimmt sich nicht rein von der Argumentationskompetenz her; sie ist auch nicht rein juridisch durch äußerlich rechtliche Hoheitsakte legitimiert.[196] Letztlich schreibt er der Zeugnisautorität kirchliche und gesellschaftliche Strahlkraft, den Beweis des Geistes und der Kraft zu.[197] Zentral ist für ihn die Autorität der Zeugen in der Nachfolge, d.h. jener, die Christus in der Solidarität mit den Geringsten memorativ-praktisch vergegenwärtigen.

Diese Zeugnisautorität - man kann sie mit dem Primat der Heiligen vor dem Amt bei von Balthasar vergleichen - ist bei Metz letzte Instanz für andere Formen kirchlicher Autorität. Im Wissen um die Aporien einer aufklärerischen Autoritätskrise hat Metz einen positiven Zugang zum kirchlichen Lehramt: »Das Lehramt repräsentiert einen geschichtlich angehäuften Vorrat an Glaubenswahrheiten und Glaubenserfahrung, mit ihm tut sich ein zum Narzißmus neigender spätmoderner Individualismus deshalb besonders schwer, weil er immer weniger bereit ist, Wahrheit als etwas anzuerkennen, das ihn aus seiner immer geschichtsloser werdenden Subjektivität herauszwingt.«[198] Metz lehnt diese Instanz nie explizit ab. Ihre theologische Begründung ist aber auch nicht sein primäres Anliegen. Wichtiger ist ihm die Autorität der Gläubigen, des Volkes. Metz denkt die Kirche als Volk Gottes, das durch das Herausgerufensein, den Exodus, das Erheben des Hauptes, die Umkehr des Herzens, die Nachfolge und durch das solidarische Subjektsein aller vor

---

[193] Ebd.

[194] Vgl. Ermutigung zum Gebet 30; ZO 71.

[195] Kirchliche Autorität 79

[196] Vgl. ZO 74-76.

[197] ZO 75

[198] Zukunftsfähigkeit 158

Gott konstituiert wird.[199] Von da her ist die 'Glaubensspaltung' zwischen
Basis und Hierarchie zu überwinden, als deren Ursache eine protektio-
nistische 'Betreuungskirche' wie auch eine Konsumentenkirche
(Bürgerkirche) angesehen werden[200]: »Diese Kirche für das Volk (i.e.
Betreuungskirche) ist keine Kirche des Volkes, ist noch keine Kirche, in
der dieses Volk sich selbst als Mitträger der neuen Gottesgeschichte
versteht und feiert.«[201] In der »Nachfolge des armen und des leidenden,
des gehorsamen Jesus«[202] muß die Kirche des Volkes zum Volk auf dessen eigenes Niveau kommen ('non equester sed pedester'), sie hat auf
die Sprache der Kleinen, auf ihre Symbole, Erzählungen und Mythen zu
hören und von ihnen auszugehen. Kirche und Theologie müssen zum
Maieutiker der Lebens-, Leidens- und Freiheitsgeschichten werden,
damit das Volk seine mystische Biographie schreiben und somit in
Theorie und Praxis zum Subjekt der Kirche und der Theologie werden
kann. Dieser fundamentale 'Preis der Orthodoxie' kann nicht durch Po-
pulismus, Anbiederung, Legitimation und Genehmigung von oben bezahlt werden. Das Volk ist noch nicht Subjekt der Kirche, wenn der
Bürger inthronisiert wird: in der 'Bürgerkirche' ist Gott zwar
'zitierfähig', kaum aber anbetungswürdig.[203] Der Bürger will die Gnade
billig konsumieren, er braucht die Religion als Service, läßt sich aber
von ihr nicht herausfordern. Die bürgerliche Mentalität führt zu Apathie, Langeweile und Banalität[204] und damit zur Aufhebung der eucharistischen 'communio' und der messianischen Hoffnung.
»Erst wo unsere Hoffnung ... die Gestalt der Liebe und der communio
annimmt, hört sie auf, klein und ängstlich zu sein und verheißungsvoll
unseren Egoismus zu spiegeln.«[205] Das impliziert z.B. die Zulassung und
Beförderung neuer Gemeindeformen, die Förderung basisgemeindli-
cher Mitsprache des Volkes, die Anerkennung der Mündigkeit.[206]
In den Modifikationen der 'Politischen Theologie' entfaltet Metz die
Kirche als Erinnerungs-, Erzähl-, Tisch-, Nachfolge- und Hoffnungsge-

---

[199] Vgl. GGG 120-135, hier 122; Warum ich Christ bin, in: Unterbrechungen 20-38; Aufstand der Hoffnung 506.

[200] JbR 111-127

[201] GGG 124

[202] Warum ich Christ bin 22; vgl.: »Es wächst die Zahl der Bischöfe, die den Aufbruch einer Basiskirche nicht als Attentat auf ihre Autorität und ihr Amt empfinden, sondern
als eine Chance zur wurzelhaften Erneuerung des kirchlichen Lebens im Angesichte
großer Gefahren« (Zukunftsfähigkeit 103).

[203] JbR 117

[204] GGG 25-43

[205] Synodendokument »Unsere Hoffnung« I, 8; vgl. Aufstand der Hoffnung 506.

[206] Aufstand der Hoffnung 506-508

meinschaft.[207] Gerade als eucharistische Tischgemeinschaft hat sie jede Trennung zwischen arm und reich, jede Aufteilung in Opfer und Zuschauer, sei es auf nationaler Ebene (Klassen) oder im globalen Horizont (besonders den Nord-Süd-Konflikt), zu überwinden.[208] Mit dieser Verknüpfung von Sakrament und Ethos stellt sich Metz in gute paulinische Tradition (1 Kor 11).

So sind die Armen und die Nachfolge des armen Jesus Maß und Ziel kirchlicher Autorität, ohne daß Metz genau das Verhältnis zwischen der lehramtlichen Autorität, der Autorität der Gläubigen, der Autorität der Armen und der Nachfolgeautorität bestimmen würde.

Im Nachzeichnen des Komplexes Freiheit und Autorität hat sich bei Metz gezeigt, daß die Armen und Leidenden immer mehr ins Zentrum rücken. - Durch die Frage nach der Rettung des leidenden Individuums kommt der Gottesgedanke wieder ins Spiel; zudem wird der Begriff der Praxis immer mehr durch die Nachfolge Jesu gefüllt. Dies zeigt sich in seiner Skizze von der mystisch-politischen Konstitution des Subjekts.

IV. Identität und Nachfolge

1. Die mystisch-politische Konstitution des Subjektes

Die theologische Theorie des Subjekts ist zum einen Kritik der subjektlosen, technischen, evolutionären, utopischen und materialistisch-dialektischen Systeme, in denen das Subjekt in einen Prozeß hinein aufgelöst wird und am Ende die Sieger auf Kosten der Opfer obenauf bleiben.

Anderseits will seine theologische Theorie des Subjekts die Krisenelemente des 'Bürgers' aufzeigen, der »sich hinter dem mündigen, autonomen und vernünftigen Menschen der Neuzeit verbirgt.«[209] Die Integration der Aufklärung in die Religion hatte zu einem Pyrrhussieg, d.h. zur heimlichen Inthronisation des bürgerlichen Subjekts in der Theologie geführt. In diese bürgerliche Falle sind die theologischen Ansätze existentiell-personaler und transzendentaler Prägung gegangen. Zu den Krisenmomenten des 'Bürgers' zählt Metz die Privatisierung der Religion, das Fehlen der Zukunftdimension, die Krise der Tradition und

---

[207] Unsere Hoffnung, in: Conc 11 (1975) 717; Zukunftsfähigkeit 155.
[208] Befreiendes Gedächtnis Christi, Mainz 1970; GGG 82; JbR 51-69.
[209] GGG 30

der Autorität. Diese Krisenmomente führten zur Krise der Religion insgesamt.[210]

Offenbarung, Tradition, Autorität und Religion werden in die Ideologiekritik einbezogen. Die neu etablierte Vernunftreligion bleibt aber im Grunde elitär, privatistisch, innerlich, geschichtslos. Der Tod Gottes führt letztlich auch zum Tod des Menschen.[211] Im Aufzeigen der Krisenelemente des bürgerlichen Subjekts will Metz das Individuum nicht abstrakt negieren. In der Kritik steckt das Anliegen, das Subjekt auf eine neue Ebene zu führen und so vor dem Ende zu bewahren. Das Individuationsprinzip des bürgerlichen Subjekts (Haben, Erfolg, Leistung) hatte im Grunde zu dessen Selbstauflösung geführt.[212] Metz hingegen sucht ein »neues, durchaus vom Evangelium inspiriertes Individuationsprinzip, dem zufolge auch das ärmste und beschädigste Individuum einer totalen gesellschaftlichen und ökonomischen Determination überlegen ist«.[213]

2. Die Armen als Weg zu Gott

In der Verknüpfung der Autorität des Leidens mit dem Gedanken der anamnetischen universalen Solidarität greift Metz die Auseinandersetzung um die Abgeschlossenheit oder Unabgeschlossenheit des Vergangenen zwischen Horkheimer und Benjamin auf[214]: für Horkheimer sind die Erschlagenen wirklich erschlagen, vergangenes Unrecht ist wirklich abgeschlossen, untergegangene Menschen haben keine Zukunft mehr. Benjamin dagegen sucht in seinen »geschichtsphilosophischen Thesen«[215] eine Weise des Umgangs mit der Geschichte, in der die Solidarität mit den vielen Generationen von Leidenden, Unterdrückten und Erschlagenen nicht aufgekündigt wird. Wenn durch das Eingedenken des Leids der Vergangenheit dieses zu einem unabgeschlossenen wer-

---

[210] GGG 40

[211] Zukunftsfähigkeit 130

[212] Vgl. Aufstand der Hoffnung 506.

[213] JbR 97; GGG 43; ohne daß für Metz eine Abhängigkeit von L. Ragaz nachgewiesen werden kann, zeigen sich doch erstaunliche Parallelen. Ragaz fragt nach der Würde des Menschen im Kapitalismus und fordert, daß auch die Wirtschaftsordnung die Gotteskindschaft zum Ausdruck bringen soll. Die Rettung und Begründung der Würde des Individuums kann nur von Gott kommen. »Nur vom heiligen Gott aus wird der Mensch heilig« - Von Marx zu Christus - von Christus zu Marx, Basel 1929, 70; vgl. Ders., Das Evangelium und der soziale Kampf der Gegenwart, bes. 34f.

[214] Vgl. H. Peukert, Wissenschaftstheorie 278-280.

[215] Zur Kritik der Gewalt und andere Aufsätze, Frankfurt 1965, 78-94.

den soll und die Leidenden, Opfer und Besiegten nicht bloß funktional auf den Fortschritt oder auf einen glücklichen Endzustand gedacht werden sollen, wenn es unmenschlich ist und einen Verrat an der universalen Solidarität bedeuten würde, das Glück im Vergessen zu suchen, dann muß letztlich ein Gott sein, der mit den Toten, Geschlagenen und Opfern durch die Macht der Auferweckung etwas anfangen kann. »Im Gedächtnis dieses Leids erscheint Gott in seiner eschatologischen Freiheit als Subjekt und der Sinn der Geschichte im Ganzen.«[216] Die 'Politische Theologie' des Subjekts ist bestimmt von der Option für das Subjektsein aller in universaler praktischer, geschichtlicher, gesellschaftlicher »solidarischer Hoffnung auf den Gott Jesu als den Gott der Lebenden und der Toten, der alle ins Subjektsein vor seinem Angesicht ruft.«[217] Metz denkt mit Pannenberg[218] den biblischen Gottesgedanken als subjektkonstituierend und identitätsbildend. Gott ist nicht Konkurrent des Menschen oder Projektion und Überbau menschlicher Verhältnisse, sondern die Basis der Existenz: »Die Geschichte der biblischen Religion ist eine Geschichte der Subjektwerdung eines Volkes und des einzelnen in ihm im Angesichte Gottes.«[219] In diesem Kontext hat das Gebet eine entscheidende und unterscheidende Bedeutung für den Glauben: »Beten ... ist ein Ja zu Gott, eine Zustimmung in der Erfahrung des Widerspruchs, in der Erfahrung des Leids der Endlichkeit und des Todes, des Leids der Unterdrückung und der Gewalt.«[220] Im Gebet als Zustimmung zu Gott wird der Mensch in die *Nachfolge* gestellt: »Ein Leben in der *Nachfolge ist ein Leben*, das sich *in die Armut des Gehorsams Jesu stellt*. Im Gebet wagen wir die unkalkulierbare Auslieferung unseres Lebens an den Vater.«[221] Im Beten und in der damit verbundenen Nachfolge sind das Subjektsein des Einzelnen und das des Volkes konstitutiv verbunden, sodaß Subjektwerdung und Solidarität nicht voneinander zu trennen sind. Die Klammer zwischen der Subjektkonstitution des Einzelnen und der Solidarität aller wird durch den Gehorsam gebildet: »Im Gehorsam Jesu wurzelt ... die ihm eigentümliche Menschenfreundlichkeit, seine Nähe zu den Ausgestoßenen und Gedemütigten, zu den Sündern und Verlorenen.«[222] Die universale Solida-

---

[216] GGG 102.

[217] GGG 70

[218] Vgl. W. Pannenberg, Gottesgedanke und menschliche Freiheit, München 1972, bes. 9-28 (Anthropologie und Gottesfrage); W. Schulz, Der Gott der neuzeitlichen Metaphysik, Pfullingen 1957.

[219] GGG 57

[220] Ermutigung zum Gebet 11-39, hier 18.

[221] A.a.O. 22

[222] A.a.O. 28

rität hat sich besonders in Gebet und Praxis zu konkretisieren. Eine abstrakte allgemeine Solidarität wäre teilnahmslos.[223] Weil der Gott des Evangeliums kein Gott der Sieger, sondern eher der Schwachen ist, so hat der Christ die Option für das solidarische Subjektseinkönnen aller in den Kleinen zu konkretisieren.[224] Diese grundsätzliche Spannung zwischen der mystisch-universalen und der konkreten empirisch-parteilichen Solidarität ist nicht zu lösen. Der Universalismus darf nicht zur Apathie, die Parteilichkeit nicht zur Vergeßlichkeit oder zum Haß werden.[225]

Damit holt Metz seine im Durchgang durch die 'Politische Theologie' geschärften Gedanken von »Armut im Geiste« wieder ein. Eine letzte und entscheidende Konkretion ist die betende und praktisch anamnetische Solidarität mit den *Toten*. An der Relevanz für die Toten bewährt sich die Wahrheit des christlichen Betens und Handelns. Gerade an diesem Punkt wird der Unterschied zwischen dem personalen Gott und einer bloßen Utopie, zu der man nicht beten kann, deutlich: »Der Name Gottes steht vielmehr dafür, daß die Utopie der Befreiung aller zu menschenwürdigen Subjekten nicht reine Projektion ist, was sie freilich wäre und bliebe, wenn nur Utopie wäre und kein Gott.«[226] Gott ist mit seiner Auferweckungsmacht der Garant für das universale solidarische Subjektsein aller, in dem sich Individualität, Subjektsein und Gemeinschaft, Solidarität nicht aufheben.

Das bloße Postulat einer universalen Kommunikationsgemeinschaft, die Subjektkonstitution in der gegenseitigen Anerkennung, stößt dort an seine Grenzen, wo es um die - für das Subjektsein konstitutive - Solidarität mit den Toten geht. Ohne Gott, der mit den Toten etwas anfangen kann und sie nicht der Vergessenheit überläßt, löst sich letztlich die Subjektkonstitution des Menschen auf. Der Tod Gottes würde letztlich zum Tod des Menschen, zum Ende des Subjektes führen.[227]

In der theologischen Theorie des Subjekts kommt Metz einerseits vom biblischen Gottesgedanken zur universalen Solidarität und vom solidarischen Eingedenken der Leidenden, Opfer und Toten zum Gott der Auferweckung. Ein entscheidendes Kriterium für die Theologie ist, daß man in ihr beten kann und zwar gerade mit den und für die *Leidenden und Toten*.[228]

---

[223] GGG 69
[224] JbR 60-63
[225] GGG 207
[226] GGG 64
[227] GGG 67; Zukunftsfähigkeit 130.
[228] GGG 69

Der Weg von der exklusiven Primatstellung der Kritik und der Zukunft zur 'memoria', dem Gedächtnis des Leidens, zur Wahrheit, zur Autorität und zu Gott ist begleitet von der Armut und den Armen. Umgekehrt treten Armut und - implizit - der Gehorsam in ein neues Licht. War zunächst die Wesenarmut des Menschen kritisches Instrumentarium im Kontext negativer Theologie und Anthropologie, um den eschatologischen Vorbehalt einzubringen, so rücken jetzt die Armen, Geringen, Verlorenen ins Zentrum. Nicht mehr eine abstrakte Negativfolie der Zukunft ist das Maß. Kriterium sind jetzt die Ärmsten. An ihnen hat sich die universale Hoffnung zu bewähren: entweder es gibt mit ihnen ein solidarisches Subjektsein aller, oder das Subjekt löst sich selber auf. Die Solidarität ist nicht rein intellektuell postulatorisch, sondern memorativ praktisch: die Nachfolge bewährt sich im selbstlosen Einlassen auf den Geringsten. Es ist also zugleich auch ein Weg von der Kritik zur konkreten Praxis. Die Nachfolge ist auch Trägerin der 'traditio'. Die Armut als Haltung und als solidarische Praxis bzw. die Armen in ihrer zu überwindenden Entfremdung bzw. als Maß für universale Kommunikation und Solidarität stehen so an Knotenpunkten der 'Politischen Theologie'.

Mit der Wiedergewinnung der Vergangenheit, der Autorität, der Tradition, dem Gedächtnis des Leidens und der Bedeutung von Nachfolge ist implizit auch der Gehorsam berührt. Als Kontrast kann hier auf die marxistische Konzeption des Subjekts verwiesen werden, für welche die totale Kritik und Negation (die Kritik der Religion als Voraussetzung aller Kritik) Bedingung für die Subjektkonstitution durch Praxis sind. Reine Aufklärung hatte zur Selbstauflösung des Subjekts geführt. Hintergrund ist ein monadischer Begriff des sich selbst schaffenden Subjekts. - Auch bei Metz war der Gehorsam hinter das 'kritische Potential' als Kriterium für die Wahrheit getreten. Mit der 'memoria' des Leidens sind Referenzgrößen des Gehorsams wie Maß, Kriterium, Autorität des Leidens und der Leidenden und Anerkennung verbunden. Das Gedächtnis des Leidens und die Solidarität mit den Toten bedarf des 'argumentativen Schutzes' wider ein Aufklärungs- und Emanzipationsverständnis, das in einer Siegerideologie endet. Insofern das Gedächtnis des Leidens tradiert wird, braucht es einen Hörer. Auch der Begriff der Nachfolge ist indirekt mit dem 'Gehorsam' verknüpft. Es ist eben nicht die selbstentworfene Praxis, sondern die Nachfolge Jesu, die das Subjekt konstituiert. Insofern verbündet sich jetzt die Armut wieder mit dem Gehorsam.

Die implizite Bedeutung von Armut und Gehorsam für die Ausdifferenzierung der 'Politischen Theologie' läßt sich bei Metz auch ausdrücklich festhalten. Die Identität des Christlichen wird immer deutlicher an die Nachfolge Jesu und damit auch an die Räte gebunden.

3. Identität aus Nachfolge

Metz sieht in universalgeschichtlichen Ansätzen (z.B. von Pannenberg) und in transzendental-idealistischen Entwürfen (besonders von Rahner) nur verzweifelte Versuche, die christliche Identität in einer Zeit fortschreitender Zersetzung des Christentums mit einem Trick zu sichern[229]: Der universalgeschichtliche Ansatz hat die Geschichte 'fest im Griff'; deswegen wird die Bedrohung von Sinn in der Geschichte verdrängt; praktische Sinnerfahrung wird nicht eigentlich konkret erschlossen. Die transzendentale Omnipräsenz, die 'immer schon' da ist, landet letztendlich in einer Tautologie: Anfang und Endzeit, Schöpfung und Vollendung sind ein und dasselbe. Metz will dagegen die christliche Identität in der Praxis der Nachfolge festmachen.[230] Nach eigenen Aussagen läßt er sich in seiner Nachfolgechristologie von Kierkegaard und Bonhoeffer inspirieren.[231]

Nachfolge contra Bewunderung (Kierkegaard)

Die 'Nachfolge des Herrn' als Bestimmung der wesentlich christlichen Haltung löst beim späteren Kierkegaard die Bestimmung des Christentums als 'verborgener Innerlichkeit' ab: »Allein der Nachfolgende ist der wahre Christ«.[232] Die Nachfolgechristologie steht für den Dänen im Kontrast zu einem idealistischen spekulativen Wissen, zur Theologie als bloßer Lehre: »Christus war die Wahrheit, war der Weg oder war der Weg in dem Sinne, daß die Wahrheit der Weg ist.«[233] - »Das Christentum ist nicht Lehre, alles Reden vom Ärgernis in Beziehung auf das Christentum als Lehre ist Mißverständnis, ist Schwächung des Stoßes im Anstoß des Ärgernisses.«[234]

---

[229] GGG 136-148, bes. 144f. Vgl. dazu auch J. Moltmann, Die Politik der Nachfolge Christi gegen christliche Millenniumspolitik, in: E. Schillebeeckx (Hg.), Mystik und Politik 19-31.

[230] GGG 148

[231] Unterwegs 212; GGG 51.178; JbR 9-28; ZO 43; die folgenden Ausführungen können das Anliegen Kierkegaards und Bonhoeffers nur fragmentarisch skizzieren. Metz selbst nimmt von ihnen Anregungen auf, ohne selbst eine autorengerechte Darstellung zu leisten. - Neben Kierkegaard und Bonhoeffer wären auch die Russen N. Berdajew, L. Tolstoi, F. M. Dostojewsky, sowie die 'Religiösen Sozialisten' zu nennen; vgl. z.B. L. Ragaz, Von Christus zu Marx - von Marx zu Christus 137f.

[232] Einübung ins Christentum (WW 26. Abt.) 249.

[233] A.a.O. 199

[234] Erbauliche Reden (WW 18. Abt.) 232-235; vgl. Der Augenblick (WW 34. Abt.) 44.

In der Nachfolge ist der Einzelne in seinem Subjektsein gerufen. Insofern die Subjektivität die Wahrheit ist (in bewußter Polemik gegen Hegel) und der Einzelne durch den Ruf Gottes konsituiert wird, ist die Nachfolge ein qualitativ anderes 'Plus' gegenüber allgemeinen Verhältnissen. Sie hebt sich ab von der bloß ästhetischen Haltung des Bewunderers: »Der Unterschied zwischen einem Bewunderer und einem Nachfolger ist der, daß der Nachfolger ethisch ist, was der Bewunderer ästhetisch ist.«[235] Die Nachfolge ist das 'spezifisch Christliche' - sie setzt in Beziehung zu Jesus Christus: »Denn habe ich einzig mit Gott Vater zu tun - so wird keine 'Nachfolge' gefordert.«[236] Sie setzt die Gnade nicht außer Kraft; sie ist Konsequenz des Glaubens und der Dankbarkeit für das, was Christus für mich getan hat.[237] Insofern handelt es sich nicht bloß um einen Imperativ oder eine Gesetzesforderung. Das Christusbild von Kierkegaard ist geprägt vom Inkognito, von der Armut, vom Ärgernis, vom Paradox, von der Erniedrigung[238] und der Geringheit, letztlich vom Leiden und Kreuz. Nachfolge hat die geringe Gestalt des Knechts[239], impliziert das 'alles Verlassen' und den Haß der Menschen.In diesem Zeugnis - nicht in der Lehre einer idealistischen Abstraktion - liegt die Apologie des Christlichen: »Der Beweis für das Christliche liegt nämlich in der Nachfolge.«[240] »Der Beweis geht nicht voran, sondern folgt hinterher, ist da in und mit der Nachfolge, die Christus nachfolgt.«[241] In dieser Apologie liegt der stärkste Protest gegen das verbürgerlichte Staatskirchentum Dänemarks.[242]

Die teure Gnade (Bonhoeffer)

D. Bonhoeffer hat sein Buch »Nachfolge« in der Krisenerfahrung der Dreißigerjahre verfaßt.[243] In der Krise in Kirche und Politik soll das Werk eine Besinnung auf die Identität des christlichen Glaubens und der Kirche sein. Diese Identität bildet die Grundlage der Opposition gegen die Deutschen Christen ('Kirche muß Kirche bleiben'), wie auch des Widerstandes gegen den totalitären Staat. Von Metz aufgegriffen wird das Wort von der billigen und teuren Gnade: Billige Gnade ist der »Todfeind unserer Kirche«, ist »Leugnung der Menschwerdung des Wortes Gottes«, heißt »Gnade als Schleuderware, verschleuderte Vergebung, verschleuderter Trost, verschleudertes Sakrament«, heißt »Gnade als Lehre, als Prinzip, als System«, heißt »Liebe Gottes als christliche Gottesidee«.[244] »Billige Gnade ist die Gnade, die wir

---

[235] Tagebücher III, 94 (IX A 372); Einübung (WW 26. Abt.) 22.249.

[236] Tagebücher V, 31 (X A 352).

[237] Tagebücher IV, 249.265.281; Tagebücher V, 65f.

[238] Zur Selbstprüfung (WW 27.-29. Abt.) 215.218.

[239] Tagebücher V, 31 (X A 352); Erbauliche Reden (WW 18. Abt.) 233.

[240] Zur Selbstprüfung (WW 27.-29. Abt.) 102.

[241] A.a.O. 219

[242] Vgl. z.B. der Augenblick (WW 34.Abt.) 180.

[243] D. Bonhoeffer, Nachfolge. Mit einem Nachwort von Eberhard Bethge, München 1985; zu den zeitlichen Umständen bes. 19 u. 239; dazu: R. Strunk, Nachfolge Christi: Erinnerung an eine evangelische Provokation, München 1981, 173-217.

[244] D. Bonhoeffer, Nachfolge 13; zur billigen und teuren Gnade 13-27.

mit uns selbst haben«, ist »Gnade ohne Nachfolge, Gnade ohne Kreuz, Gnade ohne den lebendigen, menschgewordenen Jesus Christus.«[245] Teure Gnade ist die Menschwerdung Gottes, »teuer ist sie, weil sie in die Nachfolge ruft, Gnade ist sie, weil sie in die Nachfolge Christi ruft.«[246] Diese Identitätsbestimmung des Christlichen, in der Gnade und Nachfolge zusammengehören, kritisiert die Folgen der Reformation, durch welche aus der teuren Gnade eine billige Gnade ohne Nachfolge und so der »Konflikt zwischen christlichem und bürgerlich-weltlichem Berufsleben«[247] aufgehoben wurde. Es geht um den lebendigen Protest gegen die Verweltlichung des Christentums. Insofern ist das Subjekt der Nachfolge schon indirekt kirchlich, öffentlich und politisch. Stärker als bei Metz ist durch Bonhoeffer die Dimension des Rufes in die Nachfolge, die den Gehorsam fordert, herausgehoben: »Es gibt keinen anderen Weg zum Glauben als den Gehorsam gegen den Ruf Jesu.«[248] Dieser Gehorsam bedeutet einen Bruch mit allen natürlichen und geistlichen Unmittelbarkeiten und macht den Jünger zum Einzelnen.[249]

Anders als bei Metz werden Nachfolge und Gehorsam stark gegen die Eigenwahl und gegen menschliches Fragen und Diskutieren kontrastiert.[250] Gemeinsam ist beiden die Bindung der Nachfolge an das Kreuz: »Es ist das Sterben des alten Menschen in der Begegnung mit Jesus Christus. Wer in die Nachfolge eintritt, gibt sich in den Tod Jesu, er setzt sein Leben ins Sterben, das ist von Anfang an so Ruf in die Nachfolge.«[251] Dieser Brennpunkt im Kreuz wird zum 'Gegenlogos' und zur Provokation gegen die Verweltlichung. Das Äquivalent dazu ist bei Metz die gefährliche Erinnerung.[252]

Identität aus Nachfolge[253]

»Auf die Frage, woran und wodurch sich christliche Identität bildet, antwortet das NT: durch das Wagnis der Nachfolge Jesu im Vorgriff auf den endgültigen Anbruch der Gottesherrschaft.«[254] Die Nachfolge ist das Zentrum der Christologie: diese ist nachmetaphysisch und nachidealistisch, weil es nicht so sehr um Argumente und Begriffe geht,

---

[245] A.a.O. 14

[246] A.a.O. 15

[247] A.a.O. 20; gegen die Identifizierung von Jünger und Bürger wendet sich D. Bonhoeffer auch in: Nachfolge 19; deshalb sieht Metz bei Bonhoeffer eine nachbürgerliche christliche Religion heraufkommen (GGG 42).

[248] Nachfolge 29

[249] A.a.O. 70-78, bes. 75.

[250] A.a.O. 46.52

[251] A.a.O. 65

[252] D. Bonhoeffer, Widerstand und Ergebung, München 1970, 328; GGG 178.

[253] Zeit der Orden? Zur Mystik und Politik der Nachfolge (=ZO); vgl. Identitätsbildung aus Nachfolge, in: R. Zerfaß (Hg.), Mit der Gemeinde predigen. Beispiele - Berichte - Überlegungen, Gütersloh 1982, 13-21; Der »gefährliche Christus«, in: Unterwegs 222f.

[254] Identitätsbildung aus Nachfolge 13; Zukunftsfähigkeit 111.

sondern weil die Christologie primär von der Praxis her gedacht wird. Die Praxis der Nachfolge ist nie bloßer Anwendungsteil des christologischen Dogmas; sie ist immanent mit diesem verflochten: »Christus muß immer so gedacht werden, daß er nie bloß gedacht wird.«[255] Die Identität Jesu zeigt sich in der sich weggebenden Armut. In ihm erweist sich die Liebe als christliche und österliche Identität.[256] So gibt es ein Wissen und glaubendes Verstehen Jesu und der Rettung durch ihn nur im Einlassen auf seinen Weg in der Nachfolge: christologisches Wissen ist ein Wegwissen.[257] Die Dialektik der Christologie ist memorativ-praktisch: die 'memoria' Jesu stiftet an, für andere da zu sein, »das Leben anderer durch solidarisches und stellvertretendes Leiden zu verwandeln«[258] und darin die Torheit des Kreuzes zu leben. Nur in der Nachfolge des Gekreuzigten, in der solidarischen Liebe zum Geringsten erweist sich der Mensch als österlicher: wer nicht liebt, bleibt im Tod (1 Joh 3,14). Die Nachfolge Jesu hat für Metz unteilbar eine »mystisch - situative - praktisch - politische Struktur«.[259] Die Nachfolge ist mystisch, insofern sie die Rettung durch Gnade bezeugt und damit Selbstgerechtigkeit, Selbstrechtfertigung oder auch freudlose, abstrakt rigoristische Moralsysteme sprengt.[260] Gnade und Erlösung dürfen aber nicht gegen Nachfolge und Befreiung ausgespielt werden. Die Nachfolge ist der teure »Preis der lebendigen Gnade und des wahren Geistbesitzes«, der »Preis der Orthodoxie«.[261] So ist die Nachfolge praktisch, insofern sie nicht auf die bloße Gesinnung, auf Innerlichkeit, zur bloßen Erbauung oder Idee und nicht auf bloß individuelle sittliche Praxis reduziert und halbiert werden darf.[262] Sie kann nicht teilnahmslos apathisch an der Not des Geringsten vorbeigehen und ist nicht politisch unschuldig. Insofern in ihr die Hoffnung auf das solidarische Subjektsein aller vor Gott praktisch konkret in der Option für den Geringsten bezeugt wird, ist sie integrativer Teil einer 'Politischen Theologie'. Nachfolge prägt den Umgang mit der Schrift und der Tradition. Metz will das Evangelium in

---

[255] ZO 41; vgl. Identitätsbildung aus Nachfolge 13; Zukunftsfähigkeit 111.

[256] Vgl. Ostern als Erfahrung 22-25 (Phil 2,9; Joh 12,14f.); vgl. Unsere Hoffnung 711f.

[257] Identitätsbildung aus Nachfolge 16

[258] Unsere Hoffnung 713

[259] ZO 45; analog dazu - ohne daß damit eine direkte Abhängigkeit und eine strenge Parallele bewiesen wäre - gehören für L. Ragaz Christentum und Sozialismus wie zwei Hälften eines Ringes zusammen: »Der Sozialismus wird religiös sein oder er wird nicht sein« (Mein Weg II, 1952, 183); vgl. Ders., Von Christus zu Marx - von Marx zu Christus 151f.

[260] ZO 39

[261] ZO 40 (vgl. D. Bonhoeffer, Nachfolge).

[262] ZO 42.45

verblüffender Weise neu beim Wort nehmen.[263] In der Rede von der 'wörtlichen Nachfolge' trifft er sich mit von Balthasar[264] - Rahner hingegen zeigt sich sehr zurückhaltend, wenn es darum geht, Nachfolge für alle zu konkretisieren oder ein bestimmtes Verhalten Jesu heute nachzuahmen. Für den Lehrer von Metz ist die 'Logik der existentiellen Erkenntnis' das Zentrum. - Die 'wörtliche Nachfolge' führt bei Metz in den Gehorsam des Kreuzes, in die Armut, in die Ehelosigkeit, in die Freiheit und in die Freude.[265]

4. Einweisungen und Wege der Nachfolge

Weg in die Armut

In ursprünglich vor deutschen Ordensoberen vorgetragenen und schließlich im Buch »Zeit der Orden« (1977) zusammengefaßten Vorträgen greift Metz das Anliegen der 'Armut im Geiste' wieder auf, indem er es durch seine 'Politische Theologie' vertieft und konkretisiert. Entsprechend der Struktur der Nachfolge ist die Armut mystisch ('Armut im Geiste') und situativ praktisch politisch. Die mystische Komponente schließt an die Ausführungen von 1962 an. Im neuen Kontext wird betont, daß durch die *Armut im Geiste* Werte wie Freundlichkeit, Dankbarkeit, Liebe, Aufmerksamkeit gelebt werden, daß in ihr Berührbarkeit, Verwundbarkeit und Öffnung für Trauer, Melancholie und die Wirklichkeit des Todes und der Toten geschieht.[266] Armut im Geiste lebt das Gesetz des Weizenkorns, indem sie sich in der Freiheit der Liebe expandieren, verausgaben und auch sterben kann. Weil der Tod ihr nichts mehr rauben kann, überwindet sie selbst den Tod.[267] Eine reine *Armut im Geiste* würde der Einheit von Geist und Materie, dem grundlegenden Prinzip der Leiblichkeit widersprechen. Armut darf nie bloße Gesinnung bleiben, bloß übertragen verstanden werden, sie darf nicht auf reine Indifferenz oder ein 'als ob' reduziert werden. Am besten wird die Armut *wörtlich* verstanden und damit konkret und politisch.[268] In der Konkretion der Besitzlosigkeit ist die Armut eine (vielleicht die einzige!) greifbare Form des Widerstandes gegen die

---

[263] Identitätsbildung aus Nachfolge 17; Zukunftsfähigkeit 155.111; ZO 52.

[264] Vgl. H. U. von Balthasar, Rez. Metz, Zeit der Orden, in: ThRev 73 (1977) 423f.

[265] Unsere Hoffnung 719f.

[266] ZO 53

[267] ZO 49

[268] ZO 51

»Diktatur des Habens«[269], gegen die verzweckte und bloß tauschende Kommunikation, gegen Herrschaft, Macht und Selbstbehauptung.[270] So ist sie von vornherein nie politisch unschuldig und neutral, privat und individuell. Der evangelische Rat der Armut steht im Dienste der Botschaft Jesu, die schon dadurch politisch ist, »daß er die Würde der Person, das Subjektsein aller Menschen vor Gott proklamiert.«[271] Freiwillige Armut ist zur »praktischen Solidarität mit jenen Armen« gerufen, »für die Armut keine Tugend, sondern Situation und Zumutung ist.«[272] Die situativ-praktische politische Dimension der Nachfolge-Armut fordert eine eindeutige Option, ein solidarisches Verhältnis zu den Schwachen, Geringsten, Armen, die bei Jesus privilegiert waren.[273] Die freiwillige Armut wird eingewiesen in den Kampf um Gerechtigkeit auf nationaler Ebene (Einsatz für die Arbeiterschaft im Klassenkampf) und Weltebene (eucharistische Tischgemeinschaft der Kirche als Widerspruch zum Nord-Süd-Gegensatz).[274]

Mystische und politische Dimension durchdringen einander: das impliziert einen Stellungswechsel in der Theologie, in der Verkündigungs- und Gebetssprache, die primär auf die Lebens- und Leidensgeschichte der Armen zu hören haben.[275] In der mystisch-politischen Nachfolge-Armut gilt es, nicht bloß für die Armen zu beten, sondern selbst die Ebene zu wechseln, arm zu werden, um mit den Armen fromm zu sein.[276] Nur so kann aus einer protektionistischen 'Kirche für das Volk' eine lebendige 'Kirche des Volkes' werden, in der das Volk zum Subjekt der eigenen Geschichte vor Gott wird. Für dieses solidarische Subjektwerden aller vor Gott, besonders für das »kleine, beschädigte und unterdrückte Leben« ist die Nachfolge-Armut ein Zeichen der Hoffnung und unbesiegbaren Verheißung.[277]

---

[269] ZO 54

[270] ZO 49

[271] ZO 56

[272] ZO 54

[273] ZO 50

[274] ZO 54.57

[275] ZO 60

[276] ZO 60; vgl. Ermutigung zum Gebet 28f.

[277] ZO 61

Ehelosigkeit

Zum evangelischen Rat der Ehelosigkeit hatte sich Metz vorher nicht geäußert. Auch in »Zeit der Orden« sind die Ausführungen relativ knapp. Thesenhaft nimmt er zusammenfassend vorweg: »Ehelosigkeit als evangelische Tugend ist Ausdruck einer unabfindbaren Sehnsucht nach dem 'Tag des Herrn'. Sie drängt in die Solidarität mit jenen Ehelosen, für die Ehelosigkeit, sprich: Einsamkeit, sprich: 'keinen Menschen haben' gerade keine Tugend ist, sondern gesellschaftliches Lebensschicksal; sie drängt zu den in Erwartungslosigkeit und Resignation Eingeschlossenen.«[278] Die mystische Dimension der Ehelosigkeit wird *ausschließlich* von der Naherwartung, vom Parusie-Bewußtsein begründet. Metz spricht in diesem Zusammenhang von der »Kompromißlosigkeit des Sichergreifenlassens«, der »Sammlung, die keine Einsamkeit scheut«, dem »vorbehaltlosen Einstehen für die nahe herbeigekommene Herrschaft Gottes.«[279] Ob damit implizit die Kategorien des Kompromisses, der Zerstreuung und des Vorbehalts auf Eros und Ehe anzuwenden sind, wird nicht gesagt. Offen bleiben auch alle anderen Fragen von Berufung, Logik existentieller Erkenntnis, Vorrang der Ehelosigkeit, Dimension des Verzichts, des Kreuzes, des Paradoxes, das Problem, inwiefern die Ehelosigkeit als eschatologisches Zeichen den Himmel vorwegnimmt oder auf den Paradieseszustand zurückgreift, welche Bedeutung der Einzelne in seiner Einsamkeit hat, wie Verzicht und Leiblichkeit zusammenzudenken sind. Allein Letzteres wird in der praktisch-politischen Dimension der Ehelosigkeit angesprochen: Metz will die Ehelosigkeit vor esoterischen, unkommunikativen und kontaktfeindlichen Perversionen bewahrt wissen. Entscheidend wird für den (die) Ehelose(n) die Solidarität mit den Unglücklichen, den kaputten Ehen und Familien, den Alten ohne einen Menschen, den Jungen ohne Zukunft, den sprachlos Vereinsamten, den von Sinnlosigkeit Gequälten oder in Banalität Eingeschlossenen. Ehelosigkeit in Solidarität wird zur eschatologischen Existenz um des Reiches Gottes willen. Im Kontext von Naherwartung und Nachfolge soll Hoffnung gelebt und geschenkt werden, damit Menschen das Haupt erheben können, die danieder liegen. Ehelosigkeit steht also im Dienst einer umfassenderen Humanität.

---

[278] ZO 64; zur Ehelosigkeit insgesamt 63-67.

[279] ZO 64; von einer positiven Berufung zur Ehe ist bei Metz nichts zu finden. Es wird nicht deutlich, ob es eine Heiligung der Welt und in der Welt, in Ehe und Beruf, geben kann. Da Metz das Bild des Bürgers - und zu ihm gehören ja die Lebensbereiche Ehe, Familie und Beruf - als Gegenpol zur Nachfolge zeichnet, scheint bei ihm die Identität des Christlichen außerhalb dieser Bereiche angesiedelt zu sein.

Bewußt begründet Metz die Ehelosigkeit nicht vom Amt oder von der Funktion des Priesters her.[280] Metz kritisiert den Pflichtzölibat nicht im Namen von Aufklärung, Emanzipation, Freiheit und Menschenrechten - auf Rechte könne man schließlich verzichten[281] -, er sieht aber in der Aufrechterhaltung des Pflichtzölibats ein Hindernis für die wichtigere eucharistische Praxis in den Gemeinden. Den evangelischen Rat der Ehelosigkeit als »Hoffnungsexistenz in Naherwartung« müßten die Orden entschiedener für sich einklagen, da die kirchliche Institutionalisierung des Pflichtzölibats »eine gewisse Verdunkelung ihrer 'spezifischen' und unersetzbaren Sendung«[282] mit sich bringe.

Gehorsam und Freiheit

Negativ ausgegrenzt darf der Mensch im Gehorsam kein Ja-Sager oder Kuscher und auch kein Masochist sein, der in Apathie, Ergebenheit, infantile Regression oder frommen Untertanengeist flüchtet.[283] Positiv wird der Gehorsam mit dem Synodendokument »Unsere Hoffnung« zur ersten und entscheidenden Nachfolgehaltung: »Gehorsam als evangelische Tugend ist die radikale und unkalkulierte Auslieferung des Lebens an Gott den Vater, der lebt und befreit. Er drängt in die praktische Nähe zu denen, für die Gehorsam gerade keine Tugend, sondern Zeichen der Unterdrückung, der Bevormundung und Entmündigung ist.«[284] Im Gehorsam sieht Metz den Menschen radikal vor Gott gestellt: »Der Weg in die Nachfolge Jesu führt immer in jenen *Gehorsam* gegenüber dem Vater, der das Leben Jesu ganz durchprägt und ohne den es schlechthin unzugänglich bliebe.«[285] Primärer Ort für den Zugang zu Gott im Gebet und erstrangiger Kontext des Gehorsams ist das *Leid*, die *Passion*, vorab das Leiden an Gott: »Jesu Leiden war ein Leiden an Gott und seiner 'Ohnmacht in der Welt', und die Radikalität seines Gehorsams, seines Ja ermißt sich am Maße eben dieses Leidens.«[286]

---

[280] ZO 66

[281] JbR 124f.; darin unterscheidet sich Metz u.a. von H. Küng. Zur unterschiedlichen Bewertung der Orden insgesamt bei Metz und Küng vgl.: F.Wulf, Die Orden, gefragt und nicht gefragt. Zu zwei unterschiedlichen Stimmen, in: GuL 50 (1977) 295-307.

[282] ZO 64f.; Zeit der Kirche - Zeit der Orden? in: F. Wulf (Hg.), Mitten unter den Menschen. Spiritualität und Probleme der Priester und Ordensleute, Düsseldorf 1979, 79-95, hier 92.

[283] ZO 70; Ermutigung zum Gebet 18f.

[284] ZO 72

[285] ZO 68

[286] ZO 68

Letztlich begründet Metz den Gehorsam im radikalen Standhalten vor Gott. Er hat dabei die Klage, die Anklage und den Aufschrei der alttestamentlichen Beter im Ohr. Der Mensch ist Gott gegenüber nicht einfach Ja-Sager. Sein Gebet ist primär auch nicht Jubel. Im Gehorsam Gott gegenüber immunisiert sich der Mensch nicht; er annihiliert sich selbst nicht im Angesicht Gottes. In der Leidenssprache gibt es auch eine leidenschaftliche Rückfrage an Gott und den Protest vor ihm. Die Gottverlassenheit des Gekreuzigten ist letztes Maß des Gehorsams: »Jesus hält der Gottheit stand; in der Gottverlassenheit des Kreuzes bejaht er Gott, der anders ist als unsere Wünsche.«[287] In diesem Gehorsam wird nichts ausgeblendet oder verdrängt; Jesus läßt die letzten Abgründe zu, um aus ihnen heraus aufzuschreien und das verborgene Antlitz Gottes anzuschreien. Darin unterscheidet sich der gehorsame Glaube von einer Utopie, zu der keiner schreit oder betet.[288] Im letzten Zulassen der Abgründe ist Jesus solidarisch mit den Verworfenen, den ehrlos Leidenden. Der mystische Aspekt des Gehorsams ist untrennbar von der situativ-solidarischen, praktisch-politischen Dimension: Gott ist einer, der erhebt, der sich erbarmt, der befreit und so den Unterdrückten und Schuldigen eine Zukunft eröffnet. Der Gott geltende Gehorsam Jesu ist so verknüpft mit der Menschenfreundlichkeit, seiner Nähe und *Gemeinschaft mit den Ausgestoßenen*, Verlorenen und Sündern.[289] Dieser kreuzestheologisch-solidarisch begründete Gehorsam birgt eine radikal kritisch befreiende Kraft: der christliche Gehorsam bewahrt vor Anpassung, Neutralisierung und Beschwichtigung. Die mystisch-solidarische Konstitution des Subjekts im Gehorsam sprengt das geheimnislose bürgerliche Subjekt in seinem Selbsterhaltungswillen.[290] Wie Jesus selbst weder Rebell noch Narr, aber beiden zum Verwechseln ähnlich war, weil er sich mit den Leidenden identifizierte und am Kreuz endete, so soll in den Orden stellvertretend das Christentum als Kreuzesreligion gegen die verbürgerlichte Wohlstandsreligion sichtbar werden.[291] Der Gehorsam ist ein theologischer Begriff (zustimmendes Standhalten vor Gott), ist solidarisch mit den Leidenden und in beiden Aspekten kri-

---

[287] ZO 69

[288] ZO 70; darin dürfte der entscheidende Unterschied zu von Balthasar und Rahner liegen, die den Gehorsam primär vom allgemeinen Verhältnis Mensch - Gott (endlich - unendlich) bzw. dann von der Indifferenz und der Berufung des einzelnen Subjekts her denken.

[289] ZO 72; darin kommt er mit dem 'Karsamstag' von Balthasars überein. Für von Balthasar ist der Gehorsam reines Geschehenlassen und Verfügtwerden.

[290] ZO 73

[291] ZO 73

tisch befreiend. Darin werden die bloße Rebellion wie auch ein Masochismus überwunden, ohne das Freiheitsbewußtsein zu vergiften.[292]

5. Zeit der Orden

»Orden - das ist für mich (immer noch) 'Kirche im Brennpunkt'«.[293] - Im Hintergrund dieser - überraschenden! - Aussage steht die These von der Subjektkonstitution und der Identitätsbildung aus Nachfolge. Deutlicher und konkreter als bei Rahner stehen damit die Räte bei Metz - auf einer Linie mit von Balthasar - im Zentrum des kirchlichen Selbstvollzugs. In den Orden geht es um die Identität der Kirche. Das Wesen der Orden sieht er in der Radikalität, der Ungeteiltheit, der Maßlosigkeit, der Einseitigkeit, der Kaum-Lebbarkeit und Kompromißlosigkeit des Evangeliums und der Nachfolge. Sie tragen die Tradition des gefährlichen Jesus weiter. Von dieser Kernbestimmung her hat Metz keine Schwierigkeiten einer Zweiteilung zwischen Ordenskirche und Gesamtkirche. Er sieht keine Gefahr eines falschen Elitebewußtseins, sondern eher die falscher Bescheidenheit.[294] Die ganze Kirche steht unter dem Imperativ der Nachfolge, aus der heraus ihre Identität erwächst. Die Orden stehen zur 'Großkirche' und zur Gesellschaft in einer lebendigen Spannung. In ihnen geht es um die lebendige, gefährliche, innovatorische, schöpferische, prophetische, kritische, korrigierende, schockierende und praktisch gelebte Erinnerung, daß Christsein und Nachfolge bei allen Christen zusammengehören.[295] Die prophetische Kritik klagt die Armut in einer reichen Kirche ein, sie hält die 'memoria passionis' in der triumphierenden Kirche wach, sie lebt die Naherwartung der Parusie in einer bürgerlich etablierten Servicekirche und ist der lebendige 'Stachel der Apokalyptik' für eine Kirche, die sich mit den Herrschenden arrangiert. Gesellschaftlich haben die Orden eine kritisch-schöpferische Aufgabe, indem sie gegen »spätbürgerliche Wohlstandsmentalität«, die »kollektive Vergiftung«, den »geistigen Gefrierschlaf«[296], gegen Apathie, Resignation und Fühllosigkeit in einer

---

[292] ZO 91

[293] Zeit der Kirche - Zeit der Orden? 79; vgl. H.U. von Balthasar, Geist und Feuer 79: »Ich halte das Ordensleben für die wichtigste Position in der heutigen Kirche.« Zu Metz: K. Derksen, Zeit der Orden - Zeit der Solidarität, in: E. Schillebeeckx (Hg.), Mystik und Politik 245-255.

[294] A.a.O. 84

[295] ZO 10.38; Zeit der Kirche 82 (mit Hinweis auf Kierkegaard).

[296] ZO 15; mit dieser Analyse des Gegenwartsbewußtseins geht Metz mit der Frankfurter Schule in ihrer Rede vom 'universalen Verblendungszusammenhang' konform.

326

Welt der Vereinsamung und Sprachlosigkeit den Hunger und Durst nach Gerechtigkeit und Sehnsucht nach einem erlösten Leben wachhalten. Im Trauer- und Melancholie-Verbot der Siegergesellschaft sollen sie trauern und weinen, in den Steinwüsten der Großstädte, in einer rein funktionalen säkularen und rationalen Welt sollen sie zur Sammlung rufen und treu und nüchtern ihre Religiosität leben. Es kommt ihnen also die Aufgabe der Rettung des Menschen zu!

Positiv haben sie eine innovatorische Funktion als »produktive Vorbilder«, »Vorreiter«, »Geburtshelfer« und »Entwicklungshelfer« im Einleben neuer sozio-ökonomischer und geistig-kultureller Situationen[297]: an konkreter Arbeitszuweisung haben die Orden die Aufgabe des Gesprächs mit den Juden, der Ökumene, des Einsatzes für ein gesamt- bzw. weltkirchliches Denken (Polyzentrismusfähigkeit), des Zugehens auf die Jugend und auf die Arbeiterschaft, insgesamt der Option für die Armen, der Suche nach neuen Gemeindebildern, der Option für die 'Anderen' (Asylanten, Gastarbeiter).[298] Die Orden haben modellhaft mehr Mobilität und mehr kommunitäre Praxis zu leben, die mystische Komponente in eine säkularisierte Welt einzubringen und die 'ars moriendi' zeichenhaft gegen die Verdrängung des Sterbens einzuüben.[299] Ihre Nachfolge-Existenz gehört der ganzen Kirche. In dieser kommt ihnen »religiöse Kompetenz«[300] aus radikaler Nachfolge zu. Für die Welt leben sie den 'Erweis des Geistes und der Kraft' in radikaler Nachfolge als Weg in den Gehorsam, die Armut, die Freiheit und die Freude.[301] Mit der radikalen Nachfolge der Orden steht also die kirchliche Identität selbst auf dem Spiel. »Das tridentinische Plus, gewissermaßen der tridentinische Mehrwert darf nicht privatisiert werden.«[302] Metz sieht das Leben nach den Räten in elitärer Funktion.[303] Die Orden sind Träger des »Nachfolgewissens«, sie sind Subjekte der Heilsgeschichte. - Der Zusammenhang von Askese und Elite ist nicht neu.[304] Er erhält durch

---

[297] ZO 10; Zeit der Kirche 86; Zukunftsfähigkeit 113f.119; ähnliche Gedanken finden sich bei Dirks, Die Antwort der Mönche. Geschichtsauftrag der Ordensstifter, Olten - Freiburg ³1968; J. Moltmann, Kirche in der Kraft des Geistes. Ein Beitrag zur messianischen Ekklesiologie, München 1975, bes. 348-350; H. Gollwitzer, Vortrupp des Lebens, München 1975, bes. 64-72.

[298] Zukunftsfähigkeit 119; Zeit der Kirche 91ff.

[299] ZO 21. Vgl. dazu: H. Rolfes, Ars moriendi - Praxis der Nachfolge, in: E. Schillebeeckx (Hg.), Mystik und Politik 235-245.

[300] Zeit der Kirche 85

[301] ZO 36

[302] Zeit der Kirche 86

[303] Zeit der Kirche 85ff.; ZO 9-18; GGG 142.

[304] Vgl. Plato, Nomoi 839d-840bc; F. Nietzsche, Also sprach Zarathustra II: Auf den glückseligen Inseln (WW 3, ed. Schlechta) 345; Ders., Der Wille zur Macht (WW 3) 539.599;

die Rückbindung an das Christusereignis bei Metz eine spezifische Prägung und Korrektur. Armut, Ehelosigkeit und Gehorsam dienen nicht der heilsegoistischen Bewährung im Jammertal Welt, sondern sind Zeichen des Reiches Gottes. Die Räte sind keine exklusiven Herrschertugenden, sie dienen auch nicht der Durchsetzung bestimmter Herrschaftsmodelle, sie sind nicht auf die Durchsetzung eines heiligen Restes ausgerichtet, während alle anderen dem Müll der Geschichte und des Vergessens zugeordnet werden. Bei Metz sind die Räte auf das mystisch-politische Subjektsein aller vor Gott orientiert. Die 'elitäre' Ungleichheit dient der Überwindung einer bloß fiktiven, abstrakten Gleichheit aller. Die 'Karriere nach unten' nimmt Elend, Not, ungewollte Armut und Leid wahr, ist mit den Ärmsten solidarisch und ist so Bedingung für Kommunikation auf universaler Basis.

Neben den Orden sieht Metz die Identität aus Nachfolge und die Prophetie der Nachfolge in den 'Basisgemeinden' der Dritte-Welt-Kirche realisiert: In den lateinamerikanischen Basisgemeinden ist die ungeteilte Nachfolge Jesu zu einem identitätsbildenden Prinzip geworden. Es gibt dort eine neue Konzentration auf diese »Nachfolge des armen, heimatlosen und gotthörigen Jesus« und die sich daraus »nährende politische Spiritualität mit ihrer vorzugsweisen Option für die Armen.«[305] In der Befreiungstheologie, die diesem Neuaufbruch der Kirche in Lateinamerika entspringt, sieht Metz einen legitimen und notwendigen Entwurf nachidealistischer Theologie.[306] In ihr sieht Metz den Versuch realisiert, sich den zentralen Herausforderungen des Marxismus zu stellen, ohne sich ihm zu unterwerfen. Weil gerade die Armut ein zentrales Thema der Befreiungstheologie ist, wenden wir uns im Anschluß an Metz im letzten Teil unserer Untersuchung dem Thema der Räte im Horizont der lateinamerikanischen 'Option für die Armen' zu.

H. Schelsky, Soziologie und Sexualität. Über die Beziehungen zwischen Geschlecht, Moral und Gesellschaft, Hamburg 1958, bes. 90ff.; G.K.Kaltenbrunner (Hg.), Der asketische Imperativ. Strategien zur Selbstbeherrschung, Freiburg 1985; W.M.Sprondel, Art. Askese, in: HWP 1, 538-543; H.P.Dreitzel, Art.Elite, in: HWP 3, 443-445.

[305] Zukunftsfähigkeit 105; vgl. Unterwegs 220-224; Identitätsbildung aus Nachfolge 17-20; Im Aufbruch zu einer kulturell polyzentrischen Weltkirche, in: ZMR 70 (1986) 140-153; J.B.Metz (Hg.), Die Theologie der Befreiung: Hoffnung oder Gefahr für die Kirche? (Schriften der Katholischen Akademie in Bayern 122) Düsseldorf 1986.

[306] Thesen zum theologischen Ort der Befreiungstheologie, in: Ders. (Hg.), Die Theologie der Befreiung 147-157, hier 147.

Zusammenfassung

Metz erweist sich als antibürgerlicher und nachidealistischer Theologe, wenn er die Nachfolge des armen Jesus mehr und mehr zum Zentrum seiner theologischen Bemühungen macht. Die *Armut* ist bleibendes Anliegen; sie kommt in einem überaus breiten Spektrum zur Geltung: grundlegend bleibt die 'Armut im Geiste', die Wesensarmut des Menschen als relationale Größe. Als solche ist sie kritische Instanz gegen die Individuationsprinzipien des Habens, der Leistung, gegen faustisch-prometheische Menschenbilder, etc. Sie ist Anwältin der Freiheit und der Transzendenz wider die Trägheit des Geistes. Sie konkretisiert sich in der Armut des Menschseins, der Endlichkeit, der Schuld, der Konkupiszenz und des Sterbens. Sie ist Voraussetzung menschlicher Begegnung in der Liebe und der sich weggebenden Anbetung Gottes. Eine Konstante ist bei Metz das 'Sakrament des armen Bruders'. In ihm ist jede romantische und sentimentale Gleichsetzung von Elend und Armut verwehrt. Er fordert zur Solidarität, zum 'descensus' in der Liebe. Darin verleiblicht sich der evangelische Rat. Entscheidend ist bei Metz, daß er die konkret Armen und die Liebe zum Geringsten zum letzten kritischen Maß des Denkens erhebt. In ihrem Namen werden Aufklärung, Emanzipation, abstrakte Zukunft, Evolution, Utopie und auch bürgerliche Freiheitsbegriffe hinterfragt. Die Armen sind der Zugang zur Wirklichkeit Gottes, sie sind die Eckpfeiler des universalen solidarischen Subjektseins in der 'communio' der Kirche und in der Welt. Sie müssen zu Subjekten des Glaubens und der Theologie in der Kirche werden. Insofern sind sie auch Propheten. In allen Facetten gilt die mystisch-politischen Konstitution der Subjektwerdung aller vor Gott. Insofern erweist sich der arme und leidende Jesus am Kreuz in seinem liebenden 'descensus' als 'systematischer' Kern. Zugleich ist er systemsprengend: der Arme und Leidende darf in kein subjektloses System gezwängt werden; die Anerkennung der Not hat sich in konkret-solidarische Praxis hinein aufheben zu lassen.

Ebenso wichtig ist zunächst(!) der *Gehorsam*, in dem der Mensch das anrufende Geheimnis und in diesem seine Wesensarmut bejaht. Christologisch verankert ist er kritische Instanz gegen Rebellion oder Flucht. In ihm geschieht die Kommunikation zwischen Himmel und Erde. Er ist die Klammer zwischen Gottesliebe und solidarischer Bruderliebe. Die Bedeutung des christologischen Gehorsams tritt zurück, als Metz im Dialog mit Marx und Bloch deren im letzten Wesen atheistischen Praxis- und Zukunftsbegriff assimiliert, ohne jedoch die Wirklichkeit Gottes aufzugeben. In Aufklärung und kritischer Negation wird nicht mehr deutlich, wie Gott der Rufende und In-Anspruch-Nehmende sein kann. Er wird eher zur Funktion des eschatologischen Vorbehalts degradiert. In der Einsicht in die Aporien dieses Weges bricht neu der Raum für Tradition, das Gedächtnis der Leidenden auf. Der arme Jesu ist die konkret-praktische Bestimmung der gefährlichen Erinnerung, die in die Nachfolge ruft. Von unten, von den Armen und Leidenden her entsteht ein neuer Autoritätsbegriff. Gott, der mit den Toten etwas anfangen kann, erhält neue Relevanz. Der Gehorsam wird neu zur Klammer zwischen der Anerkennung der Armen und Leidenden, der solidarischen Nachfolge des armen Jesus und des Standhaltens vor Gott. Allerdings - und das ist kritisch anzumerken - wird nicht recht deutlich, daß hinter der Nachfolge ein je persönlicher Ruf steht. Eine bei Metz latent wirkende Jesus-Mystik und -Beziehung wagt sich kaum in die Explikation. Beim Gehorsam wird das Standhalten vor Gott in der Frage und Klage so gewichtig, daß der frei und souverän rufende und verfügende Gott nichts mehr zu sagen hat. Metz stellt sicher nicht die Theodizeefrage an Stelle des Gehorsams. Er betet, weil auch in Auschwitz gebetet wurde. Anweisungen zur Indifferenz, zum gelassenen Hören des Willens Gottes, zur Unterscheidung der Geister darf man sich aber von ihm nicht erwarten. Zudem wird die Dialektik zwischen der zukünftigen Wirklichkeit Gottes und jeder menschlichen Autorität so betont, daß ein Gehorsam unter Menschen kaum mehr legitim erscheint. Der Begriff der Zeugnisautorität bleibt zu wenig ausgeführt, als daß er das konkrete kirchliche Miteinander strukturieren könnte.

Die *Ehelosigkeit* wird mit der apokalyptischen Naherwartung und der Solidarität mit den unfreiwillig Ehelosen begründet. Gerade hier wäre eine Theologie des personalen Rufes notwendig, sonst - solange das ausfällt - geraten Kategorien wie 'ungeteilt' oder 'kompromißlos' ins theologische Zwielicht. Die Ehelosigkeit bleibt im Grunde ein Anhängsel zur Armut. Seine Rede vom Subjekt ist abstrakt a-geschlechtlich. Die Polarität von Mann und Frau wird nicht thematisiert. Keuschheit und Jungfräulichkeit kommen nicht einmal kritisch vor.

Kritische Anmerkungen

Bei Metz werden das Novum, die Innovation, die Kritik, die Gefährlichkeit und die Unterbrechung zur 'Eigentlichkeit' stilisiert. Zunächst ist auf die implizite Schöpfungstheologie zurückzufragen: eine Schöpfungstheologie ist in Spurenelementen vorhanden[307]: Dankbarkeit, Staunen, Lob werden aber gleich wieder zum kritischen Hoffnungspotential umfunktionalisiert. Ebenso reduziert erscheinen die Gottes- und Jesusbeziehung als Weg in die Freude.[308] Die mystische Komponente der Nachfolge scheint allzu rasch und nahtlos in die politische Funktion überzugehen; ihr Eigenwert in Unterschiedenheit zur Politik kommt wenig zum Tragen.[309] Die Gnade wird gleich in Widerstandspotential kanalisiert. Sind Schauen, Staunen, Hören, Schmecken, Verweilen, Vernehmen immer schon naiv verblendet, sodaß sie blind gegenüber dem Leiden sein müssen? Gerade die Nächstenliebe erweist sich nicht bloß in Widerstand und fürsorgender Solidarität. Es bleibt die Notwendigkeit des Hinhörens, der aufmerksam verweilenden Suche der verborgenen Würde und Größe, der Wachsamkeit für den glimmenden Docht, des Aufspürens der verborgenen Samenkörner der Wahrheit. In der Dialektik wird nicht mehr klar, wie Analogie gedacht werden kann, wie Gott das innerste Geheimnis der Welt ist. Metz hält vor Gott stand - ist es noch der *eine* Gott der Schöpfung, des Bundes, der Erlösung und des Eschatons? Zum anderen ist auf die Vieldeutigkeit der Apokalyptik hinzuweisen[310]: was gewinnt Metz, wenn er den Exodus, die Unterbrechung, die Gefährlichkeit und die Kritik zur 'Eigentlichkeit' stilisiert? Metz will sicher keine Panik, keinen Terrorismus oder eine Tätigkeitswut im Namen des Herrn. Die Gefahren der Apokalyptik werden aber nicht artikuliert, z. B. daß die Erwartung das Heute verlieren kann, daß die Hast ein schlechter Ratgeber ist, daß die Ungeduld zu einer Schwarz-Weiß-Malerei der Wirklichkeit verleiten kann, daß sich hinter der Dialektik ein kryptogamer Dualismus verbirgt, in dem die Wirklichkeit Gottes als die bloß andere nicht mehr als tragender Grund der Welt zum Tragen kommt. Steckt nicht hinter dem Druck und dem Schock der Apokalyptik ein Mißtrauen gegenüber der aufmerksamen, heilenden und auch sachlichen Zuwendung? Eine geheime Abwertung gilt dem Gewöhnlichen und Alltäglichen, das nicht unter den Chargon der Eigentlichkeit oder der Unterbrechung subsumiert werden kann. Ist der graue Alltag sofort mit Apathie und Teilnahmslosigkeit gleichzusetzen? Kategorien wie Treue, Aushalten, Aufmerksamkeit werden bei

---

[307] Vgl. Unsere Hoffnung 716f.

[308] Vgl. a.a.O. 720.

[309] Vgl. F. Wulf, Die Orden, gefragt und nicht gefragt. Zu zwei unterschiedlichen Stimmen, in: GuL 50 (1977) 295-307.

[310] Vgl. G. Bachl. Über den Tod und das Leben danach, Graz - Wien - Köln 1980, 321-328.

Metz sicher nicht negiert, in ihrer Valenz aber auch nicht ausgelotet.[311] Gehört nicht zu seinem eigenen Grundanliegen der Leiblichkeit das Wachsen, das weniger durch Druck und Schock als durch Zutrauen in die gnadenhaft wirkende Kraft Gottes gefordert werden kann (vgl. die Wachstumsgleichnisse)? Im Zusammenhang der Apokalyptik wird Leiblichkeit eher zum abstrakten Postulat: darf sie auch auszeitigen und Struktur gewinnen? Zur Solidarität mit den Armen gehört, wenn sie nicht bloß paternalistisch Entfremdungszusammenhänge aufdecken und den Finger auf das Elend legen will, das wache Auge für die verborgene Größe und die Aufmerksamkeit für die Gegenwart Gottes in ihnen, die nicht auf das 'sub contrario' reduziert werden kann.

Diese Anfragen richten sich zugleich an die Christologie: wie hat der Christus der Gefährlichkeit, der Unterbrechung zuvor dreißig Jahre gelebt? Ist Nazareth im Sinne Charles de Foucaulds bloß Vorstufe der 'eigentlichen' Offenbarung? Ist Kritik und Unterbrechung die ursprüngliche Intention des Handelns Jesu oder die Konsequenz seiner Zuwendung, Anerkennung, Nähe und Solidarität?

Sicher sind Schock, Kritik, Reformation ständige Desiderate in der Kirche. Sie sind aber nicht die einzigen Dimensionen, die charismatischen Gaben - auch in den Orden - sind vielfältiger: eine einseitige Fixierung auf Unterbrechung und Innovation könnte zu einer negativen Elitebildung führen, in der die gewöhnliche Frau nicht mehr Platz hat. Liebe ist nicht in die Begrifflichkeit von Kritik und Schock einzupressen. Wie steht es mit der Treue einer Ordensfrau, die jahrelang ihren Dienst an Sterbenden tut, oder mit dem Priester, der einfach seine Gemeinde auch mögen muß, wenn seine Stimme gehört werden will?

Die von Metz in 'Armut im Geiste' ursprünglich angesprochene Armut der Gewöhnlichkeit und Vorläufigkeit, die es anzunehmen gilt, scheint dem Druck der Naherwartung zu weichen. Askese als Annahme der Welt, im Dienst der Bejahung, verflüchtigt sich, wenn die europäische Gegenwartsanalyse einer Leichenfeldvision gleicht.[312] Die Wahrnehmung von Leid vollzieht sich z.T. anhand von 'Schlagworten' oder 'Stichworten'. Für die Einweisung in konkrete Hilfe ist dies nicht sehr hilfreich.

Metz hat primär den unschuldig Leidenden im Auge. Nun ist aber das Spektrum der Armen und Leidenden sehr differenziert: physische und psychische Not sind ebenso Wirklichkeit wie Psychoterror, psychischer Druck, Machtansprüche, Sucht nach Bestätigung von seiten der Lei-

---

[311] Vgl. z. B. R.Kühn, Prophetische Solidarität in der Alltäglichkeit. Zu Charles de Foucauld und Simone Weil, in: GuL 55 (1982) 12-26.

[312] Vgl. Zukunftsfähigkeit 124-147.

denden und Funktionalisierung des Elends von seiten jener, die lautstark Solidarität bekunden. - Die Verführbarkeit der Armen und Leidenden (z. B. wenn die Armut zum Nährboten totalitärer Systeme wird) ist bei Metz wenig thematisiert. Nachteilig wirkt sich auch eine gewisse Ausklammerung der naturalen Vorgegebenheit und Bedingungen menschlicher Freiheit aus. Indem Metz am neuzeitlichen Subjektbegriff festhält, trägt er auch den Ballast dieses Begriffes mit: Subjekt-Objekt-Spaltung, ein Praxisbegriff, der Freiheit als Herrschaft über die Natur versteht.

Mit dem Primat der Zukunft und der Praxis ist insgesamt auch ein gewisses Theoriedefizit verbunden: Theorie, Metaphysik und Ethik fallen unter das Verdikt das Subjektlosigkeit. An ihre Stelle sollen das Gedächtnis des Leidens und die Narrativität treten. Die 'Wahrheitstheorie' der universalen Gerechtigkeit bleibt relativ abstrakt. Hier ist rückzufragen, ob die Verweigerung der Systematik und des Arguments nicht ebenso zu einer Ideologisierung und Immunisierung der Praxis bestimmter Gruppen führen kann. Die Formulierungen: 'argumentativer Schutz des Leidens', 'nicht-funktionalisiertes Antiwissen' bleiben vage wie auch die Dialektik meistens einem 'nec ... nec', aber keiner positiven Lösung den Weg weist. In der Konkretion gilt es eben, Kritik und Anerkennung, Aufklärung und Gehorsam zu vermitteln.[313]

Ebenso zu klären wäre die Verknüpfung der 'Prophetie der Armen' mit der Wahrheitsfrage. Ohne Erkenntnistheorie und Anthropologie bleiben die Räte in einer gewissen Ortlosigkeit und in einem Dezisionismus. Ein letzter Fragestrang betrifft die Ekklesiologie: die im übrigen zentrale inkarnatorische Dimension der Leiblichkeit kommt kaum in Strukturen zum Tragen. Sicher gibt es bei Metz keine generelle Negation von Amt, Struktur und Institution. Eine positive theologische Begründung findet sich aber auch nicht. Freilich bleibt die Zeugnisautorität die Basis. Juridische Kompetenz und theologische Autorität können aber nicht einfach auf das Nebengleis abgeschoben werden. Schließlich ist zu fragen, wie bei der Funktionsbestimmung von Kirche und Orden zeichenhaft eine Jüngergemeinde entstehen kann, die den Schwerpunkt der von Metz nicht rezipierten Überlegungen der Synode der Deutschen Bistümer über die Orden ausmacht.[314] Metz spricht von der Not-

---

[313] Vgl. dazu etwa H.Vorgrimler, Solidarische dogmatische Wünsche an die Politische Theologie, in: E.Schillebeeckx (Hg.), Mystik und Politik 185-196.

[314] Vgl. F.Wulf/C.Bamberg/A.Schulz, Nachfolge als Zeichen. Kommentarbeiträge zum Beschluß der Gemeinsamen Synode der Bistümer in der Bundesrepublik Deutschland über die Orden und andere geistliche Gemeinschaften, Würzburg 1978, 31-68, bes. 51-60; vgl. F.Wulf, die Orden, gefragt und nicht gefragt. Zu zwei unterschiedlichen Stimmen, in: GuL 50 (1977) 295-307.

wendigkeit der 'communio' im Zusammenhang mit der Anonymität und Kälte heutiger Gesellschaft. 'Communio' muß aber wachsen können, es braucht das geduldige Zutrauen und Aushalten. Schock und Unterbrechung sind zwar zeitweise notwendig, ihr inflationärer Gebrauch führt aber zu Entwertung und Auflösung.

Ausblick

Mit dem Gedanken des solidarischen Subjektseins aller, der im Horizont der 'Politischen Theologie' die Identität des Subjektes in der Nachfolge Jesu realisiert sieht, verknüpft Metz das theologische mit dem sozialwissenschaftlichen Identitätsverständnis. Er versucht dabei zwischen der theologischen 'Theorie' und der kommunikativ-praktischen Aufgabendimension zu vermitteln. Grundlage ist dabei zum einen die Hegelsche Theorie der gegenseitigen Anerkennung als Bedingung der Subjektkonstitution: »Jedes ist dem Anderen die Mitte, durch welche jedes sich mit sich selbst vermittelt und zusammenschließt, und jedes sich und dem Anderen unmittelbares für sich seiendes Wesen, welches zugleich nur durch diese Vermittlung so für sich ist. Sie *anerkennen* sich als *gegenseitig sich anerkennend.*«[315] - Die Subjektkonstitution bleibt aber bei Hegel ebenso abstrakt sie die Rekonstitution einer egalitären idealen Kommunikationsgemeinschaft.[316] So greift Metz zum anderen auf das Geschichtsverständnis des dialektischen Materialismus zurück, in dem die imaginäre Gleichheit aller durch den Blick auf die konkret Armen und Entfremdeten, sowie durch den Praxisbegriff solidarisch aufgebrochen wird. Entscheidend ist dabei, daß die Identität des Subjekts bei Ausblendung von Leid, Unterdrückung oder Tod (Auschwitz!) des armen Anderen nicht zu denken ist. Der dialektische Materialismus und auch die kritische Negation der kritischen Theorie gehen wohl von der konkreten Not aus, ohne jedoch das beschädigte Individuum als solches in den Blick zu fassen und dessen tragisches Ende in Betracht zu ziehen.

Aus dem Zu-Ende-Denken der Solidarität mit den Armen, den Leidenden und den Toten kommt Metz mit W.Benjamin zur Wirklichkeit Gottes. Zugleich entfaltet er einen besonders durch die Orden, d.h. auch durch die Räte geprägten Begriff von Nachfolge. Mit der wörtlichen und leiblichen Nachfolge, an der er die Identität des Christlichen

---

[315] G.F.W.Hegel, Phänomenologie des Geistes (WW 2, ed. Glockner) 150.
[316] GGG 208

wie des Menschen insgesamt festmacht, entzieht er sich der Versuchung der Abstraktion in beliebige Allgemeinheit oder bloße Gesinnung. Nachfolge in den Räten hat die Aufgabe, schöpferisch-konkret 'communio' zu realisieren. Zugleich erhalten Armut, Ehelosigkeit und Gehorsam ein gesellschaftlich-kritisches Profil, wenn ihnen die Aufgabe zukommt, die Aporien falscher Individuationsprinzipien (Haben, Macht, einseitige Emanzipation, ...) aufzuweisen und Verblendung und Entfremdung allgemein zu kritisieren.

Die gefährliche Erinnerung an den armen und leidenden Christus in Wort und Nachfolge wird so für Metz zur Grundlage einer 'Gegenlogik', wenn er in Christus den Gottesgedanken und den leidenden Geringsten als Eckpfeiler universaler und praktischer Kommunikation und Solidarität denkt.

Die 'Theologie der Befreiung' kann an den Primat der Praxis, an die Mystik des armen und leidenden Jesus, an die Bedeutung der Nachfolge anschließen. Auf Grund der unterschiedlichen Situierung werden von den Befreiungstheologen die Akzente zum Teil deutlicher, zum Teil auch anders gesetzt. Noch ausdrücklicher als bei Metz stehen die Armut und die konkret Armen im Zentrum der theologischen Reflexion. Der Gesprächspartner (interlocutor) sind für die Theologie der Befreiung ausdrücklich die Armen. Während Metz in der kritischen Tradition und Rezeption der europäischen Aufklärung steht und ihm die Zerrformen der bürgerlichen Existenz als Kontrastbild für die Identität aus Nachfolge dienen, ist die 'Theologie der Befreiung' stärker im konkreten Vollzug der Nachfolge in den Basisgemeinden verankert. Die theologische Reflexion von Metz hat eher postulatorischen Charakter (gerade auch im Hinblick auf die Nachfolge in den Orden), der 'Theologie der Befreiung' ist eine bestimmte Praxis schon vorgegeben.

Während Metz in kritischer Distanz zur europäischen Volkskirche steht, will die 'Theologie der Befreiung' die Volksfrömmigkeit Lateinamerikas mit ihren Traditionen, Kulturen, Festen, Bräuchen und Werten bewußt aufgreifen und integrieren. Während Metz nur große Linien seiner Hermeneutik skizziert, versucht die 'Theologie der Befreiung' eine bewußtere Rückbindung an und auch Absicherung durch Schrift, Tradition und Lehramt.

Durch diese neuen Nuancierungen und Akzentuierungen erhalten die Räte in der Befreiungstheologie nochmals ein eigenes Profil.

VIERTER TEIL

Option für die Armen
(Theologie der Befreiung)

Die 'Theologie der Befreiung'[1] ist seit etwa zwanzig Jahren zum Gegenstand des theologischen, kirchlichen und auch politischen Diskurses geworden, und zwar nicht bloß in Lateinamerika, sondern auch in anderen Kontinenten. Sie wird zum Teil vehement affirmativ oder kritisch rezipiert und findet auch in lehramtlichen Äußerungen von Episkopaten[2],

---

[1] Die Literatur zur Befreiungstheologie ist inzwischen Legion. Zur Geschichte und zu den verschiedenen Strömungen seien als Auswahl nur genannt: E. Boninin (Hg.), Spiritualität und Befreiung in Lateinamerika, Würzburg 1984; Conc 22 (1986) Heft 5 ('Option für die Armen'); P. Eicher (Hg.), Theologie der Befreiung im Gespräch, München 1985, K. Füssel, Art. Theologie der Befreiung, in: NHThG 4, 200-211; P. Hünermann/G.-D.Fischer (Hg.), Gott im Aufbruch, Freiburg 1974; M. Kehl, Option für die Armen, marxistische Gesellschaftsanalyse und katholische Dogmatik, in: W.Löser/K.Lehmann/M.L.Bachmann (Hg.), Dogmengeschichte und katholische Dogmatik, Würzburg 1985, 479-512; J.B.Metz (Hg.), Die Theologie der Befreiung: Hoffnung oder Gefahr für die Kirche? Düsseldorf 1986; K.Rahner (Hg.), Befreiende Theologie, Stuttgart 1977; J.C.Scannone, Theologie der Befreiung - Charakterisierung, Strömungen, Etappen, in: K.H. Neufeld (Hg.), Probleme und Perspektiven dogmatischer Theologie, Leipzig 1986, 401-439; W.Seibel (Hg.), Daß Gott den Schrei seines Volkes hört. Die Herausforderung der lateinamerikanischen Befreiungstheologie, Freiburg 1987; H.J.Venetz/H.Vorgrimler, Das Lehramt der Kirche und der Schrei der Armen, Fribourg - Münster 1985.

[2] Die Kirche Lateinamerikas. Dokumente der II. und III. Generalversammlung des Lateinamerikanischen Episkopates in Medellin und Puebla (Stimmen der Weltkirche, hg. von der Deutschen Bischofskonferenz,8) Bonn 1979. Die *II. Vollversammlung des lateinamerikanischen Episkopats in Medellin 1968* versuchte, die Dokumente des Vat. II in die lateinamerikanische Situation zu übersetzen. Diese Vollversammlung sieht die Verelendung der lateinamerikanischen Völker als Resultat weltweit verankerter Strukturen von Ungerechtigkeit und Ausbeutung. Erstmals wird hier »Befreiung« in einem lehramtlichen Kontext thematisiert. Die »Option für die Armen« gilt schon als vorrangige Aufgabe. Die *III. Vollversammlung des lateinamerikanischen Episkopats vom 27.1. bis 13.2.1979 in Puebla* (Mexiko) betont in Kontinuität mit Medellin die vorrangige Option für die Armen. Die Rede der Bischöfe von den »Strukturen der Sünde« ist mitbeeinflußt von der Theorie der Dependenz.

336

der Glaubenskongregation[3] und von Päpsten ihren Widerhall. »Wir sind davon überzeugt, ... daß die Theologie der Befreiung nicht nur opportun, sondern nützlich und notwendig ist. Sie soll eine neue Etappe - in enger Verbindung mit den vorausgegangenen - jener theologischen Reflexion sein, die mit der apostolischen Überlieferung begann, sich mit den großen Kirchenvätern und Kirchenlehrern fortsetzt, mit dem ordentlichen und außerordentlichen Lehramt.«[4] In den verschiedenen Strömungen der 'Theologie der Befreiung' werden die Armut und die Armen zum ausdrücklichen Thema theologischer Reflexion. Dies geschieht in einem Maß und mit einer Gewichtung, daß die 'Theologie der Befreiung' ebenso berechtigt die Signatur 'Theologie der Armen' führen könnte. Zudem geht - und das ist für unser Thema wichtig - die 'Theologie der Befreiung' von einer Einheit der Pole Theologie und Spiritualität aus.[5] Spiritualität als Hingabe des Menschen an Gott in der Nachfolge Jesu, von der her die »Option für die Armen« zu begreifen ist, wird zum Kristallisationspunkt theologischer Systematik. Erfahrung und Praxis dispensieren sich nicht von der Mühe des Begriffes und bleiben so nicht blind. Aus dem breiten Spektrum wählen wir für unser Thema die in Europa bekannten Vertreter Gustavo Gutiérrez (geb. 1928 in Lima) und Leonardo Boff (geb. 1938 in Concórdia, Südbrasilien) aus. J.C.Scannone ordnet sie der »Theologie aus der historischen Praxis« zu.[6] Diese Richtung ist einerseits radikal in den gesellschaftli-

---

[3]   K. Lehmann (Hg.), Theologie der Befreiung, Einsiedeln 1977; Kongregation für die Glaubenslehre, Instruktion über einige Aspekte der »Theologie der Befreiung« vom 6. August 1984 (Verlautbarungen des Apostolischen Stuhls 57, hg. von der Deutschen Bischofskonferenz) Bonn 1984; Kongregation für die Glaubenslehre, Notifikation zu dem Buch »Kirche: Charisma und Macht. Versuch einer militanten Ekklesiologie« von Pater Leonardo Boff OFM (Verlautbarungen des Apostolischen Stuhls 67, hg. von der Deutschen Bischofskonferenz) Bonn 1985; Kongregation für die Glaubenslehre, Instruktion über die christliche Freiheit und die Befreiung vom 22. März 1986 (Verlautbarungen des Apostolischen Stuhl 70, hg. von der Deutschen Bischofskonferenz) Bonn 1986.

[4]   Johannes Paul II., Brief an die Brasilianischen Bischöfe vom 6. April 1986, in: HK 40 (Juni 1986), 277-282. Positive Aussagen zur Befreiungstheologie finden sich bei Paul VI. (Osservatore Romano vom 31.7.1974) wie bei Johannes Paul II. (Osservatore Romano vom 18.2.1979, 30.3.1986 und 27.4.1986).

[5]   Vgl. dazu v.a. G.Gutiérrez, Theologie der Befreiung. Mit einem Vorwort von J.B.Metz, München 1973, bes. 190-196; Ders., Die historische Macht der Armen, München-Mainz 1984, Ders., Aus der eigenen Quelle trinken. Spiritualität der Befreiung, München 1986; Ders., La verdad los hará libres. Confrontaciones (cep77), Lima 1986; Ders., Von Gott sprechen in Unrecht und Leid - Ijob, München 1988; A. Edwards, Sequimiento de Cristo en America Latina. A proposito de »Beber en su proprio pozo« (cep88), Lima 1987; Jesús Espeja, Espiritualidad y liberacion (cep 78), Lima 1986, bes. 51-99; V. Codina, De la modernidad a la solidaridad. Seguir a Jésus hoy (cep65), Lima 1984.

[6]   J.C.Scannone, Theologie der Befreiung 416-426; daneben nennt er noch die »Theologie aus der pastoralen Praxis der Kirche«, die sich an den Dokumenten von Medellin und Puebla, den lehramtlichen Äußerungen der Päpste und Bischöfe orientiert, ohne die

chen Entwürfen, will aber dabei der kirchlichen und theologischen Tradition treu bleiben.

Beim Gehorsam, der Jungfräulichkeit und für den Stellenwert der Orden im kirchlichen Lebensvollzug beschränken wir uns auf den Franziskaner L.Boff, der die traditionelle Trias der Räte ausdrücklich thematisiert. Bei der Unüberschaubarkeit der abundanten Literatur zur Befreiungstheologie und bei der Unabgeschlossenheit dieser theologischen Strömung muß dieser Teil der Untersuchung noch mehr als die vorangehenden Kapitel fragmentarisch, skizzenhaft und vorläufig bleiben. Differenzen zwischen den ausgewählten Autoren werden nicht herausgearbeitet.

Erstes Kapitel

Armut

»Aus dem Herzen unserer lateinamerikanischen Länder schallt ein immer nachdrücklicherer Schrei zum Himmel: der Schrei eines Volkes, das leidet und Gerechtigkeit, Freiheit und Achtung vor den Grundrechten des Menschen und der Völker fordert. ... Der Schrei wird lauter und heftiger und wirkt zuweilen gar drohend ... Es geht um die Situation der Ungerechtigkeit«.[7] - Vor jeder wissenschaftlichen Methode geht es um die Wahrnehmung der Wirklichkeit mit ihrer unmenschlichen, anti-

---

marxistische Gesellschaftsanalyse aufzugreifen. - Zur »Theologie aus der Praxis revolutionärer Gruppen« zählt er z.B. H.Assmann und die Christen für den Sozialismus. Bestimmend ist für diese Richtung die Analyse des historischen Materialismus. - Die »Theologie aus der Praxis der lateinamerikanischen Völker« (L.Gera, J.L.Segundo, J.C.Scannone) bejaht die Einheit der Geschichte und insistiert auf dem Zusammenhang von Glaube und politischer Praxis. Stärker als die anderen Richtungen wird hier die kulturelle Tradition des Volkes in die theologische Reflexion einbezogen.

[7] Puebla 87; vgl. 89.90.28; G. Gutiérrez, Theologie der Befreiung 44-50; C.Boff, Theologie und Praxis. Die erkenntnistheoretischen Grundlagen der Theologie der Befreiung, München/Mainz 1983; C.Boff, Die Befreiung der Armen. Reflexionen zum Grundanliegen der lateinamerikanischen Befreiungstheologie, Freiburg/Schweiz 1986; L.u.C.Boff, Wie treibt man Theologie der Befreiung? Düsseldorf 1986, bes. 10-19; R.Garcia-Matteo, Die Methode der Theologie der Befreiung, in: W.Seibel (Hg.), a.a.O. 93-108; J.C.Scannone, Theologie der Befreiung 407-414; R. de Almeida, Art. Armut, B. Aus der Sicht der Theologie der Befreiung, in: NHThG 1, 37-61. - Zur Situation der Ungerechtigkeit vgl. schon: Paul VI., Populorum progressio. Über die Entwicklung der Völker Nr. 9, in: Texte zur katholischen Soziallehre. Die sozialen Rundschreiben der Päpste und andere kirchliche Dokumente. Mit einer Einführung von Oswald von Nell-Breuning SJ. Hg. vom Bundesverband der Katholischen Arbeitnehmer-Bewegung (KAB) Deutschlands, Kevelaer ⁴1977, 438.

338

evangelischen, institutionalisierten Gewalt, mit *Armut* und Tod, Hunger, Repression, Ausbeutung, Marginalisierung und ungerechten Gesellschaftsstrukturen. Diese werden als die Zeichen der Zeit gelesen, denen sich der Christ zu stellen hat.[8] An der Wurzel der befreiungstheologischen Entwürfe steht diese Erfahrung der *Armut* als existentieller Schock.[9] Primärer Akt ist für viele Befreiungstheologen weniger das Staunen oder die Dankbarbeit, sondern die Betroffenheit in der Wahrnehmung des Leidens. Primärer 'locus theologicus' sind die Favelas, Armenviertel, Fabriken, die Felder der Kleinbauern, wo das unterdrückte Volk lebt, leidet, kämpft und stirbt.[10]

Vor jeder theologischen Reflexion ist der existentielle Schock in der Wahrnehmung des Elends schon eine spirituell vermittelte Erfahrung: die Begegnung mit den Armen ist Begegnung mit Christus.[11] 'Leben' und Spiritualität sind damit schon eins. Schließlich ist der theologischen Reflexion auch der ekklesiale 'Sitz im Leben' vorgegeben: die Basisgemeinden[12] sind unter den Armen situiert, in ihnen wird die Option für die Armen und die solidarische Praxis mit ihnen schon gelebt. In den Basisgemeinden sind die Armen Subjekte der eigenen Befreiung und Subjekte des Glaubens. Die Theologie ist demgegenüber ein sekundärer Schritt: aus der Perspektive der Armen betreibt sie eine kritische Reflexion auf die historische Praxis im Licht des Wortes Gottes.[13] Sie kommt aus der Praxis her und ist wieder auf Praxis hin orientiert. Glaube und Befreiungshandeln sind dabei immer schon vorausgesetzt. Die 'Theologie der Befreiung' reflektiert, erhellt, läutert, vertieft, systematisiert und regt die Befreiung an. Handeln und Reflexion stehen in einem wechselseitigen Bezug. Diese Dialektik von Theorie und Praxis ist weder rein deduktiv noch rein induktiv: die historische Herausforderung und Praxis wird im Licht des Glaubens gesehen. Evangelium und Leben beeinflussen ständig einander (Evangelii nuntiandi 29), die Trennung zwischen Glaube und Leben ist zu überwinden (GS 43).[14]

---

[8] G.Gutiérrez, Aus der eigenen Quelle trinken 16; vgl. GS 1.

[9] L.Boff, Vater unser. Das Gebet umfassender Befreiung, Düsseldorf 1981, 22f.; C.Boff/J.Pixley, Die Option für die Armen. Gotteserfahrung und Gerechtigkeit (BThB) Düsseldorf 1987, 18-31.

[10] C.Boff, Befreiung der Armen 16.

[11] G.Gutiérrez, Quelle 44-64; L.Boff, Aus dem Tal der Tränen in das Gelobte Land. Der Weg der Kirche mit den Unterdrückten, Düsseldorf 1982, 180f.214.

[12] C.Boff, Befreiung der Armen 95; vgl. 14f.

[13] G.Gutiérrez, Theologie der Befreiung 19; Ders., Quelle 62.

[14] C.Boff, Befreiung der Armen 20.

I. Die Wirklichkeit der Armen

1. Armut konkret

Kirche und Theologie haben in Lateinamerika zunächst konkrete Gesichter anzuschauen[15]: Gesichter von Kindern, die von der Armut geschlagen sind; Gesichter von jungen Menschen ohne Platz in der Gesellschaft, ohne Ausbildungs- und Beschäftigungsmöglichkeit; Gesichter von Indios und Afroamerikanern, die gesellschaftlich an den Rand geschoben werden und in unmenschlichen Situationen leben; Gesichter von Landarbeitern und Kleinbauern ohne Grund und Boden in einer Lage innerer und äußerer Abhängigkeit und Ausbeutung; Gesichter von Industriearbeitern, die schlecht bezahlt sind und kaum Möglichkeit haben, sich zu organisieren und ihre Rechte zu verteidigen; Gesichter von Unterbeschäftigten und Arbeitslosen in den Zwängen von Wirtschaftskrisen oder wirtschaftlichen Machenschaften; Gesichter von Randexistenzen und Elendsgestalten, die angesichts des Reichtums leben; Gesichter von alten Menschen ... Diese Menschen sind einmal im sozioökonomischen Sinn arm, d.h. sie sind bedürftig oder der zum Unterhalt notwendigen Mittel beraubt (Nahrung, Kleidung, Wohnung, Gesundheit, Bildung und Arbeit).[16] Diese konkret materielle Armut hat auch eine soziale Stellung zur Konsequenz: der Arme ist unbedeutend, er hat keine wichtigen Freunde, die ihm Ansehen und gesellschaftlichen Status verleihen würden. So sind die Gesichter der Armen müde, frustriert, hoffnungslos und ohne Perspektive. In letzter Instanz bedeutet Armut Tod, den physischen Tod der Armen, die vor der Zeit sterben müssen, den Tod durch Gewalt, durch Repression, den Tod als Folge ungerechter Strukturen und auch den kulturellen Tod, wenn z. B. andine Kulturen mit ihren Sprachen liquidiert werden.[17]

Gutiérrez und Boff reduzieren den armen Menschen aber nicht auf seine sozio-ökonomischen Bedingungen: das Armsein der Armen ist auch eine Weise zu fühlen, Dinge zu erkennen und zu denken, Freundschaften zu schließen, zu lieben, zu leiden, Feste zu feiern, zu glauben und zu beten. Sie treten als Menschen mit Fleisch und Blut entgegen,

---

[15] Puebla 31-40; vgl. dazu G.Gutiérrez, Die historische Macht der Armen, München/Mainz 1984, 91; Ders., Quelle 136f.; L.Boff, Tal der Tränen 114-128.

[16] L.u.C.Boff, Wie treibt man Theologie der Befreiung? 59

[17] Vgl. G.Gutiérrez, Theorie und Erfahrung im Konzept der Theologie der Befreiung, in: J.B.Metz/P.Rottländer, Lateinamerika und Europa. Dialog der Theologen, Mainz/München 1988, 49-54.

die durchwoben sind von den verschiedensten Kräften: von der Kraft des Lebens und des Todes, von Liebe und Egoismus, von der Kraft des Glaubens und auch von der Ablehnung Gottes.[18]
Ausgangspunkt ist also kein verzerrtes, idealisiertes und romantisches Bild der Armen. Der Blick in diese Gesichter ist nicht neutral und distanziert. Er bleibt nicht bei einer subjektiven Betroffenheit und einer bloß individuellen Sicht der Armen stehen. Die Wahrnehmung der Armut fordert - will sie nicht ideologisch verkürzt sein - die Analyse ihrer strukturellen Bedingungen.

2. Ursachen des Elends (sozialwissenschaftliche Analyse)

Die sozio-ökonomische Analyse wird zu einem integrierenden Bestandteil theologischer Theoriebildung.[19] In der 'Theologie der Befreiung' nehmen die Sozialwissenschaften die Stelle ein, die in der traditionellen Theologie die Metaphysik innehatte. Vorläufer ist hier J.Cardijn mit dem methodischen Dreischritt: Sehen (Analyse der Wirklichkeit) - Urteilen (theologische Reflexion) - Handeln (Perspektiven für die pastorale Arbeit). - Auch die Pastoralkonstitution des II. Vat. geht weniger von theologischen Prämissen aus: sie setzt bei einer Bestandsaufnahme der Weltsituation an (GS 4-10), macht diese zum Ausgangspunkt für die theologische Reflexion (GS 11-90) und drängt schließlich zum Handeln (GS 91-93). Medellin ist ein weiterer Schritt in Richtung einer kontextuellen, gesellschaftsbezogenen und kulturverbundenen Theologie. Das Weltgeschehen, die Geschichte ist 'locus theologicus'. Ausgangspunkt ist also die konkrete Wirklichkeit der Armen, nicht spekulative Ideen. Die sozio-ökonomische Analyse blickt in die Richtung der Welt der Armen und Unterdrückten; sie will verstehen, warum die Unterdrückten unterdrückt sind.
Hier trifft nun die 'Theologie der Befreiung' die Option für eine bestimmte Analyse: sie lehnt eine empiristische Erklärung der Armut ab, zu deren Abhilfe 'assistentialismo' geeignet wäre. Mitte der 60iger Jahre

---

[18] G.Gutiérrez, Quelle 136

[19] Vgl. C.Boff, Theologie und Praxis 33-126. G. Gutiérrez, Theologie und Sozialwissenschaften. Eine Ortsbestimmung, in: P.Rottländer (Hg.), Theologie der Befreiung und Marxismus, Münster 1986, 50f. - Es wäre interessant, Strukturparallelen zwischen der 'Theologie der Befreiung' und dem Denken der 'religiösen Sozialisten', besonders L.Ragaz, zu untersuchen. Ragaz fordert ein »Verständnis der weltgeschichtlichen Stunde« und nennt für seine Zeit die Arbeiterfrage, die Mittelstandsfrage, die Agrarfrage und die Frauenfrage: Das Evangelium und der soziale Kampf der Gegenwart, Basel 1906, 2ff.

wird auch eine funktionalistische Theorie der Armut löchrig: diese sei bloße Rückständigkeit, der mit Reformen und Entwicklung beizukommen wäre.[20] Die Theologie der Befreiung gibt einer dialektischen Erklärung der Armut den Vorzug: Armut und Elend basieren auf Unterdrückung; sie sind Konsequenzen eines fundamentalen Konfliktes auf nationaler Ebene (Klassenkampf) und internationaler Ebene (Dependenztheorie). - Medellin und Puebla analysieren die wirtschaftliche und gesellschaftliche Situation Lateinamerikas als »institutionalisierte Ungerechtigkeit« und »institutionalisierte Gewalt«[21], sie beschreiben eine »Situation einer ständigen Verletzung der Menschenwürde«.[22] Die Armut gilt als Produkt der geltenden Gesellschaftsordnung, sie ist Resultat von Strukturen, Ergebnis eines strukturellen Konflikts, der vom kapitalistischen System auf internationaler Ebene produziert wurde.[23] Der Klassenkampf ist für die meisten Vertreter der 'Theologie der Befreiung' eine Tatsache: die Menschheit ist aufgeteilt in Unterdrücker und Unterdrückte, in Eigentümer und Proleten.[24] Die antagonistischen Klassen stehen in einer kämpferischen Auseinandersetzung. Neutralität ist dabei nicht möglich: eine solche würde sich auf die Seite der herrschenden Klassen stellen. Auch harmoniebedürftige, vorschnelle Klassenversöhnung ist klassenbezogen: die Privilegierten bleiben die Nutznießer.

Die institutionalisierte Ungerechtigkeit auf nationaler Ebene ist für die Hauptvertreter der 'Theologie der Befreiung' eine Folge der Abhängigkeit der armen Länder von den reichen. Die *Dependenztheorie* sieht die Unterentwicklung und Verelendung breiter Massen der Länder in der Dritten und Vierten Welt als Kehrseite der Entwicklung in den kapitalistischen Ländern des nordatlantischen Zentrums (USA, Europa).[25] Die Errichtung eines Zentrums (mit Fortschritt und Reichtum für eine Minderheit) und die Entstehung der Peripherie (mit Unausgeglichenheit, politischen Spannungen, Armut und Elend für die Mehrheit) liegt

---

[20] L.u.C.Boff, Wie treibt man Theologie der Befreiung? 36f.

[21] Puebla 1259; vgl. dazu G.Gutiérrez, Macht der Armen 89f.

[22] Puebla 41; vgl. Paul VI.: »Es entstehen schreiende Unterschiede in der wirtschaftlichen, kulturellen und politischen Entwicklung der Völker« (Octogesima adveniens Nr. 2). - »Eine größere Gerechtigkeit ist in der Verteilung der Güter sowohl innerhalb der nationalen Gemeinschaften als auch auf internationaler Ebene herzustellen« (Octogesima adveniens 43).

[23] Puebla 37,66,312,342,501,1209,1264,1277.

[24] G.Gutiérrez, Theologie der Befreiung 259f.; neben Gutiérrez sind z.B. auch L.u.C.Boff und H.Assman zu nennen. Nicht aufgenommen wird diese Analyse von den Vertretern der »Theologie aus der pastoralen Praxis der Kirche«; weniger wichtig ist der Klassenkampf auch für L.Gera, L.Segundo und J.C.Scannone (vgl. Scannone, Theologie der Befreiung 416-426).

[25] Vgl. G. Gutiérrez, Theologie der Befreiung 77f.

in der inneren Dynamik der kapitalistischen Wirtschaft. »Das System der Herrschaft von *außen* - von Land zu Land - durchschneidet quer die Abhängigkeitsstrukturen und interpretiert sie. In diesem Maß wird die von außen herrührende Struktur als interne erlebt.«[26] Die Wurzel der Armut liegt also weniger im Mangel an Möglichkeiten, noch in der Faulheit, noch in der schlechten Arbeitshaltung, sondern in ungerechten Verhältnissen, in maßloser Gewinnsucht, Beraubung und Diebstahl, Erpressung und Ausbeutung auf nationaler und internationaler Ebene.[27]

Wenn das Dokument »Vorrangige Entscheidung für die Armen« (Puebla) die schweren Ungerechtigkeiten anprangert (1136), fordert es zugleich die Durchführung der »notwendigen Veränderung der ungerechten gesellschaftlichen, politischen und wirtschaftlichen Strukturen« (1155, 1264). Die Überwindung des Elends fordert ein alternatives soziales System. Die sozio-ökonomische Analyse der Befreiungstheologie ist somit ohne Zweifel vom Marxismus inspiriert. Dieser wird befragt: »Was kannst du uns über die Situation des Elends und über die Wege zu seiner Überwindung sagen?«[28] Die Hauptvertreter der 'Theologie der Befreiung' wollen jedoch den Marxismus nur instrumentell gebrauchen: von ihm lernen sie die Bedeutsamkeit wirtschaftlicher Faktoren, die Mystifikationsmacht von Ideologien und die Aufmerksamkeit für den Klassenkampf. Sie wollen in der Übernahme der Analyse von deren anthropologisch-philosophischen Implikationen zum Begriff der Geschichte, der Praxis sowie des Menschen allgemein abstrahieren. Die Protagonisten der 'Theologie der Befreiung' sind sich bewußt, daß die selektive Übernahme der marxistischen Analyse mit der Gefahr einer »semantischen Vermischung« und des Identitätsverlustes der Theologie verbunden sein kann[29] bzw. daß die Wissenschaftlichkeit der Sozialwissenschaften problematisch ist.[30] Marx bleibt von partieller und nur in-

---

[26] G.Gutiérrez, Theologie der Befreiung 79; vgl. »Wenn man die verschiedenen Teile der Welt beobachtet, wie sie durch die wachsende Breite eines ... Grabens voneinander getrennt ist, und dabei feststellt, daß jeder von ihnen einer eigenen Richtung mit eigenen Initiativen zu folgen scheint, versteht man, warum man im allgemeinen Sprachgebrauch von verschiedenen Welten spricht: Erste Welt, Zweite Welt, Dritte Welt und manchmal sogar Vierte Welt ... Sie sind Zeichen ..., daß die Einheit der Welt ... ernstlich bedroht ist«: Johannes Paul II., Sollicitudo rei socialis Nr. 14 (Verlautbarungen des Apostolischen Stuhls 82, hg. von der Deutschen Bischofskonferenz, Bonn 1987). Den Grund für diesen Graben sieht der jetzige Papst in Ideologien, wie im liberalistischen Kapitalismus und im marxistischen Kollektivismus (a.a.O. Nr.20).

[27] L.Boff, Zeugen Gottes in der Welt. Ordensleben heute, Zürich - E- K 1985, 141.

[28] C.u.L.Boff, Wie treibt man Theologie der Befreiung? 38

[29] C.Boff, Theologie und Praxis 71ff.

[30] A.a.O. 114f.

strumenteller Bedeutung.[31] Motor der befreienden Praxis ist der christliche Glaube; das Evangelium ist der bestimmende Qualifikator, Christus ist der eine Lehrer. Dies zeigt sich auch am Begriff und an der Interpretation der Armut. Die Befreiungstheologen stellen die marxistische Analyse der Armut unter das Licht und das Gericht des biblischen und theologischen Befundes.

II. Die Armen im Licht der Theologie (Hermeneutische Vermittlung)

In einem zweiten methodischen Schritt wird die sozial-analytische Vermittlung konfrontiert mit dem Wort Gottes.[32] In der wechselseitigen Interpretation zwischen der Situation der Armen und dem Wort Gottes kommt dem letzteren die Führungsrolle zu. So gilt es, zunächst die eigene, textuelle Bedeutung des Wortes zu verstehen.[33] Die Bibel wird dabei jedoch dezidiert aus der Optik der Unterdrückten gelesen. Gefragt wird nach der umgestaltenden Kraft der Texte, nach ihrer Relevanz für Veränderung, Bekehrung und Revolution. Schließlich erörtert die theologisch-politische Lektüre den sozialen Kontext der Texte. In dieser Hermeneutik werden besonders der Exodus als Befreiung, die sozialkritische Tradition der Propheten, die Evangelien (Reich Gottes, der historische Jesus, Tod und Auferstehung), die Apostelgeschichte (Praxis der Urgemeinde) und die Apokalypse (Kampf Gott gegen Götzen) wichtig.

In einem nächsten Schritt geht es um die Wiedergewinnung der großen christlichen Tradition in der Perspektive der Option für die Armen und der Befreiung. Es können im folgenden nur Knotenpunkte holzschnittartig herausgegriffen werden. Es geht um eine Doppeltes: (1) Welches Licht kann die Theologie auf die Situation der Armut und Unterdrückung werfen? (2) Zugleich werden traditionelle Inhalte der Theologie anfgefragt: »Wie von Gott sprechen angesichts des Leidens der Unschuldigen? Wie von Jesus Christus sprechen angesichts der täglichen Leiden der Armen?«[34]

---

[31] C.u.L.Boff, Wie treibt man Theologie der Befreiung? 38

[32] C.Boff, Theologie und Praxis 127-255; Ders., Befreiung der Armen 97; C.u.L.Boff, Wie treibt man Theologie der Befreiung? 43-47.

[33] C.Boff, Befreiung der Armen 97; vgl. die Frage von L.Ragaz: »Wie verhält sich das Evangelium Jesu zum wirtschaftlichen Kampf der Gegenwart?« (Das Evangelium und der soziale Kampf 30).

[34] G.Gutiérrez, Theologie der Befreiung, in: W.Seibel (Hg.), a.a.O. 17.

1. Der Befund der Schrift

Armut als Mangel, Übel, Skandal

Die Hermeneutik der Bibel fordert für die Befreiungstheologen (nicht exklusiv) auch eine soziologische Leseweise. Sie berufen sich dabei besonders auf den Exodus und die prophetische Tradition[35]: darin gilt die Armut nicht als etwas Fatales. Die Propheten wählen den Ton des Protestes, der Ablehnung, der Empörung und der Anklage. Sie legen die Schuld der Unterdrücker, Ausbeuter, Spekulanten, Gewalttätigen, korrupten Geschäftemacher und Versklaver offen.[36] Armut im Mangel an Mitteln, im Sinne von Elend, Bedürftigkeit, Demütigung und Schwäche widerspricht dem zentralen Credo der mosaischen Religion, der Befreiung aus der Sklaverei, Ausbeutung und Entfremdung in Ägypten und dem Einzug in das verheißene Land (Ex 16,6-8). In dieser Form widerspricht die Armut dem Schöpfungsplan Gottes: »Wer das Bild des Menschen beleidigt, beleidigt seinen Schöpfer, d.h. Gott«[37]. Zugleich mit dem Protest und der Verurteilung der Unterdrückung zielt das AT auf eine Gesetzgebung, die der Anhäufung von Reichtum und der daraus resultierenden Ausbeutung wehren soll[38]: dazu zählt das Sabbatgesetz (Ex 23,22; Dtn 5,14), der Zehent für Fremde, Waisen und Witwen (Dtn 14,28; 26,12), das Zinsverbot (Ex 33,25; Lev 25,35ff.; Dtn 23,10), das Jubeljahr (Ex 23,11; Lev 25,2-7), die Freilassung von Sklaven nach sechs Jahren (Dtn 15,1-18). Die Anklage und Verurteilung der Unterdrückung der Armen durch die Reichen wird im NT fortgeführt.[39] Weil der Mensch Sakrament Gottes ist, wird die Unterdrückung der Armen als ein Attentat auf Gott selbst gewertet. Armut als Elend, Begrenzung, Verletzung oder Verkürzung menschlicher Existenz oder als Form von Ungerechtigkeit und Tod ist kein Ideal; da die Würde des Menschen ruiniert wird, ist sie Übel, Skandal und Sünde, die dem Willen und Schöpfungsplan Gottes, der Befreiungstat Jahwes im Exodus, dem Reich Gottes als Reich der Liebe und der Gerechtigkeit widerspricht.[40] Wie die Armut als Elend die Würde zerstört, so entmenschlicht auch der Reichtum den Menschen; AT und NT nennen auch den Reichtum als Übel, weil er Ursache der Armut ist und zugleich unempfänglich

---

[35] G.Gutiérrez, Theologie der Befreiung 273ff.

[36] Vgl. C.Boff/J.Pixley, Option für die Armen 34-122.

[37] L.Boff, ZGW 133; vgl. Puebla 31-40.

[38] Dtn 24,19-21; Lev 19,9-10;23,33.

[39] Lk 6,24-25; 12,13-21;16,19-31;18,18-26; Jak 2,5-9;4,13-17;5,1-6.

[40] G.Gutiérrez, Theologie der Befreiung 73.277; L.Boff, ZGW 133.

macht für Gott und sein Reich.[41] Die Armut ist in biblischer Perspektive Anlaß von Elend, Krankheit, Hunger, psychischen Schwierigkeiten, Verfall des Individuums und der Familie, von Haß, Konflikten, Diebstahl, Verbrechen, Gotteslästerung und Verzweiflung; sie ist Frucht der Sünde, neigt und strebt zu Sünde.[42]

Biblisch werden also beide verdammt: die Armut als Verarmung und der Reichtum als Bereicherung.[43] »Das biblische und christliche Ideal besteht nicht darin, eine reiche Gesellschaft zu suchen oder zu fördern, sondern darin, eine gerechtere Gesellschaft zu schaffen.«[44] Seligpreisungen und Weherufe zielen auf ein gerechteres Leben vor Gott und vor den anderen. Die Summarien der Apostelgeschichte (2,44; 4,32) stellen die Gütergemeinschaft als Ideal der Urkirche hin und nicht die Armut. Gefordert ist der Einsatz, daß es keine Armut mehr gebe.[45]

Armut als Kindschaft[46]

Die Theologen der Befreiung lesen die Schrift nicht nur soziologisch. Sie wollen die Texte der Schrift von sich her sprechen lassen. Dies ist ein Beweis dafür, daß es ihnen bei der Option für die Armen um eine primär theologische Entscheidung geht, der gegenüber sich anderes unterzuordnen hat (z.B. die marxistische Analyse). Das biblische Zeugnis kennt auch einen anderen Strang der Armut, und zwar den der Armut als Kindschaft: »Der Arme ist der 'Hörige' Gottes. Armut wird verstanden als eine Fähigkeit, sich für Gott offen zu halten und meint 'Gott-zur-Verfügung-Stehen'. Sie ist 'Demut vor Gott'«.[47] In der Haltung der Armut erkennt der Mensch seine eigene Leere vor dem Reichtum der göttlichen Liebe an. »Das Gegenteil von Armut in diesem Sinn ist nicht Reichtum, sondern Stolz, Selbstgenügsamkeit, Selbstbestätigung, Verschlossenheit gegenüber Gott und den anderen.«[48] In diesem Sinn ist die Tradition der 'anawim' zu verstehen, in welche sich die Version der

---

[41] L.Boff, ZGW 135ff. (vgl. Am 6,1-6; Hab 2,5f.; Lk 6,24;12,15-31;16,9-13; 1 Tim 6,10); vgl. Ders. Zärtlichkeit und Kraft. Franz von Assisi mit den Augen der Armen gesehen, Düsseldorf 1983, 78.

[42] L.Boff, ZGW 141

[43] ZGW 135f.

[44] ZGW 140; vgl. G.Gutiérrez, Theologie der Befreiung 284f.

[45] L.Boff, ZGW 142

[46] G.Gutiérrez, Theologie der Befreiung 277-281; Ders., Quelle 134-140; L.Boff, ZGW 143-154; Ders., Zärtlichkeit und Kraft 96.

[47] G.Gutierrez, Theologie der Befreiung 277

[48] L.Boff, ZGW 149; vgl. C.Boff/J.Pixley, Option für die Armen 109f. (vgl. Zeph 2,3;3,11f.; Jer 20,13; Jes 66,2; Ps 9,11;34,11).

Seligpreisungen bei Mt 5,3 einreiht. In dieser Haltung der Armut weiß sich der Arme in den Raum der Gnade, der Gratuität gestellt. Der Arme kann das »Sichverdanken« dem Schöpfer und Vater gegenüber positiv als Relation sehen.

Anders als Mt 5,3 wird von G.Gutiérrez und L.Boff[49] die lukanische Überlieferung (Lk 6,20) interpretiert: weil Lk eine starke soziale Sensibilität für die materiell Armen zeigt, wehren sie sich gegen eine vorschnelle Spiritualisierung und Moralisierung der ersten Seligpreisung: Diese meine gerade die materiell Armen, deren Existenz zum Almosengeben verpflichtet, d.h. die Hungernden, Trauernden, Verfolgten, Verleumdeten, Ausgeschlossenen, Blinden, Lahmen, Unterdrückten, Gedemütigten, Verstoßenen, die wirtschaftlich Armen und Marginalisierten. Die Seligpreisung stellt fest, daß das Reich Gottes diesen konkreten Armen gehört. Den Grund dafür sehen G.Gutiérrez und L.Boff im Reichsgedanken des AT, in dem es Funktion des Königs war, den Unterdrückten und Ausgebeuteten Recht zu verschaffen. Dieser Vorzug der Liebe Gottes für die Armen wurzelt also nicht in einem intensiveren Glaubens oder in einer moralischen Besserstellung, »sondern weil sie arm sind, Hunger haben und verfolgt werden«.[50] - Diese freie und gnadenhafte Bevorzugung und Liebe der Armen von seiten Gottes ist letztlich der Grund für die 'Option für die Armen': »Das Privileg der Armen findet seine theologische Untermauerung in Gott selbst.«[51]

2. Die Armen in der theologischen Reflexion

Auf einer nächsten Stufe wird die soziale Analyse und die Lektüre der Schrift mit traditionellen dogmatischen Inhalten wie Sünde, Gnade, Heil und Rechtfertigung konfrontiert.

Sünde und Gnade

Die konkrete gesellschaftliche Erfahrung widerspricht dem Heilsplan Gottes: die Anhäufung von Reichtum und Macht in den Händen einer

---

[49] G.Gutierrez, Theologie der Befreiung 279-281; Ders., Macht der Armen 65; L.Boff, ZGW 144; vgl. C.Boff/J.Pixley, Option für die Armen 47-66.

[50] G.Gutiérrez, Macht der Armen 65

[51] A.a.O. 96 (vgl. Puebla 421). »Mein erster Grund des Redens über die Armut besteht darin, daß ich an den Gott Jesu Christi glaube.« (G.Gutiérrez, Theorie und Erfahrung im Konzept der Befreiungstheologie, in: J.B.Metz/P.Rottländer (Hg.), Lateinamerika und Europa. Dialog der Theologen, München-Mainz 1988,59).

egoistischen Minderheit, totale Abhängigkeit (Dependenz) und Unterdrückung einer marginalisierten, verarmten Randbevölkerung von den politischen und wirtschaftlichen Zentren wird als »soziale« und »strukturelle Sünde« qualifiziert.[52] Der Begriff Sünde erfährt hier eine Umschmelzung durch die Konfrontation mit der konkreten Situation. Die soziale Dimension der Sünde ist dabei nicht neu. Sie wird traditionell unter den Stichworten 'Erbsünde', 'Sünde der Welt' (Joh), 'sündiges Milieu', 'sündige Kirche' ... gefaßt. Bei den führenden Vertretern der 'Theologie der Befreiung' läßt sich im übrigen keine Reduktion auf den sozio-ökonomischen, strukturellen und gesellschaftlichen Aspekt der Sünde nachweisen. Eine personale Schuld wird nicht bestritten. Sünde bedeutet den Bruch mit Gott durch Egoismus, Stolz, Ehrgeiz, Neid, Ungerechtigkeit, Herrschsucht, Gewalt, Korruption oder auch Hedonismus des einzelnen.[53] Sie zerstört auch die Menschenwürde in den Auseinandersetzungen zwischen Individuen, Gruppen, gesellschaftlichen Klassen und Völkern. - Analog zur Sünde wird die traditionelle Thematik der Gnade für die Wirklichkeit Lateinameriaks erfahrbar gemacht: dazu zählt der Aufweis der sozialen Struktur der habituellen und aktuellen Gnade und sodann die Reflexion auf Gnade als Krise, Befreiungsprozeß und Freiheit der Kinder Gottes.[54] Ohne Gnade und Befreiung miteinander zu identifizieren, betonen Boff und Gutiérrez primär den Zusammenhang zwischen beiden Aspekten. »1. Befreiung besagt erstens die Aspirationen sozialer Klassen und unterdrückter Völker. Sie betont den konfliktbeladenen Charakter der wirtschaftlichen, sozialen und politischen Prozesse, in dem diese den unterdrückkenden Klassen und wohlhabenden Völkern gegenüberstehen ... 2. Wenn wir sodann auf einer tieferen Ebene Geschichte als einen Befreiungsprozeß verstehen, in dem dieser sein Geschick selbst in die Hand nimmt, dann erweitern wir den Horizont der erwünschten sozialen Veränderungen und stellen ihn in den Zusammenhang eines dynamischen Prozesses ... 3. Wenn man von Befreiung spricht, dann

---

[52] L.Boff, Erfahrung von Gnade. Entwurf einer Gnadenlehre, Düsseldorf 1978, 129.131; Ders., ZGW 284ff.; G. Gutiérrez, Quelle 102; vgl. Puebla zur »sozialen Sünde« (2f.,487,515); zu »Situationen der Sünde« (32f.), zu »Systemen der Sünde« (92), Strukturen, die das Böse in sich tragen (438) oder zur »Sünde, welche den Strukturen selbst innewohnt« (1258). Auch 'Libertatis conscientia' (1986) spricht von »Strukturen, die von der Sünde gekennzeichnet sind« (74), »sozialer Sünde« (75), »Situationen von Sünde und Ungerechtigkeit« (60). - Zu den »Strukturen der Sünde« vgl. auch Johannes Paul II., Sollicitudo rei socialis Nr. 36-39. - Vgl. M. Sievernich, Schuld und Sünde in der Theologie der Gegenwart, Frankfurt [2]1983, 232-288; H.Kessler, Reduzierte Erlösung? Zum Erlösungsverständnis der Befreiungstheologie, Freiburg 1987, 25-31.57f.

[53] G.Gutiérrez, Macht der Armen 108

[54] L.Boff, Erfahrung von Gnade 206-236

wird (schließlich) ein anderer Ansatz möglich, der uns bis an die biblischen Quellen bringt, die Gegenwart und Tätigkeit des Menschen in der Geschichte inspirieren.«[55]
In Puebla wird die Option der Kirche für eine umfassende Befreiung ausgesprochen.[56] Die »befreiende Dimension« (355, 1254, 1283) gilt als »unverzichtbar« (562, 1270) und »unersetzlich« (1302) für den Evangelisierungsauftrag der Kirche. Es geht um eine ganzheitliche Befreiung, die weder auf die »Vertikale einer saft- und kraftlosen spirituellen Verbindung zu Gott«[57], noch auf einen simplen existentiellen Personalismus, noch auf die gesellschaftlich-wirtschaftlich-politische Horizontale reduziert werden darf.

Gott in der »Theologie der Befreiung«

»Was ist Gott für einen Erdteil von *Armen*, wie Lateinamerika es ist? Wie offenbart sich Gott den Unterdrückten?«[58] - Diese Frage ist der Leitfaden für die Überlegungen zu 'Gott' in der 'Theologie der Befreiung'. So ist keine philosophisch-metaphysische Gotteslehre angestrebt. Die europäische Religionskritik, die die Wirklichkeit Gottes als solche in Frage stellt bzw. negiert, findet keine Resonanz. Schließlich wird auch keine Theodizee, keine Rechtfertigung Gottes angesichts des Leids der Welt versucht. Die Wirklichkeit des biblischen Gottes wird als evident vorausgesetzt. Die Religiosität des lateinamerikanischen Menschen wird nicht prinzipiell hinterfragt. Die 'Theologie der Befreiung' bringt spezifisch die jüdisch-christliche Tradition narrativ ein. Eine besondere Bedeutung hat dabei das AT: »Wiedergewonnen ist das Bild

---

[55] G.Gutiérrez, Theologie der Befreiung 41f.

[56] Puebla 407-506; vgl.: »Darum fordert die Evangelisierung eine klar formulierte Botschaft über das Zusammenleben in der Gesellschaft, über das internationale Leben, den Frieden, die Gerechtigkeit, die Entwicklung« (Paul VI., Evangelii nuntiandi. Apostolisches Schreiben über die Evangelisierung in der Welt von heute (Verlautbarungen des Apostolischen Stuhls 2, hg. von der Deutschen Bischofskonferenz, Bonn 1975), Nr. 29). »Die Kirche hat ... die Pflicht, die Befreiung von Millionen Menschen zu verkünden ... die Pflicht zu helfen, daß diese Befreiung Wirklichkeit wird, für sie Zeugnis zu geben und mitzuwirken, damit sie ganzheitlich erfolgt. Dies steht durchaus im Einklang mit der Evangelisierung.« (Evangelii nuntiandi Nr. 30); vgl. auch die Antrittsenzyklika Johannes Pauls II., Redemptor hominis (Verlautbarungen des Apostolischen Stuhls 6, hg. von der Deutschen Bischofskonferenz, Bonn 1979) Nr. 16-17; Ders., Laborem exercens. Enzyklika über die menschliche Arbeit (Verlautbarungen des Apostolischen Stuhls 32, hg. von der Deutschen Bischofskonferenz, Bonn 1981) Nr. 32; Ders., Sollicitudo rei socialis. Enzyklika über die soziale Lage der Kirche (Verlautbarungen des Apostolischen Stuhls 82, hg. von der Deutschen Bischofskonferenz, Bonn 1987) Nr. 82.

[57] G.Gutiérrez, Macht der Armen 108

[58] C.Boff, Befreiung der Armen 27

Gottes als *Schöpfer des Lebens,* dessen Verherrlichung der lebendige Mensch ist.«[59] Der biblische Gott ist der Urheber und Schützer allen Lebens.[60] Darin liegt ein besonderer Kontrast zu einem Volk, das unter Unterdrückung, Folter, Entführung, etc. leidet. Aufgabe einer kritischen Theologie des Lebens ist es, gegen die sozio-historischen Mechanismen des Todes in Wirtschaft und Politik aufzutreten. Der Gegensatz zu diesem Gott des Lebens sind die Götter des Todes, sind Götzen wie z.B. die Habsucht, der Mammon und Idolatrie.[61] Der Gott des Lebens ist kein apathischer Gott: er ist der Gott der Geschichte, der Gerechtigkeit für die Armen, des Trostes und der Hoffnung für die Verzweifelten, der Befreiung für die Unterdrückten, der Zukunft und der Verheißung.[62] Als geschichtsmächtiger Gott ist Jahwe *Befreier* des unterdrückten Volkes, der sein Volk frei von jeder Sklaverei sehen will. Der Exodus ist 'Modell eines jeden Befreiungsprozesses': in ihm ergreift der lebendige Gott Partei für die Unterdrückten gegen den Pharao. In der Tradition der Psalmen und Propheten ist Jahwe der 'Fürsprecher der Schutzlosen', der 'Vater der Waisen' und 'Anwalt der Witwen' (Ps 68,6f.; Jer 21 und 22; Ijob 19,25). Wie man sich zu den Armen verhält, so verhält man sich zu Gott (Spr 17,5; Am 4,1-3).[63] Gott selbst trifft in der biblischen Tradition eine Option für die Armen. - Die Abba-Erfahrung Jesu offenbart Gott als *Vater* aller: »Gemeinsam beten wir: Vater *unser.* Niemand ist eine Insel. Wir alle sind hineingenommen in die messianische Gemeinschaft des Reiches des Vaters. Der Vater Jesu Christi ist nicht nur Vater einiger, sondern aller Menschen, vor allem jedoch der Kleinen und Armen, in denen er sich verbirgt (Mt 25,36-41), denen er sich aber auch offenbart (Mt 11,25) und die mehr als andere um ihr tägliches Brot bitten.«[64] So bilden Gott und der Arme eine un-

---

[59] C.u.L.Boff, Wie treibt man Theologie der Befreiung? 57ff.; G.Gutiérrez, Theologie der Befreiung 141ff.; Ders., Aus der eigenen Quelle trinken 37ff. in Anlehnung an Irenäus von Lyon, Adversus haereses IV, 20.7 (»Gloria Dei homo vivens«).

[60] Dieser zentrale Stellenwert des »Lebens« in der ThB ist nicht zu verwechseln mit einem lebensphilosophischen Lebensdrang »élan vital«. Gott wird nicht mit der lebensspendenden Kraft der Natur pantheisierend gleichgesetzt. Die Differenz zwischen Jahwe und Baal wird nicht eingeebnet. Die »Natur« als letztes Prinzip wäre ein Moloch, der das Schwache und »Lebensunwerte« selektiv in sich auffrißt und nur der Starken, den Übermenschen übrig läßt.

[61] Puebla 495; Vgl.G.Gutiérrez, Wenn wir Indianer wären, in: E. Schillebeeckx, Mystik und Politik 32-44, bes. 37-40 (zu Las Lasas); vgl. L. Ragaz, Die Bergpredigt Jesu, Bern 1945, 128-149 (Der Sturz der Götzen).

[62] G.Gutiérrez, Theologie der Befreiung 140-160; L.Boff, ZGW 324ff.; C.Boff, Befreiung der Armen 28f.; L.Boff, Vater unser 42-72.

[63] C.u.L.Boff, Wie treibt man Theologie der Befreiung? 64; G.Gutiérrez, Macht der Armen 14.

[64] L.Boff, Vater unser 57

auflösliche Einheit. Gott ist ein *Gott des Reiches Gottes*: dieses hat zutiefst eine politische Symbolik[65]. Es ist universal, erfaßt die Strukturen und ist der letzte und endgültige Sinn des Menschen.

Das Zueinander von Reich Gottes und Politik versteht L.Boff vom Gesetz der Inkarnation her: er will weder einem Säkularismus noch einem Theologismus verfallen. Er denkt von einer sakramentalen Symbolik her. Deutlich wird dies in seiner Interpretation des 'Vater unser': »Im Gebet des Herrn finden wir ... das richtige Verhältnis zwischen Gott und Mensch, zwischen Himmel und Erde, zwischen Religion und Politik.«[66] So vereinen sich im Reich Gottes Materie und Geist, Mensch und Kosmos, Schöpfung und Schöpfer. Die Brot-Bitte des Vater unser zeigt die sakramentale und göttliche Dimension der Materie. Im Brot wird auch die soziale Dimension der Arbeit, der Brüderlichkeit und des Teilens konkret. Der erste Teil (Name, Reich, göttlicher Wille) greift die Sache Gottes auf, der zweite (Brot, Vergebung, Versuchung, Böses) die Sache des Menschen. Das Vater unser ist so das Gebet integraler Befreiung, das zeigt, daß Liebe zu Gott und Gerechtigkeit und Befreiung des Menschen einander nicht widersprechen, sondern sich gegenseitig fordern. Ohne nun menschliche Befreiungspraxis und Kampf um Gerechtigkeit mit dem Reich Gottes zu identifizieren, betonen die Befreiungstheologen eher die Kontinuität zwischen dem Fortschritt im Zeitlichen und dem Wachsen des Gottesreiches.[67] »Der befreiende Christ vereint Himmel und Erde, den Aufbau der Stadt der Menschen mit der eschatologischen Stadt Gottes, die Förderung des geringsten Lebens in der Gegenwart mit der Verheißung des höchsten Lebens in der Ewigkeit.«[68] Die primären Adressaten für die Botschaft vom Reich Gottes sind die Armen: »Deshalb ist er für die Armen und gegen die Armut, für die es in seinem Reich keinen Platz mehr gibt«[69] Die Einbindung der Armut und der Armen in das Reich Gottes stellt eine Beziehungsgefüge her: Der Christ ist in seiner Armut als Kind gefordert, die materielle Armut und das ökonomische Elend zu überwinden. Durch solche befreiende solidarische Praxis werden im Reich Gottes die Gegensätze versöhnt.

---

[65] L.Boff, Der dreieinige Gott. Gott, der sein Volk befreit, Düsseldorf 1987, 43f.; Ders., Vater unser 91-106.

[66] L.Boff, Vater unser 16; vgl. 123; Ders., Kirche: Charisma und Macht. Studien zu einer streitbaren Ekklesiologie, Düsseldorf 1985, 54; Vater unser 69.

[67] G.Gutiérrez, Theologie der Befreiung 161-172.

[68] C.u.L.Boff, Wie treibt man Theologie der Befreiung? 78

[69] L.Boff, Vater unser 91

Dieses Reich, das in den Utopien der Schrift vorweg beschrieben ist (Jes 11,6-8; Jer 31,34; Apk 7,16), bedeutet eschatologisch die Umkehrung und Aufhebung aller Herr-Knecht-Verhältnisse: »Die Unglücklichen werden glücklich, die Glücklichen unglücklich, die Armen reich, die Reichen arm, die Verachteten verehrt und die Verehrten verachtet (Apg).«[70] L.Boff denkt auch das Geheimnis der Trinität in seiner Relevanz für die Gesellschaft und besonders für die Armen: als Gemeinschaft von gegenseitiger Verwiesenheit und Gleichheit, Bejahung und Respektierung ist das Geheimnis der Trinität Absage und Kritik eines jeden autoritären Systems und inspirierende Grundlage für Partizipation in allen Bereichen wie auch Grundlage einer umfassenden gesellschaftlichen Befreiung. Die Heiligste Dreifaltigkeit ist so »Frohbotschaft für die Menschen, besonders für die Armen.«[71]

Der befreiende und der arme Jesus

Von den Armen her nähert sich die 'Theologie der Befreiung' der Gestalt Jesu.[72] Methodisch liegt die Betonung auf dem 'historischen' Jesus. Damit soll eine abstrakte und ahistorische Reflexion vermieden werden. Diese hermeneutische Grundoption hat inhaltliche Konsequenzen: primär ist die konstitutive Beziehung Jesu zum Vater, der der Gott des Reiches ist und die Beziehung zum Reich Gottes. »Jesus predigte das Reich Gottes im Sinne einer absoluten Revolution und umfassenden Befreiung, die sowohl geistig als auch materiell (bezogen auf Hunger, Krankheit und Verantwortung), sowohl innergeschichtlich als auch übergeschichtlich ist«.[73] Jesus selbst wird zunächst primär als Befreier verstanden: »Die Bibel beschreibt uns Christus als denjenigen, der uns Befreiung bringt - Christus der Retter befreit den Menschen von der Sünde, die die letzte Ursache eines jeden Bruchs von Freundschaft, einer jeden Ungerechtigkeit und Unterdrückung ist. Christus macht in Wahrheit frei, d.h. ermöglicht ein Leben in Gemeinschaft mit ihm, der

---

[70] A.a.O. 97

[71] L.Boff, Der dreieinige Gott 281; vgl. 24-26.145-179; C.Boff, Befreiung der Armen 29; C.u.L.Boff, Wie treibt man Theologie der Befreiung? 65.

[72] G.Gutiérrez, Theologie der Befreiung 42; Ders., Macht der Armen 18-22.101ff.; Ders., Quelle 44-64; L.Boff, Jesus Christus unser Befreier, Freiburg 1986; C.Boff, Befreiung der Armen 29f.; vgl. ferner I.Sobrino, Christologie desde America Latina, Mexiko 1977; C.Bussmann, Befreiung durch Jesus? Die Christologie der lateinamerikanischen Befreiungstheologie, München 1980; H.Goldstein, Brasilianische Christologie: Jesus, der Severino heißt, Mettingen 1982.

[73] C.Boff, Befreiung der Armen 29

Grundlage aller Brüderlichkeit.«[74] - Hand in Hand mit Christus dem Befreier wird der 'arme Christus' herausgearbeitet: Jesus ist der Reiche, der arm wurde (2 Kor 8,9). Die Inkarnation wird im Sinne von Phil 2,6 als Entäußerung verstanden: Jesus ist der zum Armen gewordene Gott.[75] In der Menschwerdung hat er einen ganz bestimmten gesellschaftlichen Status angenommen, »den eines Armen und Arbeiters«.[76] Arm geboren, unter den Armen lebend, wendet er sich den Armen zu, umgibt er sich mit ihnen und identifiziert sich mit ihnen. Die Menschwerdung Gottes ist in sich schon eine 'Option für die Armen'. »Die Armen dürfen sich rühmen, Jesus zu den Mitgliedern ihrer Klasse zählen zu können«.[77] Armut bedeutet christologisch Demut vor dem Vater, Askese und solidarisches befreiendes Engagement.

Die Solidarität mit den Armen und Marginalisierten, die Verkündigung des Reiches Gottes und der Kampf für die Gerechtigkeit bringen Jesus in Konflikt mit den Machenschaften der Mächtigen seiner Zeit und schließlich den Tod.[78] In diesem Tod ist er Zeuge für die Wahrheit. Ohne andere theologische Bedeutungen auszuschließen, wird der Tod Jesu primär als Solidarität gesehen. Die befreiende Bedeutung der Auferstehung entspricht der Option für das Leben: Christus ist selbst der Neue Bund, er ist das Ja und Amen (2 Kor 1,20).[79] Der Auferstandene ist auch die neue Schöpfung (2 Kor 5,16-17; Joh 15,12).

Alle Dimensionen des 'armen Jesus' sind in Mt 25,31-46 brennpunktartig zusammengefaßt: Christus in den Armen begründet den 'hermeneutischen Grundzirkel': »Vom Menschen zu Gott und von Gott zum Menschen, von der Geschichte zum Glauben und vom Glauben zur Geschichte, von der Bruderliebe zur Gottesliebe und von der Gottesliebe zur Bruderliebe, von menschlicher Gerechtigkeit zur Heiligkeit Gottes und von der Heiligkeit Gottes zur menschlichen Gerechtigkeit, vom Armen zu Gott und von Gott zum Armen«.[80] So ist der »Arme ... lebendige Vermittlung des Herrn, sein wirklicher Ausdruck und nicht nur eine Zwischeninstanz«.[81]

---

74 G.Gutiérrez, Theologie der Befreiung 42

75 G.Gutiérrez, Theologie der Befreiung 283; Ders., Macht der Armen 19.

76 C.Boff, Befreiung der Armen 29

77 A.a.O. 29

78 C.Boff, Befreiung der Armen 29; L.Boff, ZGW 154f.326; G.Gutiérrez, Macht der Armen 19.

79 G.Gutiérrez, Quelle 38

80 G.Gutiérrez, Macht der Armen 21; auch 101; Ders., Theologie der Befreiung 173-190; C.u.L.Boff, Wie treibt man Theologie der Befreiung? 56ff.; vgl. Puebla 31,1141,1145.

81 C.Boff/J.Pixley, Option für die Armen 128; ohne daß Rahner ausdrücklich zitiert wird, verweisen diese Formulierungen doch auf die Ausführungen Rahners zur Einheit von

Die Antwort auf die Befreiung durch Jesus fordert die Nachfolge: »An Christus glauben heißt auch, sich seine Praxis zu eigen machen. Glaubensbekenntnis ohne Nachfolge ist nur die halbe Sache.«[82] Zentraler Punkt dieser Nachfolge sind Tod und Auferstehung. In der Nachfolge wird der Sieg des gekreuzigten Befreiers bezeugt, der sein Leben freiwillig hingibt und darin die Fülle des Lebens schenkt.[83] Konkret impliziert die an Jesu Tod und Auferstehung orientierte Nachfolgepraxis den gemeinsamen Weg und den Kampf mit dem armen Volk: »Wir werden nur dann Jünger Jesu und wahre Christen sein, wenn wir mit den Armen solidarisch werden und das Evangelium von der Befreiung leben.«[84] Weil Nachfolgepraxis an den irdischen Jesus gebunden ist, kann sie sich nicht von der Wirklichkeit verabschieden, sei es solipsistisch oder auch utopisch. Die Option für die Armen, die in Christus verankert ist, widersteht der liberalen Verführung zur Unverbindlichkeit in der Geschichte. Sie verflüchtigt sich nicht durch permanente Revolution aus der je konkreten Gegenwart.

Gottes- und Nächstenliebe (VI, 277-298). - Mt 25,31-46 ist auch für Johannes Paul II. von zentraler Bedeutung: »Dieses eschatologische Bild (Mt 25,31-46) muß immer auf die Geschichte des Menschen 'angewandt' werden, muß stets der 'Maßstab' für die menschlichen Handlungen sein, gleichsam ein Grundschema für die Gewissenserforschung eines jeden einzelnen und von allen zusammen: 'Ich war hungrig, und ihr habt mir nichts zu essen gegeben; ... ich war nackt, und ihr habt mich nicht bekleidet; ich war ... im Gefängnis, und ihr habt mich nicht besucht.' Diese Worte erhalten eine noch eindrücklichere Mahnung, wenn wir daran denken, daß anstelle von Brot und kultureller Hilfe den neuen Staaten und Nationen, die zur Unabhängigkeit erwachen, mitunter große Mengen von modernen Waffen und Zerstörungsmitteln angeboten werden, die bewaffneten Auseinandersetzungen und Kriegen dienen sollen, welche in diesen Ländern nicht so sehr für die Verteidigung ihrer legitimen Rechte oder ihrer Souveränität notwendig sind, sondern vielmehr eine Form des Chauvinismus, des Imperialismus, des Neokolonialismus verschiedenster Art darstellen. Wir alle wissen, daß die Gebiete, in denen auf der Erde Elend und Hunger herrschen, in kurzer Zeit hätten fruchtbar gemacht werden können, wenn die ungeheuren Geldsummen anstatt für Waffen, die dem Krieg und der Zerstörung dienen, zur Nahrungsmittelproduktion eingesetzt worden wären, die dem Leben dient.« (Redemptor hominis Nr. 16); ferner: Es genügt, »die Wirklichkeit einer unzähligen Menge von Männern und Frauen, Kindern, Erwachsenen und alten Menschen, von konkreten und einmaligen Personen also, zu sehen, die unter der unerträglichen Last des Elends leiden. Viele Millionen sind ohne Hoffnung, weil sich ihre Lage in vielen Teilen der Welt fühlbar verschlechtert hat. Angesichts dieser Dramen von völligem Elend und größter Not, in denen so viele unserer Brüder und Schwestern leben, ist es der Herr selbst, der an uns appelliert (vgl. Mt 25,31-46)« (Sollicitudo rei socialis Nr. 13).

[82] G.Gutiérrez, Quelle 60; in der Nachfolgechristologie kommt die Theologie der Befreiung' mit Kierkegaard, Bonhoeffer und Metz überein.

[83] Vgl. C.u.L.Boff. Wie treibt man Theologie der Befreiung? 76; G.Gutiérrez, Quelle 28; Ders., Theologie der Befreiung 233.

[84] C.u.L.Boff, Wie treibt man Theologie der Befreiung? 76; vgl. Puebla 743.1141.

Relativ spät angesprochen und systematisch noch wenig entfaltet ist die Pneumatologie. Die befreiungstheologische Hermeneutik setzt beim Hl. Geist spezifische Akzente. Gutiérrez[85] greift die biblischen Zeugnisse auf: Gott als Geist ist der Gegenpol zum Fleisch der Sünde, zum Tod, Egoismus, zu den Götzen (Röm 8,9). Paulinisch ist der Geist die Quelle und Wirkkraft des Lebens (Röm 8,6); als Geist der Freiheit (2 Kor 3,17) befreit er vom Gesetz der Sünde und des Todes (Röm 8,2). Zu seinen Früchten zählen Liebe, Friede und Gerechtigkeit (Gal 5,19-21). Die 'Option für die Armen' wurzelt im Geist, der sich der Schwachheit annimmt (Röm 8,26). Spiritualität ist dann die Herrschaft des Geistes. Der Geist befähigt zur »discretio« zwischen Gott und den Götzen, zwischen Gott und Mammon.[86]

Der lateinamerikanische Hintergrund kommt stärker bei L.Boff zum Vorschein.[87] Der Hl. Geist befähigt zu den Idealen der Gleichheit und Brüderlichkeit; er läßt die Utopie der Liebe nicht in der Resignation versinken. Seine Gaben sind Frömmigkeit, Gespür für Gott, Solidarität, Gastfreundschaft, Stärke, Lebensweisheit, die aus Leiden und Kampf erwächst, Gelassenheit, die Fähigkeit zu feiern, die Einsicht in die Möglichkeit und die Mäßigung in der Gewalt. Die Tradition des Geistes als 'Vater der Armen' wird neu belebt: der Geist gibt Mut und Kraft in Mühe, in Unterdrückung und Ausbeutung und Hoffnung auf Veränderung. »Die Geschichte der Befreiungskämpfe der Unterdrückten ist die Geschichte des Rufs des Hl. Geistes im geteilten Herzen dieser Welt.«[88] Der Geist steht dahinter, wenn die Armen im Kampf und im Widerstand die Geschichte in die eigenen Hände nehmen.

Auch die Kirche wird primär pneumatologisch begründet[89]: die Kirche ist Sakrament des Hl. Geistes. Ihr 'Ereignischarakter' steht über der institutionellen Dimension. An der Basis der Kirche ist der Geist besonders im Leiden, Kampf und Widerstand wirksam. Der Geist hat also als

---

[85] G.Gutiérrez, Quelle 75

[86] Ders., Theologie der Befreiung 191

[87] C.u.L.Boff, Wie treibt man Theologie der Befreiung? 69f.

[88] A.a.O. 70

[89] Vgl. L.Boff, Kirche: Charisma und Macht 251-266. - Die Notifikation der Glaubenslehre zu dem Buch »Kirche. Charisma und Macht. Versuch einer militanten Ekklesiologie« von Pater Leonardo Boff OFM, wendet sich u.a. gegen den Satz »daß die Kirche als Institution nicht im Denken des historischen Jesus vorhanden war, sondern als Entwicklung nach der Auferstehung, besonders im Zug der abnehmenden Endzeiterwartung, entstanden ist« (129).

bevorzugtes Handlungsfeld die Geschichte, zugleich läßt er aber nicht zu, »daß sie jemals die Perspektive der Ewigkeit vergessen«.[90]

Maria, die Prophetin des Magnifikat

In der Mariologie wird bei L.Boff[91] deutlich, daß es bei (seiner) 'Theologie der Befreiung' nicht um die theologische Sanktion der historischen Praxis im marxistischen Sinn geht. Das Dogma bildet den großen Bezugsrahmen: Maria ist die Grammatik Gottes; die Unbefleckte Empfängnis ist der Höhepunkt der Menschheit; in der bleibenden Jungfräulichkeit Marias wird der Beginn der vergöttlichten Menschheit gesehen, die menschliche und göttliche Mutterschaft wird in den besonderen Beziehungen zur Dreifaltigkeit, zum Vater, zum Sohn, zum Hl. Geist, zur hypostatischen Union, zur neuen Menschheit und zur Kirche entfaltet. »Aus der göttlichen und menschlichen Heiligkeit Marias erwächst ihre eminente Würde, die sie über alle Geschöpfe erhebt und die sich nur mit der Würde Christi vergleichen läßt.«[92]
Marias Auferweckung und Aufnahme in den Himmel bedeutet für sie das endgültige Zusammensein mit ihrem Sohn; sie konkretisiert auf besondere Weise unser eigenes Ziel in der Herrlichkeit, besonders im Hinblick auf die weibliche Dimension der Existenz; schließlich bilden »Schöpfer und Geschöpf, Weiblichkeit (die aber auch das Männliche einschließt) und heiliger Geist ... von jetzt ab die endzeitliche Geschichte, die Geschichte der höchsten Synthese, der absoluten Heimkehr und der endlich wiedererlangten und gelebten, von Vermischung freien Einheit im Reich Gottes. Das Weibliche gewinnt seine endgültige Ewigkeitsdimension.«[93]
Die theologische Größe Marias wurzelt aber in der Einfachheit ihrer historischen Lebenssituation. Sie ist die arme Frau aus Nazaret, die Frau aus dem Volk. In ihrer Kleinheit ist sie ein Beispiel für den Glauben und die Verfügbarkeit für Gott: »man kann ... nur befreiend wirken, wenn man frei von sich selbst ist und sein Leben in den Dienst an den anderen stellt.«[94]

---

[90] C.u.L.Boff, Wie treibt man Theologie der Befreiung? 69f.

[91] Das mütterliche Antlitz Gottes. Ein interdisziplinärer Versuch über das Weibliche und seine religiöse Bedeutung, Düsseldorf 1985.

[92] A.a.O. 176; wir gehen hier nicht auf die Problematik des Zusammenhangs zwischen Maria und dem Hl. Geist (Maria als Inkarnation des Hl. Geistes!?) bei L.Boff ein.

[93] A.a.O. 184

[94] C.u.L.Boff, Wie treibt man Theologie der Befreiung? 70

Zentral ist dann das Magnifikat, das Maria als prophetisch und befreiend Wirkende vorstellt. Boff beruft sich auf Paul VI.[95] Maria wird als
'hervorragende Vertreterin der Demütigen und Armen Gottes' (LG 55)
gesehen, sie ist die 'starke Frau, die Armut und Leiden, Flucht und
Verbannung mitmachte' (Mt 2,13-23); als solche verkündet sie Gott als
Anwalt der Kleinen und Unterdrückten. Der eigentliche Grund für die
(überraschend) wichtige Stellung der Mariologie in der Befreiungstheologie ist die Bedeutung Marias in der Religion des lateinamerikanischen Volkes. In der Volksreligiosität hat sie die Farbe der unterdrückten schwarzen Sklaven und der dunkelhäutigen Ureinwohner angenommen. Klagen, Tränen und Mühsal werden in Wallfahrten zu ihr gebracht. »Maria hat die Unterdrückten des Kontinents geliebt.«[96] So ist
sie zur Quelle der Hoffnung und der Kraft für Kampf und Widerstand
geworden. Weil das lateinamerikanische Volk ein »Marienvolk«[97] ist,
wird es verständlich, daß sie als »Stern der immer neuen Evangelisierung«[98], als »sakramentale Gegenwart der mütterlichen Züge Gottes«,
mit Christus als Hauptvermittlerin und Protagonistin der Geschichte
und als die »Frau der Inkarnation des Wortes Gottes in der Geschichte«[99] vorgestellt wird.

---

[95] Die moderne Frau »wird mit freudiger Überraschung feststellen, daß Maria trotz ihrer
vollen Hingabe an den Willen Gottes keineswegs eine passive Frau war, die achtlos an
den Dingen dieser Welt vorbeiging und andere davon abhielt, in einer abwegigen Religiosität befangen, sondern eine Frau, die nicht zögerte zu verkünden, daß Gott der Anwalt der Kleinen und Unterdrückten sei, der die Mächtigen dieser Welt vom Thron
stürzt (Lk 1,51-53); sie wird Maria als 'hervorragende Vertreterin der Demütigen und
Armen Gottes' (LG 55), als eine starke Frau, die Armut und Leiden, Flucht und Verbannung mitmachte (vgl. Mt 2,13-23)« sehen: Paul VI., Marialis cultus. Apostolisches
Schreiben über die Marienverehrung. Lat.-dt. von den deutschen Bischöfen approbierte Übersetzung, hg. und übersetzt von den Liturgischen Instituten in Salzburg,
Trier und Zürich (Nachkonziliare Dokumentation Bd.45) Trier 1975, Nr. 37. - Vgl.
auch: »Ihre (der Kirche) vorrangige Liebe zu den Armen ist im Magnifikat eindrucks-
voll enthalten. Der Gott des Bundes ... ist zugleich derjenige, der 'die Mächtigen vom
Thron stürzt und die Niedrigen erhöht', der 'die Hungernden mit seinen Gaben beschenkt und die Reichen leer ausgehen läßt' ... Maria ist tief durchdrungen vom Geist
der 'Armen Jahwes'. ... Sie verkündet ... das Kommen des 'Messias der Armen' (vgl. Jes
11,4;61,1). Indem die Kirche aus dem Herzen Marias schöpft, wird sich die Kirche immer neu und besser bewußt, daß man die Wahrheit über Gott, der rettet, über Gott, die
Quelle jeglicher Gabe, nicht von der Bekundung seiner vorrangigen Liebe für die Armen und Niedrigen trennen kann«: Johannes Paul II., Redemptoris mater. Enzyklika
über die selige Jungfrau Maria im Leben der pilgernden Kirche, Nr. 37
(Verlautbarungen des Apostolischen Stuhls 75, hg. von der Deutschen Bischofskonferenz, Bonn 1987). - Vgl. dazu: L.Boff, Das mütterliche Antlitz Gottes 195-210; C.Boff,
Befreiung der Armen 30; C.u.L.Boff, Wie treibt man Theologie der Befreiung? 71f.
[96] C.u.L.Boff, Wie treibt man Theologie der Befreiung? 72
[97] C.Boff, Befreiung der Armen 30
[98] Evangelii nuntiandi 81
[99] Puebla 291,293,301

III. Option für die Armen (Praktische Vermittlung)[100]

Ausgangspunkt für die 'Theologie der Befreiung' ist einmal die konkrete Wirklichkeit der Armen, sodann die konkrete Praxis der Basisgemeinden. Durch die 'sozio-analytische Vermittlung' und in der Konfrontation mit dem Evangelium und mit der theologischen Tradition geht es um neue Einsichten und Perspektiven für das politische und pastorale Handeln in zeitgenössischer Form. Ziel der Praxis ist die Bekehrung, Umgestaltung und Erneuerung der Kirche und der Gesellschaft zur Verwirklichung der Agape, der gelebten politischen Liebe und Gerechtigkeit.

1. Option für die Armen in Solidarität und Protest

»Wenn ich Hunger habe, ist das ein materielles Problem, wenn jemand anders Hunger hat, ist das ein geistiges Problem« (N.A. Berdjajew).[101] - Die Armut in der Form des Elend und Skandals führt den demütigen Armen im Geiste zur Solidarisierung, zum Engagement und zur Anstrengung, das Elend zu überwinden.[102]
Gefragt ist zunächst eine affektive Solidarisierung und Identifizierung, die sich auf die Seite der Armen stellt. Diese kann nicht paternalistisch von oben her geschehen. Wahre Liebe gibt es nur unter Gleichen. Die Solidarität hat sich in Freundschaft, Zuwendung und Zärtlichkeit zu konkretisieren. Sie impliziert auch den materiellen Verzicht im Sinne des Habens, um auf gemeinschaftlicher Ebene im Sinne des Teilens zu besitzen. Nicht Verachtung der Güter, sondern zurückhaltender und maßvoller Gebrauch ist gefordert. Armut als Tugend und Askese ist Voraussetzung für Solidarität und Mit-Leiden.[103] »Christliche Armut ist

---

[100] Vgl. C.Boff, Theologie und Praxis 256-345; Ders., Befreiung der Armen 98; C.u.L.Boff, Wie treibt man Theologie der Befreiung?51. P.Rottländer, Option für die Armen. Erneuerung der Weltkirche und Umbruch der Theologie in: E.Schillebeeckx (Hg.), Mystik und Politik 72-88.

[101] Zit. bei G.Gutiérrez, Quelle 113.

[102] L.Boff, ZGW 152-154; G.Gutiérrez, Theologie der Befreiung 281-286; Ders., Quelle 135f.; vgl. Option für die Armen, in: Conc 22 (1986) Heft 5.

[103] L.Boff, Zärtlichkeit und Kraft 97f.; Paradigma für diese Solidarität als Option für die Allerärmsten ist Franziskus: die 'Option für die Armen' fordert einen Wechsel der gesellschaftlichen Klasse (2 Kor 8,9), sie ist beim Poverello die radikale 'Enteignung' und totale Absage an die Aneignung; er ist radikal arm, um ganz Bruder zu sein. Die Armut ist also insgesamt auf eine Vermenschlichung durch Brüderlichkeit ausgerichtet (a.a.O. 99-112).

als Ausdruck der Liebe Solidarität mit den Armen«.[104] Als solche hat sie zugleich gegen die Armut zu protestieren: »An der Seite der Armen engagiert, verurteilen wir als antievangelisch die extreme Armut, die den Großteil der Bevölkerung unseres Erdteils betrifft«.[105] So gilt es, Repression und Unterdrückung anzuprangern, Gewaltregime, Denunzierungen, Verletzungen der Menschenrechte, maßlosen Druck, Machtmißbrauch, Folter, abhängige Justiz, ideologische Doktrin, Landesverweisungen und Verhaftungen anzuklagen und zu verurteilen. Die fundamentalen Rechte der Armen (Brot, Arbeit, elementare Gesundheit, Wohnung, Alphabetisierung) und Meinungsfreiheit, Gewissensfreiheit und Religionsfreiheit sind einzuklagen. Die Option für die Armen erschöpft sich aber nicht in der kritischen Anklage. Die Option Gottes für das Leben wird mitvollzogen in Projekten für Bewässerung, in Volksküchen, in Kampagnen für die Alphabetisierung, in Bewußtseins- und Erziehungsarbeit. Gruppen für Menschenrechte (z.B. die CEAS) helfen in der juristischen Verteidigung, begleiten Betroffene, leisten Bewußtseinsarbeit für die Menschenrechte und initiieren Kampagnen für Verschwundene.[106]

Die 'Option für die Armen' muß somit politisch und dialektisch werden im Sinne einer kämpferischen Liebe. Die Solidarisierung mit den Armen in Protest und Engagement gegen die Armut können die Bereitschaft zum Martyrium fordern. Die gegenwärtige Phase der lateinamerikanischen Kirche ist auch durch viele Märtyrer ausgezeichnet.[107] Die Armut als Kindschaft wird so zu einer Tat der Liebe und der Befreiung: in Protest, Solidarität und Engagement gilt es, die Armut als Elend zu heilen und zu überwinden. Das Ziel ist eine gerechte brüderliche und schwesterliche Gesellschaft.[108]

---

[104] G.Gutiérrez, Theologie der Befreiung 283

[105] Puebla 1159. - Mit der III. Generalkonferenz des lateinamerikanischen Episkopats in Puebla (1979) ist die »vorrangige Option für die Armen« (1134-1165) endgültig zu einer Grundachse der 'Theologie der Befreiung' geworden. Auch die zweite Instruktion der Kongregation für die Glaubenslehre »Über die christliche Freiheit und Befreiung« (1986) spricht von der »Liebe, die den Armen den Vorzug gibt« (66-70). Die Armut und die 'Option für die Armen' werden darin christologisch begründet (2 Kor 8,9); vgl. C.Boff/J.Pixley, Option für die Armen 147ff.

[106] Puebla 42,252,254,327,1145; vgl. G.Gutiérrez, Macht der Armen 92.

[107] Instituto Historico Centroamericano (Hg.), Sie leben im Herzen des Volkes. Lateinamerikanisches Martyrologium. Aus dem Spanischen übersetzt von A.Reiser. Mit einem Vorwort von J.B.Metz und 12 Illustrationen von Maximino Cerezo Barredo, Düsseldorf 1984. L. Kaufmann/N.Klein, Ökumene der Märtyrer, in: E.Schillebeeckx (Hg.), Mystik und Politik 390-393 (Lit.!).

[108] G.Gutiérrez, Theologie der Befreiung 283; L.Boff, ZGW 153.156; zum Verhältnis von Nachfolge und sozialem Kampf vgl. schon L.Ragaz, Das Evangelium und der soziale Kampf 47.

Wer ist nun Subjekt dieser 'Option für die Armen'? »Wir betonen, daß sich die gesamte Kirche zu einer vorrangigen Entscheidung für die Armen bekehren muß.«[109] In der 'Option für die Armen' verwurzelt sich die Kirche in die »Unterwelt der Armen«[110], macht sie sich die Sache der Armen, ihr Leben, Leiden, ihre Kämpfe und Sehnsüchte zu eigen und gewinnt im armen Volk Gestalt. In der 'Option für die Armen' ist die Option für die Befreiung impliziert: »Die Kirche muß sichtbares Zeichen der Gegenwart des Herrn im Verlangen nach Befreiung und im Kampf für eine menschlichere und gerechtere Gesellschaft sein«.[111] In dieser Sicht hat die Kirche Sauerteig der Prophetie und der Gerechtigkeit zu sein. - Für das Amt in der Kirche ist mit dieser Option ein Standortwechsel, d.h. der Bruch des 'historischen Paktes' mit den Mächtigen, verbunden. Gerade auch die institutionelle Kirche hat Subjekt der 'Option für die Armen' zu werden, indem sie eine Lebens- und Kampfgemeinschaft mit den Armen eingeht. Die Evangelisierung der Armen hat selbst mit armen Mitteln zu geschehen.[112] Die 'Option für die Armen' ist nicht exklusiv auf eine bestimmte Klasse gerichtet. Gemeint sind auch nicht bloß die materiell Armen. Die vorrangige Entscheidung hat nicht nur weltlichen und politischen, sondern auch und gerade religiösen Charakter.[113] Die Kirche hat eine Option für die Würde der menschlichen Person als Kind Gottes zu treffen. Sie ist Sakrament der Gemeinschaft, Zeichen für die Zusammenrufung aller Menschen durch Gott (LG 1)[114], für die 'communio' mit Christus und den Christen als brüderliche Beziehung von Teilhabe, Liebe und Dienst.

Die konkrete 'Option für die Armen' und die Universalität, d.h. die Katholizität der Kirche bedingen einander. »Die Solidarität mit den Armen, mit ihren Kämpfen und Hoffnungen ist ... Bedingung für eine echte Solidarität mit allen Menschen.«[115]

---

[109] Puebla 1165; vgl. 27,88,142f.,235,480,1134,1138,1157.

[110] C.Boff, Befreiung der Armen 31

[111] G.Gutiérrez, Theologie der Befreiung 246; L.Boff, Tal der Tränen 98.106.129; Ders., Kirche: Charisma und Macht 15-30.46f.195.242; C.u.L.Boff, Wie treibt man Theologie der Befreiung? 72.

[112] L.Boff, ZGW 287-299.314

[113] Vgl. C.Boff/J.Pixley, Option für die Armen 143ff.; vgl. dagegen: J. Kard. Höffner, Soziallehre der Kirche oder Theologie der Befreiung? Eröffnungsreferat bei der Herbstvollversammlung der Deutschen Bischofskonferenz 1984, Bonn 1984, 19-21, der bei L.Boff die Reduktion des 'Volkes' auf die unterprivilegierten Klassen kritisiert.

[114] Vgl. G.Gutiérrez, Theologie der Befreiung 46-250; C.u.L.Boff, Wie treibt man Theologie der Befreiung? 73.

[115] G.Gutiérrez, Macht der Armen 99

Die Armen sind nicht nur bevorzugte Adressaten des Evangeliums, sondern ebenso Träger der Verkündigung. Die Armen haben das Subjekt ihrer Geschichte zu werden und so auch die Subjekte von Theologie und Kirche. Insofern impliziert diese Ekklesiologie auch eine neue Ekklesiogenese: es geht um eine Wiedergeburt der Kirche in der Welt der Armen als eine arme Kirche des Volkes.[116]

Diese Ekklesiogenese realisiert sich in den kirchlichen Basisgemeinden: »Die Ekklesiologie der Befreiung will zum Ausdruck bringen, was der Entwicklungsprozeß der kirchlichen Basisgemeinden (KBG) selbst zutage fördert: eine neue Form des Kircheseins, d.h. einen neuen geschichtlichen Prozeß, ein neues geschichtliches Projekt der christlichen Gemeinde«.[117] Kirchliche Basisgemeinden entstehen aus dem unterdrückten und gläubigen Volk.

Was verstehen die Befreiungstheologen unter der 'Basis' bzw. dem 'Volk'?[118]

Entscheidend für die Auffassung des Volkes ist die Erfahrung des Leidens und des Widerstandes. In einer solchen Gemeinschaft wird die Kirche als Trägerin der christlich geprägten kulturethnischen Weisheit gesehen. Leidens- und Widerstandsgeschichte begründen die ethische Normativität. Es ist also nicht primär die 'öffentliche Meinung', in der das Volk zum Ausdruck kommt. Zum zweiten wird 'Volk' von der Kultur einer anthropologischen Armut und des Verzichtes gesehen. Damit wird eine Instrumentalisierung von Welt und Mensch durch technische Rationalität abgelehnt. Ein dritter Leitfaden ist die Bejahung der Erfahrungsgeschichte des Volkes und der Volksweisheit mit ihren Riten, Mythen und Symbolen. Diese bilden den Horizont für das richtige Verstehen von Welt und Geschichte.

Kirchliche Basisgemeinden sind eine Gemeinschaft der Armen, eine Gemeinschaft im Hl. Geist, in der Nachfolge der Apostel und innerhalb der Kirche. Sie entstehen aus dem Hören des Wortes Gottes[119], das Evangelium ist für sie Botschaft der Hoffnung, Maß der Gesellschaft, Sauerteig der Befreiung, Quelle der Inspiration und Stimulanz des Neubeginns. L.Boff sieht in den Basisgemeinden eine »neue Art, Kirche zu leben«[120]: diese ist mehr vom Ereignis des Glaubens, vom Charisma und von der Nachfolge als von der Institution geprägt. Das Leben in

---

[116] Medellin 15,10; vgl. L.Boff, Zärtlichkeit und Kraft 152-184; G.Gutiérrez, Macht der Armen 22f.112-114.

[117] C.Boff, Befreiung der Armen 31; vgl. L.Boff, Kirche: Charisma und Macht 222-241.

[118] R.Fornet-Betaucourt, »Hören auf das Volk« - Theologische Methode oder ideologisches Programm? Überlegungen zur Denkstruktur der lateinamerikanischen Befreiungstheologie, in: W. Seibel (Hg.), a.a.O. 69-92, hier 85.

[119] L.Boff, Kirche: Charisma und Macht 224-226; Ders., Die Neuentdeckung der Kirche. Basisgemeinden in Lateinamerika, Mainz 1980.

[120] L.Boff, Kirche: Charisma und Macht 226

den Basisgemeinden ist metaphysisch an das Prinzip der Subsidiarität gebunden, das nach Pius XII. auch für die Kirche gilt.[121] Theologisch können sie von einer 'communio' - Ekklesiologie und von der Kirche« als Volk Gottes ausgehen, die primär durch die gemeinsame Sendung aller Getauften konstituiert wird. Die Getauften werden als lebendige, aktive und teilnehmende Subjekte der Kirche gesehen.[122]

Die Instruktion der Kongregation für die Glaubenslehre »Über einige Aspekte der 'Theologie der Befreiung'« (1984) sieht in der *Volkskirche* der 'Befreiungstheologien' die Gefahr einer Klassenkirche, in der Kirche auf das unterdrückte Volk reduziert wird.[123] Letztlich sei diese Ekklesiogenese von der marxistischen Gesellschafts- und Geschichtsauffassung unterwandert. »Es handelt sich vielmehr um eine Infragestellung der *sakramentalen und hierarchischen Struktur* der Kirche, wie der Herr selber sie gewollt hat. Man verurteilt die Hierarchie und das Lehramt als eindeutige Vertreter der herrschenden Klasse, die man notwendigerweise bekämpfen muß.«[124]

Wir können hier keine detaillierte Untersuchung über Legitimität und Grenzen dieser Kritik an der 'Theologie der Befreiung' vornehmen. Wir konzentrieren uns im Hinblick auf das Thema der Armut auf die Frage, wie sich der Arme in der 'Theologie der Befreiung' zum Proletarier bei Marx verhält. In diesem Vergleich bzw. in dieser Gegenüberstellung wird die spezifisch christliche Gestalt der Befreiungstheologie deutlich.

2. Der Proletarier und der Arme

Die Instruktion der Kongregation für die Glaubenslehre »Über einige Aspekte der 'Theologie der Befreiung'« (1984) legitimiert den Begriff und die Sache der 'Theologie der Befreiung'. Hauptanliegen der Instruktion ist aber die Warnung vor einer engen und unkritischen Über-

---

[121] W.Kerber, Die Geltung des Subsidiaritätsprinzips in der Kirche, in: StdZ 202 (1984) 662-672; O.v.Nell-Breuning, Subsidiarität in der Kirche, in: StdZ 204 (1986) 147-157; W.Kasper, Die Geheimnisdimension hebt den Sozialcharakter nicht auf. Zur Geltung des Subsidiaritätsprinzips in der Kirche, in: HK 41 (1987) 232-236.

[122] C. u. L. Boff, Wie treibt man Theologie der Befreiung? 73f.

[123] Verlautbarungen des Apostolischen Stuhls 57, Bonn 1984, IX.12.

[124] A.a.O. IX.13; vgl. auch die Notifikation der Kongregation für die Glaubenslehre zu dem Buch »Kirche: Charisma und Macht. Versuch einer militanten Ekklesiologie« von Pater Leonardo Boff OFM vom 11. März 1985 (Verlautbarungen des Apostolischen Stuhls 67) Bonn 1985. - Der Hinweis auf die Ambivalenz der Begriffe 'Basis' und 'Volk' hat eine relative Berechtigung, sieht aber nur das halbe Problem. Die Einheit der Kirche ist ja nicht bloß durch eine mündige Basis gefährdet. Auch totalitäre innergeschichtliche Einheitspraktiken können zu Spaltung oder lautlosem Auszug führen.

nahme des Marxismus als bestimmendes Prinzip. Hinsichtlich der vorrangigen 'Option für die Armen' wird zunächst deren Bekräftigung durch Medellin und Puebla bestätigt[125], dann aber wird kritisch festgehalten: »Die 'Befreiungstheologien' haben zwar den Verdienst, die großen Texte der Propheten und des Evangeliums über die Verteidigung der Armen wieder aufgewertet zu haben, doch verwechseln sie darüber hinaus in verderblicher Weise den *Armen* der Schrift mit dem *Proletariat* von Marx. Dadurch wird der christliche Sinn der Armut pervertiert, und der Kampf für die Rechte der Armen verwandelt sich in eine Klassenauseinandersetzung im ideologischen Sinn des Klassenkampfes. Die *Kirche der Armen* bezeichnet dann eine Klassenkirche, die sich der Notwendigkeit des revolutionären Kampfes als Etappe zur Befreiung bewußt geworden ist und die diese Befreiung in ihrer Liturgie feiert.«[126] Ob die Vorwürfe im Hinblick auf die Armut bei Gutiérrez und den Brüdern Boff zutreffen, wird auf Grund der Texte zu analysieren und zu beurteilen sein. Wir haben zunächst wenigstens in groben Zügen den marxistischen 'Proletarier' zu skizzieren und diesen dann mit dem 'Armen' der 'Theologie der Befreiung' zu vergleichen.

Der Proletarier bei K. Marx

K. Marx[127] sieht im Proletariat das Subjekt künftiger gesamtmenschlicher universaler Emanzipation. Es ist für ihn die Klasse mit radikalen Ketten, die »universellen Charakter durch ihre universellen Leiden besitzt und kein besonderes Recht in Anspruch nimmt, weil kein besonderes Unrecht, sondern das Unrecht schlechthin an ihr verübt wird, welche nicht mehr auf einen historischen, sondern nur noch auf den menschlichen Teil provozieren kann.«[128] Wenn sich das Proletariat emanzipieren will, dann muß es sich von allen übrigen Ebenen der Gesellschaft und vom Staat emanzipieren. Diese Emanzipation impliziert die Auflösung des Privateigentums. Nur im völligen Verlust des Menschen kann die völlige Wiedergewinnung des Menschen geschehen. In der Auflösung der bisherigen Weltordnung spricht das Proletariat das »Geheimnis seines eigenen Daseins aus«. Kritik und Auflösung des Bestehenden bzw. universale Emanzipation sind die Weise, wie der Mensch zu seinem eigentlichen Wesen kommt, das sich nur aus sich selbst bestimmt. »Wie die Philosophie im Proletariat ihre *materiellen*, so findet das Proletariat in der Philosophie seine *geistigen* Waffen.«[129] Die Philosophie ist der *Kopf* dieser universalen Emanzi-

---

[125] A.a.O. VI.5

[126] A.a.O. IX.10

[127] Zur Kritik der Hegelschen Rechtsphilosophie, in:MEW 1,390f.; Manifest der Kommunistischen Partei, in: MEW 4,462-482; vgl. zum folgenden: P. Ganne, Die Prophetie der Armen, Einsiedeln 1986.

[128] Zur Kritik der Hegelschen Rechtsphilosophie, in: MEW 1,390

[129] MEW 1,391

pation, das Proletariat ist ihr Herz.[130] »Die Philosophie kann sich nicht verwirklichen ohne die Aufhebung des Proletariats (u. zwar als besondere Klasse ins Allgemeine), das Proletariat kann sich nicht aufheben ohne die Verwirklichung der Philosophie.«[131] Philosophische Grundlage ist die Theorie, welche den Menschen für das höchste des Menschen erklärt. In der sozialistischen Produktionsweise[132] ist der Mensch von allen Entfremdungen und Heteronomien, die das Subjektsein und Subjektwerden aller Menschen bisher verhinderten, befreit. Das Subjekt ist in ihr solidarisch-praktisch konstituiert. Erst als Gattungswesen, das sich nicht egoistisch bestimmt, ist der Mensch selbst geworden.[133]

Die marxistische Wesenbestimmung des Menschen ist eine radikale Kritik des *Habens*[134] und der aneignenden Verhaltensweise zur Wirklichkeit. Sie konkretisiert sich in der Kritik des Privateigentums, der Habsucht und des Neids, sie wendet sich gegen die verheerende Macht des Geldes. Die Kapitalisierung, das Verhältnis der Aneignung, der Sinn des Habens entfremdet die menschlichen Sinne und Eigenschaften wie Sehen, Hören, Riechen, Schmecken, Fühlen, Denken, Anschauen, Empfinden, Wollen, Tätigsein, Lieben ... »Die Aufhebung des Privateigentums ist ... die vollständige *Emanzipation* aller menschlichen Sinne und Eigenschaften«.[135] »Auf diese absolute Armut mußte das menschliche Wesen reduziert werden, damit es seinen inneren Reichtum aus sich heraus gebäre.«[136] Die Armut des Wesens ist - unter Voraussetzung des Sozialismus - »das positive Band, welches dem Menschen den größten Reichtum, den *anderen* Menschen, als Bedürfnis empfinden läßt«.[137]

So ist für Marx der grundlegende Gegensatz zwischen Proletariat und Reichtum (Privateigentum) zu suchen. »Das Proletariat ist ... als Proletariat gezwungen, sich selbst und damit seinen bedingenden Gegensatz, der es zum Proletariat macht, das Privateigentum, aufzuheben. Es ist die *negative* Seite des Gegensatzes, seine Unruhe in sich, das aufgelöste und sich auflösende Privateigentum.«[138] Das Privateigentum erzeugt das Proletariat als Proletariat, d.i. das »seines geistigen und physischen Elends bewußte Elend, die ihrer Entmenschung bewußte und darum sich aufhebende Entmenschung.«[139] Die Aufhebung ist deshalb notwendig (als absolut gebieterische Not), weil im Proletariat die unmenschlichen Lebensbedingungen in ihrer unmenschlichsten Spitze zusammengefaßt sind und sich der Mensch darin selbst verloren hat. Diese Reduktion auf die Armut ist nicht bloße Theorie. Die absolut gebieterische Not zwingt zur Empörung gegen die Unmenschlichkeit. »Darum kann und muß das Proletariat sich selbst befreien.«[140]

---

[130] MEW 1,391

[131] MEW 1,391

[132] Vgl. Manifest der Kommunistischen Partei, in: MEW 4,477ff.

[133] Ökonomisch-philosophische Manuskripte (1844), in: MEW EB 1,515

[134] Die Deutsche Ideologie, in: MEW 3,211-214; vgl. MEW EB 1,562-567

[135] MEW EB 1,540

[136] MEW EB 1,540

[137] MEW EB 1,540

[138] Die Heilige Familie (1844/45), in: MEW 2,37

[139] MEW 2,37

[140] MEW 2,38

Im Marxismus besteht also ein wurzelhafter Zusammenhang zwischen Proletariat und Philosophie. Die Reduktion auf das absolute Elend bedingt die revolutionäre Kritik und Praxis. Dies sind die Voraussetzungen, daß der Mensch sich in der Arbeit frei schaffen kann. Positiv ist darauf hinzuweisen, daß K. Marx das Elend in seiner sozio-ökonomischen Gestalt wahrnimmt. Auch die Kritik der Kapitalisierung des Geistes und des Habens als Entfremdung der menschlichen Sinneswahrnehmung, des Denkens, Wollens und Liebens zeugt von einer tiefen Einsicht. Marx bleibt allerdings in der Identifizierung von Elend und Armut stecken. So geht es gar nicht primär um die Überwindung der konkreten Armut und um die Solidarisierung mit den konkret Armen. Solche Schritte würden Revisionsimus bedeuten. Marx hat letztlich eine monistische Auffassung menschlicher Praxis und menschlicher Freiheit. Es gibt keinen positiven Begriff einer Armut als geschöpflicher Kindschaft. Das Schema Herr - Knecht wird zum universalen Erklärungsmodell geschichtlicher Verhältnisse, wie auch der Religion. Die Dialektik der Zukunft bleibt letztlich leer. Die Kritik jeder Theorie zerstört jeden argumentativen Schutz der Menschenrechte[141], die als Relikt der Bourgeoisie gelten. Eine Differenzierung zwischen Recht und Unrecht, Gewalt und Recht, Gut und Böse wird wieder in das Basis-Überbau-Modell vereinnahmt und als ideologischer Ausdruck herrschender Interessen kritisiert. Weil Marx von der bourgeoisen Gesellschaft den Atheismus, eine Anthropologie des sich in der Arbeit entwerfenden Menschen, die Dialektik von Herr und Knecht wie auch den Menschen als höchstes Wesen für den Menschen erbt, fehlt ihm die Idee einer absoluten Zukunft, die konkrete Solidarisierung mit den Leidenden und die 'Umkehr des Gewissens'. So bleibt die geschichtliche Praxis in der Negation stecken.

Die Prophetie der Armen in der »Theologie der Befreiung«

Die Theologen der Befreiung nehmen in der sozialwissenschaftlichen Analyse marxistisches Gedankengut auf. Die hermeneutische Priorität kommt jedoch der biblischen und theologischen Analyse vor den Sozialwissenschaften zu; die Quellen der 'Theologie der Befreiung' sind primär im Evangelium und weniger bei Marx zu suchen. Von der biblischen Grundlage her haben die Armen eine prophetische Aufgabe, ohne daß sie dadurch immunisiert und zu exklusiven Trägern der

---

[141] K. Marx, Zur Judenfrage, in: MEW 1,362ff.

Wahrheit stilisiert würden. Die Verbindung von Armut und Prophetie ist mehrdimensional und differenziert. Puebla spricht von der Kirche als prophetischem Volk Gottes: »Es wird als prophetisches Volk ausgesandt, um das Evangelium zu verkünden oder die Stimmen des Herrn in der Geschichte auszumachen. Es sagt die Botschaft an, wo sich die Gegenwart seines Geistes zeigt und es klagt an, wo das Geheimnis des Bösen durch Fakten und Strukturen am Werk ist, die es verhindern, daß sich die Menschen brüderlich am Aufbau der Gesellschaft beteiligen und Anteil gewinnen können am Genuß der Güter, die Gott für alle geschaffen hat« (267). - »In den letzten zehn Jahren konnten wir beobachten, daß das prophetische Wirken intensiver wurde«(268). Die vorrangige 'Option für die Armen' wird von Puebla als »prophetisch« (1134) bezeichnet. Die prophetische Tradition wird hier in ihrer theologischen und sozialen Komponente aufgegriffen. Zugleich wird das 'Prophetenschicksal' der alttestamentlichen Propheten und Jesu aktuell: »Wegen ihrer anklagenden Prophetie und ihres vielfältigen konkreten Einsatzes für die Armen hat die Kirche immer wieder jede Art von Verfolgung und Bedrängung zu spüren bekommen. Dabei haben die Bedrängnisse vor allem die Armen getroffen« (1138). Die Kirche habe »als Zeugnis ihrer prophetischen Mission Verfolgung und zuweilen den Tod ertragen müssen« (92).

In Koninuität zu Medellin und Puebla wird die Kirche von Gutiérrez und Boff als prophetisches Zeichen gedacht: Die Kirche ist Sauerteig der Prophetie, wenn sie ungerechte Strukturen anklagt und gegen diese kämpft[142] und selbst zum Samenkorn einer neuen gesellschaftlichen Ordnung wird. - In der Kirche gibt es Propheten des Umgangs mit Leid, Propheten der Lebensfreude und der Hoffnung, die den Sinn in Gott und die natürliche Gutheit der Dinge bezeugen.

Analog zum Zusammenhang zwischen Proletariat und Philosophie im Marxismus spricht die jüdisch-christliche Überlieferung also von einer Relation zwischen Armut und Prophetie. Dieser Zusammenhang wurde besonders von der 'Theologie der Befreiung' neu ins Licht gerückt. - Im Unterschied zum Armen bei Marx sind in der 'Theologie der Befreiung' die konkreten Gestalten der Armen der Ausgangspunkt: das ökonomische Elend, die gesellschaftliche Unterdrückung und Marginalisierung stehen dabei im Brennpunkt des Interesses. Der real Arme wird nicht idealisiert, die konkrete Ausbeutung nicht harmonisierend ausgeblendet, die Unversöhntheit nicht übersprungen. Auch die konkreten Ursa-

---

[142] G. Gutiérrez, Theologie der Befreiung 113.252; C. Boff, Befreiung der Armen 31; L. Boff, ZGW 228-231.

chen der Armut im System werden nicht eingeebnet. Die Armut als Übel wird nicht ideologisch legitimiert und überhöht. Dies gilt auch für den theologischen Begriff der Armut, der nicht der Vertröstung in den Himmel dient.

Theologisch ist der Arme das entstellte Kind Gottes, das zum leidenden und verworfenen Gottesknecht wurde, er ist Erinnerungszeugnis für den armen und verfolgten Nazarener, Sakrament des Herrn, Richter der Geschichte und Träger des evangelisatorischen Potentials. So kommt der Arme als menschliche Person mit seiner Freiheit, seiner Würde und mit seinen Rechten in den Blick. - Bei Marx hingegen ist die Anerkennung der Menschenrechte bloß »die Anerkennung des egoistischen bürgerlichen Individuums und der zügellosen Bewegung der geistigen und materiellen Elemente, welche den Inhalt ... des heutigen bürgerlichen Lebens bilden«.[143] - Zumindest bei Gutiérrez und Boff werden die Armen auch nicht auf das ökonomische Elend reduziert: sie sind *nicht* bloß die *nur* Armen: positiv gilt es, die Traditionen des Leids, des Widerstandes, der Feste und auch des Volksglaubens wieder zu beleben. Armut ist auch eine Weise der Freundschaft und des menschlichen Zusammenlebens. Ihre sozialen Strukturen und Organisationsformen (z.B. die Aquadas, Faenas oder Assembleas) stehen positiv im Kontrast zur westlichen Moderne mit ihrem Individualismus.[144] Das Gespür für Kunst und Natur, die Ehrfurcht vor der Schöpfung, die kosmische Frömmigkeit heben sich positiv von einem abgestumpften, verdinglichten Bewußtsein ab, das sich bloß von der Technik als Naturbeherrschung definiert. So ist die 'Welt der Armen' zwar von vielen Entbehrungen, aber auch von vielen Werten geprägt. Werte wie Freundschaft, Solidarität, Dienst, Einfachheit, Kontemplation und Offenheit für Gott werden von vielen verwirklicht.[145] Von einer Reduktion des Menschen auf seine materielle Verfaßtheit kann also nicht die Rede sein. Weiters werden die Armen in der Theologie der Befreiung keineswegs moralisch idealisiert oder glorifiziert. Egoismus, Machtkämpfe, Durchsetzung von Interessen, Gleichgültigkeit und Sünde gibt es auch unter den Armen. Auch ihnen gilt der Ruf zu Umkehr und Bekehrung.[146] Die kon-

---

[143] K. Marx, Zur Judenfrage, in: MEW 1,362ff.; K. Marx und F. Engels, Die Heilige Familie, in: MEW 2,118ff.

[144] Vgl. G. Gutiérrez, La verdad los harà libres 155ff.; Victor Godina, De la modernidad a la solidaridad (cep 65), Lima 1984 passim; bes. 209-256.

[145] Vgl. Puebla 439

[146] Zur Notwendigkeit der Bekehrung vgl. G. Gutiérrez, Aus der eigenen Quelle trinken 64-75; Ders., La verdad los harà libres 15; A.Cussianovich, Der geistliche Weg Jesu, in: G.Collet (Hg.), Der Christus der Armen. Das Christuszeugnis der lateinamerikanischen Befreiungstheologen, Freiburg i.B. 1988, 169-184.

krete Befreiungspraxis wird nicht der Kritik und Wahrheitsfrage entzogen.[147] Bei Marx hingegen werden die Differenzierungen zwischen Recht und Unrecht, Gewalt und Recht, Gut und Böse wieder in das Basis-Überbau-Modell vereinnahmt.

Die 'Theologie der Befreiung' entfaltet im biblischen Licht den positiven Begriff der Armut als Kindschaft. Die Bettlerexistenz vor Gott, das Empfangen des Daseins von ihm widersprechen nicht der Würde und Freiheit des Menschen, sondern begründen sie. Die Armut ist letztlich eine Instanz der Freiheit, die sich weigert, Zukunft und Hoffnung auf menschliche Instanzen zu gründen. Diese Armut als Kindschaft versagt eine innergeschichtliche Verabsolutierung bestimmter Werte wie Freiheit und Emanzipation. Ein Zwang zum Fortschritt, Erfolg und Sieg müßte Armut, Schmerz, Leid und Tod mit ihren personalen Trägern ausblenden. Die Leidensgeschichte fällt nicht problemlos mit der abschaffbaren Unterdrückungsgeschichte zusammen.[148]

Ausgangspunkt ist in diesem Horizont der Armut die Verdanktheit und die Gnade, die Fülle des Lebens und der Freiheit in Gott und nicht die Negation, Weigerung und Verneinung. Damit ist ein marxistischer Begriff von Praxis im marxistischen Sinn der Selbstkonstitution des Subjektes durch Praxis gesprengt. Der primäre Vollzug von Praxis ist für G. Gutiérrez die Kontemplation des Wortes Gottes. Es gehört ferner zur kontemplativen Grundausrichtung der Option für die Armen, daß der Andere zweckfrei und gewaltlos im Freiraum von Gnade bleiben darf.[149]

Die Kontemplation wahrt in der Praxis die Gratuität, ohne die das Engagement zur Bewältigung, zur vereinnahmenden Diktatur und zum Terror verkommen würde. Die Armut als geistliche Dimension dieser Kontemplation meint die positive Selbstlosigkeit des Vernehmens der Not und die Selbstlosigkeit des Einsatzes zur Überwindung der Misère. Die Armut ist also kein Instrument der negativen Dialektik. Sie ist im Lichte von Glaube, Hoffnung und Liebe zu verstehen. Damit rückt der Atheismus, der von einem 'positiven Humanismus' gefordert wird, in weite Ferne. Der Arme in der 'Theologie der Befreiung' hat Gott als Vater, der Proletarier bei Marx muß diesen negieren.[150] - Theologisch

---

[147] Zum Verhältnis zwischen Theorie und Praxis vgl. G. Gutiérrez, La verdad los harà libres 15 (»credo ut intelligam«) sowie 135-149 (zum Zusammenhang zwischen Wahrheit und Nachfolge Jesu).

[148] G. Gutiérrez, Wenn wir Indianer wären ..., in: E. Schillebeeckx (Hg.), Mystik und Politik 33 im Anschluß an J.B. Metz, Glaube in Geschichte und Gesellschaft 125f.

[149] Vgl. G. Gutiérrez, Von Gott sprechen im Unrecht und Leid - Ijob 138

[150] Bei Marx ist der 'Vater' nur das Sinnbild von Kapital, Reichtum, Herrschaft, Privateigentum. Der Vatergott entspringt der Logik und Enzyklopädie der menschlichen

und christologisch (Gott als Gott des Lebens und der Befreiung; Christus im Geringsten) wird die positive Würde des konkret Armen begründet. Die 'Theorie' steht hier also nicht im Kontext von Herr und Knecht, Basis und Überbau, sondern in dem des argumentativen Schutzes der Person und der positiven Solidarisierung. Der Rückgriff auf das Wort Gottes und die theologische Tradition ist nicht bloß affirmative Bestätigung vorgegebener immunisierter und letztlich blinder Praxis, sondern zugleich auch das kritische Maß des Handelns. Sofern sozialer Kampf nötig ist, wird er der Ethik des Evangeliums (besonders der Bergpredigt) untergeordnet.[151] Die Armut als Kindschaft verwehrt es, daß die Armen selbst das Weltgericht vorwegnehmen.

Die 'Theologie der Befreiung' entledigt sich durch eine historische Praxis nicht der Wahrheitsfrage. Die 'Praxis' wird nicht durch bloße Arbeit oder Veränderung bestimmt. Die vorrangige 'Option für die Armen' zielt auf die Konkretion und nicht auf die Negation universaler Solidarität. Sie versucht, den positiven Begriff des Personalen mit der Universalität der Gerechtigkeit und Brüderlichkeit zu verknüpfen. Beide Pole bedingen einander: ohne Gerechtigkeit für die Armen keine universale Gerechtigkeit.[152] In dieser Struktur wird eine Idealisierung, Romantisierung und Ortlosigkeit der Armut vermieden, ohne ihre theologische Wurzel aufzugeben. Prophetie und Theologie implizieren und ergänzen einander.

So wird in der 'Theologie der Befreiung' das marxistische Anliegen positiv aufgegriffen und zugleich korrigiert. Deutlich wird diese Korrektur am Gehorsam und an der Keuschheit, die der Beziehung zu Gott dem Vater und der universalen Brüderlichkeit zugeordnet sind.

Selbstentfremdung, er ist letztlich der Reflex von Ausbeutungsverhältnissen; vgl. F.Ulrich, Gott unser Vater, in: IKaZ (Communio) 4 (1975) 29f.

[151] Der Klassenkampf ist für die 'Theologie der Befreiung' (mit Ausnahme vielleicht der Bewegung 'Christen für den Sozialismus') nicht das quasi-metaphysische Grundprinzip der Geschichte, wie dies im historischen Materialismus der Fall ist. Vgl. dagegen die Instruktion der Kongregation für die Glaubenslehre über einige Aspekte der »Theologie der Befreiung« (Verlautbarungen des Apostolischen Stuhls 57, hg. von der Deutschen Bischofskonferenz, Bonn 1984): »Die Befreiungstheologien, von denen wir hier sprechen, verstehen aber unter Volkskirche eine Klassenkirche, die Kirche des unterdrückten Volkes, das es 'bewußtzumachen' gilt für den organisierten Befreiungskampf ...« (IX.12); ferner Joseph Kardinal Höffner, Soziallehre der Kirche oder Theologie der Befreiung? Eröffnungsreferat bei der Herbstvollversammlung der Deutschen Bischofskonferenz 1984, Bonn 1984, 21-25. - Diese Kritik wendet ein, daß die Übernahme der marxistischen Analyse die christliche Identität in den Marxismus hinein auflöse. Eine konstruktive Auseinandersetzung mit der Analyse und Realität des Klassenkampfes wird nicht geliefert. Vgl. dazu: Quadragesimo anno (1931); M.Kehl, Option für die Armen 484; O.v.Nell-Breuning, Marxismus - zu leicht genommen, in: W.Seibel (Hg.), Daß Gott den Schrei seines Volkes hört 125-131; C.Boff/J.Pixley, Option für die Armen 146.

[152] C.u.L.Boff, Wie treibt man Theologie der Befreiung? 62; C.Boff/J.Pixley, Option für die Armen 138-154; darin treffen sich die Befreiungstheologen mit Metz.

Zweites Kapitel

Gehorsam

Während die Armut praktisch bei allen Repräsentanten der 'Theologie der Befreiung' ein zentrales Thema ist, stehen die beiden anderen evangelischen Räte, Gehorsam und Jungfräulichkeit, bei den meisten im Hintergrund. Generell haben - in der Tendenz - aktive Werte wie Autonomie, Freiheit, Befreiung oder Entscheidung und Kampf den Vorrang. - Auch bei L. Boff steht der Gehorsam zunächst nicht im gleichen Brennpunkt des Interesses wie die Armut. Als Ordensmann setzt er sich jedoch mit der Tradition der klassischen Trias der Räte auseinander. Die Interpretation des Gehorsams wirkt dabei auf das Verstehen der Armut und der Armen zurück, ohne daß das befreiungstheologische Anliegen in allem expliziert wird.

Der größere theologische Zusammenhang für den Gehorsam ist in der Gnadenlehre zu suchen:[153] die verschiedenen Themen der Gnade (Teilhabe an der göttlichen Natur, Salbung mit dem Hl. Geist, Einwohnung der heiligsten Dreifaltigkeit, ...) explizieren die Erfahrung, daß sich der Mensch in der Nähe Gottes, als Verwandter und als Kind Gottes weiß. Der Mensch ist in der Tiefe seiner Wesensstruktur Kind im Sohn, d.h. er ist auf Gott hin ausgerichtet, er hat eine »absolute Bestimmung und Berufung«: in Gott, mit Gott, bei Gott, für Gott und von ihm zu sein und an der göttlichen Natur teilzuhaben.[154] Entscheidend an dieser Kindschaft ist, daß das Kind nicht ohne Vater gedacht werden kann. Damit hebt sich Boff von Nietzsche, dessen 'Kind' keinen Vater hat, wie auch von Marx, dessen Proletarier keinen Schöpfer duldet, ab. Die Beziehung zum Vater als dem Schöpfer steht nicht in Widerspruch zur Selbständigkeit und Mündigkeit (wie etwa bei Marx): »Je mehr ich mich dem Vater öffne, desto mehr bin ich Kind, desto mehr drücke ich den Vater aus und gelange zu vollem Menschsein, desto heiliger werde ich.«[155] Das Verhältnis des Sohnes und Kindes zum Vater ist frei und personal. In dieser Kindschaft wurzelt letztlich der Humanismus und die universale Verbrüderung unter den Menschen (alle sind Brüder und Schwestern im Sohn), wie zwischen der Welt der Menschen und der untermenschlichen Welt. Die im Sohn erschlossene Erbschaft der Ver-

---

[153] L.Boff, Erfahrung von Gnade 268-283

[154] A.a.O. 274

[155] Erfahrung von Gnade 280; in seiner Gnadenlehre kann sich L. Boff wiederholt auf K. Rahner berufen (Schriften I, 323-345.345-375; IV, 51-99.209-236).

göttlichung und der absoluten Zukunft konkretisiert sich in einem Leben in Liebe und in der Freiheit gegenüber dem Tod. In diesem Kontext von Kindschaft, Freiheit und universaler Brüderlichkeit ist der Gehorsam zu sehen.[156]

Der andere Pol ist die Nachfolge des armen Jesus. In der Nachfolge Christi lebt der Christ mit den Leiden Gottes in der Welt, wird er arm und leer, kann er loslassen, nimmt er teil am Tod Jesu. In der österlichen Dialektik von 'sterben, um zu leben' (Lk 9,23f.; Joh 12,24) werden auch die negativen Seiten des Lebens integriert: auch Kreuz, Opfer, Demütigung, Geduld, Sündenbewußtsein, die Last der Unvollkommenheit, unveränderliche Situationen haben Platz.[157] Der Gehorsam in der Nachfolge Jesu ist so einerseits Kritik verengter Konzeptionen von Selbstverwirklichung und zugleich der einzige Weg zur Selbstverwirklichung in Freiheit. Gehorsam wird in der Dynamik von Freiheit begriffen; es geht nicht um Passivität, materielle Übereinstimmung oder blinde Identifizierung.[158] »Ohne Freiheit gibt es weder Gehorsam noch Liebe« ... »Gehorsam ist Synonym für die reine Freiheit, für die volle Selbstbeherrschung.«[159] Im Gehorsam geht es um das Hören der herausfordernden Stimme Gottes und um die freiwillige Annahme seines Willens und Planes. Diese Stimme gilt es, vom armen und leidenden - Christus her in allen Geschöpfen zu hören: »Der Christ ist ein Herr, der gegenüber den Dingen frei und nicht unterworfen ist. Aber gleichzeitig ist er der Diener aller und der Hüter aller Dinge« ...; er ist der »freie Diener aller Menschen«.[160] Der Gehorsam als Hören Gottes und universaler Dienst gilt für alle: für die Oberen und Untergebenen.[161] Echte Autorität wächst aus dem Gehorsam und dem Hören auf die Stimme und den Plan Gottes, dessen Ziel das Wachsen und die Vermehrung des Lebens ist.

Boff stellt also den Gehorsam in den Kontext von Gotteskindschaft, von 'Gott in allen Dingen finden' sowie von Nachfolge Jesu in Leiden und Tod. Identität und Freiheit bestimmen sich vom österlichen Geheimnis her: vom 'sterben, um zu leben'. Die europäische Problematik von Identität, Freiheit und Gehorsam ist eine Linie der Ausführungen Boffs. In spezifisch befreiungstheologischer Hermeneutik versteht er den Gehor-

---

[156] Erfahrung von Gnade 275
[157] Vgl. ZGW 184.188; Zärtlichkeit und Kraft 185-215.
[158] ZGW 127
[159] ZGW 198
[160] ZGW 127; exemplarisches Beispiel für einen gehorsamen Diener der ganzen Schöpfung ist Franziskus.
[161] ZGW 197f.

sam auch als bedingungslosen Einsatz für das Reich Gottes, als kämpferische Existenz, als leidenschaftliche Suche nach dem Willen des Vaters, als Hingabe des Lebens bis in den Tod. Im Gehorsam gilt es aber auch, die Zeichen des Lebens und der Freiheit unter den Armen wahrzunehmen und den Plan Gottes in der Geschichte der Armen mit den Armen zu lesen. Die Unterdrückten selbst sollen eine Stimme erhalten, die Armen sollen unsere Lehrer, die Kleinen unsere Gelehrten werden.[162]

So ist der Gehorsam insgesamt ein Verbündeter der Armut: er schließt das Hören auf den Schrei der Armen und die konkrete Solidarität mit den Armen, wie auch das Hören auf den befreienden Gott (Armut als Kindschaft) ein.

Wie der Gehorsam ist auch die Keuschheit auf die Armut als Kindschaft und als Brüderlichkeit hingeordnet: Noch stärker als beim Gehorsam zeigt sich bei der Keuschheit, daß L. Boff keinesfalls nur von einer verengten Befreiungshermeneutik geprägt ist. Neben der Volksfrömmigkeit arbeitet er auch Aspekte der kulturellen und sozialen Anthropologie ein, versucht er die Mythen der Menschheit zu lesen und greift er das Menschenbild der Tiefenpsychologie Jungscher Prägung auf. In allem erweist er sich als Sohn seines Ordensvaters Franziskus.

Drittes Kapitel

Keuschheit und Jungfräulichkeit

Einen ersten Zugang zur Keuschheit versucht L. Boff über die Sexualität, die er in der ontologischen Struktur des Menschen verankert sieht. Die ontologische Struktur des Menschen ist von einem dauernden Offensein geprägt, d.h. der Mensch ist ein Geheimnis, weil er sich ständig übersteigt. Zugleich ist die geschlechtliche Konkretion konstitutiv: »Das menschliche Wesen existiert und verwirklicht sich als Mann und Frau.«[163] Der Mensch *ist* also ein geschlechtliches Wesen, er hat nicht bloß Sexualität.[164] Für sich genommen ist der Mensch weder als Mann noch als Frau das Ganze. Die Identität des Menschen verwirklicht sich

---

[162] ZGW 309
[163] ZGW 157-178, hier 158.
[164] ZGW 161

in der geschlechtlichen Differenz, in wesentlicher Gegenseitigkeit und Ergänzung: »Der Mensch ist eine Identität, die sich verwirklicht, der Mensch wird und zwar durch Unterschiede hindurch«.[165] »Der Mann ist für die Frau (da) und die Frau ist für den Mann (da).«[166] Die Kraft der menschlichen Persönlichkeit ist an der Freiheit zu messen, den Unterschied anzunehmen und mit ihm in Verbindung zu stehen. Mann und Frau werden aber nicht nur im Gegenüber der Personen gesehen. Mit C.G. Jung spricht Boff von einer »geheimnisvolle(n) Immanenz des Männlichen im Weiblichen und des Weiblichen im Männlichen«.[167] Personalisation und Individualisation gelingen in dem Maß, wie der bipolare Gegensatz von 'animus' und 'anima' miteinander in Dialog tritt und gegenseitig integriert wird. Keuschheit wird in diesem personalen Kontext als die Integration des Männlichen und des Weiblichen verstanden.[168]

In anderer Terminologie wird die Thematik der 'Keuschheit' im Franziskus-Buch »Zärtlichkeit und Kraft« aufgegriffen.[169] Der Grundgedanke ist gleich: es geht um die Aufhebung des Herr-Knecht-Verhältnisses auf allen Ebenen (Mensch - Natur, Mann - Frau). An Franziskus sieht er exemplarisch das Ende der Hegemonie des Logos und den Beginn der Hegemonie des Eros und des Pathos realisiert. Wohl ist er sich der Gefahren der Perversion des Eros in der Begierlichkeit, im Orgiastischen oder in Formen zerstörerischen Genießens bewußt. Dem Logos kommt die Aufgabe zu, dem Eros Formen zu geben und seine Richtung festzulegen. Ursprünglicher ist jedoch der Eros als Lebenskraft, Begeisterung, Kreativität, Phantasie und Gefühl. - Angezielt ist ein humanisierter Eros, der die Vorherrschaft behält und sich dabei selbst durch seinen sachgerechten Gebrauch des Logos Disziplin auferlegt. Weder »unkontrollierte Übersteigerung von Gefühlen und Leidenschaften zur Sentimentalität und zur Maßlosigkeit in Emotionen, zum Delirium der Triebe und zur orgiastischen Ekstase der Lust« (der unkontrollierte Eros) noch »Starrheit, Inflexibilität, Tyrannei der Norm, Herrschaft der Ordnung und Härte in der Disziplin«[170] (die einseitige Herrschaft des Logos) entspricht dem Humanum. Der humanisierte Eros hat die Gestalt der zärtlichen Fürsorge, des zärtlichen Mitleidens. Er führt zu einer Kultur lebensgerechten Miteinanders.

---

[165] ZGW 164
[166] ZGW 161
[167] ZGW 162
[168] ZGW 157
[169] Zärtlichkeit und Kraft 16-75.
[170] A.a.O. 29f.

Für diese zärtlich humane Form des Eros zahlt Franziskus den Preis der Askese. Durch Buße und Verzicht bringt er den Eros wieder ins Gleichgewicht. Das Mitleiden, die Sorge und Fürsorge gilt den Armen. In der Zärtlichkeit für Klara integriert er das Weibliche.[171] In der Zärtlichkeit für die Brüder hat der Eros die Gestalt des gegenseitigen Mutterseins.[172] In Zärtlichkeit und »unerhörter Hingebung und Liebe« zu allen Dingen verbrüdert er sich mit der Natur und verwirklicht so eine »kosmische Demokratie«.[173] - Eros und Agape feiern in ihm Hochzeit: »Die höchste Ausdrucksform des Eros ist die aufopfernde Liebe, die sich in die Gemeinschaft mit dem anderen hingibt, in zweckfreier Freude und im Dienst am geliebten Menschen oder an Gott.«[174] Franziskus kann sich mit allen Schichten der Wirklichkeit versöhnen und mit der inneren 'Archäologie', mit der äußeren Realität (Sakramentalität der Schöpfung), mit der sozialen Dimension (in der männlichen und weiblichen Dimension) und mit dem erhabensten Gott verbrüdern: »alles mündet in einen Lobpreis des Geheimnisses ein«.[175]

Ein dritter Zugang zu Keuschheit und Jungfräulichkeit führt über die Jungfräulichkeit Marias. Maria ist als Jungfrau uneingeschränkt disponibel und bereit zur Hinnahme. Vor Gott ist sie Bettlerin mit leeren Händen. Sie lebt die ontologische Jungfräulichkeit, die einzig nach Gott als Gatten verlangt und in der alle Dinge auf Gott hin relativiert werden.[176] Die Jungfräulichkeit ist bei Maria die Radikalisierung der Armut als Kindschaft und des Gehorsams. In der Annahme des Rufes ist sie ganz auf den Dienst am Messias konzentriert und ganz für den Heilsplan Gottes offen. »Jungfrau-Sein heißt sich die Reinheit dieses Anrufes bewahren und sich in der Praxis des Lebens für das wirklich Letzte und Entscheidende des menschlichen Lebens, für Gott, offenhalten.«[177] Der Vorbehalt für Gott schließt die Sendung zu den Menschen im Namen Gottes ein: darin liegt der mütterliche Zug der christlichen Jungfräulichkeit. Einen besonderen Akzent setzt Boff an diesem Punkt, wenn er von einer *göttlichen* Jungfräulichkeit spricht, die in der Emp-

---

[171] A.a.O. 50-56

[172] A.a.O. 56ff.

[173] A.a.O. 58

[174] A.a.O. 27

[175] A.a.O. 74

[176] Vgl. Das mütterliche Antlitz Gottes 161-163, hier 162; vgl. zur ontologischen Jungfräulichkeit: »Dabei erscheint der Mensch weniger als ein Sein denn als ein Sein-Können. Diese stets jungfräuliche Potenz führt dazu, daß jedes Ziel, sobald der Mensch es erreicht hat, zu einem neuen Anfang wird« (Vater unser 93).

[177] Das mütterliche Antlitz Gottes 163

fängnis Jesu der menschlichen Jungfräulichkeit begegnet.[178] Wie die
Jungfräulichkeit Marias auf die Mutterschaft hingeordnet ist, so ist es
die Jungfräulichkeit Gottes auf die Vaterschaft. »Gott selbst ist totale
Gemeinschaft und somit höchste Disponibilität, das heißt radikale
Jungfräulichkeit.«[179]
Der spezifische Aspekt des Keuschheitsgelübdes, d.h. der ehelosen
Form der Jungfräulichkeit, ist für L. Boff die ausdrückliche Beziehung
zu Gott.[180] Das Keuschheitsgelübde um des Himmelreiches willen ist ein
Verzicht auf den genitalen Ausdruck der Sexualität. Geschlechtlichkeit
als grundlegende ontologische Struktur des Menschen kann aber nicht
auf reine Genitalität reduziert werden. Geschlechtlichkeit - und dabei
schließt sich der Franziskaner Boff der Tradition der Kirchenväter an -
ist grundsätzlich vereinbar mit der Jungfräulichkeit, sodaß also umgekehrt die Jungfräulichkeit eine der konkreten Formen ist, die
Geschlechtlichkeit und Wechselseitigkeit der Liebe zu leben. »Das
Keuschheitsgelübde ist ein Gelübde radikalerer Liebe und Wechselseitigkeit: Es entspringt nicht einem Mangel, sondern einer Überfülle.«[181]
Diese zwischenmenschliche Form der Liebe wird mehr als Dienst und
als Agape denn als Eros gesehen. Die Jungfräulichkeit und der Zölibat
in ihrem Vorbehalt für Gott und in ihrer Sendung zu den Menschen
verwirklichen sakramental - im Maß der Treue und des Engagements -
die letzte Ausrichtung des Menschen auf Gott hin und das »Leben im
vollendeten Reich Gottes, wenn Gott alles in allen und allem sein
wird«[182].
Weil L. Boff marianisch und franziskanisch denkt, erhalten die geschlechtliche Polarität zwischen Mann und Frau, Keuschheit und Jungfräulichkeit eine ontologische und theologische Aufwertung und einen
Stellenwert, wie er auch bei H.U. von Balthasar grundlegend ist. K.
Rahner und J.B. Metz hingegen sprechen eher abstrakt vom Subjekt
oder vom Einzelnen, ohne das Gegenüber von Mann und Frau näher zu
konkretisieren. Zudem ist bei L. Boff durch die Mystik der Materie und
des Kosmos eine anthropozentrisch enggeführte Subjektkonstitution
schon überwunden. Gerade weil auch Zärtlichkeit und Keuschheit Platz
haben, kann Boff viele Dimensionen des Lebens in die theologische Reflexion hineinnehmen. - Schließlich haben für ihn gerade die Orden die

---

[178] Ebd.
[179] Ebd.
[180] ZGW 177f.
[181] ZGW 177
[182] ZGW 178

Aufgabe, die Fülle des Lebens sakramental darzustellen. Die Berechtigung des Ordenslebens ist für ihn eine »indiskutable Voraussetzung«.[183]

Viertes Kapitel

Der Platz der Orden

Die 'Theologie der Befreiung' ist zu einem guten Teil von Ordensleuten getragen. Dadurch ist eine gegenseitige Einwohnung, Prägung und Korrektur dieser Theologie zum Ordensleben möglich. Die 'Option für die Armen' kann auf die große Tradition der Armut und der Armen in den Orden zurückgreifen.[184] Die Option für eine umfassende Befreiung korrigiert wiederum einseitige Ortsbestimmungen des Ordenslebens. Die Hermeneutik der Befreiung und der 'Option für die Armen' ist aber nicht der einzige Leitfaden.

L.Boff - und hier zeigt sich seine europäische Vorbildung - stellt die Orden im Kontext seines sakramentalen Denkens in Kontrast zur Säkularisierung.[185] Zugleich greift er auf personales und existentielles Denken zurück. Die Gelübde der Armut, der Keuschheit und des Gehorsams sind anthropologisch - analog zu Thomas von Aquin (STh I-II, q 108, a 4) und auch zu H.U. von Balthasar - an die dreifache Grundbedingung des Menschen gebunden[186]: Die Armut ist auf die Welt der Dinge gerichtet, die ambivalent bleibt als Feld der Freiheit und Kreativität bzw. Verführung und Versklavung. Die Keuschheit ist in die männlich-weibliche Polarität eingebunden; die Sexualität gilt als strukturelle und ontologische Größe. Der Gehorsam korreliert mit der Gemeinschaftsstruktur des Menschen in ihrer Beziehung und Polarität zur Selbstverwirklichung. Die drei Gelübde bündeln das einzige Grundgelübde der totalen Hingabe an Gott: »Die drei Gelübde legen das Gelübde der Hingabe aus und konkretisieren es«.[187] Inhalt der Gelübde ist die volle Herrschaft Gottes. In den Ordensgelübden ist Gott die Dynamik und das Ziel. Die Ordensleute bezeugen für L.Boff - und darin

---

[183] ZGW 204

[184] C.Boff/J.Pixley, Option für die Armen 174-200

[185] L.Boff, ZGW 203-270; Erfahrung von Gnade 45.

[186] ZGW 115-130

[187] ZGW 118

kommt er in der ontologischen und theologischen Struktur mit H.U.von Balthasar und mit K.Rahner überein - Gott als den, »der sich der Welt als der dem ganzen Leben Richtung gebende Pol offenbart.«[188] In der totalen Weihe an Gott versteht sich der Ordenschrist entschieden von Gott her und auf ihn hin; der Zugang zur Welt erschließt sich über ihn. Mit Paul VI. versteht Boff die Orden als Radikalisierung des Christseins und als »Spezialisten Gottes, die die Gotteserfahrung in der Nachfolge Christi lebendiger machen und die diese Erfahrung zu ihrem Lebensziel machen.«[189] Mit den Qualifikationen der 'Radikalität', der 'Totalität' und der 'Spezialisten' der Nachfolge geht Boff Hand in Hand mit von Balthasar und Metz. Eher an Rahner erinnert die Einordnung der Orden als 'Zeugen Gottes in der Welt' und als 'sakramentale Zeichen seiner Herrschaft'.

Gott ist in der 'Theologie der Befreiung' primär der Gott des Reiches Gottes. In der umfassenden materiellen, kosmischen, sozialen, gesellschaftlichen und theologischen Fassung dieses Begriffs kann es letztlich keinen Dualismus geben: die Einheit der Geschichte bleibt gewahrt, ohne in einen Monismus zu verfallen. Als Zeugen Gottes in der Welt haben die Orden sakramentale Funktion: sie sollen Zeichen eschatologischer Realitäten, wie universaler Liebe, radikaler Brüderlichkeit und Schwesterlichkeit, tiefer Freiheit und Überwindung der Entfremdung sein. L.Boff sieht so die Räte wie die Kirchenväter, wie Bonaventura oder auch von Balthasar von der protologischen und eschatologischen Fülle her und weniger - wie z.B. Rahner - in ihrem Verzichtcharakter. Als sakramentale Zeichen sind die Orden bei L.Boff - wie für Thomas von Aquin (Räte als Gegenpol zur Konkupiszenz) und J.B.Metz (Räte als Protest, als apokalyptischer Stachel im bürgerlichen Fleisch) - auch kritische Instanz gegen Entfremdung. Prophetische und eschatologische Zeugen sind sie, wenn sie Zeichen »struktureller Umkehr«[190] setzen. Das tun sie, wenn sie nicht einfach die gesellschaftlichen Verhältnisse spiegeln, sondern ein Nein gegen die Hegemonie des Ego, des Reichtums, der Macht der Sexualität oder des Konsums, gegen Herrschaft und Anpassung setzen und positiv Gegenwerte wie Liebe, Brüderlichkeit, Schwesterlichkeit, Hoffnung, Menschlichkeit, Zärtlichkeit, Freiheit, Verantwortung, Mitbestimmung leben. Sie haben einen personalisierenden Beitrag zu leisten, um gegen die Reduktion des Menschen auf den »homo oeconomicus/politicus/progressivus/genitalis« zu

---

[188] ZGW 188
[189] ZGW 294
[190] ZGW 295ff.

wehren.[191] - Zeichen struktureller Umkehr sind sie, wenn sie sich zu den Armen bekehren, mit ihnen, für sie und wie sie leben, wenn sie die Marginalisierten teilhaben lassen, das freie Wort des Volkes fördern und schützen und gegen ungerechte Strukturen kämpfen. - Die säkulare Dimension der Gelübde konkretisiert sich in der Nachfolge des armen Jesus in Teilgabe, Solidarität und Engagement. - Schließlich haben sie das 'volle Leben ', die himmlische Stadt inmitten der irdischen zu bezeugen. Zu diesem vollen Leben gehört die Annahme der Lebensfreude, die Integration des Leids, der Wert des Gebetes und der Transzendenz.[192] So haben die Räte für Boff wie für Metz eine mystische, personal-existentielle und politische Achse.[193] Das sakramentale Denken L.Boffs hält die Spannung zwischen einem platten monistischen Verständnis und einer dualistischen Begründung der Räte aus.

Ergebnis und Ausblick

Die Armut und die Armen haben sich als Mitte der 'Theologie der Befreiung' insgesamt erwiesen. Die 'Theologie der Befreiung' ist im Grunde eine Theologie der Armen. Die Armen sind das Maß der Theologie und müssen zu ihrem Subjekt werden. Die 'Theologie der Befreiung' kann einen detaillierten und differenzierten Armutsbegriff in das theologische Gespräch einbringen: der Armutsbegriff ist weder romantisch, noch rein kritisch, noch wird er auf die ökonomischen Bedingungen reduziert. Wohl haben die konkreten ökonomischen und politischen Bedingungen ein Gewicht, wie es in der europäischen Tradition der Theologie nicht der Fall war und ist. Zudem sind die Räte insgesamt stark auf soziale Gerechtigkeit und Befreiung hin orientiert. Im Insistieren auf dem Zusammenhang zwischen der konkreten Option für die konkret Armen und der universalen Brüderlichkeit wird durch die 'Theologie der Befreiung' eine individualistische Engführung wie auch eine abstrakte Gleichheit aller überwunden. Nachfolge Jesu verweist die geistliche Haltung der Armut in die Kenose auf die unversöhnte Wirklichkeit des Elends und der Entfremdung hin. Spiritualität in Nachfolge und Kontemplation stellt die konkrete Option für die Armen in den Horizont universaler Hoffnung. Der Begriff der Universalität ist nicht abstrakt allgemein, auch nicht bloß auf verschiedene Kulturen oder Re-

---

[191] ZGW 228f.
[192] ZGW 231-233.218ff.
[193] Tal der Tränen 214-227; ZGW 273-340.

ligionen bezogen, sondern hat in der Freiheit der Liebe Gottes und im Geringsten, d.h. in den konkreten existentiellen Abgründen ihre Eckpfeiler. Die Räte stehen in der Theologie der Befreiung für die Gotteskindschaft des Menschen und für die konkrete Universalität der Kommunikation. Im stellvertretenden Zeugen, der am universale concretum Jesus Christus sein Maß hat, sind Konkretion (Option) und Universalität symbolisch (im Sinne des symballein) vermittelt. In diesem Horizont kann der prophetische Charakter der 'Option für die Armen' zu einer Herausforderung für Theologie und Kirche insgesamt werden.

Es übersteigt den Rahmen dieser Studie, auf alle Defizite der 'Theologie der Befreiung' den Finger zu legen. Dafür ist der ganze Komplex zu unüberschaubar und vielschichtig. Die Befreiungstheologen denken selbst durch Aufnahme der Einwände und durch kritische Selbstkorrektur weiter. Es überschreitet die Kompetenz des Autors, wenn die Legitimität und Grenzen sozialwissenschaftlicher Analysen und die Berechtigung ihrer Anwendung auf die lateinamerikanische Situation beurteilt werden sollen. Wir beschränken uns auf fragmentarische Anmerkungen: Die 'Theologie der Befreiung' wird insgesamt einen Weg zur Ausarbeitung ihrer philosophischen Prämissen finden müssen.[194] Eine biblische Hermeneutik ohne Philosophie bleibt letztlich unvermittelt, wenn die sozio-ökonomische Analyse von ganz anderen anthropologischen Optionen ausgeht. Eine totale Skepsis gegenüber der 'Lehre' (die ja kein ungeschichtliches geschlossenes System sein muß) würde letztlich gerade die Armen der Diktatur nichtreflektierter Ideologie ausliefern. Ein bloß narratives Einbringen der Heilsgeschichte in den Prozeß der Befreiung könnte die Würde des Armen nicht retten. Es ist ja interessant, daß die 'Theologie der Befreiung' nach und nach die theologische Begründung ihrer Option im Rückgriff auf die dogmatische Tradition zu entfalten versucht (Gotteskindschaft, der Arme als Sakrament Christi). Zudem fällt auf, daß die 'Theologie der Befreiung' gerade in jüngster Zeit stark auf die Menschenrechte rekurriert, d.h. insgesamt Recht und Wesensaussagen über den Menschen nicht einfach als anti-emanzipatorischen Rest spätbürgerlicher Moral desavouiert, sondern aus dem eigenen Selbstverständnis der 'Option für die Armen' fordert.[195]

---

[194] Vgl. z.B. W.Kasper, Die Theologie der Befreiung aus europäischer Perspektive, in: J.B.Metz (Hg.), Die Theologie der Befreiung: Hoffnung oder Gefahr für die Kirche 77-98, bes. 86f. und 93f.

[195] Vgl. die Beiträge von P.E.Arns, L.Boff und G.Gutiérrez in: J.B.Metz/P.Rottländer (Hg.), Lateinamerika und Europa. Dialog der Theologen (Forum Politische Theologie 8) Mainz - München 1988.

Wenn der Arme prophetisches Maß des Denkens sein soll, ohne daß er immunisiert und idealisiert wird, dann sind konkrete Vermittlungsmodelle zwischen prophetischem Zeugnis und systematischer Philosophie bzw. Theologie zu postulieren. Nur so wird der 'Erweis des Geistes und der Kraft' konkret einzulösen sein.

Schluss: Die Räte als Rose und Kreuz

Armut, Ehelosigkeit und Gehorsam haben sich in den verschiedenen theologischen Entwürfen als Strukturprinzipien systematischer Theologie erwiesen. Die Räte sind für die dargestellten Autoren kein beliebig austauschbarer Appendix des kirchlichen Selbstvollzugs. Sie gehören mit zum Wesenskern der christlichen Identität, sowohl zur Gottesbeziehung des Menschen wie auch in den Bereich der Intersubjektivität. Als strukturprägend sind die Räte bei Hans Urs von Balthasar, Karl Rahner, Johann Baptist Metz und in der 'Theologie der Befreiung' in unterschiedlicher Akzentuierung auch systemsprengend, sei es, daß sie die ontologische Differenz vor jeder titanischen Bemächtigung hüten, sei es, daß der Selbstbezug der 'reditio subjecti in seipsum' dialogisch gesprengt wird, sei es, daß ein abstraktes Freiheits- und Emanzipationsverständnis in die konkrete Nachfolge Jesu übergeführt wird, oder auch, daß im Ineinander der Räte die Differenz zwischen dem marxistischen Proletarier und dem Armen der christlichen Tradition aufgeht. - So sind die Räte bei allen diesen Autoren im hohen Maße denk-würdig, nicht aber eindeutig auf den Begriff zu bringen. Auf dieser Linie der systematischen Denkwürdigkeit und des Überstiegs jedes univoken Systems verstehen sich die folgenden Ausführungen.

1. Die Ros' ist ohn' Warum

»Die Ros' ist ohn' Warum / sie blühet, weil sie blühet / sie acht nicht ihrer selbst / fragt nicht, ob man sie siehet« (Angelus Silesius).[1] - »Fragte einer das Leben tausend Jahre lang: warum lebst du? - es würde antworten, wenn es sprechen könnte: ich lebe darum, daß ich

---

[1] Angelus Silesius, Cherubinischer Wandersmann I, 289 (Sämtliche poetische Werke in drei Bänden, hg. und eingeleitet von H.L.Held, München ³1949, Bd. 3, 39).

lebe. Das kommt daher, daß das Leben aus seinem eigenen Grund lebt und aus sich selber quillt. Darum lebt es ohne Warumwillen eben darin, daß es sich selber lebt« (Meister Eckhart).[2] Der ursprüngliche Grund für ein Leben in den Räten liegt - so haben wir bei von Balthasar (S. 125) und Rahner (S. 218f.) gesehen - im nicht ableitbaren, vom menschlichen Subjekt nicht entwerfbaren und nicht von außen zu begründenden Ruf Gottes, der unmittelbar am Menschen wirkt. Dieser Ruf Gottes hat letztlich seine innere Stimmigkeit, seine Evidenz und Plausibilität in sich selbst. Man erkennt ihn gerade auch darin, daß er mit einem 'Trost ohne vorausgehende Ursache' (S. 215f.) verbunden ist. Weil sich die Räte einem Ruf Gottes verdanken, kann ihre ursprüngliche Motivation nicht in der unterscheidenden Negation anderer Lebensformen liegen. Würde man in der Zeichenhaftigkeit, im kritischen Potential, im Protest oder in der Negation den primären Grund für ein Leben in den Räten sehen, so wäre das eine Fremdbestimmung, Funktionalisierung und Verdinglichung dieser Lebensform. Wenn man den Komparativ der Räte als Pejorativ für Ehe und weltlichen Beruf deutet und dieses 'Mehr' der Ausgangspunkt der Wahl sein soll, so gerät man in theologische Aporien: man würde Gott vereinzeln und nicht als Grund der Welt denken, man würde die ursprüngliche Einheit von Schöpfung-Kreuz-Eschaton dualistisch auflösen; Unmittelbarkeit zu Gott und Vermittlung in der Nächstenliebe würden auseinandergerissen; Gott könnte als einer erscheinen, der sein geschöpfliches Gegenüber annihilieren muß, um selber Herr zu sein. Der Ausgangspunkt beim auf- bzw. abwertenden Vergleich birgt die Gefahr einer Immunisierung der Räte und einer Zuordnung von Ehe und Beruf zur sündigen Welt in sich. Wird der Vergleich zum Ausgangspunkt, so werden die Räte innerlich pervertiert: der Arme, der sich selbst als besser, glücklicher etc. behaupten will als jene, die an die Welt gekettet sind, ist letztlich nicht arm; der Gehorsame, der sich in Demut allen unterwirft und das vergleichend heraushebt, macht den Gehorsam sublim zum Instrument der Herrschaft und pervertiert seine Demut in Stolz; der Ehelose, der damit beschäftigt ist, sich dem Verheirateten gegenüber überlegen zu erweisen, ist gerade nicht mehr der jungfräulich Bereite und Offene. Wer für sich beansprucht, das Eigentliche oder den Kern des Christlichen elitär so zu repräsentieren, daß die anderen nur mehr rezeptiv sein dürften, daß Kommunikation nur mehr in einer Richtung laufen würde, hört auf, der Hörende und Empfangende zu sein. Zudem

---

[2]   Meister Eckhart, In hoc apparuit caritas Dei in nobis (1 Joh 4,9), in: Deutsche Predigten und Traktate (hg. und übersetzt von J.Quint), München [3]1969, 180.

sind ehrliche Vergleiche eine höchst unsichere Sache: Was die reale Gesichertheit anbelangt, die Anerkennung, den Lebensstandard, die konkrete Hingabe - liegt das größere Opfer, der Verzicht, die Entbehrung, das Wagnis, das Abenteuer so eindeutig auf der Seite der Rätechristen?[3] Was wird mit wem verglichen: das gelungene Priester - oder Ordensleben mit der gescheiterten Ehe oder der Durchschnitt mit dem Durchschnitt? So empfiehlt es sich, dem Rat der Wüstenväter zu folgen, sich nicht zu vergleichen, nicht nach einem 'Mehr' oder 'Weniger' zu suchen, weil das entweder Stolz, Überlegenheitsgefühle oder Neid mit sich führt.[4] Der 'Grund' für die Lebensform der Räte liegt im zweckfreien 'Umsonst', in der 'Grundlosigkeit', der 'Warumlosigkeit' der Liebe.[5] Basis ist die charismatische Struktur der Berufung. Ob dieses Charisma zur prägenden Form für andere (von Balthasar), zum Zeichen und Zeugnis (Rahner) oder zum kritischen Protest und Stachel (Metz) werden kann, steht nicht in der Verfügung jener, die das Charisma für sich annehmen. In diesem Sinne ist jeder Rechtfertigungszwang zu relativieren und die Interessensbedingtheit der Einwände gegen die Räte zu durchschauen. Die Freude am Reich Gottes, die mit dem Schatz im Acker und der kostbaren Perle verglichen wird (Mt 13,44-46), die Freundschaft mit Jesus (Joh 15,15)[6] sind für den, der sie erfährt, in sich evident.

Diese skizzierte 'Begründung' der Räte muß keine Immunisierung sein. Die - nicht im neuzeitlichen Sinn gemeinte - Autonomie der Lebensform der Räte ist nicht als Autarkie mißzuverstehen.[7] Armut, Ehelosigkeit und Gehorsam stehen in Interferenz mit anderen Lebensformen in Kirche und Welt. Die Räte haben sich argumentativ und praktisch in-

---

[3]   Vgl. G.Bachl, Der beneidete Engel 65ff.

[4]   Vgl. Weisung der Väter, Apophthegmata Patrum, auch Gerontikon oder Alphabeticum genannt. Eingeleitet und übersetzt von B.Miller (=Sophia. Quellen östlicher Theologie Bd.6) Freiburg 1965: »Schweige und miß dich nicht!« (Nr. 165). - »An welchen Ort du auch hinkommst, vergleiche dich nicht mit anderen, und du wirst Ruhe finden« (Nr.788). - »Sprich nicht in deinem Herzen gegen deinen Bruder also: Ich bin wachsamer und asketischer als er! Sondern unterwirf dich der Gnade Christi im Geiste der Armut und unverfälschter Liebe, damit du nicht dem Geist der Ruhmpredigt verfällst« (Nr.946). - Auch Theresia von Avila ermahnt ihre Nonnen: »Vergleiche keine mit einer anderen; denn dies ist eine gehässige Sache!«, in: Theresia von Jesu, Sämtliche Schriften Bd.V, übersetzt und bearbeitet von A.Alkofer, München [7]1984 ([1]1937), 338.

[5]   Vgl. B.Schellenberger, »Mehr als bloße Zweckverbände«, in: Nachfolge als Zeichen 61-68.

[6]   Vgl. G.Greshake, Evangelische Räte und Weltpriestertum, in: Priesterliche Lebensform (hg. vom Sekretariat der Deutschen Bischofskonferenz, Arbeitshilfen 36) Bonn 1984, 98-109, bes. 100; vgl. J.Heinrichs, »Persönliche Beziehung zu Jesus Christus«. Skizze zu einer handlungstheoretischen Christologie, in: ThPh 54 (1979) 50-79.

[7]   Zur Differenzierung zwischen Autonomie und Autarkie vgl. im Hinblick auf Sprachspiele R.Schaeffler, Das Gebet und das Argument, bes.310-315.

tersubjektiv zu bewähren. Die Kritik des Vergleichs und der Gleichung wird sich dann als Voraussetzung echter Kommunikation erweisen.

2. Die Räte zwischen Symbol und Idol

Ohne Armut, Ehelosigkeit und Gehorsam im Sinne eines Systems zu vereindeutigen, denken wir die Räte als konkrete Gestalt von Nachfolge, als Form und Konkretion kommunikativ verfaßter Freiheit, als Symbol des Reiches Gottes.[8] Mit dem Symbolbegriff sollen die Räte als bestimmte Konkretion im Raum positiver Unterschiedenheit auf den Bund zwischen Gott und Menschen (vgl. von Balthasar S. 68-117) auf die 'communio' der Kirche und auf universale Kommunikation (vgl. Metz S. 334f.; Theologie der Befreiung S. 378f.) hin orientiert werden. Im Symbol kann die Aporie des Gegensatzes zwischen allgemeingültigen Vernunftwahrheiten, die von der inkarnatorischen Struktur des Glaubens und der Nachfolge abstrahieren, und zufälligen geschichtlichen Ereignissen, deren Konkretion in unvermittelter Beliebigkeit verharrt, überwunden werden. Ohne geschichtliche Greifbarkeit würde ja Kommunikation an sich aufgelöst. Die Räte sind als Symbol in ein dynamisches Bezugsfeld eingebunden;[9] sie sind hineingenommen in die vielfältigen Formen zwischenmenschlicher Kommunikation wie gegenseitige Annahme und Freigabe, Wahrnehmung, Einsatz, Solidarität, Kampf, Beanspruchung und Kritik, sie sind Verwirklichung von Liebe und Freiheit und nehmen zugleich an diesen ihr Maß. Im symbolischen Vollzug deuten die Räte den Bezug des Menschen zu sich selbst, wie auch seinen Bezug zur interpersonalen Welt, wie er sich in Arbeit, Beherrschen, Staunen, Muße ... realisiert. Sie thematisieren schließlich die Struktur und die konkrete Verwirklichung der Beziehung des Menschen zu Gott. - In allen Bezugsfeldern läßt das Symbol die Beziehung bzw. Mitteilung wirksam konkret werden, es stiftet schöpferisch neue Wirklichkeit von Begegnung und zugleich deutet es die Wirklichkeit, sei es als Licht der Annahme oder auch als Krisis. So gibt das Symbol positiv

---

[8] Vgl. J.Splett, Art. Symbol, in: SM IV, 784-789; H.U.von Balthasar, Philosophie, Christentum, Mönchtum, in: Ders., SV 349-387; S.Regli, Das Ordensleben als Zeichen in der Kirche der Gegenwart. Eine pastoraltheologische Untersuchung, Freiburg/Schweiz 1970; F.Schupp, Glaube - Kultur - Symbol. Versuch einer kritischen Theorie sakramentaler Praxis, Düsseldorf 1974; E.Salmann, Mönchtum und Philosophie. Eine kleine Theorie des Symbols, in: Ecclesia orans 1987/2, 141-167; R.Schulte, Das Ordensleben als Zeichen, in: G.Baraúna, De ecclesia Bd.2, 383-414.

[9] Vgl. J.Splett, Zur Antwort berufen. Not und Chancen christlichen Zeugnisses heute, Frankfurt/M. 1984, bes. 55-74.

und kritisch zu denken. Wir fassen das Symbol also von vornherein als ein dialogisch-kommunikatives Freiheitssymbol: es geht im symbolischen Ausdruck nicht primär um den Selbstvollzug des Subjektes, sondern um die 'zwei-eine' Freiheitsverwirklichung, die Tat wie Empfangen zugleich ist (vgl. von Balthasar S. 34-38). So werden die Räte auch weniger als das Symbol des sich selbst setzenden Gottes, sondern als konkret geschichtliche Form des Bundes verstanden. Es geht letztlich um die geschichtlich-situative Verwirklichung dialogischer Freiheit.

Die Räte sind *ein* Symbol des Bundes, nicht das einzige. Grundsätzlich kann von der Logoshaftigkeit der Welt her alles Symbol, d.h. Ausdruck des Geheimnisses und Übergang in das je größere Geheimnis werden. Es gibt aber eine Stufung in den Ausdrucksgesten. Wenn Gott mit den Menschen in ihrer Freiheit einen universalen ewigen Bund schließt, so ist dessen Chiffre nicht irgendeine beliebig austauschbare. Das 'universale concretum' (vgl. von Balthasar S. 82-94) dieses Bundes ist Jesus Christus: er ist das fleischgewordene Wort, das »absolute, mit dem Symbolisierten, nämlich Gott selbst, erfüllte Symbol.«[10] Jesu Leben und Handeln ist als ganzes symbolisch, d.h. es ist konkret-situative Verwirklichung des Bundes. Sein konkretes Handeln steht in Korrelation zum Reich Gottes; Jesus ist die Gottesherrschaft in Person (Origenes). Von Jesus her sind Gehorsam, Armut und Ehelosigkeit als Konkretion und Verweis auf das Reich Gottes zu denken. So ist die Armut im Geiste die Haltung, in der das Reich Gottes angenommen wird. Die Tischgemeinschaft mit den Armen und Ausgestoßenen ist Symbol der sich zum letzten Platz beugenden Liebe Gottes. So kann die Ehelosigkeit der Faszination und dem unbedingten Anspruch des Reiches Gottes entspringen. Sie steht im Dienst der neuen Familie Gottes, die das Lassen oder die Verwandlung der natürlichen Beziehungen fordert. Im Ruf zur Nachfolge beansprucht Jesus den Gehorsam der Jünger. Im Gehorsam werden sie in die Praxis des gegenseitigen Dienens eingewiesen. Die Botschaft vom Reich Gottes und der damit verbundene Anspruch führen Jesus ans Kreuz. Vom Kreuz her sind die Räte in die universale Solidarität und Versöhnung Gottes mit der Welt hineingenommen. Das Kreuz ist Konsequenz des Weltengagements Gottes. Im Kreuz wird deutlich, daß christliche Praxis sich dem Leiden, der konkreten Unversöhntheit, der Schuld zu stellen hat. Versöhnung geschieht am Kreuz nicht theoretisch im Sinne eines Systemzwanges, sondern praktisch. In Christus wird deutlich, daß dieses Leiden der Welt nicht ewig sein darf, sondern in die Vollendung hinein verwandelt wird.

---

[10] F.Mayr, Art. Symbol II, Theologisch, in: LThK² 9, 1207.

Zugleich ist das Kreuz Krisis und Gericht über die Welt. Die Räte stehen als Zeichen des Kreuzes in der Spannung zwischen Proexistenz und Krisis, zwischen Versöhnung und Gericht.[11] In Armut, Ehelosigkeit und Gehorsam geht es auch um die Sprengkraft des Kreuzes, um das Tragen des Todesleidens Jesu an unserem Leib (2 Kor 4,10f.). Die Räte ahmen die Knechts-Existenz Jesu nach. Sie entspringen der Freundschaft mit ihm (Joh 15,15) und werden in seine universale Sendung (vgl. von Balthasar S. 88f.) hineingenommen. Durch das Kreuz wird jede mit den Räten verbundene Selbstgerechtigkeit zerbrochen. Denn Armut, Ehelosigkeit und Gehorsam stehen auch für das Scheitern des Menschen. Vom Reich Gottes und vom Kreuz Jesu her sind die Räte als symbolisches stellvertretendes Handeln im Blick auf die zu-kommende Wirklichkeit Gottes zu deuten. Die Unterschiedenheit der Räte dient also keiner elitären Auslese, sondern der freiheitsstiftenden Provokation, dem Anruf der Freiheit und der Realisierung von konkreter und universaler Versöhnung. »Durch personale Stellvertretung vergegenwärtigt das Du dem Ich die Welt so, daß sie sich aus der faktischen Verklammerung mit ihm löst, in die Freiheit desselben hinaus übersetzt und eine Chiffre der interpersonal verfaßten Sujektivität wird.«[12] In diesem Sinn von Stellvertretung können die Räte das Reich Gottes und das Kreuz als Versöhnung und Krisis symbolisch prägnant werden lassen. Im Sinne der symbolischen Prägnanz sind die Räte auch identitätsstiftend und Ausgangspunkt von Innovation (vgl. Metz S. 319-321).[13] W. Dirks hat gezeigt, daß große Ordensgründungen an geschichtlichen, epochalen Übergängen die Anforderungen neuer Zeiten exemplarisch eingelebt, schöpferisch mitgeprägt und mitgestaltet haben.[14] J.Moltmann schreibt es den radikalen Nachfolgebewegungen zu, in der Kirche Identität und Innovation zu stiften. Für ihn ist die Christenheit »auf die Existenz und das Vorbild radikaler Nachfolgegruppen angewiesen ..., je mehr sie großkirchliche Lebensformen entwickelt.«[15]

---

[11] Vgl. H.Schürmann, Die Mitte des Lebens Jesu finden. Orientierung für geistliche Berufe, Freiburg 1979, 118-121; Ders., Im Knechtsdienst Christi. Priesterliche Lebensform, Freiburg 1985, 27-50; G.Greshake, Priestersein. Zur Theologie und Spiritualität des priesterlichen Amtes, Freiburg 1982, 126-153; W.Kern, Der Gekreuzigte: Krisis der Ideologien, in: HFTh 2, 205-212.

[12] F.Ulrich, Zukunft als Gestalt der Freiheit von »Ich und Du«, in: L'avenir de l'homme. Actes de la VIIème Rencontre internationale. Institut international d'études européennes Antonio Rosmini, Bozen 1964, 70.

[13] »Die Restauration der Kirche kommt gewiß aus einer Art neuen Mönchtums« (D.Bonhoeffer, Gesammelte Schriften, hg. von E.Bethge, München 1960, Bd.3, 25). Vgl. ferner J.Moltmann, Kirche in der Kraft des Geistes 344ff.; H.Gollwitzer, Vortrupp des Lebens 64-72; R.Strunk, Nachfolge Christi 258.

[14] Die Antwort der Mönche. Geschichtsauftrag der Ordensstifter, Olten - Freiburg [3]1968.

[15] J.Moltmann, Kirche in der Kraft des Geistes 351.

Dieses symbolische Verständnis der Räte soll einerseits ihre Idolisierung und Vergötzung sprengen, zugleich aber auch eine Ideologie der Gleichheit korrigieren. Denn auch die Räte können wie andere Sinnbilder des Glaubens zu Idolen erstarren, wenn sie aus der Dynamik der freiheitsstiftenden 'traditio' herausgenommen und begrifflich fixiert bzw. gegenständlich vereindeutigt werden sollen.[16] So kann die *Jungfräulichkeit* zum Idol, zum Götzen werden, wenn der Mensch 'nur Jungfrau' sein will, d.h. sich im Grunde Gott und die Menschen vom Leibe hält, die Gabe der Liebe nicht Fleisch werden und nicht auszeitigen läßt (vgl. von Balthasar S. 98f.). In diesem Sinn entspringt die Jungfräulichkeit einem sich selbst als unwandelbare Substanz setzenden Subjekt. Zum Idol kann die Jungfräulichkeit werden, wenn mit der geschlechtlichen Askese die Verwiesenheit auf den anderen im Sinne einer monadischen Freiheit und Emanzipation negiert werden soll.[17] Als bloßes Symbol junggesellenhafter Unabhängigkeit ist die Jungfräulichkeit ebenso Idol, wie wenn sie als unendliche jungfräuliche Potenz (E.Bloch) Instrument der Flucht aus der Gegenwart und Verweigerung von Begegnung sein soll. Ebenso ist es mit der *Armut*: der nur Arme verweigert der Fülle den Ort der Ankunft, er verdammt Gott zu einer fernen, in die Transzendenz verflüchtigte Zukunft.[18] Der nur statisch und mechanisch *Gehorsame* mißtraut der Gnade, die in die Freiheit des Selbstseins setzen will (vgl. Mt 25,14-30), wie umgekehrt die totalitäre Forderung nach Unterwerfung Gott zu einem dämonischen Götzen pervertieren würde. Idol sind die Räte schließlich, wenn ihr Entsagungscharakter *bloß* dem individuellen, wirtschaftlichen, politischen oder militärischen »Willen zur Macht«[19] oder auch dem sportlichen Willen zum Sieg zu dienen hat,

---

[16] Vgl. F.Ulrich, Sprache der Begierde und Zeitgestalten des Idols, in: B.Casper (Hg.), Phänomenologie des Idols, Freiburg - München 1981, 133-269, hier 134; F.Ulrich, Vom Wesen christlicher Heiligkeit, in: IKaZ (Communio) 1 (1972) 285-409, hier 389.

[17] Dies gilt teilweise für die Bewertung der Jungfräulichkeit in der feministischen Theologie, sofern diese überhaupt ein positives Verhältnis dazu hat. Vgl. C.J.Halkes, Suchen, was verloren ging. Beiträge zur feministischen Theologie, Gütersloh 1985, bes. 37-48 (»Von der Divinisierung zur Dämonisierung«); R.R.Ruether, Sexismus und die Rede von Gott. Schritte zu einer anderen Theologie, Gütersloh 1985, 171-192.

[18] Vgl. F.Ulrich, Sprache der Begierde 246

[19] So sind für Nietzsche, dem großen Kritiker aller Ressentiments in der christlichen Moral, Askese, Schmerz, Selbstüberwindung und Beherrschung Stufen zur Höhe, zur »goldenen Natur«, in welcher sich der Übermensch im »Willen zur Macht« selber schafft. Das schwache, niedergehende Leben dagegen ist geprägt durch Willensschwäche, gegensätzliche Triebe und Mangel an Schwergewicht; vgl. F.Nietzsche, Also sprach Zarathustra (WW ed.Schlechta II) 345.656.727; Der Wille zur Macht (WW III) 425.480.644.682.696.776. - H.Schelsky, Soziologie der Sexualität. Über die Beziehungen zwischen Geschlecht, Moral und Gesellschaft, Hamburg 1958, bes. 93-101 verweist auf den Konnex zwischen Askese (bes. der Keuschheit) und Autorität bzw. Hierarchie. Die Askese gilt als »Ausweis des höheren menschlichen Ranges« (96).

zu einer Elite führt, die über Leichen geht und keine Kenose kennt. Idol sind die Räte am Ende auch, wenn sich der Mensch mit ihnen selbstgerecht eine subjektive Heilsgewißheit verschaffen will. Im folgenden verstehen wir die Räte als Symbol, d.h. in einem Strukturgefüge von Bezogenheiten und nicht in isolierter Eindeutigkeit.

3. Rose und Kreuz

»Um die Rose im Kreuz der Gegenwart zu pflücken, dazu muß man das Kreuz selbst auf sich nehmen.«[20] Mit einem Verständnis der Räte als symbolischer Prägnanz von kommunikativer Freiheit, Nachfolge, Bund, Reich Gottes und Kreuz versuchen wir ihr kritisches Potential zu heben.

Dieses kritische Potential der Räte ist bei unseren Autoren recht unterschiedlich deutlich geworden. Armut und Gehorsam stehen bei von Balthasar in dezidierter Gegenposition zum 'Willen zur Macht', zur neuzeitlichen Autonomie und Aufklärung (S. 43-50), die Jungfräulichkeit war das Gegenüber zu einem selbstherrlich absolut gesetzten Eros (S. 51-53). Rahner qualifiziert die Räte als eschatologisches Zeichen und Zeugnis (S. 222-233), die Ehelosigkeit auch als Zeichen für die Torheit des Kreuzes und als Stachel im Fleisch (S. 266-269), ohne jedoch Armut, Ehelosigkeit und Gehorsam in direktem Gegenüber zu bestimmten Formen der Konkupiszenz, wie z.B. Macht Reichtum oder Sexualtrieb, zu profilieren. Metz sieht in der Armut eine greifbare Form des Widerstands gegen die »Diktatur des Habens«, gegen eine auf bloßem Tausch basierende Kommunikation, gegen Selbstbehauptung und Herrschaft (S. 321f.). Die Ehelosigkeit erhält für den Münsteraner Fundamentaltheologien ihr Profil im Gegenüber zu Erwartungslosigkeit und Resignation (S. 323f.). Nachfolge im Gehorsam Jesu wird zur Korrektur einer Ausblendung Gottes angesichts der Leidenden, wie auch zur Kritik von unkommunikativen Verkürzungen von Freiheit und Emanzipation. Die befreiungstheologische 'Option für die Armen' ist kritisch gegenüber der Vergötzung des Kapitals bzw. des Habens (S. 350), aber auch gegenüber dem marxistischen Verständnis des Proletariats (S. 362ff.). Für L.Boff stehen die Orden insgesamt im Kontrast zur Säkularisierung (S. 376-378).

Wenn wir hier Armut, Jungfräulichkeit und Gehorsam als Krisis gegenwärtigen Bewußtseins in seiner Entfremdung und Verblendung denken, so sind sie zugleich kenotisch auf diese Gegenwart hin orientiert, um im Ausleiden der Aporien schöpferisch Sinn zu stiften.

---

[20] G.F.W.Hegel, Philosophie der Religion 1 (SW ed. Glockner 15) 293.

Ein szientistisch-technokratisches Wissensmodell reduziert das Denken zur mathematischen Apparatur. Das Bewußtsein wird zur Maschine verdinglicht. Alles Seiende wird dem logischen Formalismus unterworfen. Medium der Formalisierung ist die Zahl. Prinzip der Erkenntnis ist die Wiederholung, Grundgedanke ist die Tautologie.[21] Diese Form von Wissenschaft kennt grundsätzlich keine Einmaligkeit. Qualitäten werden eliminiert und in Funktionen umgerechnet. Repressive Egalität triumphiert über jede Individualität. Der Mensch wird zum bloßen manipulierbaren Gattungswesen[22], er geht auf in der Einheit des Kollektivs. Wissenschaft mit dem Prinzip der Wiederholung und Gleichheit »verhext«[23] auch die Beziehungen der Menschen. Intersubjektive Begegnung wird aufgehoben, da diese von der Differenz, von der Positivität der Dualität, des Andersseins lebt. - Diese Form der Gleichung ist auch wirksam in der Rekonstruktion einer egalitär-solidarischen Grundverfassung kommunikativen Handelns.[24] Diese geht von der Symmetrie, von einer fiktiven Gleichheit aller aus.[25] Die konkrete Wirklichkeit von Leid, Angst, Unterdrückung und Tod wird dabei aber ausgeklammert. Im Blick ist nur der imaginär gleiche Andere, nicht aber ein konkretes antlitzhaftes Du. »Aus der unterschiedslosen Güte gegen alles droht denn auch stets Kälte und Fremdheit gegen jedes.«[26] Wenn Gleichheit und Symmetrie herrschen, steht das Fremde unter dem Vorzeichen der Negation. Die Wahrnehmung des Anderen geschieht unter der Perspektive der Verdächtigung, Anfeindung, Ablehnung, Verurteilung oder Unterwerfung. Eine bestimmte Form der Gleichheit ist so wieder nur Ausdruck eines herrschenden Bewußtseins, auch wenn sie unter dem Vorzeichen von Demokratie und Emanzipation läuft.

Für Adorno ist die Unfähigkeit zu unterscheiden ein Zeichen von sexueller Roheit und Barbarei: Diese Unfähigkeit lebt auch in spekulativen Systemen, wenn Autonomie in der Metaphysik ihr Recht verficht, »alles Begegnende auf sein Wesen so umstandslos zu reduzieren wie Lands-

---

[21] M.Horkheimer/Th.W.Adorno, Dialektik der Aufklärung. Philosophische Fragmente, Frankfurt/M. 1971, 27; zur Philosophie als »organisierter Tautologie« vgl. auch Th.W.Adorno, Minima Moralia. Reflexionen aus dem beschädigten Leben (Ges. Schriften, hg. von R.Tiedemann Bd.4) Frankfurt/M. 1980, 72.

[22] M.Horkheimer/Th.W.Adorno, Dialektik der Aufklärung 15.36.

[23] A.a.O. 28.

[24] Vgl.K.Füssel, Der imaginäre Andere. Ideologiekritische Beobachtungen zur Intersubjektivität, in: H.U. v.Brachel/N.Mette (Hg.), Kommunikation und Solidarität, Freiburg/Schweiz - Münster 1985, 101-116.

[25] Vgl.Th.W.Adorno, Minima Moralia 113f.

[26] A.a.O. 85

knechte die Frauen der eroberten Stadt. Die reine Tathandlung ist die auf den gestirnten Himmel über uns projizierte Schändung.«[27]
Diese Macht- und Herrschaftsanthropologie steht - wie besonders bei von Balthasar (S. 43f.) und Metz (S. 321f.) deutlich wurde - im Gegensatz zu den Räten: sie kennt kein armes und offenes Vernehmen (Hören!); die Reduktion und Schändung des Anderen ist das Gegenteil der Jungfräulichkeit. Ist das Subjekt alleiniger Bezugspunkt, so verweigert es letztlich ein Aus-sich-Herausgehen in Entäußerung und Hingabe. Wenn z.B. das bürgerliche Bewußtsein bloß die Verdoppelung, die Wiederholung, die identische Gleichung im Anderen seiner selbst sucht und das Andere als Anderes ablehnt, so ist von einer Ideologie der Gleichheit' zu sprechen, weil es sich a) um falsches, bloß in der Fiktion, nicht aber in geschichtlicher Konkretion vorhandenens Bewußtsein handelt und b) ein partikulares Sonderinteresse universaliert wird. Das Diktat der Gleichheit hebt somit Begegnung, Freiheit und Geschichte auf. Ein Bewußtsein, das bloß Verdoppelung, Gleichung und Bestätigung duldet, mündet in die Inhumanität.[28] Die abstrakte Immunisierung des Subjektes von der geschichtlichen Realität und dabei von der Begegnung mit dem konkret Anderen landet in ideologischer Verblendung. So ist der Wille zur absoluten Gleichheit Hinweis dafür, daß das Subjekt in der Auflösung begriffen ist.»Während das Subjekt zugrunde geht, negiert es alles, was nicht seiner eigenen Art ist.«[29] Der Drang nach Bestätigung in vollkommener Symmetrie entspringt dem Todestrieb:»Ihre Sucht nach Gleichheit ist im Grunde nur der aktivistische Schein einer regressiven Todessucht, die den Anderen vergehen läßt. Der Eros der Begierde ist bloßes Epiphänomen des herrschenden Todestriebes (Thanatos).«[30]
Diese Ideologie der Gleichheit führte in der Religionskritik der Aufklärung - sicher auf dem Hintergrund von Zerrformen der Religion - zur Auflösung der konkreten geschichtlichen Offenbarung und damit zur Destruktion der freien Begegnung zwischen Mensch und Gott. In einer fiktiven Gleichsetzung aller bestimmten Religionen wurde alles Konkrete und Besondere abgehobelt und Religion auf Ethik reduziert. Der Preis dafür war letztlich die Angleichung des Evangeliums an das bürgerliche Bewußtsein. Die billige Gnade der Religion wurde in eine private Innerlichkeit gesperrt (vgl. Metz S. 318-321).

---

[27] A.a.O. 98
[28] Vgl. a.a.O. 213f.
[29] A.a.O. 51
[30] F.Ulrich, Sprache der Begierde 193

Das Anderssein der Räte erscheint für ein die bloße Bestätigung, die Gleichung und die Wiederholung suchendes Bewußtsein als Bedrohung, die es zu destruieren gilt. Wenn die Differenzen von vornherein und immer als Unterdrückung angesehen werden, wird letztlich die Wirklichkeit von 'communio', von Kirche, aufgehoben. Die Vergleichgültigung und Verallgemeinerung bedeutet das praktische Ende einer wirklichen Nachfolge Jesu. Diese wird farb- und konturlos, wenn sie nicht geschichtlich konkret und situativ ist.[31] Innerkatholisch war sicher beim Vat. II die Einklage der kommunikativen Verantwortung der Rätechristen durch den Hinweis auf den Kirchen- und Weltbezug notwendig, wie auch die Erinnerung an die Berufung aller zur Vollkommenheit in der Liebe ein Gebot der Stunde war. Ebenso notwendig war die Kritik an der Fiktion und Abstraktion der Räte als besserer Weg an sich. Mit der (notwendigen) Kritik und der Einklage der Berufung aller vermengte sich im Gefolge des Konzils zum Teil auch eine Vergleichgültigung der unterschiedlichen Berufungen. Wenn nicht die Möglichkeit einer konkret besonderen, den Einzelnen verpflichtenden Berufung überhaupt negiert wurde, bestand zumindest die Gefahr einer monadenhaften Isolierung der einzelnen Wege. Konkrete Begegnung der unterschiedlichen Berufungen in der Form gegenseitiger Bereicherung, Ergänzung, Krisis oder schöpferischen Freigabe kam kaum in den Blick. Wenn in dieser Skizze die Räte als Anwälte der positiven interpersonalen Differenz wider die herrschaftliche Angleichung und Einverleibung gedacht werden, so ist dazu ein geduldiger kontemplativer Blick erforderlich, »dem Menschen und Dinge sich erst entfalten.«[32] Gegenüber einem arm, keusch und gehorsam vernehmenden Subjekt kann sich der Andere auslegen (vgl. von Balthasar S. 32-38). Konkrete Armut, Leid, Not und Unterdrückung finden ein Ohr und solidarischen Einsatz, ohne daß die Armut noch einmal instrumentalisiert, funktionalisiert und den eigenen Interessen einverleibt würde (vgl. Theologie der Befreiung S. 340f.).

Wenn hier auf der Unterschiedenheit der Räte in der kirchlichen 'communio' insistiert wird, so ist dabei die Absicht gerade nicht eine Verdoppelung ungleicher Herr-Knecht-Verhältnisse. Im Sinne einer symphonischen Wahrheit ist das Ziel die reale 'communio' aller, in der auch die Schwächsten schöpferisch zur Partizipation befähigt werden. Schließlich kann eine konkrete Berufung als Ferment für alle gedacht werden: »So erscheint das Bekenntnis zu den evangelischen Räten als

---

[31] Vgl. R.Strunk, Nachfolge Christi 242f.
[32] Th.W.Adorno, Minima Moralia 98

ein Zeichen, das alle Glieder der Kirche wirksam zur eifrigen Erfüllung der Pflichten ihrer christlichen Berufung hinziehen kann und soll.«[33] Die Spannung der Räte zwischen Proexistenz und Krisis läßt sich auch an anderen Symptomen entfremdeten Bewußtseins verifizieren.

Räte und Konkupiszenz

Ohne Armut, Keuschheit und Gehorsam vor Kritik zu immunisieren, können wir sie mit der Tradition bestimmten Formen der Konkupiszenz, der Verfallenheit an das Selbst oder an Dinge der Welt zuordnen. Schon für Augustinus ist die Augenlust, d.i. die Gier, noch mehr zu haben, neben der Herrschsucht und der Fleischeslust an der Wurzel menschlicher Schuld.[34] Sie ist eine schmiedene Bande, die das Ganze, den Gottesbezug aus den Augen verlieren läßt. Entscheidend ist dabei die ontologische Struktur alles endlichen Seienden: »Denn immer ist es häßlich, wenn irgendein Teil nicht zu seinem Ganzen stimmt.«[35] Augustinus hat in seiner ontologischen Konzeption der Konkupiszenz noch keine Zuordnung der Räte zu bestimmten Begierden (die Räte waren noch gar nicht als triadische Einheit bekannt). Die systematische Entfaltung findet sich bei Thomas von Aquin[36]: Dieser unterteilt die Güter dieser Welt, die dem menschlichen Gebrauch zur Verfügung stehen, in drei Bereiche: die Reichtümer der materiellen Güter, welche die Augenlust ('concupiscentia oculorum') beeinflussen, die Wonnen des Fleisches, welche auf die Fleischeslust zielen und das Ansehen (Ehrenbezeigungen), welches zum Stolz verleitet. Der Mensch ist zwischen die Güter dieser Welt und die spirituellen Güter gestellt. Je mehr er sich einem Pol zuwendet, desto mehr entfernt er sich vom anderen. Die Maßlosigkeit menschlicher Grundtriebe führt zur Verweigerung des Gottesbezuges. Der Mensch wird dann selbst Opfer seiner eigenen Begierde. Thomas von Aquin ordnet nun die Hauptformen der Konkupiszenz den evangelischen Räten als anthropologische Trias zu: dem Reichtum gilt es zugunsten der Armut abzusagen, der Fleischeslust zu-

---

[33] LG 44; vgl. dazu die Einleitung und den Kommentar von F. Wulf in: LThK 12, 246f.307f.

[34] Confessiones III, 8.16; die seelischen Ursachen der Verkehrung liegen in der 'epithymia', 'concupiscentia', 'libido', die sich in den drei Formen der 'Fleischeslust', 'Augenlust' und 'Hoffart des Lebens' (1 Joh 2,16 nach der Vulgata) aktuieren; für den persönlichen Erfahrungsgrund der augustinischen Konkupiszenzlehre vgl. Confessiones X, 29-39; dazu: J.F. Schmucker-von Koch, Vom falschen Leben in Freiheit, in: G.K. Kaltenbrunner (Hg.), Der asketische Imperativ 132-147, bes. 139ff.

[35] Conf. III, 8.15

[36] STh I-II, q 108, a 4

gunsten der Keuschheit, Herrschsucht und Stolz haben ihren Gegenpol in Gehorsam und Dienst. Die Räte sind also für Thomas von Aquin eine Form existentiell vollzogener Ideologiekritik, die als Gegengewicht gegen die maßlose Verabsolutierung relativer Werte eingebracht werden.[37]

Das »Haben« und die Armut

Eine Form menschlicher Sklaverei ist die Gier nach materiellen Gütern, die Verfallenheit an das 'Haben'. In der Existenzweise des 'Habens' ist der Mensch nach E.Fromm durch den Besitz des Objekts definiert: »Das Subjekt bin nicht *ich selbst*, sondern *ich bin, was ich habe.*«[38] Im 'Haben' gibt es keine lebendige Beziehung. Subjekt und Objekt sind zu Dingen geworden. Fromm bindet das 'Haben' fast exklusiv an das Privateigentum: »Die Existenzweise des Habens leitet sich vom Charakter des Privateigentums ab.«[39] Die Existenzweise des Seins bleibt demgegenüber bei Fromm relativ leer und unbestimmt. Wohl verbindet er damit Tätigsein oder Solidarität. Eine Einbindung von 'Haben und Sein' in den Horizont kommunikativer Freiheit und in die ontologische Differenz wird nicht vorgenommen. So bleibt die Existenzweise des Seins und die damit verbundene Armut recht vieldeutig. Die Kritik am Warenfetischismus und an menschlicher Begegnung auf bloßer Tauschbasis wird z.B. dann wirkungslos, wenn sie sich im reinen Protest ergötzt oder in Gewalt umschlägt. Die Seinsweise der Armut kann in bloßen Zynismus und in Skepsis münden, wenn etwa die revolutionären Utopien abgegriffen und verbraucht sind. Notwendig ist ein Begriff und eine Praxis, die die Armut in das Verhältnis Mensch - Gott und in das interpersonale Bezugsfeld einbinden, wie es bei von Balthasar (S. 34-38), bei Rahner (S. 181f., 200-204), Metz (S. 313f., 322) und in der Theologie der Befreiung (S. 346f., 358-362) der Fall ist.

---

[37] Eine moderne Version dieses Grundansatzes bietet J.Gründel, Art. Consilia Evangelica, in: TRE 8, 192-196, der die Räte in Analogie zum Besitztrieb (vgl. die Analyse des 'Habens' bei Fromm), zum Sexualtrieb (vgl.Freud) und zum Macht- und Geltungsstreben (vgl. Adler) setzt; vgl. auch B.Fraling, Wie kann ich das Evangelium leben? Hildesheim 1985, 26-33; P.M.Zulehner, Leibhaftig glauben. Lebenskultur nach dem Evangelium, Freiburg 1983, bes. 49-68.

[38] Haben oder Sein. Die seelischen Grundlagen einer neuen Gesellschaft, Stuttgart 1976, 80; Gewährsleute sind für E.Fromm u.a. Meister Eckhart, Karl Marx und auch Gabriel Marcel.

[39] A.a.O 80

Im folgenden greifen wir zudem Gedanken von F.Ulrich auf[40]: Die Suche des Menschen, sich in der gegenständlichen Sphäre des 'Habens' selbst zu bestätigen, wurzelt letztlich im Versuch, der Unfähigkeit zu 'direktem Selbstbewußtsein' auszuweichen und dem Empfangen der Freiheit zu entkommen. Zur Phänomenologie des 'Habens' gehört die Hoffnung, sich vom 'Mehr' des Besitzes die Erfüllung des Lebens zu versprechen. Im Verfallen an die Herrschaft der Sachen über den Menschen bleibt der Innenraum des Subjektes leer und unbejaht. Das 'Haben' stabilisiert reaktionär das starre, private, nicht flüssig werdende Ich = Ich und senkt es schließlich in das monologische Grab.[41] Weil die Wir-Gestalt, d.h. der Vermittlungs- und Gnadencharakter der Freiheit verdrängt wird, läßt das Subjekt keinen anderen an sich heran, auch gibt es keine liebende Entäußerung und keinen Dienst. Die Verdinglichung des Bewußtseins geschieht auch in der Utopie einer einmal herstellbaren Selbsterzeugung des Menschen durch Arbeit.[42] Verfallen an Fortschritts- und Wachstumsideologien muß der Mensch, der sich durch bloße Arbeit selbst erzeugen will, alles Gegenwärtige 'fertig machen', d.h. der Verwesung übergeben. Auch das ständige Wachstum will im Grunde alles hinter sich bringen, um selber im starren Ich = Ich heil, aber tot davonzukommen.

Auch der Griff des Begreifens, die Sucht nach eindeutigem, beherrschbarem Wissen, kann die Wir-Gestalt der Freiheit verfehlen.[43] Das Subjekt verharrt dabei im Monolog, wenn es die Welt, das Du des Anderen und das Du Gottes reflexiv einholt und dem hab- und verfügbaren, aber geheimnislosen Wissen unterwirft.

Menschliche Freiheit ist für von Balthasar (wie für G.Siewerth und F.Ulrich) nur im Raum der positiven Differenz zwischen Ich und Du, nur im Horizont der ontologischen Differenz möglich. In der »Ich-Du-Wir-Gestalt«[44] der Freiheit sind Armut und Fülle, Empfangen der Gabe und Selbstlosigkeit des Gebens in Einheit zu verstehen. Der Gegenbegriff zum 'Haben' ist also keine abstrakte oder gar destruktive, sondern eine in 'communio' realisierte Armut, in der Armut und Fülle im lebendigen Fluß der Liebe vereint sind. Eine so verstandene Armut ist

---

[40] Vgl. Gegenwart der Freiheit, Einsiedeln 1974, 169-185; vgl. dazu auch H.U. von Balthasar, ApdS I, 255ff., wo er von Prometheus spricht, der alles Sein durch Magie zu Haben verwandelt.

[41] F.Ulrich, Gegenwart der Freiheit 171; vgl. auch Ders., Gebet als geschöpflicher Grundakt, Einsiedeln 1973, 9f.

[42] Ders., Gegenwart der Freiheit 172f.182f.

[43] Ders., Atheismus und Menschwerdung, Einsiedeln 1966, 43f.

[44] Ders., Gegenwart der Freiheit 142-158; vgl. auch J.Splett, Gehorchen ist menschlich, Freiburg 1977 (= PWB Sonderdrucke 8) 1-18.

wohl Krisis des 'Habens', zugleich aber auch schöpferische Freisetzung des erstarrten Anderen und Hineinnahme in Beziehung.

Asketische Kultur?

Die Existenzweise des 'Habens', der Versuch menschlicher Selbsterzeugung durch Arbeit und die Synonymität von Erkennen (Wissen) und Macht (F.Bacon) haben nicht bloß destruktive Konsequenzen für das personale Subjekt und dessen Kommunikation, sondern auch für die naturale Dimension der Welt. Die technische Revolution und der mit ihr verknüpfte Raubbau an den Schätzen der Natur hat nicht nur die Verdinglichung und Versklavung des Bewußtseins zur Folge, sondern bedroht das Überleben insgesamt.[45] - Eine konsum- bzw. marktorientierte technokratische 'Kultur' sieht im unbegrenzten Wirtschaftswachstum wie im Fortschritt der Technik einen Wert an sich. Das züggellose Verfolgen ökonomischer Ziele hat massive Störungen im ökologischen, demographischen, gesellschaftlichen und globalen Bereich zur Folge. - Dem Konsumdenken und Konsumterror, dem Genuß- und Machtstreben, der Herrschaft der Technokraten wird nun z.B. durch von Weizsäcker u.a. die Forderung nach einer 'asketischen' Kultur entgegengesetzt. Maßhalten, Bescheidenheit, Selbstbeherrschung, Askese und bewußte kulturelle Disziplin sind die Postulate. Dabei geht es nicht um eine Romantisierung der Armut, sondern um die Frage der Selbsterhaltung des Menschen in seiner Umwelt.

Ein an den Räten orientiertes anthropologisches Modell kann neben strukturellen und konzeptionellen Kausalitäten der Ökokrise auch auf weltanschauliche, sozialpsychologische und ethische Ursachen verweisen.[46] Zu kritisieren ist eine Herrschafts- und Machtanthropologie und

---

[45] Vgl C.F.v.Weizsäcker, Gehen wir einer asketischen Weltkultur entgegen?, in: Ders., Deutlichkeit. Beiträge zu politischen und religiösen Gegenwartsfragen, München 1978, 73-113; G.K.Kaltenbrunner (Hg.), Der asketische Imperativ. Strategien der Selbstbeherrschung, Freiburg - München 1985 (Lit). - Die ökologische Problematik war bei unseren Autoren noch weniger entfaltet.

[46] Vgl.: Zukunft der Schöpfung - Zukunft der Menschheit. Erklärung der Deutschen Bischofskonferenz zu Fragen der Umwelt und der Energieversorgung (hg. vom Sekretariat der Deutschen Bischofskonferenz) Bonn 1980; Verantwortung wahrnehmen für die Schöpfung. Gemeinsame Erklärung des Rates der Evangelischen Kirche in Deutschland und der Deutschen Bischofskonferenz (hg. vom Kirchenrat der Evangelischen Kirche in Deutschland und dem Sekretariat der Deutschen Bischofskonferenz) Köln 1985; A.Auer, Umweltethik. Ein Beitrag zur ökologischen Diskussion, Düsseldorf 1984; G.Greshake, Gott in allen Dingen finden. Schöpfung und Gotteserfahrung, Freiburg 1986; J.Moltmann, Gott in der Schöpfung. Ökologische Schöpfungslehre, München 1985; P.Schmitz, Ist die Schöpfung noch zu retten? Würzburg 1985; D.Sölle, Lieben und arbeiten. Eine Theologie der Schöpfung, Stuttgart 1985.

eine damit verbundene instrumentelle Vernunft, weil für diese die Natur bloßes Objekt der Verzweckung und Manipulation ist.[47] Für eine mechanistische Vorstellung von Natur und für die Fiktion der technischen Machbarkeit gibt es keine ethische Verantwortung. Es mangelt an Ehrfurcht vor allem Lebenden, an Demut und Rücksichtnahme wie auch an Problembewußtsein. Ethische Ursachen sind auch in einem Anspruchsdenken mit dem Festhalten am Besitzstand und der Orientierung am Lustgewinn zu suchen. Auch Trägheit und Bequemlichkeit, der Weg der billigen Lösung und des geringsten Widerstandes haben fatale Konsequenzen im ökologischen Bereich. Die Zerstörung der Natur wurzelt schließlich häufig in wirtschaftlichen Machtkämpfen oder in politischen und militärischen Konflikten.

Demgegenüber ist theologisch auf die sakramentale Struktur der Schöpfung[48] hinzuweisen, in der der Mensch die Krone der Schöpfung bleibt, in der er aber als 'Hirte' die Mitkreatürlichkeit der Natur achtet.[49] Ein verantworteter Umgang mit den Schätzen der Natur fordert ein neues Denken und Handeln. Die Lebens- und Verbrauchsgewohnheiten, das Konsumverhalten und die Frage nach dem Lebensstandard insgesamt sind kritisch zu beleuchten. Die Deutsche Bischofskonferenz sieht die Zukunft der Schöpfung und die Zukunft der Menschheit an den Geist der 'evangelischen Räte' gebunden:

»Was heißt das?
- Geist der Armut: Frei sein von Ansprüchen und Bedürfnissen, die wir uns einredeten oder einreden ließen. Mut, statt des Wortes Ich das Wort Wir an die erste Stelle zu setzen, zu teilen, füreinander und miteinander die Güter dieser Welt zu haben und zu nutzen. Die Freiheit entdecken, der das Wenige kostbarer und reicher ist als der Überfluß, der Überdruß weckt.
- Geist des Gehorsams: Sich nicht versklaven an die eigenen Lebenserwartungen und Lebensentwürfe, sondern hinhören auf den Anspruch Gottes, den Anspruch der Mitmenschen, aber auch den der anderen Mitgeschöpfe.
- Geist der Jungfräulichkeit: Wissen, daß hingegebene, 'verschenkte' Möglichkeiten nicht verlorene Möglichkeiten sind - im Gegenteil, sie sind oft Voraussetzung für eine geistige und geistliche Fruchtbarkeit und für einen freieren Einsatz im Dienst

---

[47] Zur Synonymität von Macht und Erkenntnis vgl. F.Bacon, Novum Organum (WW Bd XIV) 31; vgl. dazu: M.Horkheimer/Th.W.Adorno, Dialektik der Aufklärung 8.

[48] L.Boff, Kleine Sakramentenlehre, bes. 9-18; G.Greshake, Gott in allen Dingen finden, bes. 33-46.

[49] Das Ziel ist nicht eine bloße Umkehrung der Herrschaftsverhältnisse. Es wäre romantisch, die Natur als gewaltfrei anzusehen, denn sie ist ebenso grausam und brutal. Würde die Natur evolutionär über das Leben entscheiden können, gäbe es keine Rettung des Individuums.

der anderen. Sinn gewinnen für die Schönheit dessen, was ich nicht berühre und nicht benutze.«[50]

Gemeinschaften, die nach den Räten leben, könnten ein gesellschaftliches Gegengewicht gegen die Dogmen von Wohlstand und von Wachstum, gegen die Vergötzung von Einkommen und Besitz, gegen die Diktatur des Habens sein und zugleich neue ökonomische Alternativen modellhaft einüben und vorleben.

Das kritische Potential der Jungfräulichkeit

Auch Keuschheit und Jungfräulichkeit könnten zur kritischen Herausforderung für gegenwärtige Plausibilitäten im Bereich der Sexualität werden. Der »Installierung eines umfassenden Sexualitätsdispositivs in unserer Gesellschaft«, dem »Pansexualismus«, ist es gelungen, »uns dieser kargen Alleinherrschaft des Sexus zu unterwerfen.«[51] Die Abschaffung aller Tabus hat zu neuen Abhängigkeiten geführt: »Schrankenlose Befriedigung bringt mit sich, daß der junge Mensch frühzeitig durch Lusterfahrungen, die er nicht zu beherrschen lernt, domestizierbar und manipulierbar gemacht wird. Was ihm als Freiheit angeboten wird, ist die Forderung eines früh entstandenen und fixierten süchtigen Verhaltens« (Alexander und Margarete Mitscherlich).[52] Letztlich wird die Sexualität vom Konsumismus absorbiert und die Erotik zur bloß ökonomischen Komponente.[53] Die Reduktion der Sexualität auf bloße Genitalität, die Isolation vom personalen Vollzug, die Degradierung zur Ware und zum Konsumobjekt bringt neue Formen von Manipulation, Repression, Aggression und Entfremdung. Das maßlose Ausleben des Sexualtriebes wird so zur Perversion, die zur Entfremdung des Menschen von sich selbst und zur Gewalt und Herrschaft über andere führt. - In bestimmter Hinsicht ist der Theorie des Thomas von Aquin über die Dummheit beizupflichten, der meint, daß die Seele des Menschen am stärksten durch Unzucht gefesselt wird und daß die Dummheit am ehesten aus der Unzucht geboren wird.[54] Die Ehelosigkeit kann als Protest

---

[50] Zukunft der Schöpfung - Zukunft der Menschheit 16

[51] M.Foucault, Der Wille zum Wissen. Sexualität und Wahrheit 1, 189f.

[52] Zit. nach: J.Splett, Der Mensch: Mann und Frau. Perspektiven christlicher Philosophie, Frankfurt/M. 1980, 72.

[53] Vgl. J.Hommes, Der technische Eros, Freiburg 1955; H.Marcuse, Der eindimensionale Mensch, Neuwied - Berlin 1970.

[54] »Maxime autem sensus hominis immergitur ad terrena per luxuria, quae est circa maximas delectationes, quibus anima maxime absorbetur. Et ideo stultitia est peccatum maxime nascitur ex luxuria.« (STh II-II, q 46 a 3 c); vgl. dazu: G.Bachl, Eros und Tod,

gegen die Vergötzung (und auch Dämonisierung) des Sexus wie auch als kritisches Zeichen gegen Herrschaft und Unterdrückung im geschlechtlichen Bereich gelten.[55] Der bloße Protest gegen die Vermarktung der Sexualität, die bloße Askese im sexuellen Bereich, die Verweigerung im Hinblick auf das andere Geschlecht ist aber noch nicht Jungfräulichkeit im positiven Sinn. Dies wird am Phänomen des Narzißmus deutlich.

Narzißmus und Räte

Unter Narzißmus verstehen wir mit Heinz Hartmann die »libidinöse Besetzung des Selbst oder noch allgemeiner ... eine Konzentration psychologischer Interessen auf das Selbst.«[56] Bei Freud[57] zieht sich Narziß in seiner Libido von der Außenwelt auf das Ego regreßhaft zurück; verliebt in das Spiegelbild im Teich, wird er weltlos und desorientiert. Der narzißtisch sich selbst verhaftete Mensch kann - aus welchen Gründen auch immer - nicht lieben. In der Selbstsucht gelähmt und erstarrt wird er sozial oft destruktiv. Er kommt nicht zum konkret Anderen und läßt das Du nicht an sich herankommen. So ist mit dem Phänomen des Narzißmus auch (neben den Zuständen des Selbstgefühls) eine bestimmte Charakterisierung der Objektwahl gemeint: die Selektion orientiert sich an den kanonisierten Vorstellungen der eigenen Person nach dem Kriterium der Gleichheit oder Ähnlichkeit. Analog kann auch bei einem Menschenbild von Narzißmus gesprochen werden, wenn das Selbst zur

---

in: Kunst und Kirche, 1987, 90f. Analog dazu könnte man auch die weiteren traditionellen Hauptsünden: Hoffart, Neid, Zorn, Geiz, Unkeuschheit, Unmäßigkeit und religiös sittliche Trägheit in ihren negativen Auswirkungen auf die Denkunfähigkeit wie auch auf die Unfähigkeit zu beten untersuchen. Zur Sünde als Abkehr von Gott (aversio a Deo) bei Thomas von Aquin vgl. STh II-II 39,2 (Schisma); II-II 94,3 (Götzendienst); II-II 105,2 (Ungehorsam); II-II 118,5 (Geiz); II-II 148,3 (Eßsucht); II-II 150,3 (Trunksucht); II-II 154,3 (Unzucht); II-II 158,4 (Zorn). Vgl. dazu O.H.Pesch, Thomas von Aquin. Größe und Grenze mittelalterlicher Theologie, Mainz 1988, 268.

[55] In der gegenwärtigen Gesellschaft ist sicher auch eine treu und partnerschaftlich gelebte Ehe ein Bruch mit Plausibilitäten der 'Welt'. Das kritische Gegenüber zu entfremdeten Formen der Sexualität (Vergötzung, Repression, Vermarktung, Manipulation u.ä.) ist deshalb keine leibfeindliche Abwertung, sondern die Ordnung der Sexualität gegenüber der ungeordneten Sinnlichkeit. Zur positiven Sicht des Thomas von Aquin von Leib, Lust und Ehe vgl. STh I 98, 2; dazu O.H.Pesch, Thomas von Aquin 254ff.

[56] Zit. nach: G.Schneider-Flume, Narzißmus als theologisches Problem, in: ZThK 82 (1985) 88-110, hier 88; vgl. ferner: K.-F.Husen/H.-J.Fuchs, Art. Narzißmus, in: HWP 6, 401-406; I.E.Dyrud, Die heutige Diskussion über den Narzißmus als ein beherrschendes kulturelles Phänomen, in: Conc 18 (1982) 428-432; P.Zagermann, Ich-Ideal, Sublimierung, Narzißmus. Die Theorie des Schöpferischen in der Psychoanalyse, Darmstadt 1985 (Lit.).

[57] S.Freud, Zur Einführung des Narzißmus, in: GesW X, 135-170.

geschlossenen, abgerundeten und alles integrierenden Totalität erhoben wird; das personale Du und die weltliche Realität werden dabei von vornherein in den Kreis des Selbst eingeschrieben. Die Struktur der personalen Differenz, der positiven Andersheit und Fremdheit wird letztlich totalitär negiert.[58] Auf das Subjekt bezogen, gehört der Narzißmus zur Pathologie der depressiven Existenz in ihrem Todestrieb: »Der Narzißmus, dem mit dem Zerfall des Ichs sein libidinöses Objekt entzogen ist, wird ersetzt durch das masochistische Vergnügen, kein Ich mehr zu sein, und über ihrer Ichlosigkeit wacht die heraufziehende Generation so eifersüchtig wie über wenigen ihrer Güter, als einem gemeinsamen und dauernden Besitz.«[59] Es kann hier nicht darum gehen, mit einem moralischen Appell und Imperativ den Narzißmus zu überwinden und einfach Altruismus und Selbstlosigkeit einzuklagen, zumal ja manche Formen der libidinösen Fixierung auf das Selbst in einem Mangel an Geborgenheit, Urvertrauen und Selbstannahme wurzeln. Es kann auch nicht einfach darum gehen, an die Stelle der Selbstliebe die evangelischen Räte zu setzen. Es gibt schießlich auch negative Formen der Selbstlosigkeit wie den Todestrieb, wie die Sucht nach Auflösung von Individualität, wie die Flucht vor der Einsamkeit der Verantwortung oder die Verdrängung der eigenen Kontingenz mit dem Nicht-ganz-Sein und dem Schmerz.

Theoretisch gilt es, von den Räten her anthropologische Modelle zu sprengen, die hinter der Freudschen und auch Jungschen Psychoanalyse bzw. auch hinter gegenwärtig vorherrschenden Selbstverwirklichungskonzepten und -strategien stehen. Im Grunde ist bei diesen ein monadisches Ich, ein weltloses Ego die Basis. Der Weltbezug und die Du-Relation sind sekundär vom ursprünglich Einzelnen zu leisten oder gelten von vornherein als Dimension des Groß-Selbst. Die Klammer zwischen Mensch und Welt ist dabei der Trieb: der Mensch ist einer, der sich selbst entwirft und produziert. Demgegenüber sieht ein von den Räten inspiriertes anthropologisches Modell den Menschen schon ursprünglich entschränkt, sich empfangend und verdankend, d.h. in 'communio' (vgl. von Balthasar S. 34f.). Selbstannahme und Selbstlosigkeit sind dabei keine Konkurrenten, sie stehen nicht unvermittelt nebeneinander und sind einander nicht chronologisch vor- bzw. nachgeordnet (vgl. Rahner S. 199-204). Als Angenommener kann sich der Mensch in Armut und Gehorsam selbst annehmen. Vor der Endlichkeit,

---

[58] Vgl. F.Ulrich, Sprache der Begierde 152.158.241f.
[59] Th.W.Adorno, Minima Moralia 72; vgl. F.Ulrich, Sprache der Begierde 167.

Gewöhnlichkeit und Begrenztheit seines Lebens muß er nicht in Zynismus und Skepsis, Regression oder Rebellion flüchten. Die Räte sind die innere Klammer von 'communio'. Sie stehen an der wurzelhaft freien und personalen Einheit von Gottes-, Nächsten- und Selbstliebe. In Armut, Keuschheit und Gehorsam wird im Raum der 'communio' der Andere mit einem gewaltlosen, kontemplativen und »sabbatischen« Blick[60] wahrgenommen. Der Betrachtete wird nicht als Objekt einverleibt. Die Räte stehen für die »Zartheit« der Begegnung: »Denn Zartheit zwischen Menschen ist nichts anderes als das Bewußtsein von der Möglichkeit zweckfreier Beziehungen, das noch die Zweckverhafteten tröstlich streift.«[61] Im Geist der Räte wird auch eine nichtselektive Wahrnehmung vollzogen. Schmerz, Leid und Trauer brauchen nicht tabuisiert, Melancholie und Gefühle nicht verboten und die Armen, Behinderten, Sterbenden, physisch und psychisch Kranken nicht in Ghettos abgedrängt werden (vgl. Metz S. 322). Im Geist der Räte wird aber auch die verborgene Schönheit der Welt staunend wahrgenommen; die verborgene Würde der Geringsten kommt ans Licht. - Neben der Wahrnehmung geht es bei den Räten auch um eine nicht selektive Hinwendung zu den Anderen, gerade zu den 'Abfallprodukten' der Gesellschaft; es geht um die Freiheit der Hingabe in selbstlosem Dienst.

4. Zeugen Gottes in der Welt

Wir haben gesehen, daß eine auf Herrschaft und Macht basierende Anthropologie, daß die Ideologie der Gleichheit, sei es auf der Ebene technokratischer Wissenschaft, sei es der Narzißmus als kulturelles Phänomen, daß der Versuch des Menschen, sich durch Arbeit und Wissen selbst zu produzieren, und schließlich daß die Existenzweise des Habens und Konsums (im Hinblick auf materielle Güter und im Hinblick auf die Sexualität) zur Auflösung individueller Einmaligkeit, zur 'Verhexung' der Beziehungen und zur Destruktion der ökologischen Grundlagen führt. Die Fixierung des Subjektes auf Haben, Macht und Sexualität, die Maßlosigkeit in diesen Trieben führt - und hier können wir auf Augustinus und Thomas zurückgreifen - auch zur Entfremdung von Gott. Dies zeigt sich z.B. in der auf der Synonymität von Erkennen und Macht aufbauenden Wissenschaft: »Auf dem Weg zur neuzeitli-

---

[60] Th.W.Adorno, Minima Moralia 84
[61] A.a.O.45

chen Wissenschaft leisten die Menschen auf Sinn Verzicht.«[62] Mit dem
Axiom der Wertfreiheit der logisch-empirischen Analyse, mit dem Al-
leinanspruch, der Universalisierung dieser Methode wird jedes ethische
oder religiöse Sinnmodell unter Ideologieverdacht gestellt. Die Rede
von Sinn wie auch die Rede von Gott wird zur Chiffre der Sinnlosigkeit
degradiert. Die reine Immanenz des Positivismus gilt für die Frankfurter Schule als letztes Produkt der Aufklärung; diese Immanenz ist
»nichts anderes als ein gleichsam universales Tabu.«[63]

Diese Tabuisierung und Verdrängung Gottes wurzelt letztlich in der
Angst und im Mißtrauen, daß Gott nicht der freiheitsstiftende, sondern
der entfremdende Herr ist. - Das war auch der Grund für den Versuch
des Menschen, sich durch Haben, Arbeit, Wissen, Macht sowie durch
monadische Emanzipation selbst zu konstituieren. Gott wird als Entzug
und Entfremdung mißverstanden, der geizig und ängstlich an seiner
Macht festhalten muß und deswegen den Menschen erniedrigt. Die ursprüngliche Einheit von Armut und Fülle in der Beziehung zwischen
Gott und Mensch, die Wir-Gestalt der geschöpflichen Freiheit wird somit abgelöst von der Herr-Knecht-Dialektik: »Wenn die Freiheit nicht
vor dem Du zurücktritt, das sie begabt und somit auch in eine
'Abhängigkeit' von sich selbst bringt, wenn der Akt ihrer Selbstmitteilung nicht den Raum des Selbstseins im Du eröffnet, dann dissoziiert
die Liebe gegenständlich in die beiden Sphären von 'Herr und
Knecht'.«[64] In dieser Dialektik erscheint die Vermittlung des Selbst-
standes durch das Du Gottes als negative Abhängigkeit, die es emanzi-
patorisch zu überwinden gilt. »Ein *Wesen* gibt sich erst als selbständiges,
sobald es auf eigenen Füßen steht, und es steht erst auf eigenen Füßen,
sobald es sein *Dasein* sich selbst verdankt. Ein Mensch, der von der
Gnade eines anderen lebt, betrachtet sich als abhängiges Wesen.«[65]
Konsequenterweise muß der Gottes- und Schöpfungsgedanke überwunden werden. In dieser Ablehnung der Vermittlung von Freiheit
steckt aber eine herrschaftliche und monadische Freiheitsvorstellung.
Als ständige grenzenlose Emanzipation, als reine Negation kreist die
Freiheit im Nichts und in sich selber. Die Ablehnung Gottes führt letzt-

[62] M.Horkheimer/Th.W.Adorno, Dialektik der Aufklärung 9
[63] A.a.O. 18
[64] F.Ulrich, Atheismus und Menschwerdung 29; vgl. Ders., Homo abyssus. Das Wagnis
der Seinsfrage, Einsiedeln 1961; Ders., Der Mensch als Anfang. Zur philosophischen
Anthropologie der Kindheit, Einsiedeln 1970.
[65] K.Marx , Ökonomisch-philosophische Manuskripte (1844) in: MEW Ergänzungsband
(Schriften bis 1844), 544.

lich wiederum zu totalitären innergeschichtlichen Systemen oder zur nihilistischen Auflösung des Subjektes.

Wenn hier die Räte als Provokation der Suche nach Gott, als Zeugnis für Gott als Mitte und Ziel menschlichen Lebens eingebracht werden, so geht es a) um intelligible und ideologiekritische Kraft und b) um das gelebte existentielle Zeugnis der Verankerung des Menschen in Gott. Die intelligible Kraft zeigt sich durch den Aufweis des Selbstwiderspruchs im szientistischen Modell: im empiristischen Sinnkriterium ist eine Wertoption getroffen, die systemimmanent gar nicht möglich ist. Negativ ist auf die zerstörenden Konsequenzen des Gegenteils der Räte, nämlich des bloßen Willens zur Macht, der Existenzweise des Habens, der 'Einverleibung', der 'Schändung' und Funktionalisierung hinzuweisen. - Positiv sind die Räte als argumentativer Schutz des Humanen zu erweisen. Im Sinne einer Meta-Anthropologie (vgl. von Balthasar S. 56; Rahner S. 170) soll aufgewiesen werden, daß Gott allein der Grund der Hoffnung, der Grund menschlicher Subjektkonstitution in Freiheit, Kommunikation und Solidarität sein kann (vgl. Metz S. 312f.). In den Räten ist der Mensch auf das personale 'Je-mehr' des Geheimnisses Gottes hin offen.

Wenn der Mensch als 'arme Verwiesenheit auf die Fülle' (vgl. Rahner S. 181) gedacht wird, dann ist er eben nicht ökonomisch, psychologisch oder soziologisch dingfest zu machen. Die Armut bewahrt davor, daß er sich mit weniger als mit Gott zufrieden gibt. Im Gehorsam wird der Mensch als Hörer des Wortes gedacht, der von Gott seine Bestimmung in sein positives Selbstsein erfährt. Im Gehorsam hält der Mensch vor Gott auch angesichts der Unversöhntheit der Welt stand (vgl. Metz S. 324f.). Der Gehorsam ist schließlich die Klammer zwischen Personalität und Kommunikation (vgl. von Balthasar S. 94).

Die Jungfräulichkeit als anthropologische Grundkategorie meint die bleibende Offenheit auf den je-größeren Gott. Sie steht nicht im Gegensatz zur intersubjektiven Vermittlung, will aber in der Vermittlung die Differenz zu Gott wahren. Sie verwehrt eine monistische Identifikation von menschlichen Beziehungen mit Gott; diese Differenzierung ist ja selbst Voraussetzung für die Humanität von Begegnung. In der Jungfräulichkeit hat Gott im Menschen seine »geschaffene Vermittlung«[66], sodaß Welt und Gott eine sakramentale Struktur haben und nicht tota-

---

[66] F.Ulrich, Homo abyssus 247; vgl. Ders., Atheismus und Menschwerdung 65-69; Meister Eckhart, Deutsche Predigten und Traktate 159f. - Man erweist - und das ist auf manche Formen der Zölibatsdiskussion hingemünzt - weder dem Wert der Ehe noch jenem der Ehelosigkeit einen Dienst, wenn sie als bloß äußerliches - im Grunde auswechselbares - Material für die Durchsetzung einer Autorität oder auch für die Kritik an der Obrigkeit oder für die Kontestation gegen die Autorität gebraucht werden.

litär vereindeutigt werden. Die Jungfräulichkeit hat vor der Tabuisierung Gottes durch die Immanenz aller positivistischen Spielarten und auch vor der Bemächtigung Gottes in allen monistischen Variationen zu schützen. So verstandene Jungfräulichkeit steht nicht im Gegensatz zur Ehe *an sich*. Sie will aber Gott auch nicht in dem Sinn festlegen, daß er seine 'geschaffene Vermittlung' allein in der Ehe zu wählen hat. - Gott hat auf dem Weg der Erlösung der durch die Sünde aus dem Lot geratenen Schöpfungswirklichkeit (in der die Ehe die Mitte, die Vermittlung ist) Zeichenhandlungen gesetzt, welche zum Teil nicht von der erotischen Liebe zwischen Mann und Frau herkommen.[67] So wird Hosea befohlen, eine Hure zu ehelichen, um damit den Götzendienst Israels sichtbar zu machen und zugleich auf die Bundestreue Jahwes hinzuweisen. - Jesus selbst ist durch seine Ehelosigkeit Zeichen des Gottesbundes, der gerade auch durch die Torheit des Kreuzes (1 Kor 1,18ff.) seine Prägung erhält. Diese Zeichenhandlung ist noch einmal von der Jungfräulichkeit als anthropologischer Grundkategorie zu differenzieren. Die Notwendigkeit dieser Differenzierung ist eine Folge der Sünde. Es liegt an der Initiative Gottes, welche Lebensform ein Mensch als Zeichen für den Bund zu wählen hat. Insofern kommt dem Gehorsam die Führungsrolle unter den Räten zu, wie von Balthasar (S. 125) und Rahner (S. 214f.) unterstrichen haben.

Auf personaler Ebene kann menschliche Erkenntnis nicht von Freiheit abstrahieren. Deswegen kann der 'Erweis des Geistes und der Kraft' nur im Ineinander von Argumentation (in der ideologiekritischen Funktion und im Versuch des Andenkens an das Geheimnis Gottes) und gelebtem Zeugnis gelingen.

In den Räten wird symbolisch leibhaft konkret, daß Gott die Wesensmitte der Welt und des Menschen ist. Nicht zuletzt durch die Ehelosigkeit kommt provokant und anstößig die Exklusivität Gottes als einzigem Ziel zum Ausdruck. Die »Leidenschaft für Gott«[68], die Torheit der Liebe Gottes, kann es mit sich bringen, daß das Einlassen auf das 'Eine Notwendige' des Reiches Gottes den Verzicht auf echte Güter fordert. - In der konkreten Nachfolge ist zu zeigen, daß ein solcher Ruf nicht dem Neid und der Angst Gottes entspringt, die in der Beziehung zum menschlichen Du, in der Freude an der Schöpfung eine Konkurrenz wittert.

---

[67] Vgl. zum folgenden H.J.Verweyen, Ehe als Sakrament - eine Leerformel in der heutigen Welt?, in: Ders. (Hg.), Ehe heute - sechs Grundfragen (Theologische Akademie Essen Bd. 1) Essen 1981, 145-168, bes. 157ff.162.165ff.

[68] J.Bours/F.Kamphaus, Leidenschaft für Gott. Ehelosigkeit - Armut - Gehorsam, Freiburg 1981.

Am konkreten Leben der Rätechristen sollte abzulesen sein, daß Gott nicht ein Herr ist, der zu seinem Gottsein die Annihilierung des Knechtes (vgl. von Balthasar S. 91f.; Rahner S. 197) braucht, sondern durch seine Freundschaft in schöpferische, kommunikative Freiheit setzt (Joh 15,15).

»Alle sollen schließlich einsehen, daß das Gelöbnis der evangelischen Räte, wenn es auch den Verzicht auf hochzuschätzende Werte mit sich bringt, dennoch der wahren Entfaltung der menschlichen Person nicht entgegensteht, sondern aus ihrem Wesen heraus sie aufs höchste fördert. Die Räte nämlich tragen, wenn sie entsprechend der persönlichen Berufung eines jeden in freiem Entschluß übernommen werden, nicht wenig zur Einigung des Herzens und zur geistlichen Freiheit bei, fachen ständig die Glut der Liebe an und vermögen den Christen gleichförmiger zu machen vor allem der jungfräulichen und armen Lebensweise, die Christus der Herr gewählt und die seine jungfräuliche Mutter sich zu eigen gemacht hat.«[69]

Dieses personale Verhältnis zu Gott darf nicht bloß innerlich, individualistisch oder privat enggeführt werden. Es soll nicht mit einer Abwertung von Gemeinschaft und Welt verknüpft werden. Das personale 'Gott allein' hat zugleich ein 'Gott in allem' (vgl. Rahner S. 224) zu werden. Die Dankbarkeit Gott gegenüber zeigt sich gerade in der Annahme der Sendung: »Daß der Mensch Gott in sich empfängt, das ist gut, und in dieser Empfänglichkeit ist er Jungfrau. Daß aber Gott fruchtbar in ihm werde, das ist besser; denn Fruchtbarwerden der Gabe das allein ist Dankbarkeit für die Gabe.«[70] Von Gott her ist das Leben in den Räten wieder auf die 'communio' der Kirche und auf die Welt hingeordnet. Der Zusammenhang zwischen den Räten und der Kirche ist dabei nicht bloß funktional. Die Räte gehören »unerschütterlich«[71] zum Lebensvollzug der Kirche. - Die biblischen Grundlagen für diese Kohärenz zwischen den Räten und der kirchlichen 'communio' hat H.Schürmann aufgewiesen. Von seinen Ausführungen her können wir einige systematische Strukturen und Akzente skizzieren, wie sie durch von Balthasar (Räte im Vollzug der Communio, S. 34ff.; Räte - Priester - Laien, S. 143ff.), Rahner (Räte und Interkommunikation, S. 199ff.; Die Räte im Lebensvollzug von Kirche, 248ff.) und Metz (Die mystische-politische Konstitution des Subjektes, S. 312ff.) schon näher entfaltet worden sind.

---

[69] LG 46
[70] Meister Eckhart, Deutsche Predigten und Traktate 160
[71] LG 44

5. Räte und »Communio«

H.Schürmann[72] sieht Jesus selbst als Zeichen für Israel (Lk 2,34). Die Wahl der Zwölf ist eine bezeichnende Symbolhandlung. Der Jüngerkreis wird exemplarisch zur 'Familie Gottes' (Mk 3,35). Der Sinn und Zweck des Jüngerkreises ist nach Schürmann a) das hörende und lernende Bei-Jesus-Bleiben und b) die Hineinnahme in den messianischen Auftrag Jesu durch Verkündigung und Tat (Mk 3,13ff.). Der kirchliche Rätestand wird nun vom Erfurter Exegeten in besonderer Affinität zum Jüngerkreis Jesu gesehen. Dieser kann einerseits nur Zeichencharakter haben. Die Verpflichtung, auf Jesus zu hören und von ihm zu lernen, gilt ja allen. Der Rätestand betont zeichenhaft-existentiell - als Beispiel für die ganze Kirche - das Hören auf und das Lernen von Jesus. Als Glieder der 'familia religiosa' lassen sie die Welt, um das *eine* Notwendige zu tun. So sind sie Zeichen für die 'Basileia' Gottes. Schürmann sieht den Gehorsam als grundlegend und konstitutiv für den Rätestand: gefügige Folgsamkeit ist Aufnahmebedingung für ihn, wie auch zuvor für den Jüngerkreis. Der Gehorsam Jesus gegenüber führt in die Hauslosigkeit, d.h. zur Trennung von der eigenen Familie und dem eigenen Haus (Armut und Ehelosigkeit!). Im Jüngerkreis sieht Schürmann deshalb schon das Urbild des nachösterlichen Rätestandes. - Die Jünger-Räte (bereite Fügsamkeit, Verzicht auf Familienleben und Ehevollzug, Lassen des Besitzes) stehen in Zuordnung und parallel zu den Gemeinschaftsregeln (Diener-Sein, Hilfs- und Vergebungsbereitschaft, Liebesgebot, Leben in Einheit, Bruderliebe). So erschließt Schürmann das kirchliche Räteleben aus zweifacher Perspektive als Zeichen für die Welt: die Nachfolge läßt Jesus leibhaftig gegenwärtig werden. Zudem ist das Leben in Einheit ein Zeichen, das aufschauen läßt, überzeugt und zum Glauben führt.

Die Hauptthese Schürmanns, daß nämlich der Jüngerkreis das Urbild des christlichen Rätelebens sei, ist sicher anfechtbar[73]: in die Trias der Räte als spätere Theoretisierung und Rechtsfestlegung haben verschiedene biblische Gehalte Eingang gefunden, die nicht exklusiv auf den Jüngerkreis zurückzuführen sind. Neben dem Jüngerkreis ist auch die Urgemeinde Vorbild für mönchische Traditionen geworden.[74] Zudem

---

[72] Der Jüngerkreis Jesu als Zeichen für Israel (und als Urbild des kirchlichen Rätestandes), in: Ders., Ursprung und Gestalt (Ges. Aufsätze II) Düsseldorf 1970, 45-60.

[73] Vgl. zu dieser Kritik N.Lohfink, Kirchenträume. Reden gegen den Trend, Freiburg 1982, 178f.

[74] »Das Leben in Gemeinschaft nach dem Beispiel der Urkirche, in der die Menge der Gläubigen ein Herz und eine Seele war (vgl. Apg 4,32), soll, genährt durch die Lehre

kann man im Hinblick auf Armut, Ehelosigkeit und Gehorsam in der Schrift noch nicht von einer geschlossenen Trias sprechen. - Wichtig ist aber doch der exegetische Nachweis Schürmanns, daß es sich beim Jüngerkreis um eine Lebensgemeinschaft handelt und daß die Räte als 'Losigkeiten' auf das 'communio'-Sein hingeordnet sind. Heimatlosigkeit, Familienlosigkeit, Besitz- und Schutzlosigkeit prägen diese Gemeinschaft, die zeichenhaft die neue Gesellschaft des eschatologischen Gottesvolkes darstellt. Die Argumentationslinie Schürmanns wird u.a. auch von der Synode der Bistümer in der Bundesrepublik Deutschland aufgegriffen[75]: die geistlichen Gemeinschaften gelten als Jüngergemeinde; sie sind Kirche und bringen diese zur Erscheinung (2.1.6., 2.1.7). Im Zeugnis des brüderlichen Zusammenlebens, im Miteinander und Füreinander verdeutlichen und vergegenwärtigen diese Gemeinschaften das Mit-uns-Sein Gottes in Jesus Christus.[76]

Den Zusammenhang zwischen den Räten und Gemeinschaftsformen in der Kirche verstehen wir vom Symbolbegriff her. Die Räte gehören mit zu den Sozialisationsformen einer Kommunität; Armut als Gütergemeinschaft, Gehorsam als Verzicht auf Herrschaft und Gewalt, als Praxis des Miteinanders und des Dienens und Ehe-losigkeit als Offenheit der Ehe auf die neue 'Familie Gottes' oder als Verzicht auf die Ehe um des Reiches Gottes willen haben Modellcharakter für Kirche und Gesellschaft.[77]

---

des Evangeliums, durch die heilige Liturgie, vor allem die Eucharistie, in Gebet und Gemeinsamkeit des Geistes beharrlich gepflegt werden (vgl. Apg 2,42). Die Ordensleute sollen als Glieder Christi im brüderlichen Umgang einander mit Achtung zuvorkommen (vgl. Röm 12,10); einer trage des anderen Last (vgl. Gal 6,2). Denn durch die Liebe Gottes, die durch den Heiligen Geist in den Herzen ausgegossen ist (vgl. Röm 5,5), erfreut sich eine Gemeinschaft, die wie eine wahre Familie im Namen des Herrn beisammen ist, seiner Gegenwart (vgl. Mt 18,20). Die Liebe aber ist die Erfüllung des Gesetzes (vgl. Röm 13,10) und das Band der Vollkommenheit (vgl. Kol 3,14); in ihr wissen wir, daß wir aus dem Tod in das Leben hinübergeschritten sind (vgl. 1 Jo 3,14). Ja die Einheit der Brüder macht das Kommen Christi offenbar (vgl. Jo 13,35;17,21), und es geht von ihr eine große apostolische Kraft aus« (PC 15); vgl. dazu den Kommentar von F.Wulf, in: LThK² 13, 297ff.; K.Berger, Art. Urgemeinde, in: SM IV, 1120; A.Böckmann, Die Armut in der innerkirchlichen Diskussion heute 112-115; J.Halkenhäuser, Kirche und Kommunität 114 (Lit.).

[75] F.Wulf/C.Bamberg/A.Schulz (Hg.), Nachfolge als Zeichen. Kommentarbeiträge zum Beschluß der Gemeinsamen Synode der Bistümer in der Bundesrepublik Deutschland über die Orden und andere geistliche Gemeinschaften, Würzburg 1978, bes. 11.32.45-60; vgl. auf dieser Linie auch: J.Sudbrack, Leben in geistlicher Gemeinschaft. Eine Spiritualität der evangelischen Räte für heute und morgen, Würzburg 1983.

[76] Vgl. dazu bes. den Kommentar von A. Schulz, »Ein Zeichen für das in Christus angebrochene Heil«, in: Nachfolge als Zeichen 42-50 zu 2.1.1. der Synode.

[77] Vgl. dazu v.a. die Arbeiten der Gebrüder Lohfink, z.B. G.Lohfink, Wie hat Jesus Gemeinde gewollt? Freiburg 1982; N. Lohfink, Kirchenträume. Reden gegen den Trend, Freiburg 1982; Ders., Der Geschmack der Hoffnung. Christsein und christliche Orden, Freiburg 1982. - Diese Arbeiten haben ihren konkreten Sitz im Leben in der 'integrierten Gemeinde'. Die evangelischen Räte in ihrer materialen Exklusivität bilden

Durch die Räte werden aber auch die Grenzen von Ehe, Familie, Freundschaft, ja der Gemeinde, der Orden und der geistlichen Gemeinschaften selbst deutlich. - Die herrschaftsfreie Kommunikationsgemeinschaft darf nicht in einer fiktiven Egalität verharren und so integralistisch nur das auswählen, was zu ihr 'paßt'. So ist die 'Option für die Armen' ein Korrektiv gegenüber kirchlichen Gemeinschaften, welche in sich selbst kreisen. »Der Ausschluß des Schwachen und Unansehnlichen, des scheinbar Unbrauchbaren aus einer christlichen Lebensgemeinschaft kann geradezu den Ausschluß Christi, der in dem armen Bruder an die Tür klopft, bedeuten.«[78] Wenn eine Gruppe oder Gemeinde das biblische Ideal einer Gesellschaft ohne Arme (vgl. Apg 2,44f.;4,32; Dtn 15) in sich verwirklicht, so darf sie sich doch nicht gegenüber den heilsrelevanten Worten Jesu in Mt 25,31-46 immunisieren. So ist die 'Option für die Armen' ein Pol, der jede statische Fixierung oder integralistische Festlegung einer Gemeinschaft sprengt (vgl. Rahner S. 203; Theologie der Befreiung S. 358ff.). Der andere Pol ist ein positiver Begriff des Einzelnen und seiner Beziehung zu Gott, die nicht allzu rasch als Individualismus oder Innerlichkeit desavouiert werden darf. Jesus stirbt ja nicht im Hegelschen Sinn so in die Gemeinde hinein, daß die Kommunikation innerhalb der Gemeinde an die Stelle personaler Gottes- und Christusbeziehung treten würde (vgl. von Balthasar S. 93). Die 'communio' kann Gebet und Berufung nicht ersetzen, sondern setzt diese voraus, wenn nicht letztlich ein totalitäres Kollektiv herauskommen soll. Das »Gott und die Seele« (Augustinus)[79], »Gott allein genügt« (Theresia von Avila)[80] oder »Cor ad cor loquitur« (J.H.Newman)[81] kann nicht einfach in die Vermittlung hinein aufgelöst werden, wenn nicht der Begriff der Universalität selbst liquidiert werden soll. Jesus gibt im Vater ('Deus semper maior') und im Geringsten

---

nicht den primären Bezugsrahmen. Die 'Losigkeiten' des Evangeliums sind aber für diese neue Sozialordnung von zentraler Bedeutung.

[78] D.Bonhoeffer, Gemeinsames Leben. Mit einem Nachwort von E.Bethge, München 1979, 29; vgl. auch die Kirchenkonstitution des Vat. II: »Die Ordensleute sollen sorgfältig darauf achten, daß durch sie die Kirche wirklich von Tag zu Tag mehr den Gläubigen wie den Ungläubigen Christus sichtbar mache, wie er auf dem Berg in der Beschauung weilt oder wie er den Scharen das Reich Gottes verkündigt oder wie er die Kranken und Schwachen heilt und die Sünder zum Guten bekehrt oder wie er die Kinder segnet und allen Wohltaten erweist, immer aber dem Willen des Vaters gehorsam ist, der ihn gesandt hat« (LG 46).

[79] A.Augustinus, Selbstgespräche, Von der Unsterblichkeit der Seele. Lat.u.dt.Gestaltung d. lat. Textes von H.Fuchs. Einf., Übertr., Erl. u. Anm. von H.Müller, München - Zürich 1986, 47.1 (S 18f.).

[80] Theresia von Jesu, Sämtliche Schriften, übersetzt und bearbeitet v. A.Alkofer, Bd.V, 342.

[81] Newmans Wappenspruch als Kardinal steht z.B. in: Ausgewählte Werke Newmans (Mainz 1951-1969) II/III, 685,702,739.

('Deus semper minor') das Maß christlicher Kommunikation an (vgl. Rahner S. 270). Dieses Maß ist vom Selbstverständnis des Christentums her auch auf philosophische Theorien und Systeme von universalem Sinn, vom 'Ganzen' und auf die universale Kommunikationsgemeinschaft als Bedingung der Möglichkeit zwischenmenschlicher sprachlicher Verständigung anzuwenden: »Die beiden Pole, zwischen denen sich der *christliche* Begriff universaler Kommunikation bewegt, sind, einmal: Ausgang der Bewegung bin nicht ich, sind nicht wir (wie auch immer man gruppenspezifisch die 'Emanzipationsbewegung' thematisieren mag), sondern ist der allein heilige und souveräne Gott, der die Menschheitsgeschichte nicht nötig hat, um ganz er selbst sein zu können. Zum anderen: Endpunkt der Bewegung ist jeder einzelne, als Bild Gottes, d.h. als Mensch, der eine unüberholbar einmalige Botschaft an mich hat, und *deswegen* die universale Solidarität *alles* Geschaffenen - aller *Menschen*, weil nur im gegenseitigen Erkennen und Anerkennen aller das volle Antlitz Gottes erschaubar wird, das sich in all diesen Fragmenten bricht; wirklich *alles Geschaffenen*, weil der Mensch durch und durch aus Erde gebildet ist und nur in ihrer Befreiung sein wahres Gesicht zu zeigen vermag. Die gesamte Bewegung zwischen diesen beiden Polen, die uns in biblischer Sprache vorgegeben ist, gilt es 'erstphilosophisch' im Begriff eines letztgültigen Sinns zu erfassen, der aller Relativierung standzuhalten vermag.«[82]

6. Die Räte zwischen Kirche und Welt

Wir haben gesehen: die Räte sind auf 'communio' hingeordnet und zugleich verweisen sie jede konkrete Gemeinschaft auf universale Kommunikation und Solidarität. In dieser Perspektive sind Armut, Ehelosigkeit und Gehorsam auch eine Antizipation für die Versöhnung der Welt.[83] In den Räten wird die Spannung zwischen Kirche und Welt bzw. zwischen Heil und Welt ausgetragen und in soteriologische Praxis verflüssigt. Die Existenz der stellvertretenden Nachfolge (im Sinne von konkreter Prägnanz der Gestalt des Christlichen, die im Anderen Freiheit und Nachfolge freisetzt) steht - wie wir schon mehrfach gesehen haben - in der Spannung von Krisis und Versöhnung. Die Orden sind

---

[82] H.J.Verweyen, Fundamentaltheologie - Hermeneutik - Erste Philosophie, in: ThPh 56 (1981) 377.

[83] Vgl. analog dazu G.Ruggieri, Kirche und Welt, in: HFTh 3, 260-279, bes. 275ff.

mit der ganzen Kirche »Zeichen und Werkzeug des Heils«.[84] Der Heils-
und Versöhnungsdienst der Räte für die Welt kann darin bestehen, daß
ein hybrider und entfremdender Säkularismus aufgebrochen und ein
gesellschaftliches Gegengewicht gegen falsche Identitätsformen
(Haben, Macht, Wissen ...) geschaffen wird. - Die ideologiekritische
Tradition allein würde aber ebenso dem Wesen von Armut, Jungfräulichkeit und Gehorsam widersprechen wie integralistische Machtansprüche. Die Vermittlung zwischen Kirche und Welt in Verkündigung
und Diakonie muß für das Vat. II in der Gestalt der Armut und des
Gehorsams vollzogen werden:

»Wie aber Christus das Werk der Erlösung in Armut und Verfolgung vollbrachte, so
ist auch die Kirche berufen, den gleichen Weg einzuschlagen, um die Heilsfrucht
den Menschen mitzuteilen. Christus Jesus hat, 'obwohl er doch in Gottesgestalt war,
... sich selbst entäußert und Knechtsgestalt angenommen' (Phil 2,6); um unsretwil-
len 'ist er arm geworden, obgleich er doch reich war' (2 Kor 8,9). So ist die Kirche,
auch wenn sie zur Erfüllung ihrer Sendung menschlicher Mittel bedarf, nicht gegründet, um irdische Herrlichkeit zu suchen, sondern um Demut und Selbstverleugnung auch durch ihr Beispiel auszubreiten. Christus wurde vom Vater gesandt, 'den
Armen frohe Botschaft zu bringen, zu heilen, die bedrückten Herzens sind' (Lk
4,18), 'zu suchen und zu retten, was verloren war' (Lk 19,10). In ähnlicher Weise
umgibt die Kirche alle mit ihrer Liebe, die von menschlicher Schwachheit angefoch-
ten sind, ja in den Armen und Leidenden erkennt sie das Bild dessen, der sie gegründet hat und selbst ein Armer und Leidender war. Sie müht sich, deren Not zu
erleichtern, und sucht Christus in ihnen zu dienen. Während aber Christus heilig,
schuldlos, unbefleckt war (Hebr 7,26) und Sünde nicht kannte (2 Kor 5,21), sondern
allein die Sünden des Volkes zu sühnen gekommen ist (vgl. Hebr 2,17), umfaßt die
Kirche Sünder in ihrem eigenen Schoße. Sie ist zugleich heilig und stets der Reinigung bedürftig, sie geht immerfort den Weg der Buße und Erneuerung. Die Kirche
'schreitet zwischen den Verfolgungen der Welt und den Tröstungen Gottes auf ihrem Pilgerweg dahin' und verkündet das Kreuz und den Tod des Herrn, bis er wie-
derkommt (vgl. 1 Kor 11,26). Von der Kraft des auferstandenen Herrn aber wird sie
gestärkt, um ihre Trübsale und Mühen, innere gleichermaßen wie äußere, durch
Geduld und Liebe zu besiegen und sein Mysterium, wenn auch schattenhaft, so
doch getreu in der Welt zu enthüllen, bis es am Ende im vollen Lichte offenbar
werden wird.«[85]

So erwächst aus den Räten eine Spiritualität, welche die Konsequenzen
eines entzauberten, geheimnislosen und gottlosen Säkularismus wie
auch die Entfremdungen falscher Vergötzungen (z.B. des Kapitals) so-

---

[84] LG 1.9.26.48

[85] LG 8; vgl. dazu J.Dupont, Die Kirche und die Armut, in: G.Baraúna (Hg.), De Ecclesia
1, Freiburg 1966, 313-345; Y.Congar, Für eine dienende und arme Kirche, Mainz 1965;
Die christliche Armut. Aus der Zeitschrift »Christus« Paris, hg. von P.Henrici, Frank-
furt/M. 1966.

lidarisch mit den Opfern ausleidet.[86] Dies kann durch eine eher kontemplative betende Stellvertretungsexistenz in einer gebetslosen Betonwüste oder auch in einer eher aktiven, auch kämpfenden Proexistenz geschehen.[87] Die Rätechristen können an einer humanen und gerechten Gesellschaft und Kultur mitarbeiten.[88] Gemeinschaften, die durch Armut, Ehelosigkeit und Gehorsam verbunden sind, wurden und werden auch gegenwärtig zu Orten der Heilung und so zu Modellen von neuer Humanität. So verleiten Armut, Ehelosigkeit und Gehorsam nicht zur billigen Flucht in eine ort- und weltlose Zukunft. Die Räte weisen in den universal solidarischen Aufbruch mit der Welt auf Gottes Zukunft hin ein. »Der wahrhaft Hoffende springt aus der Gegenwart nicht ab.«[89] In der Spannung zwischen Welt und Heil sind die Räte Zeichen des Glaubens und der Hoffnung,[90] dies aber als »erdenschwere Hoffnung«[91], als 'gekreuzigte Transzendentalität' (Rahner), als 'Rose im Kreuz' (Hegel).

7. Anstelle eines Schlusswortes: Von einer guten Schwester ein gutes Gespräch, das sie mit Meister Eckehart führte

»Eine Tochter kam zu einem Predigerkloster und verlangte nach Meister Eckehart. Der Pförtner sagte: 'Wen soll ich ihm melden?' Sie sprach: 'Ich weiß es nicht.' Er sagte: 'Warum wißt Ihr das nicht?' Sie sprach: 'Weil ich weder ein Mädchen bin noch ein Weib noch ein Mann

---

[86] Vgl. H.Schürmann, Im Knechtsdienst Christi 80ff.

[87] Paradigmatisch verweisen wir hier nur auf M.Delbrêl, Gebet in einem weltlichen Leben, Einsiedeln 1974; Dies., Wir Nachbarn der Kommunisten, Einsiedeln 1975; Dies., Frei für Gott. Über Laien-Gemeinschaften in der Welt, Einsiedeln 1976; zu Delbrêl vgl. K.H.Neufeld, Atheismus und Spiritualität. Zum Zeugnis von Madelaine Delbrêl in: GuL 44 (1971) 296-305. - Roger (Schutz), La règle de Taizé ²1967. Dt. Übersetzung: Die Regel von Taizé, Freiburg 1974; Geht ihm entgegen. Geistliche Lebensregeln (hg. von den Jerusalem-Gemeinschaften durch Bruder Pierre-Marie) Freiburg 1983; F. Voillaume, Mitten in der Welt, Freiburg ⁴1959.

[88] Vgl. »Und es darf keiner meinen, die Ordensleute würden durch ihre Weihe den Menschen fremd oder für die irdische Gesellschaft nutzlos. Denn, wenn sie auch zuweilen ihren Zeitgenossen nicht in unmittelbarer Weise hilfreich sind, haben sie diese doch auf tiefere Weise in der Liebe Christi gegenwärtig und wirken geistlich mit ihnen zusammen, daß der Bau der irdischen Gesellschaft immer in Gott gründe und auf ihn ausgerichtet sei und seine Erbauer nicht vergeblich arbeiten.« (LG 46).

[89] H.Riedlinger, Die evangelischen Räte als Ausdruck christlicher Hoffnung, in: H.Gehrig (Hg.), Die Evangelischen Räte in der heutigen Welt (Veröffentl. der Kath. Akademie der Erzdiözese Freiburg) Karlsruhe 1970, 57-65, hier 60.

[90] Vgl. LG VI, 44.3; Unsere Hoffnung I,8; II,2; IV,1, in: Gemeinsame Synode der Bistümer in der Bundesrepublik Deutschland 99f.101.108.

[91] N.Lohfink, Kirchenträume. Reden gegen den Trend 34.

noch eine Frau noch eine Witwe noch eine Jungfrau noch ein Herr noch eine Magd noch ein Knecht.' Der Pförtner ging zu Meister Ecke- hart (und sprach): 'Kommt heraus zu der wunderlichsten Kreatur, von der ich je hörte, und laßt mich mit Euch gehen und steckt Euern Kopf hinaus und sprecht: 'Wer verlangt nach mir?' Er tat so. Sie sprach zu ihm, wie sie zum Pförtner gesprochen hatte. Er sprach: 'Liebes Kind, deine Worte sind wahr und schlagfertig: erkläre mir genauer, wie du es meinst. Sie sprach: 'Wäre ich ein Mädchen, so stünde ich (noch) in mei- ner ersten Unschuld; wäre ich ein Weib, so würde ich das ewige Wort ohne Unterlaß in meiner Seele gebären; wäre ich ein Mann, so böte ich allen Sünden kräftigen Widerstand; wäre ich eine Frau, so hielte ich meinem lieben, einzigen Gemahl die Treue; wäre ich eine Witwe, so hätte ich ein ständiges Sehnen nach meinem einzigen Geliebten; wäre ich eine Jungfrau, so stünde ich in ehrfürchtigem Dienst; wäre ich ein Herr, so hätte ich Macht über alle göttlichen Tugenden; wäre ich eine Magd, so hielte ich mich Gott und allen Kreaturen demütig unterwor- fen; und wäre ich ein Knecht, so stünde ich in schwerem Wirken und diente meinem Herrn mit meinem ganzen Willen ohne Widerrede. Von alledem miteinander bin ich keines und bin ein Ding wie ein ander Ding und laufe so dahin.' Der Meister ging hin und sagte zu seinen Brüdern: 'Ich habe den allerlautersten Menschen vernommen, den ich je gefunden habe, wie mich dünkt.'«[92]

---

[92] Eckhart-Legenden, in: Meister Eckhart, Deutsche Predigten und Traktate 443.

Abkürzungen

I. Werke

1. Hans Urs von Balthasar

ApdS I	Apokalypse der deutschen Seele. Studien zu einer Lehre von den letzten Haltungen. Bd. I: Der deutsche Idealismus (1937)
ApdS II	Bd.II: Im Zeichen Nietzsches (1939)
ApdS III	Bd.III: Die Vergöttlichung des Todes (1939)
Auftrag	Unser Auftrag. Bericht und Entwurf (1984)
GF	Das Ganze im Fragment. Aspekte der Geschichtstheologie (1963)
GL	Glaubhaft ist nur Liebe (1963)
Gottesfrage	Die Gottesfrage des heutigen Menschen (1956)
H I	Herrlichkeit. Eine theologische Ästhetik. Bd I: Schau der Gestalt (1961)
H II	Herrlichkeit. Eine theologische Ästhetik. Bd. II: Fächer der Stile (1962)
H III/1	Herrlichkeit. Eine theologische Ästhetik. Bd. III/1: Im Raum der Metaphysik (1965)
H III/2AB	Herrlichkeit. Eine theologische Ästhetik. Bd. III/2, 1. Teil: Alter Bund (1965)
H III/2NB	Herrlichkeit. Eine theologische Ästhetik. Bd. III/2, 2. Teil: Neuer Bund (1969)
HC	Homo creatus est. Skizzen zur Theologie V (1986)
K	Klarstellungen. Zur Prüfung der Geister (1971)
NK	Neue Klarstellungen (1979)
OR	Die Großen Ordensregeln ([1]1948, [4]1980)
PI	Pneuma und Institution. Skizzen zur Theologie IV (1974)
SC	Spiritus Creator. Skizzen zur Theologie III (1967)
SV	Sponsa Verbi. Skizzen zur Theologie II (1960)
TD I	Theodramatik I. Prolegomena (1973)
TD II/1	Theodramatik II. Die Personen des Spiels, 1. Teil: Der Mensch in Gott (1976)

TD II/2	Theodramatik II. Die Personen des Spiels, 2. Teil: Die Personen in Christus (1978)
TD III	Theodramatik III. Die Handlung (1980)
TD IV	Theodramatik IV. Das Endspiel (1963)
ThG	Theologie der Geschichte (1950)
TL I	Theologik I. Wahrheit der Welt (1985) = Wahrheit. Bd. I: Wahrheit der Welt (1947)
TL II	Theologik II. Wahrheit Gottes (1985)
TL III	Theologik III. Der Geist der Wahrheit (1987)
VC	Verbum Caro. Skizzen zur Theologie I (1960)

2. Karl Rahner

I-XVI	Schriften zur Theologie I-XVI, Einsiedeln 1954-1983
AMV	Askese und Mystik in der Väterzeit, Freiburg i.Br. 1939
BigEB	Betrachtungen zum ignatianischen Exerzitienbuch, München 1965
ChG	Chancen des Glaubens. Fragmente einer modernen Spiritualität, Freiburg 1971
DynK	Das Dynamische in der Kirche (QD 5) Freiburg 1958
EpEx	Einübung priesterlicher Existenz, Freiburg 1976
G	Grundkurs des Glaubens. Einführung in den Begriff des Christentums, Freiburg 1976
GF	Gnade als Freiheit. Kleine theologische Beiträge, Freiburg 1956
GL	Gebete des Lebens, hg. von A. Raffelt, Freiburg 1984
GW	Geist in Welt. Zur Metaphysik der endlichen Erkenntnis bei Thomas Aquin, Innsbruck 1939. Im Auftrag des Verfassers überarbeitet und ergänzt von J.B. Metz, München 1957
HW	Hörer des Wortes. Zur Grundlegung einer Religionsphilosophie, Innsbruck 1941. Neu bearbeitet von J.B. Metz, München 1963
KCh	Knechte Christi. Meditationen zum Priestertum, Freiburg 1967
KThW	Kleines theologisches Wörterbuch, Freiburg [10]1976
SG	Sendung und Gnade. Beiträge zur Pastoraltheologie, Innsbruck 1959
ThT	Zur Theologie des Todes. Mit einem Exkurs über das Martyrium (QD 2), Freiburg 1958
WCh	Wagnis des Christen. Geistliche Texte, Freiburg 1958
WT	Wagnis Theologie. Erfahrungen mit der Theologie Karl Rahners, hg. von H. Vorgrimler, Freiburg 1975

3. Johann Baptist Metz

AG   Armut im Geiste. Vom Geist der Menschwerdung Gottes und der Menschwerdung des Menschen, München 1962

AZ   Christliche Anthropozentrik. Über die Denkform des Thomas von Aquin, München 1962

GGG   Glaube in Geschichte und Gesellschaft. Studien zu einer praktischen Fundamentaltheologie, Mainz 1977

JbR   Jenseits bürgerlicher Religion. Reden über die Zukunft des Christentums, Mainz/München 1980

PThD   Politische Theologie in der Diskussion«, in: H. Peukert (Hg.), Diskussion zur »Politischen Theologie«, Mainz 1969, 267-301

ThW   Zur Theologie der Welt, Mainz/München 1968

Unterwegs   Unterwegs zu einer nachidealistischen Theologie, in: J.B. Bauer (Hg.), Entwürfe der Theologie, Graz - Wien - Köln 1985, 209-232

ZO   Zeit der Orden? Zur Mystik und Politik der Nachfolge, Freiburg 1977

4. Theologie der Befreiung

BThB   Bibliothek der Theologie der Befreiung

Medellin   Die Kirche Lateinamerikas. Dokumente der II. und III. Generalversammlung des lateinamerikanischen Episkopats in *Medellin* und Puebla

Puebla   Die Kirche Lateinamerikas. Dokumente der II. und III. Generalversammlung des lateinamerikanischen Episkopats in Medellin und *Puebla*

Quelle   G. Gutiérrez, Aus der eigenen Quelle trinken. Spiritualität der Befreiung, München - Mainz 1984

ThB   Theologie der Befreiung

ZGW   L. Boff, Zeugen Gottes in der Welt. Ordensleben heute, dt. Zürich - Einsiedeln - Köln 1985

II. Sonstige Sigla

AA   Apostolicam actuositatem. Dekret des Zweites Vatikanischen Konzils über das Laienapostolat

AG   Ad gentes. Dekret des Zweiten Vatikanischen Konzils über die Missionstätigkeit der Kirche

BHTh   Beiträge zur historischen Theologie

BZNW   Beihefte zur Zeitschrift für die neutestamentliche Wissenschaft

CChr   Corpus Christianorum seu nova Patrum collectio

CGG   Christlicher Glaube in moderner Gesellschaft

COD   Conciliorum oecumenicorum decreta

Conc	Concilium
CSEL	Corpus scriptorum ecclesiasticorum latinorum
CT	Concilium Tridentinum
DS	Denzinger, Heinrich: Enchiridion symbolorum, definitonium et declarationum de rebus fidei et morum / Schönmetzer, Adolf (Bearb.). Barcelona - Freiburg [36]1979
DSAM	Dictionnaire de spiritualité ascétique mystique
DIP	Dizionario degli istuti di perfezione
EB	Ignatius von Loyola, Exerzitienbuch (Exercitia spiritualia. Geistliche Übungen)
EThSt	Erfurter theologische Studien
EvTh	Evangelische Theologie
FThSt	Freiburger theologische Studien
FTS	Frankfurter theologische Studien
fzb	Forschungen zur Bibel
GS	Gaudium et spes. Die pastorale Konstitution des Zweiten Vatikanischen Konzils über die Kirche in der Welt von heute
GuL	Geist und Leben
HCE	Handbuch der christlichen Ethik
HFTh	Handbuch der Fundamentaltheologie
HPTh	Handbuch der Pastoraltheologie
HK	Herder Korrespondenz
HThG	Handbuch theologischer Grundbegriffe
HThK	Herders theologischer Kommentar zum NT
HWP	Historisches Wörterbuch der Philosophie
ITS	Innsbrucker theologische Studien
IKaZ	Internationale katholische Zeitschrift »Communio«
LG	Lumen gentium. Die dogmatische Konstitution des Zweiten Vatikanischen Konzils über die Kirche
LThK	Lexikon für Theologie und Kirche
MEW	Marx-Engels Werke
MySal	Mysterium salutis. Grundriß heilsgeschichtlicher Dogmatik
NHThG	Neues Handbuch theologischer Grundbegriffe
PC	Perfectae caritatis. Dekret des Zweiten Vatikanischen Konzils über die zeitgemäße Erneuerung des Ordenslebens
PG	Patrologia graeca
PL	Patrologia latina
QD	Quaestiones disputatae
RAC	Reallexikon für Antike und Christentum
RQ	Römische Quartalschrift
SChr	Sources chrétiennes

SC	Sacrosanctum Concilium. Konstitution des Zweiten Vatikanischen Konzils über die heilige Liturgie
SM	Sacramentum mundi: Theologisches Lexikon für Praxis
StdZ	Stimmen der Zeit
TB	Tagebücher
ThPh	Theologie und Philosophie
ThQ	Theologische Quartalschrift
TRE	Theologische Realenzyklopädie
TThZ	Trierer theologische Zeitschrift
ThRv	Theologische Revue
WA	Luther, Martin: Kritische Gesamtausgabe. Weimar 1883-1983
WuW	Wort und Wahrheit
ZKTh	Zeitschrift für Katholische Theologie
ZMR	Zeitschrift für Missionswissenschaft und Religionswissenschaft
ZThK	Zeitschrift für Theologie und Kirche

Literaturverzeichnis

I. Kirchenamtliche Dokumente

Enchiridion symbolorum, definitionum et declarationum de rebus fidei et morum, hg. von Heinrich Denzinger, bearb. von Adolf Schönmetzer, Barcelona - Freiburg i.Br. [36]1979.

Conciliorum Oecomenicorum decreta, hg. von Guiseppe Alberigo u.a., Bologna [3]1973.

Concilium Tridentinum, hg. von der Societas Goerresiana, Freiburg i.Br. 1901-.

Das Zweite Vatikanische Konzil. Konstitutionen, Dekrete, Erklärungen lt. und dt. (LThK), Teil I und II, Freiburg - Basel - Wien 1966 und 1967.

Kleines Konzilskompendium. Alle Konstitutionen, Dekrete und Erklärungen des Zweiten Vatikanums, hg. von K. Rahner und H. Vorgrimler, Freiburg - Basel - Wien 1966.

Texte zur Katholischen Soziallehre: Die sozialen Rundschreiben der Päpste und andere kirchliche Dokumente. Mit einer Einführung von Oswald von Nell-Breuning SJ. Hg. vom Bundesverband der Katholischen Arbeitnehmer-Bewegung (KAB) Deutschlands, Kevelaer [4]1977.

Paul VI., Populorum Progressio. Rundschreiben über die Entwicklung der Völker, in: Texte zur katholischen Soziallehre. Die Rundschreiben der Päpste und andere kirchliche Dokumente. Mit einer Einführung von Oswald von Nell-Breuning SJ. Hg. vom Bundesverband der Katholischen Arbeitnehmer-Bewegung (KAB) Deutschlands. Kevelaer 1977.

-, *Octogesima Adveniens*. Apostolisches Schreiben anläßlich der 80-Jahrfeier der Veröffentlichung der Enzyklika »Rerum novarum«, Vatikan 1971.

-, *Evangelii Nuntiandi*. Apostolisches Schreiben über die Evangelisierung in der Welt von heute (Verlautbarungen des Apostolischen Stuhls 2, hg. vom Sekretariat der Deutschen Bischofskonferenz) Bonn 1975.

-, *Marialis Cultus*. Apostolisches Schreiben über die Marienverehrung. Lat.-dt. von den deutschen Bischöfen approbierte Übersetzung, hg. und übersetzt von den liturgischen Instituten in Salzburg, Trier und Zürich (Nachkonziliare Dokumentation Bd. 45) Trier 1975.

Johannes Paul II., Redemptor Hominis (Verlautbarungen des Apostolischen Stuhls 6, hg. vom Sekretariat der Deutschen Bischofskonferenz) Bonn 1979.

-, *Laborem Exercens*. Enzyklika über die menschliche Arbeit (Verlautbarungen ... Nr. 32) Bonn 1981.

-, *Brief an die brasilianischen Bischöfe* vom 6. April 1986, in: HK 40 (Juni 1986), 277-282.

-, *Redemptoris Mater*. Enzyklika über die selige Jungfrau Maria im Leben der pilgernden Kirche (Verlautbarungen ... Nr. 75) Bonn 1987.

-, *Sollicitudo Rei Socialis*. Enzyklika über die soziale Sorge der Kirche (Verlautbarungen ... Nr. 82) Bonn 1987.

Kongregation für die Glaubenslehre, Instruktion über einige Aspekte der »Theologie der Befreiung« vom 6. August 1984 (Verlautbarungen des Apostolischen Stuhls 57, hg. vom Sekretariat der Deutschen Bischofskonferenz) Bonn 1984.

-, *Notifikation zu dem Buch »Kirche. Charisma und Macht. Versuch einer militanten Ekklesiologie«* von Pater Leonardo Boff OFM (Verlautbarungen ... Nr. 67) Bonn 1985.

-, *Instruktion über christliche Freiheit und die Befreiung* vom 22. März 1986 (Verlautbarungen ... Nr. 70) Bonn 1986.

Die Kirche Lateinamerikas. Dokumente der II. und III. Generalversammlung des lateinamerikanischen Episkopats in *Medellin* und *Puebla* (Stimmen der Weltkirche 8, hg. vom Sekretariat der Deutschen Bundeskonferenz) Bonn 1979.

Gemeinsame Synode der Bistümer in der Bundesrepublik Deutschland. Beschlüsse der Vollversammlung. Offizielle Gesamtausgabe, hg. von Ludwig Bertsch u.a., Freiburg i.Br. 1976.

Unsere Hoffnung. Ein Bekenntnis zum Glauben in dieser Zeit, in: Ludwig Bertsch u.a. (Hg.), *Gemeinsame Synode* der Bistümer in der Bundesrepublik Deutschland. Beschlüsse der Vollversammlung (Offizielle Gesamtausgabe I) Freiburg i.Br. 1976, 71-111.

Zukunft der Schöpfung - Zukunft der Menschen. Erklärung der Deutschen Bischofskonferenz zu Fragen der Umwelt und der Energieversorgung (hg. vom Sekretariat der Deutschen Bischofskonferenz) Bonn 1980.

Verantwortung wahrnehmen für die Schöpfung. Gemeinsame Erklärung der Evangelischen Kirche in Deutschland und der Deutschen Bischofskonferenz, hg. vom Kirchenamt der Evangelischen Kirche in Deutschland und dem Sekretariat der Deutschen Bischofskonferenz, Köln 1985.

II. Quellentexte, Philosophen und Theologen bis 1900

Angelus Silesius, Cherubinischer Wandersmann (Sämtliche poetische Werke in drei Bänden, Bd. 3, hg. und eingeleitet von H.L. Held) München ³1949.

Augustinus Aurelius, Confessiones. Bekenntnisse, lat. u. dt. Eingeleitet, übersetzt und erläutert von J.Bernhart, München 1955.

-, Soliloquien. Selbstgespräche, lat. u. dt. Gestaltung d. lat. Textes von H. Fuchs. Einf., Übertr., Erl. u. Anm. von H. Müller, München - Zürich 1986.

-, De civitate Dei. 2 Bde., hg. von B. Dombart und A. Kalb, Turnholti: Brepols 1955 (Corpus Christianorum, Series Latina 47).

Eckehart Meister, Deutsche Predigten und Traktate, hg. und übersetzt von Joseph Quint, München 1955.

Erasmus von Rotterdam, Enchiridion militis Christiani, in: Ausgewählte Schriften I, Darmstadt 1968.

-, Encomion moriae. Id est stultitiae laus, in: Ausgewählte Schriften II, Darmstadt 1975, 143-157.

Franz von Assisi, Die Werke: Sonnengesang - Ordensregeln - Testament- Fioretti (Die Blümlein). Übersetzt von Wolfram von den Steinen und Max Kirschstein. Mit einem Essay von Wolfram von den Steinen, Zürich 1979.

Hegel Georg Friedrich Wilhelm, Sämtliche Werke. Jubiläumsausgabe in 26 Bänden, hg. von Hermann Glockner, Stuttgart - Bad Canstatt 1957-1971,

Ignatius von Loyola, Die Exerzitien (Exercitia Spiritualia). Übersetzung von H.U. von Balthasar (Sigillum 1) Einsiedeln 1954.

-, Geistliche Übungen. Übertragung und Erklärung von Adolf Haas. Mit einem Vorwort von Karl Rahner, Freiburg i.Br. 1975.

-, Der Bericht des Pilgers. Übersetzt und erläutert von Burkhart Schneider. Mit einem Vorwort von Karl Rahner, Freiburg i. Br. 1977.

Kant Immanuel, Werke in sechs Bänden, hg. von W. Weischedel, Darmstadt 1956-1970.

Kierkegaard Sören, Gesammelte Werke Abt. 1-37, Düsseldorf 1951-1969.

-, Die Tagebücher (TB) 5 Bde., Düsseldorf 1962-1974.

Luther Martin, Kritische Gesamtausgabe (= WA) Weimar 1883-1983.

Marx Karl/*Engels* Friedrich, Werke (=MEW), hg. vom Institut für Marxismus-Leninismus beim ZK der SED. 39 Bde., Berlin (Dietz) 1957-1968.

Newman John Henry, Ausgewählte Werke Newmans, Mainz 1951-1969.

Nietzsche Friedrich, Werke in drei Bänden, hg. von Karl Schlechta, München 1956-1962.

Theresia von Jesu, Sämtliche Schriften VI (übers. und bearb. von A. Alkofer) München ⁷1984.

Weisung der Väter. Apophthegmata Patrum, auch Gerontikum oder Alphabeticum genannt. Eingeleitet und übersetzt von B. Miller (=Sophia. Quellen östlicher Theologie 6) Freiburg i.Br. 1965.

III. Hans Urs von Balthasar, Karl Rahner, Johann Baptist Metz, Theologie der Befreiung

1. Hans Urs von Balthasar

Bücher[1]

Balthasar Hans Urs von, Apokalypse der deutschen Seele. Studien zu einer Lehre von letzten Haltungen. 3 Bde., Salzburg 1937-1939.

-, Wahrheit. Bd. I: Wahrheit der Welt, Einsiedeln 1947.

-, Der Laie und der Ordensstand (Christ Heute I.R.2.Bd.) 1948.

-, Theologie der Geschichte (Christ Heute I.R.8.Bd.) 1950. Neue Fassung 3. Auflage 1959.

-, Karl Barth. Darstellung und Deutung seiner Theologie, Köln/Olten 1951. 3. Auflage mit einem neuen Vorwort, Einsiedeln 1976.

-, Schleifung der Bastionen. Von der Kirche in dieser Zeit (Christ Heute 2.R.9.Bd) 1952.

---

[1] Die Werke sind, sofern nicht anders vermerkt, im Johannesverlag Einsiedeln erschienen.

-, Thomas von Aquin. Besondere Gnadengaben und die zwei Wege menschlichen Lebens. Kommentar zur Summa II-II, 171-182: Deutsche Thomas Ausgabe Bd. 23, Heidelberg und Graz - Wien - Salzburg 1954, 252-464.

-, Das betrachtende Gebet (Adoratio 1) 1955.

-, Die Gottesfrage des heutigen Menschen, Wien 1956.

-, Verbum Caro. Skizzen zur Theologie I, 1960.

-, Sponsa Verbi. Skizzen zur Theologie II, 1960.

-, Herrlichkeit. Eine theologische Ästhetik. Bd. I-III (7 Teilbde.) 1961-1969.

-, Das Ganze im Fragment. Aspekte der Geschichtstheologie, 1963.

-, Glaubhaft ist nur Liebe (Christ Heute 5.R.I.Bd.) 1963.

-, Rechenschaft 1965. Mit einer Bibliographie der Veröffentlichungen Hans Urs von Balthasars, zusammengestellt von Berthe Widmer (Christ Heute 5.R.7.Bd.) 1965.

-, Cordula oder der Ernstfall (Kriterien 2) 1966. - 2. Aufl. 1967 mit einem neuen Nachwort.

-, Spiritus Creator. Skizzen zur Theologie III, 1967.

-, Erster Blick auf Adrienne von Speyr, 1968.

-, Einfaltungen. Auf Wegen christlicher Einigung, München 1969.

-, Schwestern im Geist. Therese von Lisieux und Elisabeth von Dijon, 1970.

-, Klarstellungen. Zur Prüfung der Geister, [4]1978.

-, In Gottes Einsatz leben (Kriterien 24), 1971.

-, Die Wahrheit ist symphonisch. Aspekte des christlichen Pluralismus (Kriterien 29), 1972.

-, Theodramatik I-IV (5 Teilbde.), 1973-1983.

-, Pneuma und Institution. Skizzen zur Theologie IV, 1974.

-, Christlicher Stand, 1977.

-, Neue Klarstellungen (Kriterien 49), 1979.

-, Kleine Fibel für verunsicherte Laien, 1980.

-, Hans Urs von Balthasar Bibliographie 1925-1980, 1981.

-, Jesus nachfolgen - arm, ehelos, gehorsam (Antwort des Glaubens 27) Freiburg i.Br. 1982.

-, Unser Auftrag. Bericht und Entwurf, 1984.

- (Hg.), »Hinabgestiegen in das Reich des Todes«. Der Sinn dieses Satzes in Bekenntnis und Lehre, Dichtung und Kunst (Schriftenreihe der katholischen Akademie der Erzdiözese Freiburg) München - Zürich 1982.

- (Hg.), Adrienne von Speyr und ihre kirchliche Sendung. Akten des römischen Symposiums 27.-29. September 1985, Einsiedeln 1986.

-, Theologik I-III, 1985-1987.

-, Was dürfen wir hoffen?, 1985.

-, Homo creatus est. Skizzen zur Theologie V, 1986.

-, Maria für heute, Freiburg i.Br. 1986.

-, Prüfet alles - das Gute behaltet, Ostfildern 1986.

Aufsätze[2]

-, Kunst und Religion, in: Volkswohl (Wien) 18 (1927) 354-365.

-, Die Metaphysik Erich Przywaras, in: Schweizer Rundschau 33 (1933) 489-499.

-, Eros und Agape, in: StdZ 136 (1939) 398-403.

-, Analogie und Dialektik. Zur Klärung der theologischen Prinzipienlehre Karl Barths, in: Divus Thomas 22 (1944) 171-216.

-, Analogie und Natur. Zur Klärung der Theologischen Prinzipienlehre Barths (Fortsetzung), in: Divus Thomas 23 (1945) 3-56.

-, Das Ärgernis des Laienordens, in: Wort und Wahrheit 6 (1951) 485-494.

-, Wesen und Tragweite der Säkularinstitute, in: Civitas 11 (1956) Sondernummer »Der Laie in der Kirche« 196-210.

-, Der gekreuzigte Eros, in: Wort und Wahrheit 14 (1959) 481-482.

-, Theologische Aspekte des Berufes, in: Berufsberatung und Berufsbildung (Zürich) 47 (1963) 229-240.

-, Integralismus, in: Wort und Wahrheit 18 (1963) 737-744.

-, Friedliche Fragen an das Opus Dei, in: Der christliche Sonntag 16 (1964) 117f.

-, Evangelische Räte in der katholischen Kirche von heute, in: Reformatio 13 (1964) 289-297.

-, Evangelische Räte in der heutigen Welt?, in: Civitas 21 (1966) 187-197.

-, Der Bruder, für den Christus starb, in: Lebendiges Zeugnis 2 (1970) 16-27.

-, Über den Gehorsam in den Weltgemeinschaften, in: Acta I[i] Congressus Internationalis Institutorum saecularium. Rom 20.-26.September 1971, 1024-1032.

-, Zur Theologie der Ordensgelübde, in: Protokoll der 3. Tagung der Novizenmeister monastischer Gemeinschaften Deutschlands, 16.-20. November 1971, 5-14.

-, Göttliches und Menschliches im Räteleben nach den Großen Ordensregeln, in: Ordensnachrichten 85 (1975) 394-408.

-, Geist und Feuer. Ein Gespräch mit Hans Urs von Balthasar, in: HK 30 (1976) 72-82.

-, Stellvertretung: Schlüsselwort christlichen Lebens, in: Leben im Geist. Anregungen für Priester, hg. vom Informationszentrum Berufe der Kirche, Freiburg i.Br. 1977, 3-7.

-, Im Grenzbereich des Laientum, in: IKaZ (Communio) 8/2 (1979) 187-189.

-, Die Armut Jesu, in: IKaZ (Communio) 15 (1986) 385-387.

Beiträge zu Sammelwerken

-, Die Theologie des Rätestandes, in: Stephan Richter (Hg.), Wagnis der Nachfolge, Paderborn 1964, 9-57.

-, Der Zugang zur Wirklichkeit Gottes, in: Mysterium Salutis II. Grundriß heilsgeschichtlicher Dogmatik, hg. von J.Feiner und M.Löhrer, Einsiedeln/Köln 1967, 15-43.

-, Mysterium Paschale, in: Mysterium Salutis III/2 1970, 133-326.

-, Warum ich noch ein Christ bin?, in: Zwei Plädoyers, zusammen mit J.Ratzinger, Münchner Akademie Schriften 57, München 1971, 11-52.

---

[2]   Ausgenommen sind die Aufsätze, die in Sammelbände aufgenommen wurden.

-, Die Nachfolge Christi im Neuen Testament, in: Nachfolge Christi mitten in der Welt, zusammen mit Barbara Albrecht, Meitingen 1971, 11-26.

-, Nachfolge Christi in der Liebe - mitten in dieser Welt, in: a.a.O. 65-79.

Vor- und Nachworte

-, Vom Ordensstand, in: Die Großen Ordensregeln 1948; [3]1974, 7-31.

-, Ignatius von Loyola, Exerzitien (Exercitia Spiritualia) Einsiedeln [2]1954; [6]1979, 156-159.

-, A. von Speyr, Die Sendung der Propheten. 1953, 7-9.

-, A. von Speyr, Die Beichte. 1960, 7f.

-, Die Kirchlichen Urkunden für die Weltgemeinschaften (Der Neue Weg 1) 1964, 7-10.

-, A. von Speyr, Das Buch vom Gehorsam. 1966, 7-8.

-, A. von Speyr, Die Schöpfung. 1972, 7-9.

-, Madeleine Delbrêl, Frei für Gott (Der Neue Weg 4) 1976, 7-11.

-, René Voillaume, Gebetetes Dasein im Geiste Foucaulds (Beten Heute 8) 1976, 7-10.

Rezensionen

-, Johannes B.Lotz, Sein und Wert. Eine metaphysische Auslegung des Axioms »ens et bonum convertuntur« im Raum der scholastischen Transzendentalienlehre I (Paderborn 1938) und Karl Rahner, Geist in Welt. Zur Metaphysik der endlichen Erkenntnis bei Thomas von Aquin (Innsbruck 1939), in: ZKTh 63 (1939) 371-379.

-, Johann Baptist Metz, Zeit der Orden? Zur Mystik und Politik der Nachfolge, in: ThRv 73/5 (1977) 423f.

2. Karl Rahner

Bücher

Rahner Karl, Worte ins Schweigen (Innsbruck 1938), zit. nach: Karl Rahner - Hugo Rahner, Worte ins Schweigen - Gebete der Einkehr, Freiburg i.Br. 1973.

-, Geist in Welt. Zur Metaphysik der endlichen Erkenntnis bei Thomas von Aquin (Innsbruck 1939), zit. nach: 2. Aufl., bearbeitet von J.B. Metz, München 1957.

Viller Marcel/*Rahner* Karl, Askese und Mystik in der Väterzeit, Freiburg i.Br. 1939.

-, Hörer des Wortes. Zur Grundlegung einer Religionsphilosophie (München 1941), zit. nach der 2., von J.B. Metz neubearb. Auflage, München 1963.

-, Von der Not und dem Segen des Gebetes (Innsbruck 1949), zit. nach der Ausgabe der Herderbücherei Nr. 28, Freiburg i.Br. 1958.

-, Gefahren im heutigen Katholizismus, Einsiedeln 1950.

-, Das freie Wort in der Kirche. Die Chancen des Christentums, Einsiedeln 1953.

-, Schriften zur Theologie I, Einsiedeln - Zürich - Köln 1954.

-, Schriften zur Theologie II, Einsiedeln - Zürich - Köln 1955.

-, Schriften zur Theologie III: Zur Theologie des geistlichen Lebens, Einsiedeln - Zürich - Köln 1956.

-, Maria Mutter des Herrn. Theologische Betrachtungen, Freiburg i.Br. 1956.

-, Zur Theologie des Todes. Mit einem Exkurs über das Martyrium (QD 2) Freiburg i.Br. 1958.

-, Glaubend und liebend, München 1957.

-, Visionen und Prophezeiungen (QD 4) Freiburg i.Br. 1958.

-, Das Dynamische in der Kirche (QD 5) Freiburg i.Br. 1958.

-, Sendung und Gnade. Beiträge zur Pastoraltheologie, Innsbruck (1959), 3. verb. Aufl. 1961.

-, Kirche und Sakramente (QD 10) Freiburg i.Br. 1960.

-, Schriften zur Theologie IV, Einsiedeln - Zürich - Köln 1960.

-, Schriften zur Theologie V, Einsiedeln - Zürich - Köln 1962.

-, Alltägliche Dinge (Theologische Mediationen 5) Einsiedeln - Zürich - Köln 1964.

-, Offenbarung und Überlieferung (QD 25), zus. mit J. Ratzinger, Freiburg i.Br. 1965.

-, Biblische Predigten, Freiburg i.Br. 1965.

-, Betrachtungen zum ignatianischen Exerzitienbuch, München 1965.

-, Schriften zur Theologie VI, Einsiedeln - Zürich - Köln 1964.

-, Schriften zur Theologie VII: Zur Theologie des geistlichen Lebens, Einsiedeln - Zürich - Köln 1966.

-, Kleines Konzilskompendium (zus. mit H. Vorgrimler) Freiburg i.Br. 1966.

-, Glaube, der die Erde liebt. Christliche Besinnung im Alltag der Welt, Freiburg i.Br. 1966.

-, Knechte Christi. Meditationen zum Priestertum, Freiburg i.Br. 1967.

-, Schriften zur Theologie VIII, Einsiedeln - Zürich - Köln 1967.

-, Schöpfungslehre, Vorlesungsmitschrift SS 1967 (Münster).

-, Ich glaube an Jesus Christus (Theol. Meditationen 21) Einsiedeln - Zürich - Köln 1968.

-, Gnade als Freiheit. Kleine theologische Beiträge, Freiburg i.Br. 1968.

-, Karl Rahner antwortet Eberhard Simons: Zur Lage der Theologie. Probleme nach dem Konzil, Düsseldorf 1969.

-, Zur Reform des Theologiestudiums (QD 41) Freiburg i.Br. 1969.

-, Freiheit und Manipulaton in Gesellschaft und Kirche, München 1970.

-, Kritisches Wort. Aktuelle Probleme in Kirche und Welt, Freiburg i.Br. 1970.

-, Einübung priesterlicher Existenz, Freiburg i.Br. 1970.

-, Schriften zur Theologie IX: Konfrontationen, Einsiedeln - Zürich - Köln 1970.

-, Chancen des Glaubens. Fragmente einer modernen Spiritualität, Freiburg i.Br. 1971.

-, Zum Problem Unfehlbarkeit. Antworten auf eine Anfrage von Hans Küng (hg. K. Rahner) (QD 54) Freiburg i.Br. 1971.

-, Strukturwandel der Kirche als Aufgabe und Chance, Freiburg i.Br. 1972.

-, Christologie - systematisch und exegetisch. Arbeitsgrundlagen für eine interdisziplinäre Vorlesung (zus. mit W. Thüsing) (QD 55) Freiburg i.Br. 1972.

-, Schriften zur Theologie X: Im Gespräch mit der Zukunft, Einsiedeln - Zürich - Köln 1972.

-, Schriften zur Theologie XI (bearb. von K.H. Neufeld): Frühe Bußgeschichte in Einzeluntersuchungen, Einsiedeln - Zürich - Köln 1973.

423

-, Die siebenfältige Gabe. Die Sakramente der Kirche, München 1974.

-, Wagnis des Christen. Geistliche Texte, Freiburg i.Br. 1974.

-, Schriften zur Theologie XII: Theologie aus Erfahrung des Geistes, Einsiedeln - Zürich - Köln 1975.

-, Gott ist Mensch geworden. Meditationen, Freiburg i.Br. 1975.

-, Grundkurs des Glaubens. Einführung in den Begriff des Christentums, Freiburg i.Br. 1976.

-, Kleines Theologisches Wörterbuch (zus. mit H. Vorgrimler), 10., unter Mitarb. von K. Füssel völlig neu bearb. Aufl. Freiburg i.Br. 1976.

-, Erfahrung des Geistes. Meditationen auf Pfingsten, Freiburg i.Br. 1977.

Rahner Karl *u.a.*, Befreiende Theologie. Der Beitrag Lateinamerikas zur Theologie der Gegenwart, Stuttgart 1977.

-, Schriften zur Theologie XIII: Gott und Offenbarung, Einsiedeln - Zürich - Köln 1978.

-, Rechenschaft des Glaubens. Karl Rahner Lesebuch. Zum 75. Geburtstag, hg. von K. Lehmann u. A. Raffelt, Zürich - Köln und Freiburg i.Br. 1979.

-, Worte vom Kreuz, Freiburg i.Br. 1980.

-, Schriften zur Theologie XIV: In Sorge um die Kirche (bearb. von P. Imhof) Einsiedeln - Zürich - Köln 1980.

-, Wer ist dein Bruder? Freiburg i.Br. 1981.

-, Was heißt Jesus lieben? Freiburg i.Br. 1982.

-, Praxis des Glaubens. Geistliches Lesebuch, hg. von K. Lehmann u. A. Raffelt, Freiburg i.Br. 1982.

Karl Rahner. Im Gespräch I (1964-1977), hg. von P. Imhof und H. Biallowons, München 1982.

Karl Rahner. Im Gespräch II (1978-1982), hg. von P. Imhof und H. Biallowons München 1983.

-, Schriften zur Theologie XV: Wissenschaft und christlicher Glaube (bearb. von P. Imhof) Einsiedeln - Zürich - Köln 1983.

-, Erinnerungen. Im Gespräch mit Meinold Kraus, Freiburg i.Br. 1984.

-, Gebete des Lebens, hg. von A. Raffelt. Einf. von K. Lehmann, Freiburg i.Br. 1984.

-, Horizonte der Religiosität. Kleine Aufsätze, hg. G. Sporschill (Edition Entschluß 1) Wien - München 1984.

-, Karl Rahner. Bilder eines Lebens, hg. von P. Imhof und H. Biallowons, Freiburg i.Br. und Zürich - Köln 1985.

-, Glaube in winterlicher Zeit. Gespräche mit Karl Rahner aus den letzten Lebensjahren, hg. von P. Imhof und H. Biallowons, Düsseldorf 1986.

-, Politische Dimensionen des Christentums. Ausgewählte Texte zu Fragen der Zeit, hg. und erläutert von H. Vorgrimler, München 1986.

-, Das große Kirchenjahr. Geistliche Texte, hg. von A. Raffelt, Freiburg i.Br. 1987.

Artikel und Beiträge in Lexika und Sammelwerken

Lexikon für Theologie und Kirche (LThK²)
-, Anima naturaliter christiana, in: 1 (1957) 564f.

-, Anthropozentrik, in: 1 (1957) 632-634.

-, Auferstehung Christi, in: 1 (1957) 1038-1041.

-, Biblische Theologie und Dogmatik, in: 2 (1958) 449-451.

-, Das Charismatische in der Kirche, in: 2 (1958) 1027-1030.

-, Einheit der Menschheit, in: 3 (1959) 756f.

-, Gnadenerfahrung, in: 4 (1960) 1001f.

-, Jesus Christus, in: 5 (1960) 953-961.

-, Lehramt, in: 6 (1961) 884-890.

-, Maria, Mariologie, in: 7 (1962) 27f.84-87.

-, Martyrium, in: 7 (1962) 134-138.

-, Menschheit Christi, in: 7 (1962) 301.

-, Mysterien des Lebens Jesu, in: 7 (1962) 721f.

-, Pluralismus, in: 8 (1963) 566f.

-, Soteriologie, in: 9 (1964) 894-897.

-, Sünde, in: 9 (1964) 1177-1181.

-, Theologia crucis, in: 10 (1965) 61.

-, Theologische Tugenden, in: 10 (1965) 76-80.

-, Tod, Tod Jesu, in: 10 (1965) 221-226.

-, Dogmatische Konstitution über die Kirche. Einleitung und Kommentar zu Lumen Gentium 18-27, in: 12 (1966) 210-247.

Handbuch der Pastoraltheologie. Praktische Theologie der Kirche in ihrer Gegenwart (HPTh)

-, Ekklesiologische Grundlegung, in: I (1964) 117-148.

-, Grundentwurf einer theologischen Anthropologie, in: II/1 (1966) 20-38.

-, Gegenwart der Kirche, in: II/1 (1966) 188-221.

-, Die Notwendigkeit einer neuen Mystagogie, in: II/1 (1966) 269-271.

-, Grundsätzliches zur Einheit von Schöpfungs- und Erlösungswirklichkeit, in: II/2 (1966) 208-228.

-, Vollzugsmomente im konkreten christlichen Weltverhältnis, in: II/2 (1966) 228-239.

-, Die theologische Ausbildung der Priesteramtskandidaten, in: IV (1969) 497-515.

Sacramentum mundi. Theologisches Lexikon für die Praxis (SM)

-, Anschauung Gottes, in: I (1967) 159-163.

-, Theologische Anthropologie, in: I (1967) 176-186.

-, Auferstehung Jesu, in: I (1967) 416-425.

-, Christentum, in: I (1967) 722-744.

-, Erbsünde, in: I (1967) 1104-1117.

-, Erlösung, in: I (1967) 1159-1176.

-, Existential, in: (1967) 1298-1300.

-, Freiheit, in: II (1968) 95-98.

-, Geheimnis, in: II (1968) 189-196.

-, Gnade, in: II (1968) 450-465.

-, Gnade und Freiheit, in: II (1968) 469-475.

-, Heilswille Gottes, allgemeiner, in: II (1968) 656-664.

-, Inkarnation, in: II (1968) 824-840.

-, Jesus Christus, in: II (1968) 920-957.

-, Kirche und Welt, in: II (1968) 1336-1357.

-, Liebe, in: III (1969) 234-252.

-, Philosophie und Theologie, in: III (1969) 1205-1215.

-, Potentia oboedientialis, in: III (1969) 1245-1249.

-, Selbstmitteilung Gottes, in: IV (1969) 521-526.

-, Transzendentaltheologie, in: IV (1969) 986-992.

-, Trinität, in: IV (1969) 1005-1021.

-, Art. Geheimnis, in: HThG II (1963) 74-79.

-, Der dreifaltige Gott als transzendenter Grund der Heilsgeschichte, in: MySal II (1967) 317-397.

-, Grundsätzliche Überlegungen zur Anthropologie und Protologie im Rahmen der Theologie, in: MySal II (1967) 406-420.

Beiträge[3]

-, De termine aliquo in theologia Clementis Alexandrini, in: Gregorianum 18 (1937) 426-431.

-, Laienheiligkeit im christlichen Altertum, in: StdZ 135 (1939) 234-251.

-, Die vielen Messen und das eine Opfer, in: ZkTh 71 (1949) 257-317.

-, Die gegenwärtige Diskussion über den Zölibat (zus. mit K. Lehmann), in: Conc 5 (1969) 222-223.

-, Gnade als Mitte menschlicher Existenz. Ein Gespräch mit und über Karl Rahner aus Anlaß seines 70. Geburtstages, in: HK 28 (1974) 77-92.

-, Für einen Papst der Armen und Unterdrückten dieser Welt: Offener Brief an die deutschen Kardinäle, in: Süddeutsche Zeitung vom 16.8.1978 (34.Jg.) 8.

-, Zukunft der Orden, in: StdZ 197 (1979) 433-434.

-, Nachwort zu: M.Lange/R.Iblacker (Hg.), Christenverfolgung in Südamerika, Freiburg i.Br. 1980, 179-182.

-, Über das kontemplative Leben, in: U. Dobhan/V.E.Schmitt (Hg.), Karmel in Deutschland. Information und Reflexion. Theresia von Avila - 400. Todestag, München 1981, 9-16.

-, Kritik der Kritik an der Kirche, in: Nachrichten der kath. Sozialakademie Österreichs 8 (1982) 7-8.

-, Randbemerkungen zur Armut in den Ordensgemeinschaften, in: Jetzt 14/2 (1982) 15-16.

---

[3] Es sind nur jene angeführt, die nicht in spätere Bücher aufgenommen wurden.

-, Erfahrungen eines katholischen Theologen, in: K.Lehmann (Hg.), Vor dem Geheimnis Gottes den Menschen verstehen, Freiburg - München 1984, 105-119.

-, Im Anspruch Gottes. Bemerkungen zur Logik der existentiellen Erkenntnis in: GuL 59 (1986) 241-247.

3. Johann Baptist Metz

Bücher

Metz Johann Baptist, Christliche Anthropozentrik. Über die Denkform des Thomas von Aquin, München 1962.

-, Armut im Geiste. Vom Geist der Menschwerdung Gottes und der Menschwerdung des Menschen, München 1962.

Metz Johann Baptist *u.a.* (Hg.), Gott in Welt. Festgabe für Karl Rahner zum 60. Geburtstag, Freiburg i.Br. 1964, 2 Bde.

- (Hg.), Weltverständnis im Glauben, Mainz 1965.

Garaudy Roger/*Metz* Johann Baptist/*Rahner* Karl, Der Dialog, oder: Ändert sich das Verhältnis zwischen Katholizismus und Marxismus?, Hamburg 1966.

-, Zur Theologie der Welt, Mainz/München 1968.

-, Reformation und Gegenreformation heute, Mainz/München 1969.

-, Befreiendes Gedächtnis Christi, Mainz 1970.

Metz Johann Baptist/*Moltmann* Jürgen/*Oelmüller* Willi, Kirche im Prozeß der Aufklärung. Aspekte einer neuen »Politischen Theologie«, München/Mainz 1970.

Metz Johann Baptist/*Moltmann* Jürgen, Leidensgeschichte. Zwei Meditationen zu Markus 8,31-38, Freiburg i.Br. 1974.

Kamphaus Franz/*Metz* Johann Baptist/*Zenger* Erich, Gott der Lebenden und der Toten. Drei Ansprachen, Mainz 1976.

Metz Johann Baptist/*Rahner* Karl, Ermutigung zum Gebet, Freiburg i.Br. 1977

-, Glaube in Geschichte und Gesellschaft. Studien zu einer praktischen Fundamentaltheologie, Mainz 1977.

-, Zeit der Orden? Zur Mystik und Politik der Nachfolge, Freiburg i.Br. 1977.

-, Jenseits bürgerlicher Religion. Reden über die Zukunft des Christentums, Mainz/München 1980.

-, Unterbrechungen. Theologisch-politische Perspektiven und Profile, Gütersloh 1981.

-(Hg.), Anfragen an den Marxismus und an das Christentum, München - Zürich 1985 (= Schriften der Katholischen Akademie Freiburg).

- (Hg), Die Theologie der Befreiung: Hoffnung oder Gefahr für die Kirche? Düsseldorf 1986 (= Schriften der Katholischen Akademie in Bayern 122).

Kaufmann Franz Xaver/*Metz* Johann Baptist, Die Zukunftsfähigkeit des Christentums, Freiburg i.Br. 1987.

Metz Johann Baptist/*Rottländer* Peter (Hg.), Lateinamerika und Europa. Dialog der Theologen (Forum Politische Theologie 8), Mainz - München 1988.

-, Heidegger und das Problem der Metaphysik, in: Scholastik 28 (1953) 1-22.

-, Die »Stunde« Christi. Eine geschichtstheologische Erwägung, in: WuW 12 (1957) 5-18.

-, Vergessener - unvergeßlicher Advent, in: Hochland 51 (1958) 97-103.

-, Art. Entscheidung, in: HThG I (1962) 281-288.

-, Art. Freiheit (theologisch), in: HThG I (1962) 403-414.

-, Art. Konkupiszenz, in: HThG I (1962) 843-851.

-, Art. Mitsein, in: LThK 7 (1962) 492f.

-, Caro cardo salutis. Zum christlichen Verständnis des Leibes, in: Hochland 55 (1962) 97-107.

-, Die Antwort der Religionen auf 31 Fragen von Gerhard Szczesny, München 1964, 24-31; 48-50; 67-69; 78-80; 90-92; 98-100; 109-110; 117-118; 125-126; 138-141; 150-151; 159.

-, Art. Seele (systematisch), in LThK^2 9 (1964) 570-573.

-, Art. Subjekt, in: LThK^{2}9 (1964) 1135f.

-, Freiheit als philosophisch-theologisches Grenzproblem, in: J.B. Metz u.a. (Hg.), Gott in Welt I, 287-314.

-, Gott vor uns. Statt eines theologischen Arguments, in: Ernst Bloch zu Ehren, Beiträge zu seinem Werk, hg. v. S. Unseld, Frankfurt 1965, 227-241.

-, Der Unglaube als theologisches Problem, in: Conc 1 (1965) 286-301.

-, Experimenta Spei, in: Diakonia 1 (1966) 186-191.

-, Antwort an R. Garaudy (Nachwort), in: R. Garaudy/J.B. Metz/K. Rahner, Der Dialog 119-138.

-, Art. Apologetik, in: SM I (1967) 266-276.

Fiorenza Francis Peter/*Metz* Johann Baptist, Der Mensch als Einheit von Leib und Seele, in: MySal II (1967) 584-636.

-, Karl Rahner, in: H.J. Schultz (Hg.), Tendenzen der Theologie im 20. Jahrhundert, Berlin 1967, 513-518.

-, Der zukünftige Mensch und der kommende Gott, in: H.J. Schultz (Hg.), Wer ist das eigentlich - Gott?, München 1969, 260-275.

-, Art. Politische Theologie, in: SM III (1969) 1232-1240.

-, Technik - Politik - Religion im Streit um die Zukunft des Menschen, in: Erwartung - Verheißung - Erfüllung, hg. v. W. Heinen/J. Schreiner, Würzburg 1969, 157-183.

-, »Politische Theologie« in der Diskussion, in: H. Peukert (Hg.), Diskussion zur »politischen Theologie«, Mainz/München 1969, 267-301.

-, Kirchliche Autorität im Anspruch der Freiheitsgeschichte, in: J.B. Metz/J. Moltmann/W. Oelmüller, Kirche im Prozeß der Aufklärung. Aspekte einer neuen »politischen Theologie«, München 1970, 53-90.

-, Braucht die Kirche eine neue Reformation? Eine römisch-katholische Antwort, in: Conc 6 (1979) 265-270.

-, Karl Rahner - ein theologisches Leben, in: StdZ 192 (1974) 305-316.

-, Unsere Hoffnung. Die Kraft des Evangeliums zur Gestaltung der Zukunft, in: Conc 11 (1975) 710-720.

-, Ostern als Erfahrung. Kleine Beobachtungen zu neutestamentlichen Texten, in: F. Kamphaus/J.B. Metz/E. Zenger, Gott der Lebenden und der Toten. Drei Ansprachen, Mainz 1976, 19-28.

-, Vergebung der Sünden. Theologische Überlegungen zu einem Abschnitt aus dem Synodendokument »Unsere Hoffnung«, in: StdZ 195 (1977) 119-128.

-, Zeit der Kirche - Zeit der Orden?, in: Friedrich Wulf (Hg.), Mitten unter den Menschen. Spiritualität und Probleme der Priester und Ordensleute (Schriften der Kath. Akademie in Bayern 86), Düsseldorf 1979, 79-95.

-, Ökumene nach Auschwitz. Zum Verhältnis von Christen und Juden in Deutschland, in: Gott nach Auschwitz. Dimensionen des Massenmordes am jüdischen Volk, Freiburg i.Br. 1979, 121-144.

-, Identitätsbildung aus Nachfolge, in: Rolf Zerfaß (Hg.), Mit der Gemeinde predigen. Beispiele - Berichte - Überlegungen, Gütersloh 1982, 13-21.

-, Aufstand der Hoffnung. Eine Rückbesinnung auf das »Hoffnungsdokument« der Gemeinsamen Synode, in: HK 36 (1982) 503-508.

-, Im Angesichte der Juden. Christliche Theologie nach Auschwitz, in: Conc 20 (1984) 382-389.

-, Theologie im Angesicht und vor dem Ende der Moderne, in: Conc 20 (1984) 14-18.

-, Karl Rahner zu vermissen. Zur Erinnerung an den großen Theologen, in: GuL 58 (1985) 83-87.

-, Unterwegs zu einer nachidealistischen Theologie, in: Johannes B. Bauer (Hg.), Entwürfe der Theologie, Graz - Wien - Köln 1985, 209-232.

-, Marxismus als Herausforderung an die Theologie, in: J.B. Metz (Hg.), Anfragen an den Marxismus 53-66.

-, Thesen zum theologischen Ort der Befreiungstheologie, in: J.B. Metz (Hg.), Die Theologie der Befreiung 147-157.

-, Im Aufbruch zu einer kulturell polyzentrischen Weltkirche, in: ZMR 70 (1986) 140-153.

-, Politische Theologie und die Herausforderung des Marxismus. Ein Gespräch des Herausgebers mit J.B. Metz, in: Peter Rottländer (Hg.), Theologie der Befreiung und Marxismus, Fribourg/Münster 1986, 175-186.

4. Theologie der Befreiung

Boff Clodovis, Theologie und Praxis. Die erkenntnistheoretischen Grundlagen der Theologie der Befreiung. Mit einem Vorwort von Hans Waldenfels (Gesellschaft und Theologie: Fundamentaltheologische Studien 7), dt. München - Mainz 1983.

-, Die Befreiung der Armen. Reflexionen zum Grundanliegen der lateinamerikanischen Befreiungstheologie, dt. Freiburg (Schweiz) 1986.

- /*Pixley* Jorge, Die Option für die Armen. Gotteserfahrung und Gerechtigkeit (BThB), dt. Düsseldorf 1987.

Boff Leonardo, Kleine Sakramentenlehre, dt. Düsseldorf 1976.

-, Erfahrung von Gnade. Entwurf einer Gnadenlehre, dt. Düsseldorf 1978.

-, Die Neuentdeckung der Kirche. Basisgemeinden in Lateinamerika, dt. Mainz 1980.

-, Vater Unser. Das Gebet integraler Befreiung, dt. Düsseldorf 1981.

-, Aus dem Tal der Tränen in das Gelobte Land. Der Weg der Kirche mit den Unterdrückten, dt. Düsseldorf 1982.

-, Zärtlichkeit und Kraft. Franz von Assisi mit den Augen der Armen gesehen, dt. Düsseldorf 1983.

-, Das mütterliche Antlitz Gottes. Ein interdisziplinärer Versuch über das Weibliche und seine religiöse Bedeutung, dt. Düsseldorf 1985.

-, Zeugen Gottes in der Welt. Ordensleben heute, dt. Zürich - Einsiedeln - Köln 1985.

-, Kirche: Charisma und Macht. Studien zu einer streitbaren Ekklesiologie, dt. Düsseldorf 1985.

-, Jesus Christus der Befreier, dt. Freiburg i.Br. 1986.

-, Der Dreieinige Gott. Gott der sein Volk befreit (BThB), dt. Düsseldorf 1987.

Boff Leonardo und Clodovis, Wie treibt man Theologie der Befreiung?, dt. Düsseldorf 1987.

Gutiérrez Gustavo, Theologie der Befreiung, Mit einem Vorwort von Johann Baptist Metz (Gesellschaft und Theologie: Systematische Beiträge 11) München - Mainz 1973.

-, Die historische Macht der Armen (Gesellschaft und Theologie: Fundamentaltheologische Studien 11) München - Mainz 1984.

-, Aus der eigenen Quelle trinken. Spiritualität der Befreiung (Fundamentaltheologische Studien 12) München - Mainz 1986.

-, La verdad los hará libres. Confrontaciones (cep 77), Lima 1986.

-, Theologie und Sozialwissenschaften. Eine Ortsbestimmung, in: P. Rottländer (Hg.), Theologie der Befreiung und Marxismus, Münster 1986.

-, Von Gott sprechen in Unrecht und Leid - Ijob, dt. München 1988.

-, Theorie und Erfahrung im Konzept der Theologie der Befreiung, in: J.B. Metz/P. Rottländer (Hg.), Lateinamerika und Europa. Dialog der Theologen, Mainz-München 1988, 49-54.

-, Wenn wir Indianer wären, in: E. Schillebeeckx (Hg.), Mystik und Politik 32-44.

IV. Lexika, Handbücher, Sammelwerke

Barauna Guilherme (Hg.), De Ecclesia. Beiträge zur Konstitution »Über die Kirche« des Zweiten Vatikanischen Konzils, 2 Bde., Freiburg i.Br. 1966.

Bilanz der Theologie im 20. Jahrhundert, hg. von H. Vorgrimler/R.v. der Gucht, Freiburg i.Br. 1970.

Christlicher Glaube in moderner Gesellschaft (=CGG). Enzyklopädische Bibliothek in 30 Teilbänden, hg. von Franz Böckle u.a., Freiburg i.Br. 1981-1982.

Dictionaire de Spiritualité Ascétique et Mystique (=DSAM), begr. von Marcel Viller u.a. Paris 1937-.

Dizionario degli Instituti di Perfezione (=DIP), hg. von G. Pellicia u.a., Roma 1974-.

Gott in Welt. Festgabe für Karl Rahner zum 60. Geburtstag, hg. von J.B. Metz u.a.; Freiburg i.Br. 1964, 2 Bde.

Handbuch theologischer Grundbegriffe, hg. von Heinrich Fries, 2 Bde. München 1962-1963.

Handbuch der christlichen Ethik, hg. von Anselm Hertz u.a., 3 Bde., Freiburg i.Br. 1978-1982.

Handbuch der Fundamentaltheologie, hg. von Walter Kern u.a., 4 Bde., Freiburg i.Br. 1985-1988.

Handbuch der Pastoraltheologie, hg. von Franz X. Arnold u.a., 5 Bde. in 6 Teilen, Freiburg i.Br. 1964-1972.

Historisches Wörterbuch der Philosophie, hg. von Joseph Ritter, Darmstadt 1971-

Klinger Elmar (Hg.), Christentum innerhalb und außerhalb der Kirche (QD 73) Freiburg i.Br. 1976.

- /*Wittstadt* Klaus (Hg.), Glaube im Prozeß. Christsein nach dem II. Vatikanum. Für Karl Rahner zum 80. Geburtstag, Freiburg i.Br. 1984.

Lehmann Karl - *Internationale Theologenkommission*, Theologie der Befreiung, Einsiedeln 1977.

- (Hg.), Vor dem Geheimnis Gottes den Menschen verstehen. Karl Rahner zum 80. Geburtstag, Freiburg i.Br. - München 1984.

Lexikon für Theologie und Kirche 14 Bde., hg. von J. Höfer/K. Rahner, Freiburg i.Br. 1957-1967.

Mysterium Salutis. Grundriß heilsgeschichtlicher Dogmatik, hg. von J. Feiner/M. Löhrer, 5 Bde. in 7 Teilen und Erg.bd., Einsiedeln - Zürich 1965-1981.

Nachfolge als Zeichen. Kommentarbeiträge zum Beschluß der gemeinsamen Synode der Bistümer der BRD über die Orden und andere geistliche Gemeinschaften, hg. von F. Wulf/A. Schulz/C. Bamberg, Würzburg 1978.

Neues Handbuch theologischer Grundbegriffe, hg. von Peter Eicher, 4 Bde., München 1984-1985.

Reallexikon für Antike und Christentum, hg. von Th. Klauser, Stuttgart 1950ff.

Sacramentum mundi. Theologisches Lexikon für die Praxis, hg. von Karl Rahner u.a., 4 Bde., Freiburg i.Br. 1967-1969.

Seibel Wolfgang (Hg.), Daß Gott den Schrei seines Volkes hört. Die Herausforderung der lateinamerikanischen Befreiungstheologie, Freiburg i.Br. 1987.

Schillebeeckx Edward (Hg.), Mystik und Politik. Theologie im Ringen um Geschichte und Gesellschaft. Johann Baptist Metz zu Ehren, Mainz 1988.

Theologische Realenzyklopädie, hg. von Gerhard Krause u.a., Berlin 1976ff.

Wagnis Theologie. Erfahrungen mit der Theologie Karl Rahners. Karl Rahner zum 75. Geburtstag, hg. von H. Vorgrimler, Freiburg i.Br. 1975.

Wulf Friedrich (Hg.), Mitten unter den Menschen (= Schriften der Katholischen Akademie Bayerns 86) Düsseldorf 1979.

V. Sonstige Literatur, Sekundärliteratur

AAVV., Art. Armut, in: TRE 4, 69-129.

AAVV., Art. Castità, in: DIP 2, 644-678.

AAVV., Art. Chastité, in: DSAM II, 707-809.

AAVV., Art. Obbedienza (voto), in: DIP 6, 494-552.

AAVV., Art. Obéissance, in: DSAM XI, 535-563.

AAVV., Art. Pauvreté chrétienne, in: DSAM XII/1, 613-697.

AAVV., Art. Povertà, in: DIP 7, 245-410.

Adorno Theodor Wiesengrund, Gesammelte Schriften Bd. 1-20, hg. von Rolf Tiedemann, Frankfurt a.M. 1972-1986.

-, Minima moralia. Reflexionen aus dem beschädigten Leben, in: Ges. Schriften 7, Frankfurt a.M. 1980.

-, Studies in the Authoritarian Personality, in: Ges. Schriften 9.1, 143-508.

-, Thesen über Tradition, in: Ges. Schriften 10.1, Frankfurt 1977, 310-320.

Albrecht Barbara, Stand und Stände. Eine theologische Untersuchung, Paderborn 1962.

-, Eine Theologie des Katholischen. Einführung in das Werk Adrienne von Speyrs, 2 Bde., Einsiedeln 1972-1973.

Albus Michael, Die Wahrheit ist Liebe. Zur Unterscheidung des Christlichen nach Hans Urs von Balthasar, Freiburg i.Br. 1976.

Almeida Rogerio de, Art. Armut, B. Aus der Sicht der Theologie der Befreiung, in: NHThG 1, 37-61.

Arendt Hanna, Adolph Eichmann in Jerusalem. A Report on the Banality of Evil, New York 1963.

Arens Edmund, »Unsere Hoffnung« - Ein situatives Bekenntnis und seine Konsequenzen, in: E. Schillebeeckx (Hg.), Mystik und Politik 333-344.

Auer Alfons, Umweltethik. Ein Beitrag zur ökologischen Diskussion, Düsseldorf 1984.

Babini Ellero, II rapporto tra filosofia e teologia nel pensiero die Hans Urs von Balthasar (Diss. masch.) Bologna 1977.

Bachl Gottfried, Über den Tod und das Leben danach, Graz - Wien - Köln 1980.

-, Der beneidete Engel. Theologische Prosa, Freiburg i.Br. 1987.

-, Eros und Tod, in: Kunst und Kirche 1987, 90f.

Bakker Leo, Freiheit und Erfahrung. Redaktionsgeschichtliche Untersuchung über die Unterscheidung der Geister bei Ignatius von Loyola, Würzburg 1970.

Bauer Gerhard, Christliche Hoffnung und menschlicher Fortschritt. Die politische Theologie von J.B. Metz als theologische Begründung gesellschaftlicher Verantwortung des Christen, Mainz 1976.

Baumert Norbert, Ehelosigkeit und Ehe im Herrn. Eine Neuinterpretation von 1 Kor 7, Würzburg 1984.

Beaudin M., L'Obéissance de Jésus-Christ comme lieu d'apparition de la verité de Dieu et de la verité de l'homme chez Hans Urs von Balthasar (Diss.) Montréal 1978.

Beilner Wolfgang, Maßstab Evangelium, Graz - Wien - Köln 1987.

Benjamin Walter, Geschichtsphilosphische Thesen, in: Ders., Zur Kritik der Gewalt und andere Aufsätze, Frankfurt a.M. 1965, 78-94.

Berger Klaus, Art. Urgemeinde, in: SM IV, 1120.

Betz Hans D., Nachfolge und Nachahmung Jesu Christi im Neuen Testament (BHTH 37) Tübingen 1967.

Birkner Hans Joachim, Das Verhältnis von Dogmatik und Ethik, in: Anselm Hertz u.a. (Hg.), Handbuch der christlichen Ethik Bd. 1, Freiburg i.Br. - Gütersloh 1978, 281-296.

432

Bleistein Roman/*Klinger* Elmar, Bibliographie Karl Rahner 1924-1969, Freiburg i.Br. 1969, ergänzt durch Roman *Bleistein* für die Jahre 1969-1974.

Bleistein Roman, Mystagogie und Religionspädagogik, in: Wagnis Theologie 5-60.

Bloch Ernst, Das Prinzip Hoffnung, Frankfurt a.M. 1959.

-, Atheismus und Christentum (Ges. Werke 14) Frankfurt a.M. 1968.

-, Geist der Utopie (Ges. Werke 16) Frankfurt a.M. 1976.

Böckmann Aquinata, Die Armut in der innerkirchlichen Diskussion heute. Ein Beitrag zum Neuverständnis der Ordensarmut (Münsterschwarzacher Studien 25) Münsterschwarzach 1973.

Bonhoeffer Dietrich, Widerstand und Ergebung. Briefe und Aufzeichnungen aus der Haft, hg. von Eberhard Bethge, München [2]1970.

-, Gemeinsames Leben. Mit einem Nachwort von Eberhard Bethge, München 1979.

-, Nachfolge. Mit einem Nachwort von Eberhard Bethge, München 1985.

Boninin Eduardo (Hg.), Spiritualität und Befreiung in Lateinamerika, Würzburg 1984.

Bours Johannes/*Kamphaus* Franz, Leidenschaft für Gott. Ehelosigkeit - Armut - Gehorsam, Freiburg i.Br. 1981.

Brachel Hans Ulrich- v./*Mette* Norbert (Hg.), Kommunikation und Solidarität. Beiträge zur Diskussion des handlungstheoretischen Ansatzes von Helmut Peukert in Theologie und Sozialwissenschaften, Freiburg (Schweiz) - Münster 1985.

Büchler Bernward, Die Armut der Armen. Über den ursprünglichen Sinn der mönchischen Armut, München 1980.

Cabada-Castro Manuel, Ort und Bedeutung des philosophischen Gottesbegriffs im Denken Karl Rahners, in: Wagnis Theologie 160-175.

Callahan Annice, Karl Rahners Spirituality of the Pierced Heart. A Reinterpretation of Devotion to the Sacred Heart, Lanhan - New York - London 1985.

Congar Yves, Für eine dienende und arme Kirche, Mainz 1965.

Couto Filipe J., Zur antielitären Tendenz der Theologie Karl Rahners, in: Wagnis Theologie 467-486.

Cussianovich Alejandro, Der geistliche Weg Jesu, in: G. Collet (Hg.), Der Christus der Armen. Das Christuszeugnis der lateinamerikanischen Befreiungstheologen, Freiburg i.Br. 1988, 169-184.

Danet Henriette, Gloire et croix de Jésus-Christ. L'analogie chez Hans Urs von Balthasar comme introduction á sa Christologie, Paris 1987.

Darlap Adolf, Zur Rekonstruktion der Theologiegeschichte des 20. Jahrhunderts, in: ZkTh 107 (1985) 377-384.

Delbrêl Madeleine, Gebet in einem weltlichen Leben, Einsiedeln 1974.

-, Wir Nachbarn der Kommunisten, Einsiedeln 1975.

-, Frei für Gott, Einsiedeln 1976

Demmer Klaus, Sittlich handeln aus Verstehen. Strukturen hermeneutisch orientierter Fundamentalmoral, Düsseldorf 1980.

Derksen Karl, Zeit der Orden-Zeit der Solidarität, in: E. Schillebeeckx (Hg.), Mystik und Politik 245-255.

Dierse Ulrich, Art. Ideologie, in: HWP 4, 158-185.

Dirks Walter, Die Antwort der Mönche. Geschichtsauftrag der Ordensstifter, Olten - Freiburg i.Br. ³1968.

Dreitzel H., Art. Elite, in: HWP 3, 443-445.

Dupont Jacques, Die Kirche und die Armut, in: G. Barauna (Hg.), De Ecclesia 1, 313-345.

Dyrud Iare E., Die heutige Diskussion über den Narzißmus als ein beherrschendes kulturelles Phänomen, in: Conc (dt.) 18 (1982) 428-432.

Edwards Anibal, Sequimiento de Cristo en America Latina. A proposito de »Beber en su proprio pozo« (cep 88), Lima 1987.

Egan Harvey D., »Der Fromme von morgen wird ein Mystiker sein«. Mystik und Theologie Karl Rahners, in: Wagnis Theologie 99-112.

Egger Wilhelm, Nachfolge als Weg zum Leben. Chancen neuerer exegetischer Methoden, dargelegt an Mk 10,17-31 (Österreichische Biblische Studien Bd. 1) Klosterneuburg 1979.

Eicher Peter, Die anthropologische Wende. Karl Rahners philosophischer Weg vom Wesen des Menschen zur personalen Existenz, Freiburg (Schweiz) 1970.

-, Offenbarung. Prinzip neuzeitlicher Theologie, München 1977.

- (Hg.), Theologie der Befreiung im Gespräch, München 1985.

Escobar Pietro, Zeit und Sein Jesu Christi bei Hans Urs von Balthasar. Umriß seiner Christologie (Diss. masch. Inst. Cath.) Paris 1973.

-, Das Universale Concretum Jesu Christi und die »eschatologische Reduktion« bei Hans Urs von Balthasar, in: ZKTh 100 (1978) 560-595.

Espeja Jesús, Espiritualidad y liberacion (cep 78), Lima 1986.

Fabro Cornelio, La svolta antropologica die Karl Rahner, Milano 1974.

Farrugia Edward G., Aussage und Zusage. Zur Indirektheit der Methode Karl Rahners veranschaulicht an seiner Christologie (Analecta Gregoriana 241) Roma 1985.

Fischer Klaus Peter, Der Mensch als Geheimnis. Die Anthropologie Karl Rahners. Mit einem Brief K. Rahners, Freiburg i.Br. 1974.

-, Gotteserfahrung. Mystagogie in der Theologie Karl Rahners und in der Theologie der Befreiung, Mainz 1986.

Fornet-Betancourt Raoul, »Hören auf das Volk« - Theologische Methode oder ideologisches Programm? Überlegungen zur Denkstruktur der lateinamerikanischen Befreiungstheologie, in: Wolfgang Seibel (Hg.), Daß Gott den Schrei seines Volkes hört 69-92.

Foucault Michel, Sexualität und Wahrheit: Bd. 1. Der Wille zum Wissen, dt. Frankfurt a.M. 1976; Bd. 2. Der Gebrauch der Lüste, dt. Frankfurt a.M. 1986.

Fraling Bernhard, Existentialethik im Zeichen der Exerzitieninterpretation, in: Wagnis Theologie 61-81.

-, Wie kann ich das Evangelium leben? Hildesheim 1985.

Frank Karl Suso, Angelikos Bios. Begriffsanalytische und begriffgeschichtliche Untersuchungen zum »engelgleichen Leben« im frühen Mönchtum (= Beiträge zur Geschichte des alten Mönchtums und des Benediktinerordens 26) Münster 1964.

-, Art. Gehorsam, in: RAC 9, 390-430.

- (Hg.), Zum Thema Jungfrauengeburt, Stuttgart 1970.

-, Grundzüge der Geschichte des christlichen Mönchtums (= Grundzüge Bd. 25) Darmstadt 1975.

- (Hg.), Askese und Mönchtum in der alten Kirche (WdW 409) Darmstadt 1975

Freud Sigmund, Zur Einführung in den Narzißmus, in: Ges. Werke X (London 1946) 135-170.

Fromm Erich, Haben oder Sein. Die seelischen Grundlagen einer neuen Gesellschaft, Stuttgart 1976.

Füssel Kuno, Der imaginäre Andere. Ideologiekritische Beobachtungen zur Intersubjektivität, in: H.U. von Brachel/N.Mette (Hg.), Kommunikation und Solidarität, Freiburg (Schweiz)-Münster 1985, 101-116.

-, Art. Theologie der Befreiung, in: NHThG 4, 200-211.

Gadamer Hans Georg, Wahrheit und Methode. Grundzüge einer philosophischen Hermeneutik, Tübingen ⁴1975.

Ganne Pierre, Die Prophetie der Armen, Einsiedeln 1986.

Garcia-Matteo Raoul, Die Methode der Theologie der Befreiung, in: Wolfgang Seibel (Hg.), Daß Gott den Schrei seines Volkes hört 93-108.

Gehring Helmut (Hg.), Die evangelischen Räte in der heutigen Welt (= Veröffentlichungen der Katholischen Akademie der Erzdiözese Freiburg 22) Karlsruhe 1970.

Geht ihm entgegen. Geistliche Lebensregel, hg. von den Jerusalem Gemeinschaften durch Bruder Pierre-Marie, Freiburg 1983.

Godina Victor, De la modernidad a la solidaridad. Seguir a Jesús hoy (cep 65), Lima 1984.

Gollwitzer Helmut, Vortrupp des Lebens, München 1975.

Greinacher Norbert, Die Kirche der Armen. Zur Theologie der Befreiung, München 1980.

Greiner Friedemann, Die Menschlichkeit der Offenbarung. Die transzendentale Grundlegung der Theologie bei K. Rahner im Lichte seiner Christologie, in: ZkTh 100 (1978) 596-619.

Greshake Gisbert/*Lohfink* Gerhard, Naherwartung - Auferstehung - Unsterblichkeit. Untersuchung zur christlichen Eschatologie (QD 71) Freiburg ³1978.

Greshake Gisbert, Priestersein. Zur Theologie und Spiritualität des priesterlichen Dienstes, Freiburg i.Br. 1982.

-, Gottes Heil - Glück des Menschen. Theologische Perspektiven, Freiburg i.Br. 1983.

-, Gottes Willen tun. Gehorsam und geistliche Unterscheidung, Freiburg i.Br. 1984.

-, Evangelische Räte und Weltpriestertum, in: Priesterliche Lebensform. Hg. vom Sekretariat der Deutschen Bischofkonferenz (Arbeitshilfen 36) Bonn 1984, 98-109.

-, Gott in allen Dingen finden. Schöpfung und Gotteserfahrung, Freiburg i.Br. 1986.

Grün Anselm, Erlösung durch das Kreuz. Karl Rahners Beitrag zu einem heutigen Erlösungsverständnis (Münsterschwarzacher Studien 26) Münsterschwarzach 1976.

Gründel Johannes, Art. Consilia Evangelica, in: TRE 8, 192-196.

Häring Bernhard, Das Gesetz Christi III, Freiburg 1961.

-, Art. Evangelische Räte (moraltheologisch), in: LThK 3, 1246-1250.

-, Frei in Christus. Moraltheologie für die Praxis des christlichen Lebens, Freiburg i.Br. 1980.

Halder Alois, Aktion und Kontemplation, in: CGG 8, 71-98.

Halkenhäuser Johannes, Kirche und Kommunität. Ein Beitrag zur Geschichte und zum Auftrag der kommunitären Bewegung in den Kirchen der Reformation (Konfessionskundliche und kontroverstheologische Studien XLII, hg. vom Johann-Adam-Möhler Institut) Paderborn 1978.

Halkes Katharina J.M., Suchen, was verloren ging. Beiträge zur feministischen Theologie, Gütersloh 1985.

Hartmann Michael, Ästhetik als ein Grundbegriff fundamentaler Theologie. Eine Untersuchung zu Hans Urs von Balthasar, St. Ottilien 1985.

Hauser R., Art. Keuschheit, in: HWP 4, 817f.

Heidegger Martin, Sein und Zeit, Tübingen [12]1972.

Heijden Bertram van der, Karl Rahner. Darstellung und Kritik seiner Grundpositionen (Sammlung Horizonte NR 6) Einsiedeln 1973.

Heinrichs Johannes, »Persönliche Beziehung zu Jesus Christus«. Skizze zu einer handlungstheoretischen Christologie, in: ThPh 54 (1979) 50-79.

Heinz Hans Peter, Der Gott des Je-mehr. Der christologische Ansatz Hans Urs von Balthasars, Bern/Frankfurt 1975.

Hemmerle Klaus, Wahrheit und Zeugnis, in: B.Casper/K. Hemmerle/P. Hünermann, Theologie als Wissenschaft. Methodische Zugänge (QD 45) Freiburg i.Br. 1970, 54-72.

- , Theologie als Nachfolge. Bonaventura - ein Weg für heute, Freiburg i.Br. 1975.

Hengel Martin, Nachfolge und Charisma. Eine exegetisch-religionsgeschichtliche Studie zu Mt 8,21f und Jesu Ruf in die Nachfolge, Berlin 1968.

Hertling Ludwig, Die professio der Kleriker und die Entstehung der drei Gelübde, in: ZkTh 56 (1932) 148-174.

Heussi Karl, Der Ursprung des Mönchtums, Tübingen 1936.

Hommes Jakob, Der technische Eros. Das Wesen der materialistischen Geschichtsauffassung, Freiburg 1955.

Höffner Joseph Kardinal, Soziallehre der Kirche oder Theologie der Befreiung?, hg. vom Sekretariat der Deutschen Bischofkonferenz (Der Vorsitzende der Deutschen Bischofskonferenz 11) Bonn 1984.

Hörmann Karl u.a., Gehorsam und Verantwortung. Aspekte der heutigen Autoritäts- und Gehorsamsproblematik, Innsbruck - Wien - München 1978.

Horkheimer Max, Zur Kritik der instrumentellen Vernunft, Frankfurt 1967.

- /*Adorno* Theodor Wiesengrund, Dialektik der Aufklärung. Philosophische Fragmente, Frankfurt a.M. 1969.

Hoye William J., Die Verfinsterung des absoluten Geheimnisses. Eine Kritik der Gotteslehre Karl Rahners, Düsseldorf 1979.

Hünermann Peter/*Fischer* Gerd-Dieter (Hg.), Gott im Aufbruch. Die Provokation der lateinamerikanischen Befreiungstheologie, Freiburg i.Br. 1974.

Husen K.F./*Fuchs* H.-J., Art. Narzißmus, in: HWP 6, 401-406.

Imhof P./*Treziak* H., Bibliographie Karl Rahner 1974-1979 in: Wagnis Theologie 579-597.

Imhof P./*Meuser* E., Bibliographie Karl Rahner 1979-1984, in: E. Klinger/K.Wittstadt (Hg.), Glaube im Prozeß 854-871.

Instituto Historico Centroamericano (Hg.), Sie leben im Herzen des Volkes. Lateinamerikanisches Martyrologium. Aus den Spanischen übersetzt von A.Reiser. Mit einem Vorwort von J.B. Metz und 12 Illustrationen von Maximino Cerezo Barredo, Düsseldorf 1984.

Jedin Hubert, Zur Vorgeschichte der Regularreform Trid. XXV, in: RQ 44 (1936) 231-281.

-, Geschichte des Konzils von Trient I, Freiburg i.Br. 1949.

Jelich Georg, Kirchliches Ordensverständnis im Wandel. Untersuchungen zum Ordensverständnis des Zweiten Vatikanischen Konzils in der dogmatischen Konstitution über die Kirche »Lumen gentium« und im Dekret über die zeitgemäße Erneuerung des Ordenslebens »Perfectae caritatis« (Erfurter theol. Studien 49) Leipzig 1983.

John Ottmar, Die Allmachtsprädikation in einer christlichen Gottesrede nach Auschwitz, in: E. Schillebeeckx (Hg.), Mystik und Politik 202-218.

Jöhri Mauro, Descensus Dei. Teologia della croce nell' opera die Hans Urs von Balthasar (Corona Lateranensis) Roma 1981.

Kaltenbrunner Gerd-Klaus (Hg.), Der asketische Imperativ. Strategien der Selbstbeherrschung, Freiburg i.Br. - München 1985.

Kantzenbach Friedrich Wilhelm, Blinder Gehorsam. Variationen zum Gehorsamsbegriff, in: Zeitschrift für Religions- und Geistesgeschichte 38 (1986) 208-230.

Kasper Walter, Die Theologie der Befreiung aus europäischer Perspektive, in: J.B. Metz (Hg.), Die Theologie der Befreiung: Hoffnung oder Gefahr für die Kirche?, 77-98.

-, Die Geheimnisdimension hebt den Sozialcharakter nicht auf. Zur Geltung des Subsidiaritätsprinzips in der Kirche, in: HK 41 (1987) 232-236.

Kaufmann Ludwig/*Klein* Nikolaus, Ökumene der Märtyrer, in: E. Schillebeeckx (Hg.), Mystik und Politik 383-393.

Kehl Medard, Kirche als Institution. Zur theologischen Begründung des institutionellen Charakters der Kirche in der neueren deutschsprachigen katholischen Ekklesiologie (FTS 22) Frankfurt a.M. 1976.

-, Hans Urs von Balthasar. Ein Porträt, in: Ders./Löser W. (Hg.), In der Fülle des Glaubens. Hans Urs von Balthasar Lesebuch, Freiburg i.Br. 1980.

-, Option für die Armen, marxistische Gesellschaftsanalyse und katholische Dogmatik, in: W. Löser/K. Lehmann/M.L. Bachmann (Hg.), Dogmengeschichte und katholische Theologie, Würzburg 1985, 479-512.

Kerber Walter/*Deissler* Alfons/*Fiedler* Peter, Armut und Reichtum, in: CGG 17, 77-122.

Kerber Walter, Die Geltung des Subsidiaritätsprinzips in der Kirche, in: StdZ 202 (1984) 662-672.

Kern Walter, Kirche im Horizont der Ideologiekritik, in: Ders., Disput um Jesus und um Kirche, Innsbruck 1980, 156-190.

-, Das Kreuz Jesu als Offenbarung Gottes, in: HFTh 2, 197-222.

Kessler Hans, Der Begriff des Handelns Gottes. Überlegungen zu einer unverzichtbaren theologischen Kategorie, in: H.U. v. Brachel/N. Mette (Hg.), Kommunikation und Solidarität 117-130.

-, Reduzierte Erlösung? Zum Erlösungsverständnis der Befreiungstheologie, Freiburg i.Br. 1987.

Kühn Rolf, Prophetische Solidarität in der Alltäglichkeit. Charles de Foucauld und Simone Weil, in: GuL 55 (1982) 12-26.

Legrand Lucien, Jungfräulichkeit nach der Heiligen Schrift, Mainz 1966.

Lehmann Karl, Die dogmatische Denkform als hermeneutisches Problem. Prolegomena zu einer Kritik der dogmatischen Vernunft, in: EvTh 30 (1970) 469-487.

-, Karl Rahner. Ein Porträt, in: K. Lehmann/A. Raffelt (Hg.), Rechenschaft des Glaubens. Karl Rahner Lesebuch, Freiburg i.Br. 1979, 13* - 53*.

-, Karl Rahner und die Kirche, in: K. Lehmann (Hg.), Vor dem Geheimnis Gottes den Menschen verstehen 120-135.

437

Lies Lothar, Ignatius von Loyola. Theologie - Struktur - Dynamik der Exerzitien, Innsbruck 1983.

Lohfink Gerhard, Wie hat Jesus Gemeinde gewollt? Zur gesellschaftlichen Dimension des christlichen Glaubens, Freiburg i.Br. 1982.

Lohfink Norbert, Kirchenträume. Reden gegen den Trend, Freiburg i.Br. 1982.

-, Der Geschmack der Hoffnung. Christsein und christliche Orden, Freiburg i.Br. 1983.

Lochbrunner Manfred, Analogia Caritatis. Darstellung und Deutung der Theologie Hans Urs von Balthasars (FThSt 120) Freiburg i.Br. 1981.

Löser Werner, Im Geiste des Origenes. Hans Urs von Balthasar als Interpret der Kirchenväter (FTS 23) Frankfurt a.M. 1976.

Lohse Bernhard, Mönchtum und Reformation. Luthers Auseinandersetzung mit dem Mönchsideal des Mittelalters, Göttingen 1963.

Maas Wilhelm, Gott und die Hölle. Studien zum Descensus Christi (Sammlung Horizonte Neue Folge 14) Einsiedeln 1979.

-, Schwierigkeiten mit dem Glaubensartikel »Abgestiegen zu der Hölle«, in: H.U. von Balthasar (Hg.), »Hinabgestiegen in das Reich des Todes« 9-24.

Maier Hans, Kritik der politischen Theologie, Einsiedeln 1970.

Mannermaa Tuomo, Lumen fidei et objectum fidei adventicium. Uskontiedon spntaanisuus ja reseptiivsyys Karl Rahner in varhaisessa ajattelussa (Dt. Zus. Die Spontaneität und Rezeptivität im frühen Denken Karl Rahners) Helsinki 1970.

-, Eine falsche Interpretationstradition von Karl Rahners »Hörer des Wortes«?, in: ZkTh 92 (1970) 204-209.

Marchesi Giovanni, La cristologia di Hans Urs von Balthasar. La figura di Gesù Cristo espressione visibile di Dio. Prefazione di Hans Urs von Balthasar (Analecta Gregoriana 207) Roma 1977.

Marcuse Herbert, Der eindimensionale Mensch, Neuwied/Berlin 1970.

Mausbach Joseph, Moraltheologie, Münster ^{5}1927.

Mayr Franz, Art. Symbol II (theologisch), in: LThK^2 9, 1207.

Mennesier A.I., Art. Conseils évangéliques, in: DSAM II, 1592-1609.

Michl J./*Weber* L.M., Art. Jungfräulichkeit, in: LThK^2 5, 1213-1219.

Mitterstieler Elmar, Christlicher Glaube als Bestätigung des Menschen (FTS 18) Frankfurt a.M. 1975.

Moda Aldo, Hans Urs von Balthasar. Un esposizione critica del suo pensiero, Bari 1976.

Moltmann Jürgen, Kirche in der Kraft des Geistes. Ein Beitrag zur messianischen Ekklesiologie, München 1975.

-, Gott in der Schöpfung. Ökologische Schöpfungslehre, München 1985.

-, Die Politik der Nachfolge Christi gegen christliche Millenniumspolitik, in: E. Schillebeeckx (Hg.), Mystik und Politik 19-31.

Moser Tilmann, Gottesvergiftung, Frankfurt a.M. 1976.

Müller Alois, Das Problem von Befehl und Gehorsam im Leben der Kirche. Eine pastoraltheologische Untersuchung, Einsiedeln 1964.

Müller Gerhard Ludwig, Was heißt: Geboren von der Jungfrau Maria? Eine theologische Deutung (QD 119), Freiburg i.Br. 1989.

Nell-Breuning Oswald von, Subsidiarität in der Kirche, in: StdZ 204 (1986) 147-157.

-, Marxismus - zu leicht genommen, in: W. Seibel (Hg.), Daß Gott den Schrei seines Volkes hört 125-131.

Neufeld Karl Heinz, Atheismus und Spiritualität. Zum Zeugnis von Madeleine Delbrêl, in: GuL 44 (1971) 296-305.

- /*Bleistein* Roman (Hg.), Rahner Register, Einsiedeln 1974.

-, Fortschritt durch Umkehr. Zu Karl Rahners bußgeschichtlichen Arbeiten, in: StdZ 192 (1974) 274-281.

-, Unter Brüdern. Zur Frühgeschichte der Theologie K. Rahners aus der Zusammenarbeit mit H. Rahner, in: Wagnis Theologie 341-354.

-, Karl Rahner zu Buße und Beichte. Ein Überblick, in: ZkTh 108 (1986) 55-61.

Neumann Karl, Der Praxisbezug der Theologie bei Karl Rahner (FThSt 118) Freiburg i.Br. 1979.

Nieder L./*Berg* C./*Mayer* S./ *Fischer* G., Art. Gehorsam, in: LThK 4, 601-606.

Nusser K., Art Gehorsam, in: HWP 3, 146-154.

Option für die Armen, Conc. (dt.) 22 (1986), Heft 5.

Ortner Erich, Geist der Liebe - Geist der Kirche. Zum theologischen Grundanliegen Hans Urs von Balthasars mit besonderer Rücksicht auf die Pneumatologie, Linz 1981.

Pannenberg Wolfhart, Ethik und Ekklesiologie, Göttingen 1967.

-, Gottesgedanke und menschliche Freiheit, München 1972.

-, Wissenschaftstheorie und Theologie, Frankfurt a.M. 1974.

Pesch Otto Hermann, Thomas von Aquin. Größe und Grenze mittelalterlicher Theologie, Mainz 1988.

Pesch Rudolf, Gegen eine doppelte Wahrheit. Karl Rahner und die Bibelwissenschaften, in: K.Lehmann (Hg.), Vor dem Geheimnis Gottes den Menschen verstehen 10-36.

Peters Tiemo Rainer, »Eine Religion beweist sich stets selbst.« Zur Aktualität Overbecks und seiner theologiekritischen Anfragen, in: E. Schillebeeckx (Hg.), Mystik und Politik 218-234.

Peukert Helmut (Hg.), Diskussion zur »politischen Theologie«, Mainz 1969.

-, Wissenschaftstheorie - Handlungstheorie - Fundamentale Theologie. Analysen zu Ansatz und Status theologischer Theoriebildung, Düsseldorf 1976.

Philippe P., Les fins de la vie religieuse selon Saint Thomas d'Aquin, Athenes - Rome 1962.

Pollak Gertrud, Der Aufbruch der Säkularinstitute und ihr theologischer Ort. Historisch-systematische Studien, Vallendar Schönstatt 1986.

Popper Karl, Die offene Gesellschaft und ihre Feinde, dt. Bern 1958.

Primetshofer Bruno, Das Ordensrecht, Freiburg ²1988.

Pröpper Thomas, Der Jesus der Philosophen und der Jesus des Glaubens. Ein theologisches Gespräch mit Jaspers - Bloch - Kolakowski - Gardavsky - Machovec - Fromm - Ben-Chorin, Mainz 1976.

-, Erlösungsglaube und Freiheitsgeschichte. Eine Skizze zur Soteriologie, München 1985.

Puchberger Hubert, Klösterliche und weltliche Spiritualität, in: ThpQ 135 (1987), 312-320.

Puntel L.B., Zu den Begriffen »transzendental« und »kategorial« bei Karl Rahner, in: Wagnis Theologie 189-198.

Raffelt Albert, Karl Rahner. Bibliographie zur Sekundärliteratur, in: E. Klinger (Hg.), Christentum innerhalb und außerhalb der Kirche 275-294; ferner in: H. Vorgrimler (Hg.), Wagnis Theologie 598-622; weiter in: E. Klinger/K. Wittstadt (Hg.), Glaube im Prozeß 872-885.

-, Interesse und Selbstlosigkeit, in: CGG 16, 129-160.

Ragaz Leonhard, Das Evangelium und der soziale Kampf der Gegenwart, Basel 1906.

-, Von Marx zu Christus - von Christus zu Marx, Wernigerode 1929.

-, Die Bergpredigt Jesu, Bern 1945

-, Mein Weg. 2 Bde., Zürich 1952

Rahner Hugo, Symbole der Kirche. Die Ekklesiologie der Väter, Salzburg 1964.

-, Ignatius von Loyola als Mensch und Theologe, Freiburg i.Br. 1964.

-, Eucharisticon fraternitatis, in: J.B. Metz u.a. (Hg.), Gott in Welt II, 895-899.

Regli Sigisbert, Das Ordensleben als Zeichen in der Kirche der Gegenwart. Eine pastoraltheologische Untersuchung, Freiburg (Schweiz) 1970.

Riches John (Hg.), The Analogy of Beauty. The Theology of Hans Urs von Balthasar, Edinburgh 1986.

Richter Stephan (Hg.), Das Wagnis der Nachfolge, Paderborn 1964.

Riedlinger Helmut, Die evangelischen Räte als Ausdruck christlicher Hoffnung, in: H. Gehrig (Hg.), Die evangelischen Räte in der heutigen Welt (Veröffentlichungen der Katholischen Akademie der Erzdiözese Freiburg 22) Karlsruhe 1970, 57-65.

Rolfes Helmuth, Ars moriendi-Praxis der Nachfolge in: E. Schillebeeckx (Hg.), Mystik und Politik 235-245.

Rothe K., Art. Herrschaft - Knechtschaft, in: HWP 3, 1088-1096.

Rottländer Peter, Option für die Armen. Erneuerung der Weltkirche und Umbruch der Theologie, in: E. Schillebeeckx (Hg.), Mystik und Politik 72-88.

Ruether Rosemary R., Sexismus und die Rede von Gott. Schritte zu einer anderen Theologie, Gütersloh 1985.

Ruggieri Guiseppe, Kirche und Welt, in: HFTh 3, 260-279.

Ruh Ulrich, Säkularisierung, in: CGG 18, 59-100.

Salmann Elmar, Mönchtum und Philosophie. Eine kleine Theorie des Symbols, in: Ecclesia orans 1987/2, 141-167.

Scannone Juan Carlos, Die Logik des Existentiellen und Geschichtlichen nach Karl Rahner, in: Wagnis Theologie 82-98.

-, Theologie der Befreiung - Charakterisierung, Strömungen, Etappen, in: K.H. Neufeld (Hg.), Probleme und Perspektiven dogmatischer Theologie, Leipzig 1986, 401-439.

Schaeffler Richard, Ideologiekritik als philosophische und theologische Aufgabe, in: ThQ 155 (1975) 97-116.

-, Die Wechselbeziehungen zwischen Philosophie und katholischer Theologie (Die philosophischen Bemühungen des 20. Jahrhunderts) Darmstadt 1980.

-, Wissenschaftstheorie und Theologie, in: CGG 20, 5-83.

-, Kritik und Anerkennung, in: CGG 21, 107-138.

-, Fähigkeit zur Erfahrung. Zur transzendentalen Hermeneutik des Sprechens von Gott (QD 94) Freiburg i.Br. 1982.

-, Das Gebet und das Argument. Zwei Weisen des Sprechens von Gott. Eine Einführung in die Theorie der religiösen Sprache, Düsseldorf 1989 (Beiträge zur Theologie und Religionswissenschaft).

Schellenberger Bernhard, »Mehr als bloß Zweckverbände«, in: F.Wulf u.a. (Hg.), Nachfolge als Zeichen 61-68.

Schelsky Helmut, Soziologie der Sexualität. Über die Beziehungen zwischen Geschlecht, Moral und Gesellschaft, Hamburg 1958.

Schillebeeckx Edward, Erfahrung und Glaube, in: CGG 25, 73-116.

Schlier Heinrich, Der Brief an die Epheser, Düsseldorf 1958.

Schmid Johannes, Im Ausstrahl der Schönheit Gottes. Die Bedeutung der Analogie in »Herrlichkeit« bei Hans Urs von Balthasar (Münsterschwarzacher Studien 35) Münsterschwarzach 1982.

Schmid J./Hardick C., Art. Armut, in: LThK 1, 878-883.

Schmitz Peter, Ist die Schöpfung noch zu retten?, Würzburg 1985.

Schmucker-von Koch Josef F., Vom falschen Leben in Freiheit. Überlegungen zur weltgeschichtlichen Bedeutung der Askese, in: G.K. Kaltenbrunner (Hg.), Der asketische Imperativ 132-147.

Schnackenburg Rudolf Art. Evangelische Räte (biblisch), in: LThK 3, 1240-1246.

-, Vollkommenheit und Nachfolge Jesu (»Evangelische Räte«), in: Christliche Existenz nach dem NT, Bd. 1, München 1967, 147-155.

-, Die sittliche Botschaft des Neuen Testamentes. Bd. 1: Von Jesus zur Urkirche (Herders theol. Kommentar zum NT Supplementband I), völlige Neubearb. von [1]1962, Freiburg i.Br. 1986.

Schneider Michael, »Unterscheidung der Geister«. Die ignatianischen Exerzitien in der Deutung von E. Przywara, K. Rahner und G. Fessard (ITS 11) Innsbruck 1983.

Schneider-Flume Gunda, Narzißmus als theologisches Problem, in: ZThK 82 (1985), 88-110.

Schrijver G. de, Le merveilleux accord de l'homme et de Dieu. Etude de l'analogie de l'être chez Hans Urs von Balthasar, Leuven 1983.

Schürmann Heinz, Der Jüngerkreis Jesu als Zeichen für Israel und als Urbild des kirchlichen Rätestandes, in: Ders., Ursprung und Gestalt. Erörterungen und Besinnungen zum Neuen Testament, Düsseldorf 1970, 45-60.

-, Die Mitte des Lebens finden. Orientierung für geistliche Berufe, Freiburg i.Br. 1979.

-, Im Knechtsdienst Christi. Priesterliche Lebensform, Freiburg i.Br. 1985.

Schulte Raphael, Das Ordensleben als Zeichen, in: G. Barauna (Hg.), De Ecclesia 2, 383-414.

Schultz Hans Joachim (Hg.), Tendenzen der Theologie im 20. Jahrhundert. Eine Geschichte in Portraits, Stuttgart 1966.

Schulz Walter, Der Gott der neuzeitlichen Metaphysik, Pfullingen 1957.

Schupp Franz, Glaube - Kultur - Symbol. Versuch einer kritischen Theorie sakramentaler Praxis, Düsseldorf 1974.

Schutz Frère Roger, La règle de Taizé, Taizé [2]1967. Dt. Übersetzung: Die Regel von Taizé, Freiburg 1974.

Schwager Raimund, Zur Erlösungslehre von Hans Urs von Balthasar, in: ZkTh 108 (1986) 5-44.

Schwerdtfeger Nikolaus, Gnade und Welt. Zum Grundgefüge von Karl Rahners Theorie der »anonymen Christen« (FThSt 123) Freiburg i.Br. 1982.

Sicari Antonio, Die Offenbarung der Evangelischen Räte, in: IKaZ (Communio) 10 (1981) 406-418.

-, Trinität und Gebet, in: H.U. von Balthasar (Hg.), Adrienne von Speyr und ihre kirchliche Sendung 61-73.

Sievernich M., Schuld und Sünde in der Theologie der Gegenwart, Frankfurt a.M. ²1983.

Siewerth Gustav, Der Thomismus als Identitätssystem (¹1939) Frankfurt 1961.

-, Das Schicksal der Metaphysik von Thomas bis Heidegger, Einsiedeln 1951.

-, Metaphysik der Kindheit, Einsiedeln 1957.

-, Das Sein als Gleichnis Gottes, Einsiedeln 1958.

-, Die Abstraktion und das Sein nach der Lehre des Thomas von Aquin, Salzburg 1958.

-, Grundfragen der Metaphysik im Horizont der Seinsdifferenz, Düsseldorf 1963.

Simons Eberhard, Philosophie der Offenbarung in Auseinandersetzung mit »Hörer des Wortes« von Karl Rahner, Stuttgart u.a. 1966.

Snela Bogdan, Das Menschliche im Christlichen. Elementare Strukturen religiöser Zeichen. Eine Rahner Studie, München 1986.

Snijdewind Hadewych, Preis der Gnade, in: E. Schillebeeckx (Hg.), Mystik und Politik 262-267.

Sölle Dorothee, Phantasie und Gehorsam. Überlegungen zu einer zukünftigen christlichen Ethik, Stuttgart 1968.

-, Politische Theologie, Stuttgart 1971.

-, Lieben und arbeiten. Eine Theologie der Schöpfung, Stuttgart 1985.

Speyr Adrienne von, Die Welt des Gebetes, Einsiedeln 1951.

-, Kreuz und Hölle I, Einsiedeln 1966.

-, Kreuz und Hölle II, Einsiedeln 1972.

-, Theologie der Geschlechter, Einsiedeln 1969.

-, Theologie der Schöpfung, Einsiedeln 1972.

Splett Jörg, Art. Symbol, in: SM IV, 784-789.

-, Gehorchen ist menschlich (= PWB Sonderdrucke 8) Freiburg i.Br. 1977, 1-18.

-, Der Mensch als Mann und Frau. Perspektiven christlicher Philosophie, Frankfurt a.M. 1980.

-, Zur Antwort berufen. Not und Chancen christlichen Zeugnisses heute, Frankfurt a.M. 1985.

Sprondel W.M., Art. Askese, in: HWP 1, 538-543.

Stökl Andreas, Taizé. Geschichte und Leben der Brüder von Taizé, Gütersloh 1978.

Strukelj Anton, Zivljeje iz polnosti vere Teologija Krscanskik stanov pri Hans Ursu von Balthasarju, Ljublijana 1981 (deutsche Zusammenfassung: Die Theologie der christlichen Stände bei Hans Urs von Balthasar 322-324).

Strunk Reiner, Nachfolge Christi. Erinnerung an eine evangelische Provokation, München 1981.

Sudbrack Josef, Leben in geistlicher Gemeinschaft. Eine Spiritualität der evangelischen Räte für heute und morgen, Würzburg 1983.

Tillard J.-M.-R., Art. Consigli Evangelici, in: DIP 2, 1630-1685.

Troeltsch Ernst, Die Soziallehren der christlichen Kirchen und Gruppen, Tübingen 1919.

-, Art. Naturrecht, in: RGG[1] (1913) Sp. 699.

Ulrich Ferdinand, Homo abyssus. Das Wagnis der Seinsfrage, Einsiedeln 1961.

-, Zukunft als Gestalt der Freiheit von »Ich und Du«, in: L'avenir de l'homme. Actes de la VIIème Rencontre internationale. Institut international d'études européennes Antonio Rosmini, Bozen 1964, 49-106.

-, Der Mensch als Anfang. Zur philosophischen Anthropologie des Kindes, Einsiedeln 1970.

-, Vom Wesen christlicher Heiligkeit, in: IKaZ (Communio) 1 (1972) 385-409.

-, Gebet als geschöpflicher Grundakt des Menschen, Einsiedeln 1973.

-, Gegenwart der Freiheit, Einsiedeln 1974.

-, Atheismus und Menschwerdung, Einsiedeln 1975.

-, Gott unser Vater, in: IKaZ (Communio) 4 (1975) 29-38.

-, Sprache der Begierde und Zeitgestalten des Idols, in: B. Casper (Hg.), Phänomenologie des Idols, Freiburg i.Br. - München 1981, 133-269.

-, Armut und Reichtum der Freiheit, in: EvTh 46 (1986) 46-72.

Venetz Hermann J./*Vorgrimler* Herbert, Das Lehramt der Kirche und der Schrei der Armen, Fribourg - Münster 1985.

Verweyen Hansjürgen, Ontologische Voraussetzungen des Glaubensaktes, Düsseldorf 1969.

-, Fundamentaltheologie - Hermeneutik - Erste Philosophie, in: ThPh 56 (1981) 358-388.

- (Hg.), Ehe heute - sechs Grundfragen (Theol. Akademie Essen 1) Essen 1981.

-, Aufgaben der Fundamentaltheologie heute, in: TThZ 92 (1983) 204-215.

-, Christologische Brennpunkte, Essen [2]1985.

-, Wie wird ein Existential übernatürlich?, in: TThZ 92 (1986) 115-131.

Vignolo Roberto, H.U. von Balthasar: Estetica e singolarietà, Milano 1982.

Voillaume René, Mitten in der Welt, Freiburg [4]1959.

-, Zeugnis für Christus in Armut, Freiburg 1964.

Vorgrimler Herbert, Karl Rahner: Leben - Denken - Werke, München 1963.

-, Hans Urs von Balthasar, in: Bilanz der Theologie im 20. Jh. Bd. IV 122-142.

- (Hg.), Wagnis Theologie. Erfahrungen mit der Theologie Karl Rahners. Karl Rahner zum 75. Geburtstag, Freiburg i.Br. 1979.

-, Gotteserfahrung im Alltag. Der Beitrag Karl Rahners zu Spiritualität und Mystik, in: K. Lehmann (Hg.), Vor dem Geheimnis Gottes den Menschen verstehen 62-78.

-, Karl Rahner verstehen. Einführung in sein Denken und Leben, Freiburg i.Br. 1985.

-, Solidarische dogmatische Wünsche an die Politische Theologie, in: E. Schillebeeckx (Hg.), Mystik und Politik 185-196.

Walsh Michael J., The Heart of Christ in the Writings of K. Rahner. An Investigation of its christological Foundation as an Example of the Relationship between theology and spirituality (Analecta Gregoriana 209) Roma 1977.

Walther Christian, Art. Gehorsam, in: TRE 12, 148-159.

Weber L.M., Art. Keuschheit, in: LThK 6, 133-136.

Weger Karl Heinz, Karl Rahner. Eine Einführung in sein theologisches Denken, Freiburg i.Br. 1978.

-, Ich glaube, weil ich bete. Für Karl Rahner zum 80. Geburtstag, in: GuL 57 (1984) 48-52.

Weismayer Josef, Leben in Fülle. Zur Geschichte und Theologie christlicher Spiritualität, Innsbruck 1983.

Weizsäcker Carl Friedrich von, Der Garten des Menschlichen. Beiträge zur geschichtlichen Anthropologie, München - Wien 1977.

-, Deutlichkeit. Beiträge zu politischen und religiösen Gegenwartsfragen, München 1978.

Welte Bernhard, Auf der Spur des Ewigen, Freiburg i.Br. 1965.

-, Ideologie und Religion, in: CGG 21, 97-116.

Wiedenhofer Siegfried, Politische Theologie, Stuttgart u.a. 1976.

Winckelmann J., Art. Herrschaft, in: HWP 3, 1084-1088.

Wong Joseph H.P, Logos-Symbol in the Christology of Karl Rahner. Foreword by Karl Rahner SJ, Las-Roma 1984.

Wulf Friedrich, Dogmatische Konstitution über die Kirche. Kommentar zu Kap. 5 und 6, in: LThK 12, 284-313.

-, Dekret über die zeitgemäße Erneuerung des Ordenslebens. Einleitung und Kommentar, in: LThK 13, 249-307.

-, Die Orden, gefragt und nicht gefragt. Zu zwei unterschiedlichen Stimmen, in: GuL 50 (1977) 295-307.

Zasche Gregor, Der Preis der Nachfolge, in: Wagnis Theologie 387-392.

Zulehner Paul M., Leibhaftig glauben. Lebenskultur nach dem Evangelium, Freiburg i.Br. 1983.

Personenverzeichnis

449

DATE DUE
